Claus, Carl

Die frei lebenden Copepoden mit besonderer Berücksichtigung der Fauna Deutschlands

Der Nordsee und des Mittelmeeres

Claus, Carl

Die frei lebenden Copepoden mit besonderer Berücksichtigung der Fauna Deutschlands

Der Nordsee und des Mittelmeeres

Inktank publishing, 2018

www.inktank-publishing.com

ISBN/EAN: 9783747784419

which is marked with an invisible watermark.

DIE

FREI LEBENDEN COPEPODEN

MIT BESONDERER BERÜCKSICHTIGUNG

DER

FAUNA DEUTSCHLANDS, DER NORDSEE UND DES MITTELMEERES.

VON

DR. C. CLAUS,

ORDENTLICHEM PROFESSOR DER ZOOLOGIE UND DIRECTOR DES ZOOLOGISCHEN MUSEUMS
AN DER UNIVERSITÄT MARBURG.

Ληπτέον δὲ πρῶτον τὰ μέρη τῶν ζώων ἐξ ὧν συνέστηκεν. Κατὰ γὰρ ταῦτα μάλιστα καὶ πρῶτα διαφέρει καὶ τὰ ὅλα, ἢ τῷ τὰ μὲν ἔχειν τὰ δὲ μὴ ἔχειν, ἢ τῇ θέσει καὶ τῇ τάξει, ἢ καὶ κατὰ τὰς εἰρημένας πρότερον διαφοράς, εἴδει καὶ ὑπεροχῇ καὶ ἀναλογίᾳ καὶ τῶν παθημάτων ἐναντιότητι.

Aristoteles hist. anim. 1. 6, 491 a. 14.

MIT 37 TAFELN.

LEIPZIG,

VERLAG VON WILHELM ENGELMANN.

1863.

SEINEM

HOCHVEREHRTEN LEHRER UND FREUNDE

R. LEUCKART

ALS EIN ZEICHEN INNIGER DANKBARKEIT

GEWIDMET

VOM VERFASSER.

Vorwort.

Die vorliegende Arbeit, in welcher ich meine schon vor Jahren begonnenen Untersuchungen über die frei lebenden *Copepoden* in übersichtlichem Zusammenhange veröffentliche, stützt sich auf ein ziemlich umfassendes Material theils von Formen, welche in den süssen Gewässern des mittleren Deutschlands leben, theils von marinen Arten aus der Nordsee und dem Mittelmeere. Ein mehrwöchentlicher Besuch Helgolands (im August des Jahres 1860), sowie ein längerer Aufenthalt in Messina (vom October bis December 1861) und in Neapel (Januar 1862) gab mir Gelegenheit, die kleinen marinen Cruster dieser Gruppe in grosser Anzahl lebend zu beobachten und ein beträchtliches Material zu gewinnen, zu welchem zahlreiche in Glycerin conservirte mikroskopische Präparate von Helgoland und Nizza, welche ich zum Theil der Güte des Herrn Professor Leuckart verdanke, eine erwünschte Ergänzung darboten. Ich bin mir indessen wohl bewusst, dass meine Arbeit, von einem Abschlusse weit entfernt, nicht einmal einen solchen Grad der Vollkommenheit erreicht hat, wie man ihn bei den heutigen Mitteln und Methoden mikroskopischer Forschung zu erwarten berechtigt ist. Zur Entschuldigung erlaube ich mir auf die Schwierigkeiten hinzuweisen, welche sich schon aus dem Mangel einer sichern und ausreichenden Grundlage zur Bestimmung ergeben mussten. Ich hatte unter solchen Umständen zunächst meine Aufmerksamkeit auf eine möglichst detaillirte Untersuchung der äussern Körpertheile und aller mehr in die Augen fallenden Merkmale zu richten, welche vorzugsweise die Beurtheilung der systematischen Stellung erleichtern, um erst die Grundlage einer schärferen Bestimmung zu schaffen. Erst nachher konnte die feinere Structur und Entwicklung in zweiter Linie in Betracht gezogen werden. Daher wird namentlich für die Histologie und Entwicklungsgeschichte ein weites Feld späterer Beobachtung zurückgelassen sein. Aber auch der systematische Theil blieb unvollständig und lückenhaft, weil sich das Beobachtungsmaterial selbst nur auf einen kleinen Bruchtheil der überhaupt vorhandenen Lebensformen beschränkt. Ich war nicht selten gezwungen, die Charaktere der Art nur dem männlichen oder weiblichen Thiere zu entlehnen, zuweilen gar die Gattungsmerkmale aus einer einzigen bekannt gewordenen Species abzuleiten, demnach specifische und generische Charaktere aus einer einzigen vorliegenden Art zu sondern. Dazu kam die Schwierigkeit, die bereits von DANA, LUBBOCK etc. beschriebenen Formen wiederzuerkennen und die auf Differenzen des Alters und Geschlechtes gegründeten Species jener Autoren zu beseitigen. In einzelnen Fällen schien es mir im Interesse einer möglichst vereinfachten Nomenclatur wünschenswerth, bereits eingeführte Namen von Gattungen, welche auf ganz unzureichende Charaktere hin aufgestellt im Sinne der Autoren ausfallen müssen, für neue sichere Gattungen zu verwenden. Endlich lag ein Hinderniss in der Unzulänglichkeit der mir zu Gebote stehenden Literatur. Vor Allem bedauere ich, auf die Einsicht der Arbeiten KRÖYER's haben Verzicht leisten zu müssen. Einen grossen Theil der mir zur Benutzung möglich gemachten Aufsätze und Werke verdanke ich den Herren Professoren R. LEUCKART und KÖLLIKER, von denen mir letzterer während meines Aufenthaltes in Würzburg die reichen Schätze seiner Bibliothek in der liberalsten Weise und zum freiesten Gebrauche eröffnete.

Ich darf mich vielleicht an diesem Orte über eine Frage aussprechen, zu welcher ein jeder Forscher, der mit einem umfangreichen Materiale irgend einer Gruppe von Organismen bekannt geworden ist, nothwendig hingedrängt wird, ich meine die Frage über das Verhältniss der Varietäten, Arten und Gattungen zu einander. Die Anregung, welche dieselbe neuerdings durch DARWIN's bewunderungswürdiges Werk über die Entstehung der Arten erhalten hat, wirkt nach allen Richtungen hin zu mächtig auf die gesammte Naturanschauung ein, als dass sie nicht von einer möglichst grossen Zahl von Forschern durchdacht, geprüft und besprochen werden sollte. Ich will indess hier nur ein allgemeines Bekenntniss ablegen, das ich um so weniger zurückhalten darf, als ohne dasselbe die Art und Weise, wie ich mir den Dimorphismus der Schmarotzerkrebse entstanden denke, sowie mein Versuch der morphologischen Zurückführung der Crustaceengruppen missdeutet werden könnte. Ueber Abweichungen und Varietäten, sowie über die Einwirkung oder Nichteinwirkung veränderter klimatischer Bedingungen auf die Charaktere der Art, ferner über die Abgrenzung der Arten als Lebensformen mit Complexen solcher Abweichungen, endlich über das Verhältniss der Gattung und Art enthalten die im speciellen Theile gegebenen Detailbeschreibungen einige Beobachtungen, die ich vorläufig nicht weiter zu bestimmten Schlüssen combinirt habe. Sicherlich wird unter allen Forschern, mögen sie als Anhänger oder Gegner Darwin's auftreten, darüber keine Meinungsverschiedenheit bestehen können, dass trotz der geschickten und geistvollen Benutzung einer grossen Sammlung von Thatsachen die Entstehung der Arten aus einander von Darwin nicht bewiesen ist und schwerlich überhaupt anders als auf weiten Umwegen auch nur wahrscheinlich gemacht werden kann. Denn die sichern und unzweideutigen Erfahrungen über Variabilität beschränken sich auf die verhältnissmässig verschwindend kleine Zeit menschlicher Beobachtung, während Darwin's Lehre erst in der Verwendung sehr bedeutender Zeiträume Grund und Boden gewinnt. Daher erscheint es vor der Hand ebenso ungereimt, hingerissen und begeistert von der Darstellung des berühmten Forschers die Genealogie des Natursystemes für erwiesen zu halten, als Darwin's Lehre etwa einen geistreichen Traum zu nennen. Wohl aber dürften seit dem Erscheinen des Darwin'schen Buches gar manche Funde gemacht worden sein, z. B. mit der Entdeckung der Pfahlbauten und deren Fauna, welche im Sinne jener in gewissen Grenzen aufgefassten Lehre vortrefflich gedeutet werden könnten. Die letzten und extremen Consequenzen, zu denen sich Darwin leiten lässt, brauchen überdies um so weniger gezogen zu werden, als wir mit ihnen einer Erklärung der Schöpfungsvorgänge keineswegs näher rücken; der Angelpunkt, um den sich Alles dreht, heisst: Varietät, beginnende Art und genealogischer Zusammenhang zunächst der engeren Gruppen des Systemes. Die Gegengründe, welche übrigens von Darwin's diametralen Gegnern zum Theil in unverkennbarer Erbitterung und in eingefleischtem Vorurtheil vorgebracht worden sind, um die Theorie als untreu in ihren Thatsachen, unwissenschaftlich in ihrer Methode und verworren in ihrer Tendenz darzustellen, werden einer besonnenen und logischen Betrachtung gegenüber wohl im Stande sein, eine Summe von Einzelnheiten in der grossartigen Combination Darwin's zurückzuweisen, sicherlich aber nicht im Entferntesten die ganze Art der Verknüpfung umstürzen können. Von einem Coryphäen freilich, der, wie Agassiz, aus der Unmöglichkeit, die Welt der Erscheinungen ausreichend zu erklären, aus dem gegenseitigen und zweckmässigen Abhängigkeitsverhältniss von Thieren und Pflanzen, aus den verwickelten Wechselbeziehungen zwischen Parasiten und Wohnthieren zu einem Schlusse gelangt, welcher das Princip einer mechanischen und natürlichen Auffassung der Dinge und mit ihm die Berechtigung der Naturforschung in Frage stellt, werden wir keine unbefangene und vorurtheilsfreie Würdigung der Darwin'schen Lehre erwarten dürfen. Eine solche Naturbetrachtung führt offenbar zu einem idealistischen Mysticismus, dem die gesammte Verwandtschaftslehre der Organismen nichts anderes als die Realisirung der Ideen Gottes, oder als die continuirliche Entfaltung prophetischer Typen erscheint und ein unverstandenes Wunder bleibt. »DARWIN versucht die Morphologie«, wie sich ein jüngerer Forscher eben so schön als treffend ausdrückt, »aus einem einheitlichen, grossartigen Gesichtspunkte zu erklären, an die Stelle des unbegreiflichen Wunders das begreifliche Naturgesetz zu bringen.« Mit DARWIN's Lehre, und hierin liegt ihre grosse Bedeutung, tritt die gesammte Morphologie in ein neues Licht; das massenhafte, überall auf Genealogie hinweisende Detail wird uns mit einemmale in seinem einheitlichen Zusammenhange verständlich.

Marburg, den 27. Juni 1863.

Der Verfasser.

Inhalt.

I. Allgemeiner Theil.

1. Begrenzung und Begriffsbestimmung der Copepoden im System.

Der dänische Naturforscher O. F. Müller[1]) führte am Ende des vergangenen Jahrhunderts den Namen »*Entomostraken*« in die Wissenschaft ein, um mit demselben die kleinen Wasserthiere aus der Linné'schen Classe der Insecten zu bezeichnen, welche seither in der Gattung »*Monoculus*« zusammengefasst wurden. Die Eigenthümlichkeit der äusseren Körperbedeckung, welche den Schalen der *Mollusken* ähnlich, bald (*Cypris*, *Daphnia*) vollständig die Form eines zweiklappigen Gehäuses wiederholt, bald (*Nauplius*, *Amymone*, *Argulus*) an die Schalenbildung der *Patellen* erinnert, schien unserem Forscher für das Wesen dieser kleinen flügellosen Wasserinsecten von so grosser Bedeutung, dass er sie geradezu »*Entomostraca* (*seu insecta testacea*)« nannte. Er entlehnte somit die systematische Bezeichnung der Gruppe einem Charakter, welcher allerdings der äusseren Erscheinung etwas Auffallendes und Besonderes mittheilt, aber nach einer eingehenderen Bekanntschaft mit dem Organismus selbst nur einen sehr untergeordneten Werth behält. Es lag in der Natur der Sache, dass eine Reihe von Formen wegen der Analogie ihres gesammten Baues in diese Gruppe aufgenommen werden mussten, welche des in der Bezeichnung ausgesprochenen Charakters vollständig entbehren, und schon Müller sagte von der Körperbedeckung seiner Gattungen *Cyclops* und *Polyphemus* aus, dass sie mehr krustenartig erhärtet als eine wirkliche Schale sei (»*Tegmen Cyclopis et Polyphemi crustaceum potius quam testaceum dicendum*«).

Als später die Trennung der Crustaceen von den Insecten, auf welche schon einige Decennien früher Brisson[2]) hingewiesen hatte, durch Latreille und Cuvier zur Anerkennung gebracht wurde, nahm man die *Entomostraken* Müller's als eine Abtheilung der ersteren auf. Latreille[3]) stellte sie einer zweiten Hauptabtheilung gegenüber, für welche er den schon von Aristoteles eingeführten Namen »*Malacostraca*« wieder aufnahm.

Mit dem Fortschritt in der Kenntniss der Organisation und in der Sonderung der Gattungen und Arten mussten auch die natürlichen Gruppen der *Entomostraken* schärfer und bestimmter hervortreten. Schon O. F. Müller hatte nach der Augenzahl und Panzerbildung seine Gattungen

1) O. F. Müller, Entomostraca seu insecta testacea, quae in aquis Daniae et Norvegiae reperit etc. 1785.
2) Brisson, Le regne animal divisé en 9 classes. 1756.
3) Latreille, Histoire nat. gen. et part. des Crustacés 1802. Ferner Genera crustaceorum et insectorum 1806.

gruppirt, die *monoculi* von den *binoculi* gesondert und beide wiederum nach der Schalenbildung folgendermaassen eingetheilt:

1. **Monoculi.**	2. **Binoculi.**
a) *Univalves* (*Nauplius, Amymone*),	a) *Univalves* (*Argulus, Caligus, Limulus*),
b) *Bivalves* (*Cypris, Cythere, Daphnia*),	b) *Bivalves* (*Lynceus*).
c) *Crustacei* (*Cyclops, Polyphemus*).	

LATREILLE modificirte natürlich im Zusammenhang mit der Erweiterung der Detailkenntnisse auch die systematische Gruppirung und führte als Unterabtheilungen der *Entomostraken* die Begriffe der *Phyllopoden, Ostracoden* und *Xiphosuren* ein, die bis auf den heutigen Tag ihre Geltung bewahrt haben. In der späteren Umgestaltung seines Systems[1]) legte er das besondere Gewicht auf den Bau der Mundwerkzeuge und stellte als *Branchiopoda* (ein schon früher von SCHÄFFER für die *monoculi* mit Kiemenfüssen gebrauchtes Wort) die *Entomostraken* mit kauenden Mundtheilen, als *Poecilopoda* die parasitischen Formen mit Saugwerkzeugen zusammen. Während er in der letzteren die bereits genannten *Xiphosuren* und die Schmarotzerkrebse als *Siphonostomen* unterschied, theilte er die *Branchiopoden* in zwar unnatürlicher, aber lange Zeit maassgebender Weise in *Lophyropoden* und *Phyllopoden* ein, von denen die erstere Gruppe die *Ostracoden, Cladoceren* (*Daphnia*) und *Carcinoiden* (*Cyclops*) umfasste. Sein System war in folgender Uebersicht enthalten:

1. **Branchiopoda.**	2. **Poecilopoda.**
a) *Lophyropoda.*	a) *Xiphosura.*
Carcinoidea.	b) *Siphonostoma.*
Ostracoda.	
Cladocera.	
b) *Phyllopoda.*	

Nach LATREILLE müssen wir vor Allem MILNE-EDWARDS[2]) als den Forscher nennen, welchem das Gebiet der Crustaceen die grössten Bereicherungen und Fortschritte zu verdanken hat. Im Anschluss an die Principien seines Vorgängers erkannte auch er in dem Bau der Mundtheile den wichtigsten Eintheilungsgrund, dem er sogar die Gegensätze unterordnete, welche LATREILLE zu der Unterscheidung von *Malacostraken* und *Entomostraken* bestimmt hatten. Indem er aber den Charakter der Mundtheile einseitig an die Spitze des gesammten Crustaceensystems stellte und die Krebse in *Maxillés, Suceurs* und *Xiphosures* eintheilte, schuf er ein künstliches System. Zu den Crustaceen mit kauenden Mundtheilen stellte er die vorweltlichen *Trilobiten*, die *Malacostraken*, deren Begriff seit LATREILLE nur im Gegensatze zu den *Entomostraken* eine systematische Bedeutung hatte, ferner die *Branchiopoden* mit den *Cladoceren* und *Phyllopoden*, endlich die *Entomostraceen* mit den *Carcinoideen* oder *Copepoden*, wie er sie nannte, und den *Ostracoden*. M. EDWARDS modificirte also auch den Begriff der *Branchiopoden* LATREILLE's, indem er die *Ostracoden* und *Copepoden* aus ihnen entfernte. Die *Suceurs* schlossen die *Siphonostomen* im Sinne LATREILLE's, die *Lerneoden*, deren Natur als Schmarotzerkrebse inzwischen durch v. NORDMANN entdeckt war und die *Pygnogoniden* ein, wäh-

1) CUVIER, Règne animal etc.
2) MILNE-EDWARDS, Histoire naturelle des Crustacés. 1834—1840.

rend die Stellung der *Xiphosuren* durch die Bildung ihrer zum Kauen und zur Locomotion dienenden Gliedmaassen begründet wurde.

Das künstliche Crustaceensystem von M. Edwards ist in allgemeinster Uebersicht folgendes:

1. **Maxillés.**	2. **Suceurs.**	3. **Xiphosures.**
Trilobites.	*Siphonostoma.*	
Malacostraca.	*Lerneoda.*	
Branchiopoda.	*Pygnogonida.*	
a) *Cladocera.*		
b) *Phyllopoda.*		
Entomostracea.		
a) *Copepoda.*		
b) *Ostracoda.*		

Milne-Edwards gebrauchte also den Begriff der *Entomostraceen* in einem ganz anderen, viel beschränkteren Sinne als seine Vorgänger, reducirt auf die Müller'schen Typen *Cyclops, Cythere, Cypris.* Nachdem auch die *Cirripedien* durch Thompson's[1] Entdeckung der jüngsten Larvenformen als Crustaceen, als Verwandte der *Lerneoden* und *Copepoden* erkannt waren, erhielten wir noch von Dana[2], ein neues modificirtes System, in welchem der ursprüngliche Umfang (Latr.) des Entomostrakenbegriffes wiederhergestellt, aber das Princip der künstlichen, auf einseitige Charaktere begründeten Zerfällung seine Spitze erreichte. Seine gekünstelte Eintheilung, im Allgemeinen auf unwesentlichen Modificationen des Latreille'schen Systems beruhend, ist folgende:

1. **Gnathostomata.**	2. **Cormostomata.**	3. **Merostomata.**
a) *Lophyropoda.*	a) *Poecilopoda.*	
Cyclopoidea.	*Ergasiloidea.*	
Daphnoidea.	*Caligoidea.*	
Cyproidea.	b) *Arachnopoda.*	
b) *Phyllopoda.*		
Artemoidea.		
Apodoidea.		
Limnadioidea.		

Den Ausgangspunkt zu einem natürlichen Crustaceensystem erkenne ich in einem Aufsatze Zenker's[3]), welcher die einseitige Gruppirung nach der Bildung der Mundtheile aufgab und natürliche Abtheilungen nach der gesammten Verwandtschaft zusammenstellte. Was für unsere Aufgabe vornehmlich eine Berücksichtigung verdient, ist die Auflösung der Milne-Edwards'schen *Entomostraceen* in ihre beiden entfernt stehenden Glieder, die *Copepoden* oder *Cyclopiden* einerseits und die

1) Vor Thompson beobachtete schon Slabber Cirripedienlarven, ohne sie freilich als solche zu erkennen. Wie ich schon in meinem Aufsatze zur Anatomie und Entwickelung d.Cycl. (Archiv für Naturg. 1858) hervorgehoben, ist Slabber's Armiger oder Waffen tragender Seewasserfloh eine Cirripedienlarve.

2) Dana, The Crustacea of the United States Exploring Expedit. etc. (1838—42). 1852, 53.

3) Das System der Crustaceen. Archiv für Naturg. 1854.

Ostracoden andererseits. Mit den ersteren vereinigte ZENKER ihre nächsten Verwandten die *Siphonostomen* und *Lernaeoden* zu einer gemeinsamen Gruppe, für welche er die Bezeichnung »*Entomostraken*« gebrauchte. Allerdings können wir die Verwendung der letzteren keineswegs eine glückliche nennen, denn nun wurde vollends der MÜLLER'sche Name ausschliesslich für diejenigen Formen gebraucht, welche gerade des im Ausdruck liegenden Charakters der beschalten Körperbedeckung entbehren, für die Typen von *Cyclops* und Verwandte. Andererseits war auch schon der Name von den Vorgängern in einem so verschiedenen Sinne gebraucht worden, dass eine abermalige Veränderung seines Begriffes die Gefahr der Verwirrung nur vergrössern musste. Ich trage daher kein Bedenken, die Bezeichnung »*Entomostraken*« zur Bestimmung eines systematischen Begriffes ganz fallen zu lassen, und nur noch im ursprünglichen MÜLLER'schen Sinne dann anzuwenden, wenn es sich um Besprechung allgemeiner Eigenschaften und Analogien im Gegensatze zu den *Malacostraken* handelt. Wollten wir die *Xiphosuren, Ostracoden, Branchiopoden, Cirripedien* und *Copepoden* im Sinne LATREILLE's zu einer Gruppe allgemeinen Ranges als *Entomostraca* zusammenstellen, so müssten wir doch den einzelnen Gliedern gemeinsame positive Charaktere besitzen, wie wir sie für die *Malacostraca* in der gesammten Organisation und im Baue, im Numerus der Leibesringe und Gliedmaassen (mit Ausschluss der *Trilobiten*) in der That kennen. Da wir aber nur Merkmale negativer Art für eine solche Abtheilung verwerthen können, geben wir sie als systematische Einheit vollständig auf. Unter solchen Umständen werden wir am natürlichsten folgende Crustaceen-Gruppen als gleichwerthige Ordnungen unterscheiden:

1. *Thoracostraca* (*Decapoda, Schizopoda, Cumacea, Stomatopoda*),
2. *Arthrostraca* (*Amphipoda, Laemodipoda, Isopoda*),
3. *Trilobites*,
4. *Xiphosura*,
5. *Branchiopoda* (*Phyllopoda, Cladocera*),
6. *Ostracoda*,
7. *Copepoda*,
8. *Cirripedia*.

Während die beiden ersten Gruppen durch den gemeinsamen Numerus in der Leibesgliederung und den Segmentanhängen in einem engeren Verbande stehen, haben wir auch für die vier letzten Ordnungen eine nähere Verwandtschaft noch ausführlicher zu entwickeln. Für die ZENKER'schen *Entomostraca*, also die *Cyclopida, Siphonostoma* und *Lernaeoda* wähle ich die Bezeichnung *Copepoda*, weil alle durch die gleiche Larvenform innig verbunden den Charakter der Ruderfüsse gemeinsam haben. Die *Copepoden* sind durch den Besitz zweiästiger Ruderfüsse charakterisirt, deren Bau mit der Conformation des Leibes, mit der Art der Bewegung und Ernährung, mit der gesammten Lebensweise so innig verknüpft ist, dass wir diese Körpertheile mit Recht als Gesammtausdruck des engeren Typus betrachten und ihre Eigenthümlichkeit zur Bezeichnung der Ordnung verwerthen können. Wie bei den *Cirripedien* die Form und Function der Rankenfüsse mit dem Körperbau, der Befestigung an fremden Objecten, der inneren Organisation und dem Hermaphroditismus im Causalzusammenhange erscheint, wie die blattförmigen Füsse der *Phyllopoden* die Art der Bewegung und Nahrungsaufnahme, die Leibesform und Schalenbildung involvirt, so lassen sich auch innerhalb der Formenreihe der *Copepoden* wichtige Eigenthümlichkeiten der Lebensweise und des Baues auf die Gestalt und die Leistung der zweiästigen Ruderfüsse zurückführen. Die Bewegungsorgane erscheinen auch hier wie überall als Hauptfactoren in der complicirten Formel der thierischen Maschine.

Sollen wir in einem kurzen Ausdruck die Hauptmerkmale der *Copepoden* zusammenfassen, so werden wir unter ihnen langgestreckte, garneelartige Entomostraken von cylindrischer Körperform verstehn, die einer zweiklappigen Schale entbehren und in mehr oder minder deutliche Segmente und Leibesregionen gegliedert erscheinen. Sie besitzen zwei Paare von Antennen, von denen die zweiten häufig Klammerorgane werden, drei Paare von Mundesgliedmaassen, zum Kauen oder zum Saugen und Stechen eingerichtet und fünf Paare von Ruderfüssen, durch deren gleichzeitige Ruderschläge sie in Sprüngen umherschwimmen. Die Weibchen werden durch Spermatophoren befruchtet und tragen die abgesetzten Eier in Säckchen mit sich bis zum Ausschlüpfen der Jungen, die als Larven mit drei Gliedmaassenpaaren aus den Eihüllen hervorbrechen.

Man wird es schwerlich der vorausgeschickten Definition zum Vorwurf machen können, dass sie nicht auf alle hierher gehörigen Geschöpfe in gleichem Maasse anwendbar ist. In der That giebt es Formen genug, die sich von dem gegebenen Gesammtbilde weit entfernen, die eine kuglige, eine sackförmige, selbst ungegliederte Leibesgestalt besitzen, an welchen die Antennen und Mundtheile unvollständig oder verkümmert sind, ja die Schwimmfüsse vollständig fehlen, deren Eier sich im Innern des mütterlichen Körpers entwickeln und deren Larven lebendig geboren werden. Allein alle und selbst die grössten Abweichungen haben nicht nur die gemeinsamen Larvenzustände, durch die sie ja auch den *Cirripedien* und *Phyllopoden* nahe stehen, sondern lassen sich sowohl durch die allmählichen Uebergangsstufen ihrer freien regressiven Entwicklung, als auch durch die mehr oder minder continuirlichen Zwischenformen, welche ihre nächsten Verwandten im ausgebildeten Zustande repräsentiren, auf das allgemeine Gesammtbild zurückführen. Dass es *Lernaeoden* giebt, welche die Leibesgliederung verloren haben und nur zwei Schwimmfusspaare besitzen, oder derselben im ausgebildeten Zustande vollkommen entbehren, wird kein Grund sein können, die vorausgeschickte Definition, in der wir nur den Typus bezeichnen wollten, zu widerlegen.

Man wird nicht mit Unrecht die bewunderungswürdigen Abweichungen, welche uns die morphologische Entwicklung der Körperform und der Gliedmaassen in dieser Gruppe vorführt, den Formverschiedenheiten vergleichen können, welche innerhalb einer sehr variabeln Species unter dem Einfluss der Cultur und des Klima's im Laufe der Zeit hervortreten. Wie sich letztere an die veränderten Bedingungen der Ernährung eng anschliessen und das Vermögen der Species beweisen, unter sehr verschiedenen Verhältnissen des Lebens auszuharren, so sehen wir auch hier auf dem Formgebiete unserer Crustaceengruppe bei mannichfachen Differenzen des morphologischen Baues einen weiten Spielraum für die Art der Ernährung und der Lebensbedürfnisse sich entwickeln. Viele *Copepoden* ernähren sich ausschliesslich freischwimmend und selbstständig; sie leben in Pfützen, Bächen, Teichen und in der See meist von kleineren Thieren, *Infusorien, Rotiferen* und *Turbellarien* oder auch von Theilen abgestorbener organischer Körper, von einem Detritus thierischer und pflanzlicher Substanzen, den sie durch Schwingungen der Maxillarplatten herbeistrudeln; andere verlieren die Selbstständigkeit des Nahrungserwerbes bald auf späteren, bald auf früheren Entwicklungsstadien und sind Schmarotzer auf der Haut von Weichthieren oder an Fischen.

Wohl in keiner anderen Thiergruppe entfalten sich die Formen des parasitischen Lebens so reichhaltig, in so zahlreichen Modificationen und Uebergangsstufen, als in der unsrigen; eine grosse

Reihe von Zwischengliedern verbindet die freie selbstständige Ernährung mit dem ausgeprägten stationären Parasitismus, auf welchem durch das Herabsinken der Organisation und des morphologischen Baues der engere Typus bis zur Unkenntlichkeit verwischt wird. Gar viele marine Formen aus den Familien der *Calaniden* und *Corycaeiden* scheinen die Körperräume glasheller Seethiere aufzusuchen und an diesen geschützten Plätzen von den angestrengten Bewegungen der freien Locomotion auszuruhen, sie treten in die Schwimmglocken der *Diphyiden* und kleinen *Medusen*, in die Kiemenhöhle der *Salpen* und Verwandten ein und finden, wenn auch nur für kurze Zeit, Schutz und Wohnung bei lebenden Geschöpfen. Wir dürfen in der Bedeutung fremder Organismen für das Leben unserer kleinen Krebse nur einen Schritt weiter gehn, um zu eigenthümlichen Formenreihen zu gelangen, welche sehr wesentliche Abweichungen der Organisation und Brutpflege erhalten. Die *Notodelphyiden* nehmen dauernd von den Räumen, welche die Kiemenhöhle der *Ascidien* bietet, Besitz und leben nicht nur unter dem Schutze dieser Wohnthiere, sondern auch auf Kosten des von jenen erworbenen Ernährungsmaterials. Die *Notodelphyiden* stimmen in dem Besitz kauender Mundtheile mit den *Calaniden* überein, zeigen auch die vollzählige Segmentirung und den ausgeprägten Copepodentypus, aber eine tiefere Organisationsstufe. Sie entbehren des Herzens, besitzen Antennen mit Klammerhaken und zeichnen sich vor Allem durch die Erweiterung der hinteren Thoracalsegmente zu einem umfangreichen Brutraume aus. Als ächte Parasiten können wir, wie auch THORELL[1]) mit Recht bemerkt, die *Notodelphyiden* nicht wohl ansehn, weil sie nicht auch von den Körpertheilen ihrer Wirthe, sondern ähnlich dem in *Pinna* und *Mytilus* sich aufhaltenden *Pinnoteres* von den einströmenden fremden Stoffen leben, sie ernähren sich gleichsam als Hospitanten, indem sie Kost und Wohnung bei einem Wirthe finden, den sie je nach der Stufe des zurückgebliebenen Locomotionsvermögens öfter oder seltener verlassen.

Gehen wir von Neuem einen Schritt weiter, so werden wir zu der Familie der *Ergasiliden* geführt, von denen die Arten der Gattung *Lichomolgus Thor.* in *Ascidien* angetroffen werden und wahrscheinlich von der Körpersubstanz ihrer Wirthe selbst leben. Der Bildung ihrer Mundtheile nach, die sich zu gedrungen stiletförmigen Spitzen und Haken ausziehn, setzen diese Copepoden unmittelbar die Reihe der *Corycaeiden* fort, welche, wie auch einige Gattungen der *Calaniden*, z. B. *Candace*, *Hemicalanus*, zu stechen und die aus der Wunde austretenden Flüssigkeiten aufzunehmen scheinen. Nahe verwandte Gattungen halten sich an den Kiemen von Weichthieren — *Sepicola Cls* — oder von Fischen — *Ergasilus* und *Bomolochus v. Nordm.* — auf und leben entschieden als ächte Schmarotzer, welche sich von der Substanz ihrer lebendigen Wirthe selbst nähren. In ihnen treten uns Parasiten entgegen von leichtem, vollzählig segmentirtem Körperbau, welche sich an den Typus der freilebenden Formen anschliessen und das Vermögen der freien Locomotion in hohem Grade bewahren. Es bedarf nur noch der Umbildung des Mundaufsatzes zu einem kürzeren oder längeren Rüssel, um in den *Ascomyzontiden* einen vollständigen Stech- und Saugapparat zu finden, der diese meist vollzählig gegliederten, zum Theil *Cyclops*-ähnlichen Formen vollends in die Reihe der *Siphonostomen* überführt. Mit den *Ascomyzontiden* beginnt der morphologische Rückschritt, welcher die Schmarotzerkrebse continuirlich durch eine Reihe von Zwischen-

1) THORELL, Beitrag zur Kenntniss von Crustaceen, welche in Arten der Gattung Ascidia leben (a. d. Översigt af Kgl. Vet. Förhandlingar 1859, übersetzt von KREPLIN in GIEBEL u. HEINTZ, Zeitschrift für die gesammten Naturwissenschaften. 1860 p. 124.

gliedern hindurch den jüngeren Larvenstadien näher führt. Der Körper wird breit und schildförmig, das Abdomen unvollzählig gegliedert, die hinteren Antennen bilden sich zu immer kräftigeren Klammerorganen um. Durch die Gattungen *Ascomyzon*, *Asterocheres*, *Artotrogus* und *Dyspontius* gelangen wir zu den *Caligiden* und *Arguliden*, welche noch immer ein ausgebildetes Locomotionsvermögen besitzen und als temporäre Parasiten ihren Aufenthaltsort wechseln und vertauschen können. Tiefer greift der Parasitismus in die noch übrig bleibenden Familien der Schmarotzerkrebse ein, der Einfluss günstiger Ernährungsbedingungen setzt die Nothwendigkeit der Ortsveränderung herab, erhöht im weiblichen Geschlechte das Productionsvermögen und gestaltet die Körperform selbst in der Weise um, dass die Fähigkeit der Locomotion in verschiedenen Stufen [1]) herabsinkt und die Organe der Bewegung bis zum völligen Schwunde verkümmern. Der gesammte Körper füllt sich prall mit Geschlechtsstoffen, wird plump, unförmig, unsymmetrisch, er verliert die Gliederung und hiermit die Verschiebungsfähigkeit seiner Segmente; das schlanke, biegsame Abdomen, welches bei den freien Schwimmern die Locomotion wesentlich unterstützt, reducirt sich mehr und mehr bis zu einem kurzen, ungegliederten Stummel; die Ruderfüsse verkümmern oder verschwinden bald in einzelnen Paaren bald vollständig, mit ihrem Verluste fällt ein wichtiger Copepodencharakter hinweg, und der Eindruck solcher Parasiten wird ein so fremdartiger, dass es begreiflich wird, wie man eine dieser abnormen Familien, die *Lernaeen*, zu den Eingeweidewürmern oder gar zu den Weichthieren stellen konnte. Aber auch in die Gestaltung des männlichen Geschlechtes greift der Parasitismus, wenngleich in einer anderen Weise, mächtig ein. Je mehr das weibliche Geschlechtsthier hinter dem Typus und der Gliederung der frei schwimmenden *Copepoden* zurückbleibt, je vollständiger in ihm die angedeuteten Abweichungen der Gestalt und Organisation ihren Ausdruck finden, um so weiter entfernen sich beide Geschlechter morphologisch von einander, indem beim Männchen der Einfluss veränderter Lebensbedingungen auf die Organisation und Form zu ganz anderen Resultaten führt. Hier scheint eine günstigere und reichere Ernährung keineswegs so leicht das Bedürfniss der Locomotion und die Ausbildung der Bewegungsorgane herabzusetzen, denn dem Männchen bleibt nach wie vor die Aufgabe activer Geschlechtsthätigkeiten, vor Allem das Weibchen zur Begattung aufzusuchen. Aber selbst bei einer reducirten und schwerfälligen Ortsbewegung des Männchens führt der Parasitismus nie zu jenem unförmigen unsymmetrischen Wachsthum des Leibes, wie wir es bei so zahlreichen Lernaeodenweibchen beobachten, denn die Quantität der zu producirenden Zeugungsstoffe, die für das Geschlechtsleben und den Nutzen des Weibchens maassgebend ist und mit der unförmigen, plumpen Leibesform zusammenhängt, tritt für die Aufgaben und Thätigkeiten des Männchens ganz in den Hintergrund; eine sehr geringe Menge von Sperma reicht ja schon zur Befruchtung sehr bedeutender Quantitäten von Eimaterial aus. In diesem Zusammenhange führt die extreme Stufe des Parasitismus im männlichen Geschlechte im Falle einer beschränkten Locomotionsfähigkeit keineswegs zu einer abenteuerlichen, unsymmetrischen Gestalt, wohl aber zu einer anderen auffallenden Eigenthümlichkeit, welche den so häufig missverstandenen Dimorphismus des Geschlechts bedingt. In dieser Erscheinung war man gar oft geneigt, ein überraschendes und neckendes Spiel der Natur zu finden, es liegt in ihr aber eine tiefere Bedeutung zum Haushalte der Kräfte, eine nothwendige Anpassung der Form an die Leistung.

1) Vergl. CLAUS, Zur Morphologie der Copepoden. Würzburger naturw. Zeitschrift 1860.

Die Zwerggestalt der Lernaeenmännchen wird durch Uebergänge vermittelt. So sehen wir die Männchen von *Achtheres* relativ nur wenig hinter den Weibchen zurückstehen; dieselben haben auch noch die Fähigkeit[1], sich vom weiblichen Körper zu entfernen, neue Weibchen aufzusuchen und zu befruchten. Die ächten Zwergmännchen aber, z. B. die von *Chondracanthus*, *Lernaeopoda*, *Anchorella* etc., die man fast regelmässig an jedem fruchtbaren Weibchen in der Nähe der Geschlechtsöffnung festgeklammert antrifft, besitzen zwar eine freie, aber sehr schwerfällige Locomotion und sind auf die Befruchtung eines einzigen Weibchens oder gar nur desselben Geschlechtsapparates beschränkt. Je frühzeitiger diese Geschöpfe die geringe Menge Zeugungsstoff bereiten, welche für die Bedürfnisse ihrer Weibchen ausreicht, um so rascher können sie Nachkommen zeugen, um so günstiger gestalten sich also die Bedingungen der Arterhaltung. Die Bereitung einer beträchtlichen Menge von Sperma, die eine bedeutendere Körpergrösse voraussetzte, würde als eine nutzlose Verschwendung von Material und Zeit im Leben der Art erscheinen, und müsste schon durch den Regulator der natürlichen Züchtung eine allmähliche Beseitigung erhalten. Jeder wird den zweckmässigen und nothwendigen Zusammenhang zwischen Form und Leistung als Thatsache anerkennen müssen, mag er über ihre Begründung stillschweigend hinausgehen oder sie mit Darwin in Betreff der Generation durch die natürliche Züchtung zu erklären versuchen. Die Art und Weise, wie Agassiz[2]) über die Wechselbeziehungen des Naturlebens urtheilt, verdient vom Standpunkte der Naturforschung keine eingehende Berücksichtigung.

Dem Versuche, den Inhalt unserer Gruppe näher zu gliedern, stellen sich bei der Mannichfaltigkeit der Formen, dem Reichthum der morphologischen Gegensätze und den Abweichungen in der Lebensweise nicht geringe Schwierigkeiten entgegen. Wie werden wir den Beziehungen der freischwimmenden Copepoden zu den parasitischen im System einen naturgemässen Ausdruck geben? Zenker unterschied in seiner Gruppe der »*Entomostraca*« 1) *Siphonostoma*, 2) *Lernaeoda*, 3) *Copepoda*. Seitdem wir in der jüngsten Zeit mit zahlreichen Uebergangsformen der Siphonostomen und Copepoden nicht nur bezüglich des gesammten Baues, sondern auch der Lebensweise bekannt geworden sind und andererseits eingesehen haben, dass auch die *Lernaeoden* dem Baue ihrer Mundtheile nach *Siphonostomen* sind (vergleiche meine Aufsätze in d. Würzburg. nat. Zeitschrift 1860 u. 1861) erscheint die Zenker'sche Zusammenstellung unhaltbar. Bei dem Stande der jetzigen Erfahrungen ist es am natürlichsten, zwei Reihen von Formen gegenüber zu stellen, deren Grenzen freilich undeutlich und verwischt sind. Auf der einen Seite fasse ich als *Copepoda carcinoidea* alle Formen mit ausgeprägtem Copepodentypus zusammen, sowohl die freilebenden als auch die gelegentlich schmarotzenden Formen, wenn sie bei einer vollständigen Erhaltung der Leibesgliederung und der Ruderfüsse an ihren Mundesgliedmaassen mit seltenen Ausnahmen alle wesentlichen Theile der Kauwerkzeuge erkennen lassen. Zu der zweiten Reihe, *Copepoda parasitica*, stelle

1) Ich schliesse dies nicht nur aus ihrem Baue, der in v. Nordmann's Arbeit dargestellt ist, sondern daraus, dass ich eine grosse Anzahl befruchteter Weibchen stets ohne die Männchen antraf.

2) Agassiz denkt sich die Wechselbeziehung zwischen dem Schmarotzer und seinem Wohnsitze durch eine vorauserkennende höhere Weisheit regulirt. Da also die Bedingungen zu mannichfach und complicirt sind, um mit Hülfe der gegenwärtigen Mittel in ihrem natürlichen Zusammenhang erkannt zu werden, nimmt ein Mann von so umfassender Bedeutung, der zu den hervorragendsten Naturforschern gezählt werden darf, seine Zuflucht zu einer Umschreibung, welche die Principien der Naturforschung negirt. Agassiz, Essay on Classification 1859.

ich die Schmarotzerkrebse im engeren Sinne des Wortes zusammen, welche sich niemals selbstständig, sondern nur von den Säften anderer Geschöpfe ernähren können, aber auch in ihrer Körperform in einem grösseren oder geringeren Grade von dem Gesammtbilde des Typus abweichen und stechende Mundtheile mit oder ohne Saugrüssel besitzen[1]. In dem vorliegenden Werke haben wir es ausschliesslich mit der ersteren Formenreihe zu thun.

---

2. Der äussere Körperbau.

Wir haben von der Gestalt der *Copepoden* oben hervorgehoben, dass sie im Allgemeinen eine langgestreckte cylindrische sei und der flügelförmigen Anhänge entbehre, welche bei den *Phyllopoden* und *Ostracoden* wie zweiklappige Schalen den Körper mehr oder minder vollständig umschliessen. Indess treten, eng verknüpft mit den Eigenthümlichkeiten der Lebensweise, eine grosse Zahl von Modificationen auf. Genau cylindrisch ist der Leib, mit Ausnahme des hinteren verschmälerten Abschnittes, wohl niemals, sondern an dem vorderen Theile, an dem sich die Gliedmaassen anheften, in der Weise verändert, dass die Rückenfläche gewölbt, die Bauchfläche flach erscheint. Häufig tritt auch eine seitliche Compression hinzu, welche freilich nie eine so grosse Ausbildung erlangt, wie in der Gruppe der *Phyllopoden* z. B. in der Gattung *Limnadia*, sondern im äussersten Falle in der Gattung *Amymone* wohl kaum die seitliche Compression von *Lynceus* übertrifft. Dagegen prägt sich die dorsoventrale plattgedrückte Scheibenform in einem viel höheren Grade als bei den *Phyllopoden* aus, wie ein Vergleich der *Saphirinen* und *Peltidien* mit den *Apus*-Arten deutlich macht. Wenn es auch niemals zur Bildung zweiklappiger Schalen kommt, so fehlt doch keineswegs das morphologische Aequivalent dieser Hautduplicaturen vollständig. Wir bemerken vielmehr an den Seiten des vorderen Körperabschnittes grössere oder geringere umgeschlagene Randsäume der Körperbedeckung, welche den Phyllopodenschalen durchaus homolog sind, aber die Segmentirung der vorderen Leibesregion wiederholen. Anstatt der beiden dorsalen Flügel oder Schalen haben wir zwei Reihen seitlicher Segmentfortsätze. Vor Allem aber ist die Leibesgliederung im Gegensatze zum äusseren Körperbau der *Phyllopoden* viel schärfer und vollständiger ausgeprägt, sodass wir stets eine grössere oder geringere Anzahl von Ringen und Segmenten unterscheiden. Am schärfsten sondert sich der hintere verschmälerte Körpertheil in regelmässige Ringe, die gewöhnlich der seitlichen Duplicaturen entbehren und an der Bauchfläche keine Gliedmaassen tragen, an dem

---

1) Schon in meinem Aufsatze »Das Genus Cyclops und seine einheimischen Arten« (Archiv f. Naturg. 1857) habe ich die oben gegebene Eintheilung gemacht, allerdings die Abgrenzung beider Formenreihen in einer etwas abweichenden und unzweckmässigen Weise begründet. Damals legte ich auf die Fähigkeit der Parasiten, im ausgebildeten Zustande den Standort zu wechseln, einen zu grossen Werth und wollte unter den *Parasita* nur diejenigen Schmarotzer begreifen, welche im ausgebildeten Zustande angeheftet bleiben und nicht mehr umherschwimmen können.

THORELL's (Bidrag till Kännedomen om Krustaceer etc. K. Vet. Akad. Handl. 1859) Eintheilung der Copepoden in *Gnathostoma*, *Poecilostoma*, *Siphonostoma* gründet sich auf die Bildung der Mundwerkzeuge, die in der ersten Abtheilung zum Kauen, in den beiden anderen zum Stechen und Saugen eingerichtet sind. Ohne das Princip dieser Eintheilung, welche wesentlich der freien und parasitischen Lebensweise parallel läuft, zu verwerfen, macht sie die Ausführung der Gruppenbildung schwieriger, indem die drei Formen der Mundwerkzeuge zahlreiche Uebergänge bieten. Sie trennt sehr nahe Verwandte und bildet, streng durchgeführt, ein einseitiges, unnatürliches System. Uebrigens beruht der für die *Poecilostomen* angegebene Charakter: »Os mandibulis et siphone carens maxillarum paribus 3—1 (—0) instructum« auf einem Irrthume, indem die Mandibeln sehr wohl erhalten sind.

weit umfangreicheren Vorderleib dagegen, dem Hauptträger der animalen und vegetativen Organe, zeigen sich nur die 4—5 hintern Ringe als bewegliche Segmente geschieden, während die vorderen zu einem gemeinsamen halbeiförmigen Abschnitte verschmolzen bleiben.

Wenn wir mit gutem Grunde an der von den älteren Entomologen eingeführten Unterscheidung von Leibesregionen festhalten, deren Ursprung aus der Vergleichung der Gliederthiere mit den Wirbelthieren abzuleiten ist, so werden wir wie in allen anderen Abtheilungen der *Arthropoden* auch in unserer Ordnung die drei Regionen des Kopfes, der Brust (*thorax*) und des Hinterleibes (*abdomen*) abzugrenzen suchen, ohne diese Abschnitte vorläufig den gleichnamigen Regionen anderer Gliederthiere als homologe an die Seite zu stellen. Unter Kopf verstehen wir am Körper der *Copepoden* die vordere Region, welche die Antennen und Mundtheile trägt, und das Gehirn, die Sinnesorgane und einen Theil des Magens, sowie häufig die vorderen Partien des Geschlechtsapparates in sich einschliesst. Unter Thorax begreifen wir den mittleren Leibesabschnitt mit den locomotiven Extremitäten, den Ruderfüssen und den hauptsächlichen vegetativen Organen. In den meisten Fällen verschmelzen beide Regionen zu einem Kopfbruststück oder Cephalothorax, indem ihre Einschnürung oder Abgrenzung hinwegfällt, dann aber ist es immer nur das vordere Segment des Thorax, welches mit dem Kopf eine innige Verbindung eingeht, die nachfolgenden Ringe bleiben frei und können mit dem Kopfbruststück unter der Bezeichnung »Vorderleib« zusammengefasst werden. Den hinteren verschmälerten Leibesabschnitt, welcher den Enddarm und den Endtheil des Geschlechtsapparates enthält und der Segmentanhänge entbehrt, nennen wir Abdomen.

Wie die Gliederzahl und der Numerus der Segmentanhänge bei den *Malacostraken* trotz der zahlreichen Variationen der Form in allen Untergruppen so gut als unveränderlich bleibt, so finden wir auch bei den *Copepoden* eine constante Zahl von Segmenten und Gliedmaassen zu der Bildung der bezeichneten Körperregionen verwendet. Für jeden der drei Abschnitte herrscht der Numerus 5 vor. Wir haben fünf Kopfsegmente, die durch zwei Antennenpaare, ein Paar Mandibeln, ein Paar Maxillen und durch die vier Maxillarfüsse, ihrer Entwicklung nach die Aeste eines einzigen Gliedmaassenpaares, bezeichnet werden. Die fünf Ringe des Thorax, in einzelnen Fällen vollständig isolirt, tragen die fünf Paare von Ruderfüssen, von denen das erste in Form und Function den Maxillarfüssen sich nähern kann, das letzte zu Geschlechtszwecken Umgestaltungen erleidet und oft bis zu einem Rudimente verkümmert. In den häufigsten Fällen weist auch das Abdomen fünf deutliche Segmente auf, deren letztes zwei cylindrische, mit Borsten besetzte Anhänge, die *furca*, trägt. Das erste Segment ist der Genitalring mit den Geschlechtsöffnungen, über denen häufig mit Borsten besetzte Fortsätze entspringen, welche die rudimentären Füsse des fünften Brustringes zu wiederholen scheinen. Sie sind die Andeutungen eines sechsten Fusspaares. Indess kann die Zahl der Abdominalsegmente in Folge von unterbliebenen Abschnürungen in verschiedenen Stufen reducirt, im äussersten Falle auf ein einfaches Segment beschränkt sein. Was in der Reihe der parasitischen Formen Gesetz und Regel ist, die Verkümmerung und Reduction des Abdomens, das sehen wir auch schon bei den freien Schwimmern durch zahlreiche Uebergänge vorbereitet. Aber auch der Cephalothorax erleidet trotz der constanten Zahl von Leibesringen und Gliedmaassen in der speciellen Form der Gliederung eine Menge von Abweichungen. DANA[1]), dem sich neuerdings auch STEEN-

1) The Crustacea of the United States' Exploring Expedition during the years 1838, 1839, 1840, 1841 and 1842 Under the command of CHARLES WILKES. Philadelphia 1853.

STRUP[1]) und LÜTKEN angeschlossen haben, nahm irrthümlich eine höhere Zahl von Leibesringen an, indem er ein Augensegment hinzurechnet und die vier Maxillarfüsse auf zwei Segmente zurückführt. Ich kann indess nicht einsehn, was die unpaaren oder paarigen Augen in unserer Gruppe mit einem Leibessegment zu thun haben, denn wir haben niemals paarige, bewegliche Augenstiele, die etwa als Analoga von Gliedmaassen angesehn werden könnten, andererseits variiren die Augen ihrer Lage nach ganz ausserordentlich, sie können von der Stirn an bis in die Gegend der Maxillarfüsse herabrücken, sie sind ferner in doppelter Zahl vorhanden, indem das mediane unpaare gar oft durch zwei laterale zusammengesetzte Augen ergänzt wird. Uebrigens scheint mir selbst bei den Malacostraken, Insecten und Spinnen die Auffassung der Augen[2]) als Theile des ersten Kopfsegmentes unhaltbar. Für die beiden Paare der Maxillarfüsse aber werden wir durch die Art der Entwicklung den Beweis liefern, dass sie Theile eines einzigen Extremitätenpaares sind, also nur einem einzigen Segmente angehören. Die mannichfachen Modificationen in der Gliederung des Cephalothorax, auf die wir oben hingewiesen haben, sind schon grossentheils von DANA beobachtet, aber keineswegs immer in der richtigen Weise erklärt worden. Wir können die Mängel, an welchen die Auffassung des Copepodenbaues in dem Werke des berühmten Forschers leidet, im Wesentlichen auf zwei Fehlerquellen zurückführen, von denen die erste aus der mangelhaften Kenntniss von den Umformungen des fünften Thoracalsegmentes, die zweite aus dem Mangel einer genauen Einsicht in das Verhältniss der Maxillarfüsse entsprang. So kam es, dass DANA das fünfte Thoracalsegment bei *Cyclops, Harpacticus, Setella* und Verwandten überhaupt in den Fällen, in welchen das fünfte Fusspaar verkümmert ist, als das erste Abdominalsegment ausgab, bei *Euchaeta, Calanus, Pontella* dagegen, wie überall da, wo dasselbe in seiner Form und in der Bildung seines Gliedmaassenpaares mehr mit dem vorhergehenden Segmente übereinstimmt, zum Cephalothorax rechnete, dass er ferner z. B. am Cephalothorax einen Abschnitt unterschied, an welchem die hinteren Maxillarfüsse (DANA's *I Feet*) und ersten Schwimmfüsse (DANA's *II Feet*) entspringen sollten, einen Abschnitt, dem in Wirklichkeit auch die vorderen Maxillarfüsse (DANA's *Maxillipeds*) angehören. Jedenfalls aber stand DANA unter allen Forschern unseres Gebietes bei Weitem die genaueste und detaillirteste Kenntniss von der Morphologie der Segmente und Gliedmaassen zu Gebote.

Zum Verständniss der Modificationen, welche die Gliederung des Kopfbruststückes in den verschiedenen Gattungen bietet, gehen wir von dem Baue der *Cyclopiden* aus, deren Segmentirung als die bei Weitem verbreitetste und normale angesehen werden kann. Bei diesen (Taf. X. Fig. 1), wie auch in den Gattungen *Harpacticus, Zaus, Cetochilus* etc. besteht der Vorderleib aus fünf Abtheilungen: auf einem grossen halbeiförmigen Abschnitt, dem Cephalothorax, welcher den Kopf und das mit ihm verschmolzene erste Thoracalsegment umfasst, folgen vier schmale gürtelförmige Abschnitte, die vier freien Thoracalringe. Nur in wenigen Fällen finden wir eine geringere Anzahl von Abschnitten am Kopfbruststück, wenn das letzte oder fünfte Thoracalsegment mit dem vierten verschmilzt, wie z. B. *Euchaeta, Undina* (Taf. XXXI. Fig. 7) etc. Dann ist das fünfte Fusspaar verkümmert oder fällt auch ganz aus, z. B. *Euchaeta* ♀. Eine sehr abweichende Form der Verschmelzung zeigt die Gattung *Porcellidium*, in welcher die drei mittleren Thoracalringe zu zwei

1) Bidrag til Kundskab om det aabne Havs Snyltekrebs og Lernaeer etc. of JAP. STEENSTRUP og FRED. LÜTKEN. Kjøbenhavn 1861.

2) Vergl. meinen Aufsatz: »Zur Kenntniss der Malakostrakenlarven« Würzburger naturw. Zeitschr. 1861.

Abschnitten verbunden sind, während der fünfte getrennt bleibt. Erhöht kann die Zahl der Abtheilungen des Kopfbruststückes auf verschiedene Weise werden, zunächst dadurch, dass der erste Thoracalring als separates Segment sich vom Kopfe abhebt, z. B. *Saphirina*, *Diaptomus*. Indem aber bei getrennter Kopf- und Brustregion die Verschmelzung der letzten beiden Thoracalringe eintritt, sinkt die Anzahl der Abtheilungen wieder auf fünf herab, z. B. *Temora* (Taf. XXXIV. Fig. 2), *Dias*. Dann kann sich aber auch noch der Kopf bei gleichzeitiger Verschmelzung mit der Brust, wenn auch nur undeutlich, in zwei oder gar in drei Theile absetzen, von denen dem vorderen die beiden Antennen, dem hinteren die Maxillarfüsse und ersten Füsse des Thorax angehören, z. B. *Pontellinen* (Taf. XXXVII. Fig. 1 und 8), sodass wir im günstigsten Falle sieben Abtheilungen am Kopfbruststücke unterscheiden.

Vorderleib	viergliedrig a	viergliedrig b	fünfgliedrig a	fünfgliedrig b	sechsgliedrig	sechsgliedrig	siebengliedrig
I. Erstes Antennensegment							
II. Zweites ,,							
III. Mandibularsegment							
IV. Maxillarsegment							
V. Kieferfusssegment							
VI. Erstes Fusssegment							
VII. Zweites ,,							
VIII. Drittes ,,							
IX. Viertes ,,							
X. Fünftes ,,							
	Undina	Porcellidium	Cyclops	Dias	Saphirina	Pontelliden	Pontelliden

Die Modificationen in der Gliederzahl des Abdomens sind folgende: Fünf vollständig getrennte Glieder treffen wir bei den Männchen fast aller Gattungen an, z. B. *Cyclops, Harpacticus*. Indem der erste Ring, der in beiden Geschlechtern die Ausmündung der Genitaldrüsen enthält, mit dem folgenden verschmilzt, erhalten wir ein viergliedriges Abdomen, z. B. bei den Weibchen der Gattungen *Cyclops, Harpacticus* etc. Viergliedrig kann aber auch das Abdomen durch die unterbliebene Sonderung der beiden letzten Segmente werden, z. B. ♂ *Ichthyophorba*; dreigliedrig wird dasselbe durch die Combination der beiden genannten Abweichungen bei zahlreichen Weibchen, z. B. *Ichthyophorba, Calanella, Hemicalanus, Candace, Temora;* zweigliedrig in der Gattung *Corycaeus*, und endlich eingliedrig in derselben Gattung durch die unterbliebene Sonderung aller Abdominalringe.

Hinterleib	fünfgliedrig	viergliedrig a	viergliedrig b	dreigliedrig	zweigliedrig a	zweigliedrig b	eingliedrig
I. Ring							
II. ,,							
III. ,,							
IV. ,,							
V. ,,							
	Cyclops ♂	Cyclops ♀	Ichthyophorba ♂	Temora ♀	Corycaeus		

Eine kurze Besprechung verdienen an diesem Orte zwei für die Systematik wichtige Körpertheile, welche die beiden Pole der Längsachse des Leibes begrenzen, der Schnabel (*rostrum*) an der

Spitze des Kopfes und die Furca (*furca*) an dem Ende des Abdomens. Die erstere, eine mediane Verlängerung des Stirnrandes an der vorderen Abrundung des halbeiförmigen Kopfabschnittes, wechselt in Form und Ausbildung nach den einzelnen Gattungen beträchtlich. Im Allgemeinen bildet der Schnabel einen conischen, mehr oder minder gekrümmten Fortsatz, der sogar wie bei *Harpacticus* in einem Gelenke sich vom Panzer absetzen kann. Bei den *Cyclopiden* scheint er auf den ersten Anblick undeutlich und wenig entwickelt, bei genauerer Untersuchung aber ergiebt es sich, dass der Schnabel nach der Bauchfläche eingebogen und an seiner Spitze mit der Basis der Oberlippe verwachsen ist. In anderen Fällen zeigt sich der Schnabel freilich zusammengedrückt (*Undina*) und gleichzeitig mit einer zahnartigen Kerbe versehn (*Euchaeta*), in zahlreichen Gattungen tritt er als ein breiter, gabelförmig gespaltener Fortsatz auf, z. B. bei *Pontella*, *Cyclopsine*, bei den *Peltidien* bildet er eine vierkantige, mehr oder minder abgerundete Platte, die bald über den Stirnrand hervorragt, bald nach der Bauchfläche umgeschlagen wird.

Durch einen nicht geringen Reichthum von Formverschiedenheiten zeichnet sich auch der Anhang des Abdomens, die Furca, aus, welche aus zwei an der Spitze des letzten Körpersegmentes neben einander befestigten Gliedern besteht, zwischen denen auf der Rückenfläche die Afteröffnung mündet. Streng genommen müssen wir die Furca als das sechste gespaltene Segment des Abdomens ansehn, was aus einer ähnlichen, allerdings seltenen Spaltung des fünften Segmentes (*Peltidien*) hervorgeht. Ihre äussere Gestalt bietet zahlreiche Modificationen zwischen einer griffelförmigen, cylindrischen und lamellösen Form und trägt eine ganz bestimmte Anzahl von haar- oder borstenförmigen Anhängen, deren Grösse und Form für die Erkennung der Species einen hohen Werth haben. Meist sind es jederseits eine innere und äussere Randborste, und vier längere, mehr oder minder befiederte Endborsten, von denen aber in einzelnen Fällen die beiden äusseren fehlen können. In solchen Fällen haben wir eine Bildung der Furca, wie sie normal den ersten Entwicklungstadien nach der abgestreiften *Nauplius*-Haut eigenthümlich ist.

---

3. Die morphologischen Beziehungen der Copepoden zu den Malacostraken[1]), den Cirripedien, den Phyllopoden und Ostracoden.

Es ist nicht blos eine äussere Aehnlichkeit zwischen *Copepoden* und langschwänzigen *Decapoden*, welche uns veranlasst, den Körperbau beider Crustaceengruppen einer näheren Vergleichung zu unterwerfen, sondern die Ueberzeugung einer näheren, fast möchte ich sagen, genetischen Verwandtschaft, die sich uns durch die Existenz von Uebergangsgliedern beider Formenreihen aufdrängt. Dasselbe gilt und zwar in einem höheren Grade von den Entomostrakentypen der *Cirripedien*, *Phyllopoden* und *Ostracoden*, die vorzugsweise durch Analogien ihrer Larvenstadien mit den *Copepoden* inniger verknüpft werden. Während die systematischen Bestrebungen früherer Zeiten darauf hinzielten, scharfe Charaktere zur Trennung der Gruppen und zur Herstellung eines streng gegliederten Fachwerkes zu gewinnen, die Uebergangsformen aber diesem Ziele hinderlich im Wege standen, nehmen

1) Vergleiche meine Bemerkungen in der Würzb. naturw. Zeitschrift 1862.

wir in der neueren Zeit, angeregt durch die wichtigen Fragen über den verwandtschaftlichen Zusammenhang der Geschöpfe ein hervorragendes Interesse gerade an dem, was die auseinander gerückten Gruppen näher führt und die trennenden Charaktere mildert. Die Uebergangs- und Verbindungsglieder erscheinen namentlich an der Hand der Entwicklungsgeschichte in einer ganz anderen Bedeutung.

Die Berechtigung zu einem eingehenderen Vergleiche der *Copepoden* mit den *Phyllopoden*, *Cirripedien* und *Ostracoden* ergiebt sich zunächst aus der grossen Uebereinstimmung, welche die Larven der *Cirripedien* und gewisser *Phyllopoden*, wie z. B. *Apus*, *Limnetis* etc. mit den *Cyclops*-Larven zeigen. Von einem ähnlichen Ausgangspunkte weichen jene Formenreihen in ihrer weiteren Ausbildung nach verschiedenen Richtungen auseinander, unter denen die von den Rankenfüsslern eingeschlagene durch den Uebergang in ein *Cypris*-artiges[1]) Stadium den Beweis liefert, dass auch *Ostracoden* als Glieder jener engeren Verwandtschaft angehören, wenn wir auch bisher kein *Nauplius*-Stadium derselben kennen.

Die ersten Jugendstadien der *Phyllopoden*, welche eine Metamorphose erleiden, weichen allerdings in einigen Beziehungen von den jüngsten *Nauplius*-Larven ab, indem sie wie die junge *Limnetis* des vorderen, oder wie die *Apus*-Larve des dritten Gliedmaassenpaares unmittelbar nach ihrem Ausschlüpfen noch entbehren. Die fehlenden Extremitäten sprossen indess in kurzer Zeit hervor und setzen die anfänglichen Differenzen zu unwesentlichen herab, um so mehr, als wir auch unter den parasitischen *Copepoden* Beispiele für den Mangel des dritten Gliedmaassenpaares im ersten Jugendalter kennen (*Achtheres*). Ebensowenig können die Abweichungen, welche in der Form der drei Gliedmaassenpaare zwischen *Phyllopoden*- und *Copepoden*-Larven bestehen, die Identität des Typus beeinträchtigen, da sie sich aus den Gegensätzen der aus ihnen hervorgegangenen Extremitäten, aus der verschiedenen Verwendung der Antennen und Mandibulartaster erklären. Bei den *Phyllopoden* erlangt das zweite Antennenpaar einen bedeutenden Umfang und den Werth als zweiästiger Ruderarm, bei den *Copepoden* bleibt dasselbe hinter der vorderen Antenne meist beträchtlich zurück; dort entbehrt die Mandibel des Tasters, hier entwickelt sich der Taster in den meisten Fällen zu einer zweiästigen Gliedmaasse. In beiden Formenreihen aber bilden sich die drei Gliedmaassenpaare der Larve zu den vorderen und hinteren Antennen und den Mandibeln aus, also zu den drei vorderen Extremitätenpaaren des Kopfes, da beide Reihen gleichwerthige Organe sind. Vergleichen wir die auf die Mandibeln folgenden Gliedmaassen, so gelangen hier wie dort zwei Paare als Mundwerkzeuge zur Ausbildung, bei den *Copepoden* ein Maxillenpaar und vier Maxillarfüsse, deren Natur als innere und äussere Aeste eines einzigen Gliedmaassenpaares feststeht, bei den grösseren *Phyllopoden*, z. B. *Estheria*, folgen zwei Paare von Maxillen, von denen das hintere bei den *Daphniden*, wenigstens am Embryo im Ei, als kuglige Auftreibung[2]) aufzuweisen ist. Die Zahl der blattförmigen Thoracalfüsse unterliegt allerdings in den einzelnen Gattungen der *Phyllopoden* einem zu bedeutenden und auffallenden Wechsel, als dass ein bestimmtes, allgemein gültiges Zahlengesetz aufgestellt werden könnte, indess findet man für dieselben, wenigstens in der Familie der *Daphniden*, bestimmte Grenzen, die eine Parallelisirung mit den Ruderfüssen der *Copepoden* ge-

1) Hier kann natürlich nur die Gesammtform, nicht der detaillirte Bau in Frage kommen.

2) Vgl. CLAUS, Zur Anatomie u. Entwicklungsgeschichte der Copepoden. Archiv f. Naturg. 1858. Fig. 47, 48.

statten. In einer Reihe von Gattungen, wie *Daphnia, Acanthocercus, Lynceus* etc., folgen fünf Paare von Blattfüssen auf die Mundtheile, also dieselbe Anzahl von Brustgliedmaassen wie bei den *Copepoden*. Die *Daphniden*-Gattungen mit vier Schwimmfusspaaren wie *Evadne, Polyphemus, Podon* würden sich denjenigen *Copepoden*-Gattungen morphologisch gleich setzen lassen, bei welchen das fünfte, so häufig rudimentäre Fusspaar ganz ausfällt, während die Formen mit sechs Schwimmfusspaaren, wie *Sida, Latona*, auch noch den Extremitätenstummel des sechsten Paares, den wir bei den *Copepoden* als Genitalhöcker kennen, zur Ausbildung als Schwimmfuss gebracht haben.

Die *Cirripedien*, deren Larven in Form des Körpers wie im Bau ihrer Gliedmaassen den *Nauplius*-Larven sehr nahe stehen, besitzen bekanntlich mit Ausnahme weniger Gattungen[1] im ausgebildeten Zustande drei Paare von Mundwerkzeugen und sechs Paare von Rankenfüssen, welche schon an dem stark aufgetriebenen schwanzförmigen Hinterleibe der älteren Naupliusform unter der Haut sichtbar sind, aber erst im zweischaligen *Cypris*-Stadium als Körperanhänge zum Vorschein kommen (KROHN, Beobachtungen über die Entwicklung der Cirripedien. Archiv für Naturgesch. 1860). Obwohl wir bis jetzt über die Entstehungsart der Mundtheile (auch nicht durch HESSE's jüngste Mittheilungen) keine Kenntniss erhalten haben, so werden wir nach Allem, was über die Veränderungen der dritten Larvengliedmaasse während der Entwicklung der *Phyllopoden* und *Copepoden* bekannt geworden ist, die Mandibeln der *Cirripedien* als diese Extremität ansehen und die nachfolgenden zwei Kieferpaare den zwei unteren Paaren von Mundesgliedmaassen, den Maxillen und Maxillarfüssen gleichsetzen dürfen. Die zwölf Rankenfüsse würden also wiederum mit den Brustextremitäten der *Copepoden* und den beiden Genitalhöckern in Parallele gesetzt werden können, so dass wir für die *Lepadiden* und *Balaniden* eine den Phyllopodengattungen *Sida, Holopedium, Latona* entsprechende Segmentzahl finden würden, welche für die übrigen Cirripediengruppen vielleicht in einer ähnlichen rückschreitenden Weise wie die Gliederung der *Copepoden* in den Familien der Schmarotzerkrebse eine Reduction erleidet.

Die *Ostracoden* sinken in der Zahl der Segmentanhänge bedeutender herab, als die besprochenen Entomostrakengruppen, indem sich nur sieben Gliedmaassenpaare nachweisen lassen, welche den sieben vorderen Extremitätenpaaren jener entsprechen. Wir finden vor dem Munde die vier zum Kriechen und Schwimmen verwendeten Antennen, denselben folgen bei *Cypris* die Mandibeln, zwei Paare von Maxillen und zwei Fusspaare. Von den Modificationen der Gattung *Cythere*, welche anstatt der hinteren Maxillen zwei Füsse besitzt und von dem, wie mir scheint, noch nicht ausreichend erforschten Gliedmaassenbau der *Cypridina, Halocypris* und *Conchoecia* dürfen wir füglich absehn umsomehr, als nach DANA auch bei den letzteren dieselbe Extremitätenzahl vorhanden ist. Wir treffen die Antennen, die Mundtheile und die zwei vorderen Brustgliedmaassen der *Copepoden* in entsprechenden Modificationen wieder, die ganze hintere Partie des Entomo-

---

1) DARWIN (Monograph of the Sub-class Cirripedia etc.), welcher aus diesen Gattungen Alcippe, Proteolepas, Cryptophialus die Gruppen der *Abdominalia* und *Apoda* bildet, zu denen sich noch die *Sacculinen* etc. gesellen, sucht, vorzugsweise auf die Gliederung dieser abnormen Gattungen gestützt, die Zusammensetzung des Cirripedienleibes aus sieben Kopf-, sieben Thoracal- und drei Abdominalsegmenten nachzuweisen. Die Begründung dieser Zurückführung erscheint indess keineswegs ausreichend und glücklich, um so weniger, als er nun für die *Lepadiden* und *Balaniden* etc. den Ausfall des siebenten Kopfsegmentes, vierten Brustringes und die Reduction des Abdomens suppliren muss.

strakenleibes schreitet nicht weiter zur Bildung von Segmentanhängen fort, der Leib bleibt der Zahl seiner Gliedmaassen nach auf dem ältesten *Nauplius*-Stadium oder jüngsten *Cyclops*-Stadium zurück.

Zum übersichtlichen Vergleiche der besprochenen morphologischen Beziehungen erscheint vielleicht die nachfolgende Tabelle nützlich.

	Calanus.	Lepas.	Daphnia.	Cypris.	Letztes Naupliusstd.
1. Segment	1. Antenne.	Stiel.	Tastantenne.	Vorderer Antennenfuss.	1. Schwimmfuss.
2. ,,	Zweiästige Antenne.	— (?)	Ruderantenne.	Hinterer Antennenfuss.	2. ,,
3. ,,	Mandibel.	Mandibel.	Mandibel.	Mandibel.	3. ,, mit Mandibularfortsatz.
4. ,,	Maxille.	Maxille.	Maxille.	1. Maxille.	Maxillarlappen.
5. ,,	Maxillarfüsse.	2. Maxille.	2. Maxille im Embryonalkörper.	2. ,,	Maxillarfusslappen.
6. ,,	1. Ruderfuss.	1. Rankenfuss.	1. Phyllopodenfuss.	1. Brustfuss.	1. Ruderfusslappen.
7. ,,	2. ,,	2. ,,	2. ,,	2. ,,	2. ,,
8. ,,	3. ,,	3. ,,	3. ,,	Hinterleib.	Hinterleibsstummel.
9. ,,	4. ,,	4. ,,	4. ,,		
10. ,,	5. ,,	5. ,,	5. ,,		
11. ,,	Genitalhöcker.	6. ,,	Hinterleib.		
12. ,,	2. Abd.-Segment.	Abdomen.			
13. ,,	3. ,,				
14. ,,	4. ,,				
15. ,,	5. ,,				
16. ,,	Furcalglieder.				

Weit schwieriger als der Vergleich mit den *Entomostraken*typen wird die Parallelisirung der *Copepoden* mit den *Malacostraken*, unter denen die langschwänzigen *Decapoden* schon durch ihren äusseren Bau am meisten zum Vergleiche auffordern. Indess ist ihre Segmentzahl eine höhere, die Entwicklungsreihe eine verschiedene, wir vermissen den *Nauplius*-Larven verwandte Jugendzustände und erkennen in den *Zoëa*-ähnlichen Stadien ganz abweichende Larvenformen. Schliessen wir das gestielte Auge als Extremität aus, so bleiben für den Vorderleib dreizehn, für den Hinterleib sieben Segmente. Anstatt eines einzigen Maxillenpaares haben wir deren zwei, die Stelle des Doppelpaares von Maxillarfüssen wird von drei Kieferfusspaaren vertreten. Mit diesen Abweichungen verbindet sich eine viel bedeutendere Durchschnittsgrösse, der Vorderleib consolidirt sich weit mehr, eine grössere Reihe von Segmenten gehen in die Bildung eines festen, von starkem Panzer umschlossenen Cephalothorax ein, die gesammte Organisation wird in dem Maasse eine höhere, dass unsere kleinen *Carcinoideen* einen geschlechtlich gewordenen Larventypus zu vertreten scheinen. Ziehen wir die *Zoëa*formen der *Brachyuren* und die ähnlichen Larven der *Macruren* zum näheren Vergleiche hinzu, so ergeben sich aber in die Augen fallende Analogien. Bekanntlich besitzt die *Zoëa* einen mächtigen Vorderleib, an welchem die vier Antennen, die Mandibeln, zwei Maxillenpaare und zwei Paare zweiästiger Ruderfüsse entspringen. Die letzteren sind die vier vorderen Kieferfüsse des ausgewachsenen Geschöpfes, welche in diesem Alter wie die Extremitätenpaare derselben Zahl bei den *Copepoden* als zweiästige Ruderfüsse zum Schwimmen dienen. Auf den Vorderleib folgt ein langgestrecktes, äusserst bewegliches Abdomen, welches in seiner Function sich dem Hinterleib der ausgebildeten *Copepoden* anschliesst, aber diesen schon jetzt morphologisch durch eine grössere Gliederzahl und die Anlage von Extremitäten übertrifft. Uebrigens ist diese Stufe der *Zoëa* keineswegs die tiefste für die Entwicklung der *Decapoden* überhaupt, tiefer noch stehen durch den Mangel des zweiten Paares der Kieferfüsse die jüngsten Larvenstadien von *Euphausia*[1]), welche DANA als *Calyptopis integrifrons* beschrieben hat. Ausserdem ist mir eine zweite leider nicht bestimmbare *Malacostraken*-Larve bekannt, welche ebenso wie die letztere des zweiten Kieferfusses entbehrt. Diese verdient desshalb eine besondere Berücksichtigung, weil das Abdomen ungegliedert ist und als langgestreckter conischer Stiel hinter dem Vorderleibe hervortritt. Hierdurch erhält unsere Larve eine gewisse Aehnlichkeit mit den ältesten *Nauplius*-Larven der *Calaniden*, welche noch durch den Bau der Antennen erhöht wird. Indess erscheint durch die Anlage der Facettenaugen und durch die Bildung der Maxillen die Zugehörigkeit zu einer höhern Entwicklungsreihe unzweifelhaft.

Eine andere Larvenform, welche DANA als *Erichthina demissa* bezeichnet hat, wahrscheinlich eine *Stomatopoden*-Larve, wiederholt in dem Bau ihrer Gliedmaassen noch auffallender den Habitus der *Copepoden*. Die hinteren zweiästigen Antennen entsprechen vollständig denen der letzteren, die beiden vorhandenen Schwimmfusspaare den zweiästigen Ruderfüssen der *Copepoden*, wie sie auch der Zahl und Lage nach dem ersten und zweiten Paar der Ruderfüsse gleichwerthig sein würden. Dieselben bleiben aber nur in den Larvenstadien Extremitäten der Bewegung, und werden die vorderen und mittleren Maxillarfüsse, hinter denen noch sechs Gliedmaassenpaare am Körper zur Entwicklung kommen. An den *Malacostraken*-Larven wachsen diese noch fehlenden Extremitäten und Segmente als Neubildungen des sich differenzirenden Mittelstückes des Körpers hervor, nachdem das frühzeitig ausgebildete Abdomen seine vollzählige Gliederung erlangt hat, bei den *Copepoden* entstehen die drei noch fehlenden Gliedmaassenpaare an den hinteren Leibesabschnitten vor der Ausbildung des Abdomens, dessen Segmente einzeln in continuirlicher Aufeinanderfolge von vorn nach hinten zur Abschnürung kommen.

Wenn es uns gelungen sein sollte, auf einer bestimmten Stufe der Entwicklung für die *Malacostraken* einen Anknüpfungspunkt zum Vergleiche mit den *Copepoden* aufzufinden, so fragt es sich, ob nicht auch ausgebildete geschlechtsreife Formen existiren, welche den *Malacostraken*-Typus nicht zur vollen Ausprägung gebracht haben und als Verbindungsglieder beider Reihen eine nähere Betrachtung verdienen. Die *Schizopoden* nähern sich morphologisch den ältesten Larvenstadien, indem die Gliedmaassen der Brust Spaltfüsse bleiben und ihre Kiemen nicht in eine eigne Kiemenhöhle gelangen lassen. Ferner verhalten sich die Kieferfüsse den Brustfüssen mehr oder minder gleich, sodass wir z. B. bei den *Mysideen* acht Paare gespaltener Gliedmaassen an dem Cephalothorax antreffen. Bei den *Euphausiden*[2]), die wir neben den *Mysideen* als eine Familie der *Schizopoden* aufstellen können, gelangen sogar die beiden letzten Paare der Brustfüsse nicht mehr zur vollständigen Entwicklung, sie bleiben mit verästelten Kiemen besetzte Stummel ohne Spaltfüsse. In der Gattung *Leucifer*, die ich ebenso wie jene durch eigne Untersuchung kenne, fallen die zwei

1) Ueber die sehr interessante Entwicklungsgeschichte der *Euphausiden*, die eine ganze Anzahl DANA'scher Krebsgattungen in sich einschliesst, werde ich demnächst Ausführliches mittheilen.

2) Nach DANA's Gattung *Euphausia* benannt, mit der *Thysanopoda* M. EDWARDS und *Noctiluca* THOMPSON nahe verwandt zu sein scheinen.

letzten Paare der Brustfüsse vollständig hinweg, während sich die zweiten und dritten Maxillarfüsse den drei nachfolgenden Füssen ähnlich gestalten. Bei *Leucifer* haben wir also achtzehn Segmente, genau die Mitte zwischen dem *Malacostraken*- und *Copepoden*-Typus. Ein noch grösseres Interesse nehmen die *Cumaceen* als Zwischenformen beider Reihen in Anspruch, deren systematische Stellung sehr verschieden beurtheilt wurde. Auch diese bleiben hinter der vollzähligen Segmentirung der *Malacostraken* in demselben Grade als *Leucifer* zurück, indem ihnen die zwei hinteren Segmente und Fusspaare des Vorderleibes fehlen. Indess entfernen sie sich weit auffallender als jene von den *Decapoden* durch den Verlust der gestielten Facettenaugen und durch die freie Gliederung der Brust, von der drei, vier oder gar fünf Segmente selbstständig werden. Daher zugleich die Annäherung an die *Amphipoden* einerseits und *Copepoden* andererseits. Während sie von einigen Forschern wie AGASSIZ[1], M. EDWARDS[2] für Larven erklärt wurden, deren Geschlechtsthiere DANA in den *Caridinen*-Gattungen *Alpheus*, *Palaemon* und *Hippolyte* vermuthete, stellte sie KRÖYER[3] als geschlechtlich entwickelte Krebse zwischen *Crangon* und die *Thysanopoden*, SPENCE BATE namentlich wegen des Mangels der Augenstiele zwischen die *Mysideen* und *Amphipoden*. Was die *Cumaceen*, deren geschlechtliche Ausbildung von GOODSIR, SPENCE BATE und VAN BENEDEN ausreichend bewiesen ist, als Verbindungsglieder den *Copepoden* näher führt, ist neben der Reduction der Segmente und dem Verluste der gestielten Augen die Gliederung des Vorderleibes und der mehr oder minder vollständige Ausfall der Segmentanhänge des Abdomens (*Cuma*, *Leucon*). Der Vorderleib steht sicher den *Copepoden* näher als den *Malacostraken*, indem er bei einer ähnlichen Gliederung in ein Kopfbruststück und in eine Anzahl freier Brustringe nur ein Segment mehr als jene, zwei dagegen weniger als die letzteren umfasst, in der Bildung des Hinterleibes bleibt allerdings die Form und Segmentzahl des *Malacostraken*-Typus vollständiger erhalten. Die morphologischen Beziehungen, welche sich aus der kurzen Vergleichung ergeben haben, können wir in folgendem Schema zur übersichtlichen Darstellung bringen:

	Malacostrake.	Euphausia.	Leucifer.	Cuma.	Cyclops.
1. Segment	1. Antenne.	1. Antenne.	1. Antenne.	1. Antenne.	1. Antenne.
2. ,,	2. ,,	2. ,,	2. ,,	2. ,,	2. ,,
3. ,,	Mandibel.	Mandibel.	Mandibel.	Mandibel.	Mandibel.
4. ,,	1. Maxille.	1. Maxille.	1. Maxille.	1. Maxille.	Maxille.
5. ,,	2. ,,	2. ,,	2. ,,	2. ,,	Maxillarfüsse.
6. ,,	1. Maxillarfuss.	1. Fuss.	3. ,,	1. Doppelfuss.	1. Schwimmfuss.
7. ,,	2. ,,	2. ,, (mit Auge).	1. Fuss.	2. ,,	2. ,,
8. ,,	3. ,,	3. ,,	2. ,,	3. ,,	3. ,,
9. ,,	1. Bein.	4. ,,	3. ,,	1. einfacher Fuss.	4. ,,
10. ,,	2. ,,	5. ,,	4. ,,	2. ,, ,,	5. ,,
11. ,,	3. ,,	6. ,,	5. ,,	3. ,, ,,	—
12. ,,	4. ,,	Stiel der vorletzten Kieme (mit Auge).	—	—	—
13. ,,	5. ,,	Letzte Kieme.	—	—	—
14. ,,	1. Schwimmfuss.	1. Abdominalfuss.	1. Abdominalfuss.	1. Abdominalfuss.	Genitalhöcker.
15. ,,	2. ,,	2. ,,	2. ,,	2. ,,	2. Abd.-Segment.
16. ,,	3. ,,	3. ,,	3. ,,	3. ,,	3. ,,
17. ,,	4. ,,	4. ,,	4. ,,	4. ,,	4. ,,
18. ,,	5. ,,	5. ,,	5. ,,	5. ,,	5. ,,
19. ,,	Seitenflosse.	Seitengliedmaasse.	Seitenflosse.	Seitenstiele.	Furca.
20. ,,	Mittelplatte des Fächers.	Mittelplatte.	Mittelplatte.	Mittelstiel.	

1) Proc. Acad. Nat. sc. phil. 1852.

2) L'Institut 1858.

3) Naturhist. Tidskrift vol. III. 1841.

4. Die Gliedmaassen.

Antennen. Bekanntlich galt zu LINNÉ's Zeit der Besitz von gegliederten Fühlhörnern für die Thiere mit einkammerigen Herzen und weissem Blute als ein Charakter von systematischem Werthe und diente zur Begrenzung der *Insecta* und *Vermes*. Damals verstand man dem ursprünglichen Sinne des Wortes nach unter Antenne ein gegliedertes Organ des Kopfes, welches die Function eines feineren Tast- und Gefühlsinnes vermittelt. Die physiologische Bedeutung war ursprünglich, wie schon der Name »Fühlhorn« andeutet, die überwiegende, musste sich aber im Laufe der Zeit der morphologischen, welche auf die Lage dieser Gliedmaasse am vorderen Kopfabschnitt Bezug nimmt, mehr und mehr unterordnen. Wie schwer man sich an die Modificirung des Begriffes gewöhnte, kann man an der ERICHSON'schen Gliedmaassentheorie ersehen, nach welcher die Antennen der *Entomostraken* als vor den Mund gerückte Füsse gedeutet wurden, vornehmlich wohl desshalb, weil sie zum Schwimmen, Kriechen und Anklammern dienen. Indess können auch die Antennen des ersten Paares vorzugsweise locomotive Organe sein, wie sich überhaupt die Extremitäten des Arthropodenkörpers, als in der Anlage und in ihren Theilen gleichwerthige Organe, auch in ihrer Function gegenseitig vertreten können. Wenn wir daher die Antennen weniger durch die Leistung als durch die Lage vor den Mundwerkzeugen an der vorderen Kopfregion definiren, so haben wir in unserer Gruppe wie überhaupt bei den *Crustaceen* zwei Gliedmaassenpaare als Antennen in Anspruch zu nehmen.

Die vorderen Antennen entspringen unterhalb des Stirnrandes zu den Seiten des Schnabels und erlangen constant eine viel bedeutendere Grösse als die hinteren oder kleinen Antennen. Wenn sie auch als Ruder zur Unterstützung der Locomotion und im männlichen Geschlechte als Greifarme zum Fangen und Festhalten des Weibchens verwendet werden, so scheint doch ihre Hauptfunction durch die zahlreichen Borsten und Fäden, welche an ihrer Oberfläche entspringen, bestimmt zu werden. Sie sind Fühlhörner im ursprünglichen Sinne des Wortes, dienen zum Tasten und zur Perception einer specifischen Sinnesempfindung, durch welche wahrscheinlich die Qualität des äusseren Mediums geprüft wird. Zur Vermittlung des Tastsinnes nehmen wir die scharf contourirten Haare, die einfachen und befiederten Borsten in Anspruch, zur Perception der Beschaffenheit des Wassers zarte und blasse Anhänge, welche vorzugsweise im männlichen Geschlechte zur Entwicklung gelangen. Beide Formen von Cuticulargebilden stehen mit Nerven und ganglionären Anschwellungen in Verbindung, verhalten sich also auch histologisch als Sinnesorgane. Die reichere Entfaltung der blassen Anhänge an den Antennen der Männchen weist auf ein ausgebildeteres Unterscheidungsvermögen im männlichen Geschlechte hin und findet eine Analogie an den Fühlhörnern der männlichen Insecten, deren umfangreichere Flächen eine weit grössere Anzahl von Riechkölbchen und Gruben zur Ausbildung bringt.

Der Bau der grossen Antennen lässt sich zurückführen auf eine einfache Gliederreihe mit mehr oder minder continuirlicher Verschmälerung ihrer einzelnen Elemente. Nur in einem einzigen Falle bei einem mit stechenden Mundtheilen versehenen Parasiten ist mir an der vorderen Antenne eine kleine, rudimentäre Nebenreihe von Gliedern, die Andeutung eines Nebenastes (Taf. X. Fig. 16), bekannt geworden. Die Bildung, welche DANA an den Antennen von *Harpacticus* und *Setella* als einen ein- oder zweigliedrigen Anhang beschreibt und LILJEBORG *appendix membranacea* nennt,

3*

stellt keineswegs einen Nebenast vor, sondern reducirt sich auf einen Fortsatz eines bestimmten Gliedes, von welchem ein langer und zarter Cuticularfaden getragen wird. Die Zahl und das Grössenverhältniss der die Antennen zusammensetzenden Ringe ist in den einzelnen Arten constant, auch für die generischen Merkmale bleibt die Gliederzahl in der Regel von Bedeutung, indem sie, wenn auch nicht für alle Species derselben Gattung unverändert, doch nur Abweichungen bietet, welche sich auf bestimmte Entwicklungsstadien, auf unterbliebene Trennungen oder neue Gliederungen bestimmter Ringe zurückführen lassen. Die Arten der Gattung *Cyclops* zeigen die mannichfaltigsten Modificationen der Antennen, unter denen die siebzehngliedrigen am häufigsten sind, z. B. *Cyclops coronatus, brevicornis* etc. Für die Entwicklung der letzteren habe ich nachgewiesen, dass die jüngsten *Cyclops*-Formen, die unmittelbar dem ältesten *Nauplius*-Stadium folgen (Claus, Zur Anatomie und Entwicklungsgeschichte der Copepoden. Archiv für Naturg. 1858. p. 71), fünfgliedrige Antennen besitzen, deren Zahl bald durch Theilung des langgestreckten Basalgliedes auf sechs erhoben wird. Nach Fischer lebt in Tümpeln nahe bei Funchal eine *Cyclops*-Art (*C. aquoreus*), deren Antennen nicht über dieses Stadium fortschreiten und sechsgliedrig bleiben. Auch die Fühlhörner der *Corycaeiden* entsprechen dieser Stufe und sind meist auf sechs Glieder beschränkt. An etwas älteren *Cyclops*-Stadien mit drei Paaren von Schwimmfüssen und sechs Leibesabschnitten findet man siebengliedrige, bei Formen mit vier Paaren von Schwimmfüssen und acht Leibesabschnitten acht- und neungliedrige Fühlhörner. Nach Liljeborg trägt auch der ausgewachsene *C. magniceps* achtgliedrige vordere Antennen. Ebenso bleiben dieselben bei den *Harpactiden* und *Peltidien* acht- und neungliedrig. Verfolgen wir die letzten Jugendstadien der grösseren *Cyclops*-Arten, so treffen wir an diesen Antennen an, welche aus zehn und eilf Gliedern bestehen; *C. canthocarpoides* behält auch im geschlechtsreifen Zustand zehngliedrige, *C. minutus* eilfgliedrige Antennen. Zwölfgliedrige finden wir bei *C. serrulatus* und *spinulosus*, vierzehngliedrige (durch Dreitheilung des achten Abschnittes) bei *C. insignis*, siebzehngliedrige (durch Dreitheilung des achten und Viertheilung des neunten Abschnittes) bei einer ganzen Reihe von *Cyclops*-Arten. Endlich theilt sich auch noch der siebente Abschnitt in zwei Ringe, wie wir es an *C. elongatus* mit achtzehngliedrigen Fühlhörnern beobachten können. Keine andere Gattung bietet eine solche Mannichfaltigkeit in der Gliederung der vorderen Antennen als *Cyclops*, in vielen Gattungen können wir sogar die Zahl der Antennenringe unter den generischen Charakteren anführen. Am höchsten steigt dieselbe endlich in den Familien der *Calaniden* und *Pontelliden*, deren Fühlhörner in der Regel vierundzwanzig- oder fünfundzwanziggliedrig sind, aber doch nicht als eine höhere Entwicklungsstufe der Antennenreihe von *Cyclops* abgeleitet werden können. Vielmehr giebt es unter ihnen wieder verschiedene, durch ein bestimmtes Grössenverhältniss der aufeinander folgenden Ringe ausgezeichnete Formen, welche für nahe verwandte Gattungen oder für die Arten derselben Gattung charakteristisch sind.

Die Haare und Borsten der Antennen bekleiden vorzugsweise den oberen, äusseren Rand dieser Extremität. Dieselben wechseln in Grösse und Form ausserordentlich, zeigen aber in den Individuen derselben Art eine constante Vertheilung, auch für die Arten der nämlichen oder nahe verwandter Gattungen lassen sich speciellere, und für die Gattungen derselben Familie oft allgemeinere übereinstimmende Züge für die Gruppirung der Borsten nachweisen. So z. B. finden sich bei *Undina* und *Euchaeta* sehr lange Borsten an dem dritten, siebenten, achten, dreizehnten, siebzehnten, zwanzigsten und dreiundzwanzigsten Gliede, den gleichen Typus erkennt man auch an den oberen Fühlhörnern von *Calanella* und der ungenügend charakterisirten DANA'schen Gattung *Rhincalanus* wieder. Bei *Phaënna* sind die Borsten der nämlichen Glieder zwar kürzer, aber noch immer vor den übrigen hervorragend; die Borste des dritten Ringes behält auch an den Antennen von *Cetochilus* eine ansehnliche Grösse, welche sich ebenso wie bei *Calanella* vor Allem durch zwei sehr lange Borsten am unteren Rande des vorletzten und drittletzten Gliedes auszeichnen. Sehr ähnlich bleibt die Vertheilung der Anhänge in den einzelnen Gattungen der *Harpactiden*, deren Antennen fast überall auf dem vierten Gliede einen grossen oft säbelförmig gekrümmten, blassen Faden tragen (vgl. Taf. XV—XXI).

Was die Anhänge selbst anbetrifft, so kann man, wie dies bereits schon LUBBOCK gethan hat, eine Reihe von Formen unterscheiden. Feine dicht stehende Fiedern der Cuticula kommen an allen Theilen des Panzers und somit auch an den einzelnen Ringen, vorzugsweise aber an der Antennenbasis vor; diesen gegenüber entspringen die grösseren Anhänge auf besonderen Poren der Cuticula und schliessen Fortsätze der zelligen Unterlage des Panzers ein. Wie ich bereits oben bemerkt habe, theile ich dieselben in scharf contourirte und in blasse, zarte Fäden ein. Die ersteren sind theils einfache, theils befiederte Haare, Fäden und Borsten. Da wo seitliche Fiedern zur Entwicklung kommen, entspringen diese entweder in weiten Intervallen, oder äusserst dicht neben einander, ähnlich den Strahlen am Schafte der Feder. Im letztern Falle bilden ihre Insertionsstellen zwei seitliche Punktreihen, die man am schärfsten nach Abfall der Fiedern verfolgen kann. Oft erscheinen die zwiefach punktirten Haare quer geringelt, indem gegenüberstehende Punkte durch Quercontouren verbunden sind; regelmässige und unregelmässige Querringel finden sich übrigens auch an einfachen, nicht befiederten Borsten.

Die zarten, blassen Anhänge bleiben nicht minder formenreich. Sie erscheinen als lange Haare oder Fäden, häufiger als schmale Glieder, deren Spitze mit glänzendem Knöpfchen endet, in anderen Fällen mehr flächenhaft entwickelt, schmal lanzettförmig oder gar in Gestalt von einfachen oder auch in der Mitte eingeschnürten Säckchen und Quasten (Männchen von *Cetochilus*). An dem Männchen von *Cyclops serrulatus* enden die blassen Cylinder mit einem Büschel zarter Fiedern.

Im Allgemeinen glaube ich für die *Calaniden* und *Pontelliden* LUBBOCK[1]) beistimmen zu können, wenn er dem äussern Rande des Antennengliedes drei Borsten zuschreibt, eine mittlere und zwei obere, unter denen eine lanzettförmige ist und in die Gruppe der blassen Anhänge gehört. An den mittleren, langgestreckten Gliedern erkennt man diese gesetzmässige Anordnung sehr leicht, an den zwei basalen Gliedern, die selten morphologisch einem einzigen Ringe entsprechen, treten mannichfache Abweichungen auf, ebenso an den apicalen Gliedern. Das Endglied trägt an der Spitze einen Büschel gewöhnlich von sieben Borsten, unter denen eine zu den blassen Anhängen gehört. Die drei vorausgehenden Ringe besitzen häufig auch am untern Rande je eine Borste, entbehren aber der Mittelborste des äusseren und oft des lanzettförmigen, blassen Fadens. In einzelnen Arten vermisst man die letzteren übrigens vollständig, z. B. bei *Diaptomus Castor.*

---

1) LUBBOCK, On two new species of Calanidae p. 160.

Im männlichen Geschlechte übernehmen die vorderen Antennen in der Regel die Nebenleistung als Greif- und Fangapparate, vermitteln aber auch durch die reichere Entfaltung von blassen Anhängen und Fäden eine schärfere Ausbildung der an jene Gebilde sich knüpfenden Sinnesempfindungen. Indess treten diese Eigenthümlichkeiten nicht überall in der gleichen Vollendung auf, sondern durch eine ganze Reihe von allmählichen Stufen vorbereitet. Bei manchen Formen verhalten sich männliche und weibliche Antennen gleich, und zwar bei allen *Corycaeiden;* bei *Saphirina*, *Copilia*, *Corycaeus* etc. bleibt das vordere Extremitätenpaar des Kopfes unverändert, während die Fanghaken der unteren Antennen und hinteren Maxillarfüsse bei den Männchen zu einer um so höheren Entwicklung gelangen. In einigen *Calaniden*-Gattungen, *Calanus*, *Cetochilus*, *Calanella*, *Euchaeta* etc., fällt ebenfalls die Function als Greifarme an den männlichen Antennen aus, welche in dem Bau und dem Grössenverhältniss der Glieder die weiblichen fast unverändert wiederholen, allein die blassen Organe werden zahlreicher und bilden breite quastenförmige Anhänge oder lange Schläuche; zugleich bleiben die durch ihre auffallende Länge hervorragenden Borsten auf einen mässigen Umfang beschränkt. Bei *Cetochilus* verschmelzen rechts und links die ersten zwei Glieder. Die erste Andeutung eines geniculirenden Gelenkes und der Umformung zu einem Greifarm tritt an der rechten männlichen Antenne von *Undina*[1]) und *Phaënna* auf, die ausser dem Besitze quastenförmiger Anhänge von der weiblichen Antenne durch die Verschmelzung des neunzehnten und zwanzigsten Gliedes abweicht. Die Verbindung dieses langgestreckten Abschnittes mit dem achtzehnten Gliede wird durch das geniculirende Gelenk bezeichnet, welches wir in höheren Stufen der Umformung an der nämlichen Stelle, aber in schärferer Ausprägung, wiederfinden. Bei *Heterochaeta* ist es die linke Antenne, welche etwa die gleiche Stufe der Umformung erleidet, bei der indess auch das einundzwanzigste Glied in die Verschmelzung eingeht. In der Regel scheint übrigens bei den weiter vorgeschrittenen Umbildungen die Geniculation in die Mitte des neunzehnten Gliedes hineinzufallen, indem der untere Theil desselben mit dem achtzehnten Gliede einen langgestreckten, oft gezähnelten Abschnitt bildet, der obere Theil zu dem mit einander verschmelzenden zwanzigsten und einundzwanzigsten Gliede hinzutritt, z. B. *Ichthyophorba*, *Pontellina*, *Pontella*, *Calanops* etc. Zuweilen verbinden sich auch noch die zwei folgenden Glieder (zweiundzwanzig und dreiundzwanzig) zu einem längeren Abschnitt, aus dessen Borstenstellung man leicht die ursprüngliche Duplicität nachweist, z. B. *Diaptomus*[2]), *Temora*. Auf diese Art reducirt sich die Gliederzahl der geniculirenden männlichen Antenne mehr oder weniger, und schon DANA wusste an einer Reihe von Beispielen die hierauf bezüglichen Differenzen beiderlei Geschlechts dadurch zu erklären, dass er dem grösseren Abschnitte den morphologischen Werth mehrerer Ringe zuschrieb. DANA kam auf diesem Wege zu dem Schlusse: »that the multiplication of joints takes place by the subdivision of pre-existing joints«, — einem für die männlichen Antennen falschen Schlusse aber einem richtigen Gesetze, welches ich vollständig anerkenne und oben

1) Wahrscheinlich sind auch die männlichen Antennen hierher zu setzen, welche DANA an den Arten seiner unzureichend beschriebenen Gattung *Hemicalanus* abbildet.

2) Meine zu der rechten männlichen Antenne von *Diaptomus Castor* (Archiv für Naturgeschichte 1858, Taf. I. Fig. 1) gegebene Beschreibung und Abbildung ist nicht ganz richtig, indem der als das dreiundzwanzigste Glied bezeichnete Ring ausfällt, die vorausgehenden Abschnitte aber nach den oben angeführten Verschmelzungen erklärt werden müssen.

aus der Entwicklung für die *Cyclops*-Arten bewiesen habe. Aus dem Vergleiche der männlichen und weiblichen Antennen kann dasselbe nur durch eine irrthümliche Deutung abgeleitet werden, denn die grösseren Abschnitte sind nicht präexistirende Glieder, welche sich beim Weibchen in mehrere Ringe auflösen, sondern sie sind umgekehrt aus der Verschmelzung von Ringen entstanden, welche in früheren Entwicklungsstadien selbstständig auftraten. Die Existenz jener Abschnitte beruht nicht auf einer Hemmung, auf einer unterbliebenen Trennung, sondern auf einer neu hinzutretenden Form der Entwicklung. Ausser den Verschmelzungen der oben bezeichneten Theile und der Ausbildung eines ginglymischen Gelenkes, in welchem der Endabschnitt der Antenne nach aussen und oben umgeschlagen und an den äusseren Rand der mittleren Ringe angelegt wird, prägen sich in allmählichen Uebergängen die Umformungen des mittleren und unteren Abschnittes aus, welche den Gebrauch des Greifarmes vollkommener machen. Die mittleren Ringe (vom dreizehnten an bis zum achtzehnten), anfangs kaum aufgetrieben und verändert, erweitern sich stark, werden breit und bauchig und erhalten einen gemeinsamen kräftigen Längsmuskel, dessen Sehne über die Rolle des geniculirenden Gelenkes an der Basis des einzuschlagenden Abschnittes sich anheftet. Auch die längeren, aus Verschmelzung entstandenen Glieder des letztern werden von umfangreichen Längsmuskeln durchzogen, durch welche sich die Theile des Endabschnittes wiederum in ein oder mehreren Gelenken zusammenlegen. Viel umfangreicher aber ist der für die Bewegung im Hauptgelenke bestimmte Längsmuskel des Mittelabschnittes (dreizehntes bis achtzehntes oder neunzehntes Glied), an dessen Gliedern sich auch noch andere Eigenthümlichkeiten bemerkbar machen, welche die Wirksamkeit der Greifwaffe unterstützen. Sehr häufig ist der obere, äussere Rand des siebzehnten und achtzehnten Gliedes mit Zähnen und Kerben ausgestattet, auf welche ähnliche Zähne des umgeschlagenen Endabschnittes passen, oder er läuft gar in einen langen gezähnten Fortsatz aus, z. B. *Labidocera* (?) *Darwinii*, *Ivella* (?) *Patagoniensis*, *Pontella Bairdii* (vgl. Lubbock l. c.). Bei *Irenaeus Patersonii*, *Monops* (?) *grandis* und anderen *Pontelliden* erhebt sich auf dem vierzehnten Gliede ein Haken, der bei *Iva* (?) *magna* eine colossale Grösse erlangt. Die Umformungen des unteren Abschnittes (erster bis zwölfter Ring), den wir gewissermassen als den Träger oder Stiel des Fangapparates ansehen können, treten erst in letzter Linie hervor und finden sich am schärfsten bei den *Pontelliden* und *Diaptomus* ausgeprägt. Im Wesentlichen bestehen dieselben auf einer Verkürzung und Verengerung der oberen Ringe, die einzeln zwar nur geringe seitliche Verschiebungen gestatten, aber in ihrer Gesammtheit einen um die Längsachse drehbaren Stiel darstellen, der die einseitige Wirkung des Fangarmes auf jede Richtung überträgt.

In der Regel finden wir diese Umgestaltung der Antenne, die wir kurz als die geniculirende bezeichnen wollen, bei den *Calaniden* und *Pontelliden* an der rechten Seite, bei *Leuckartia* und *Hemicalanus* dagegen an der linken Seite, ebenso merkwürdigerweise bei einer Art der Gattung *Pleuromma* (*gracile*), deren andere mir bekannte Species (*abdominale*) die Geniculation an der rechten Seite ausbildet.

In den Familien der *Cyclopiden*, *Harpactiden* und *Peltidien* sind rechte und linke Antenne gleichzeitig geniculirende Arme, die beiderseitige Umbildung bietet hier einen Ersatz für den Ausfall der hinteren Thoracalfüsse als Fangorgane. Obwohl diese Extremitäten nach den engeren Typen der Familie von denen der *Calaniden* und unter einander wesentliche Abweichungen bieten, halte ich doch für überflüssig, auf die näheren Verhältnisse derselben einzugehen, da sie sich auf die gleichen Principien zurückführen lassen und keine neuen Gesichtspunkte eröffnen.

Die hinteren, kleineren Antennen, welche aus dem zweiten Gliedmaassenpaare der Larven hervorgehen, tragen ebenso wie dieses in der vollständig ausgeprägten Form doppelte Aeste. Man würde sie geradezu die zweiästigen Antennen nennen können zur Unterscheidung von dem vorderen Paare, welches auch im ersten Larvenstadium aus einer einfachen Gliederreihe besteht, wenn nicht bei den *Cyclopiden* und *Corycaeiden* der Nebenast verkümmerte. Schon DANA scheint mir ihren allgemeinen Bau sehr richtig gedeutet zu haben, wenn er dieselben den Schwimmfüssen vergleicht und einen zweigliedrigen Basalabschnitt unterscheidet, auf welchem zwei Ruderäste ihren Ursprung nehmen. Den ersteren kann man übrigens auch als die beiden ersten Glieder des äusseren oder Hauptastes ansehen, welcher dann mit ihnen den meist viergliedrigen Stamm bildet, an dessen zweitem Ringe der kürzere oder längere einfache oder mehrgliedrige Nebenast aufsitzt. Ob der letztere indess nicht auch in manchen Fällen, z. B. bei zahlreichen Gattungen der *Harpactiden* an einem Theile entspringt, welcher nur dem ersten Gliede der Basis gleichwerthig ist, wage ich nicht mit Sicherheit auszuschliessen (Taf. V. Fig. 1, Taf. XII. Fig. 5).

Eine solche normale Antennenform, welche vornehmlich zur Unterstützung der Locomotion und wohl auch zur Strudelung dient, tritt ganz allgemein in den Familien der frei in der See lebenden *Calaniden* und *Pontelliden* auf. Gewöhnlich besitzt der Hauptast einen gestreckten fast stielförmigen unteren Abschnitt und ein kürzeres zwiefach gelapptes Endglied, mit langen dicht gruppirten Ruderborsten. Der grosse Nebenast, welcher schon sehr gut an der Larvenextremität zu erkennen ist und am oberen, äusseren Rande Borsten trägt, besteht meist aus sieben Gliedern, unter denen die vier medianen ausserordentlich kurz bleiben. Indess treten in der Gliederzahl und in dem Grössenverhältniss zum Hauptaste mannichfache Modificationen auf. In den meisten Fällen kommt der Nebenast dem Hauptaste gleich, oder übertrifft ihn nur um weniges, z. B. *Diaptomus, Calanus, Pleuromma, Cetochilus, Ichthyophorba.* Bei *Hemicalanus* und *Calanella*, ferner bei *Dias* und den *Pontelliden* streckt sich der letztere sehr bedeutend, während der Nebenast bedeutend kürzer wird und eine ganz andere Gliederung gewinnt (vgl. die Beschreibungen der angeführten Gattungen). Umgekehrt kann sich wiederum der Hauptstamm bedeutend verkürzen, wie z. B. bei *Candace, Phaënna, Undina,* oder sich gar auf einen schmächtigen Anhang reduciren: *Undina* ♀.

In der Familie der *Peltidien* und *Harpactiden* ist es der Nebenast, der gewöhnlich sehr schmal und rudimentär bleibt, nur in wenigen Fällen erlangt derselbe einen bedeutenden Umfang, bei *Longipedia* ist er sechsgliedrig, bei *Tisbe* viergliedrig, in den übrigen Fällen drei-, zwei- oder eingliedrig und immer sehr schmal und kurz. Aber auch der Hauptstamm reducirt die Zahl seiner Abschnitte und bleibt auf drei oder gar auf zwei langgestreckte Glieder beschränkt, welche in einem starken Winkel verbunden sind. An der Spitze tragen diese Antennen eine Anzahl verschieden starker, fingerförmig gekrümmter Greifborsten, deren Vorhandensein auf die modificirte Leistung ihrer Gliedmaassen hinweisen. Wir haben es hier nicht wie bei den ausgezeichnet beweglichen *Calaniden* mit locomotiven Organen, sondern mit Greif- und Klammerwerkzeugen zu thun. Auch in der Familie der *Cyclopiden*, wo die hinteren Antennen den Nebenast vollständig verlieren, aber den viergliedrigen Stamm erhalten, dienen dieselben dazu, mit der krummen Borste ihrer Endglieder sich an Pflanzentheilen gleichsam vor Anker zu legen. Am vollendetsten aber bringen sie die Function als Klammerorgane bei den *Corycaeiden* zur Ausbildung, bei denen die Bewaffnung der viergliedrigen Antenne wie bei den ächten Schmarotzerkrebsen durch einen meist kräftigen Greifhaken der Spitze hergestellt wird. Die Abweichungen dieser Waffen nach den beiden Geschlechtern legen indess die Vermuthung nahe, dass sie in manchen Fällen auch als Hülfsorgane der Begattung ihre Verwendung finden (vgl. *Corycaeus*).

Mundwerkzeuge. Die drei seitlich und unterhalb der Mundöffnung entspringenden Gliedmaassenpaare bezeichnen wir als Mandibeln, Maxillen und Maxillarfüsse nach ihrem Baue und Gebrauche zum Bearbeiten der Nahrungsstoffe. Ausser diesen Extremitätenpaaren treten in der Umgebung des Mundes Fortsätze und Anhänge des Körpers auf, die wir nicht auf Gliedmaassen zurückführen können, aber doch passend an diesem Orte einer Besprechung unterwerfen, ich meine die auch bei den anderen Crustaceengruppen vorhandenen Lippenbildungen, die Oberlippe und Unterlippe. Die erstere entspricht einem kappenförmigen Wulste der Larve (Taf. I. Fig. 2, 4 O), den wir in ähnlicher Form bei den *Daphniden* wiederfinden. Im ausgebildeten Zustande variirt die Oberlippe in Form und Grösse ausserordentlich. Bei *Copilia* und *Antaria* stellt sie eine flache zweilappige Platte vor (Taf. XXX. Fig. 2, Taf. XXV. Fig. 15), bei den *Cyclopiden* ist sie minder flach, nach dem Vorderrande verschmälert und mit einer Anzahl spitzer, nach aussen gestellter Zähne besetzt. Viel umfangreicher wird dieselbe bei den meisten *Calaniden* und *Pontelliden*, bei denen sie eine reichere Musculatur erhält und häufig in einen oberen, einen Haarbüschel tragenden Fortsatz ausläuft (Taf. V. Fig. 5). Bei *Dias* spaltet sich die Oberlippe in einen mittleren und zwei seitliche Lappen, bei *Pontella helgolandica* (Taf. III. Fig. 5) trägt sie zwei nach oben gerichtete fast tasterartige Lappen.

Häufig kommt zu der Oberlippe noch eine Unterlippe hinzu, die sich mit der ersteren zu einem an den Blüthenkelch der *Labiaten* und *Orchideen* erinnernden Mundaufsatz vereinigt. Bei *Calanella* (Taf. XXVIII. Fig. 7) ist die Unterlippe kahnförmig und mit zwei kleinen seitlichen Lappen versehen, bei *Euchaeta* und *Pleuromma* dagegen in der Medianlinie tief getheilt. Im letzteren Falle führen zwei starke Zahnreihen von den Labialflügeln nach der Mundöffnung (Taf. V. Fig. 4). Auf die zahlreichen Modificationen, welche in den einzelnen Gattungen eintreten, im Speciellen einzugehen würde zu weit führen und nicht das genügende Interesse bieten, zumal diese Bildungen wegen der Schwierigkeit ihrer Untersuchung nicht leicht systematisch zu verwerthen sind. Ich will mich daher damit begnügen, noch ein allgemeineres Verhältniss anzudeuten, welches zwischen den Mundaufsätzen zahlreicher *Calaniden* und den Schnabelbildungen der Schmarotzerkrebse besteht. Untersuchen wir nämlich die Lage der Kautheile, so treffen wir in dem zwischen Ober- und Unterlippe befindlichen Raume nur die Laden der Mandibeln an, ähnlich wie in dem Saugschnabel der *Siphonostomen* auch nur die stiletförmigen Mandibeln eingeschlossen liegen. Es wird daher wohl nicht gewagt erscheinen, die labialen Aufsätze der kauenden *Copepoden* dem *rostrum* der saugenden und stechenden Schmarotzerkrebse als gleichwerthiges Organ an die Seite zu stellen, um so mehr, als schon längst von Burmeister für den Saugrüssel nachgewiesen wurde, dass auch diesen eine Oberlippe und eine rinnenförmig die Mundöffnung umgebende Unterlippe zusammensetzen.

Die Mandibeln gehen aus dem dritten Gliedmaassenpaare der Larve hervor, an welchem schon während des *Nauplius*-Stadiums ein basaler mit Zähnen bewaffneter Kieferfortsatz, quer nach der Medianlinie gerichtet, hervorwächst. In der frühesten Jugend fehlt der letztere noch vollständig, die gesammte Extremität bildet dann einen zweiästigen, dem vorausgehenden ähnlichen Schwimmfuss, welcher am ausgebildeten Thiere mehr oder minder verkümmert als Mandibulartaster persistirt. Der Taster ist also der primäre Theil und nichts anderes als der Larvenfuss selbst, während wir den Kautheil als ein secundäres Product des basalen Gliedes anzusehen haben. In vielen Fällen, namentlich bei den *Calaniden* und *Pontelliden*, bleibt der Taster auch am Geschlechtsthiere ein grosser und umfangreicher Anhang und gestattet nicht nur die Zurückführung auf die ursprüngliche Extremität der Larve, sondern auch eine unmittelbare Parallelisirung seiner Theile mit denen der hinteren Antenne. Ebenso wie dort unterscheiden wir einen den Hauptast in sich schliessenden Stamm (vgl. die Bildung der hinteren Antenne) und einen ansehnlichen meist viergliedrigen Nebenast, welcher dem grossen unteren Abschnitte des Stammes anhängt (Taf. XXIX. Fig. 6, Taf. XXVI. Fig. 4). Das Basalglied, auf welchem der Taster entspringt, ist die dem ersten Gliede der unteren Antenne gleichwerthige Mandibel selbst. Die Variationen in der Form des Tasters beruhen bei den *Calaniden* und *Pontelliden* vorzugsweise auf dem Grade der Streckung, der meist mit dem der vorausgehenden Extremität parallel geht. Da wo wir eine sehr langgestreckte hintere Antenne haben, z. B. *Calanella, Hemicalanus*, haben wir auch einen verlängerten Mandibulartaster, auf dessen Hauptabschnitt noch zwei nicht immer deutlich geschiedene Endglieder (entsprechend dem dritten und vierten Gliede der hinteren Antenne) folgen. In den übrigen Familien verkümmert der Tasteranhang und erlangt nur in einzelnen Gattungen eine besondere Grösse und Bedeutung. Bei *Porcellidium* (Taf. XXII. Fig. 2) bildet der Stamm desselben eine grosse mit Borsten besetzte Schwingplatte, die man dem Anhang (ZENKER, Archiv für Naturg. 1854 Taf. I. Fig. 56) am zweiten Kiefer von *Cypris* oder dem dorsalen Anhang des *Phyllopoden*-Fusses vergleichen kann, während sich der Nebenast zu einer Art Klammerfuss verlängert. Bei *Oithona* trägt dagegen die Spitze des sehr gestreckten Stammes zwei befiederte Hakenborsten, welche zu einer ähnlichen Function dienen mögen (Taf. XI. Fig. 5). Unter den *Harpactiden* und *Peltidien* bleibt der Mandibulartaster bei *Longipedia* umfangreich und trägt einen verlängerten Nebenast, bei *Euterpe* wird derselbe klein mit deutlich nachweisbaren Theilen, bei *Cleta, Canthocamptus, Amymone* sinkt er zu einem schmächtigen zweigliedrigen Anhang herab, welcher durch eine Reihe von Zwischenformen verwandter Gattungen vorbereitet wird (vgl. die Abbildungen Taf. XV. Fig. 3; Taf. XVI. Fig. 5, Fig. 18, Fig. 26; Taf. XVII. Fig. 15; Taf. XVIII. Fig. 6, Fig. 15, Fig. 17; Taf. XIX. Fig. 7, Fig. 14; Taf. XXI. Fig. 4). In der Gattung *Cyclops* wird der gesammte Anhang durch einen kleinen mit mehreren Borsten besetzten Höcker vertreten, bei den *Corycaeiden* scheint er vollständig zu verschwinden.

Die Modificationen in der Bildung der Mandibel selbst sind nicht minder mannichfach und bei ihrem Zusammenhang mit der Art der Ernährung wichtig für die Beurtheilung der Verwandtschaft. Auch diese beruhen zunächst auf dem Grade der Streckung, vorzugsweise aber auf der Art der Bezahnung, auf der Grösse, Form und Zahl der Zähne. Die Verschiedenheiten der Bezahnung sind so gesetzmässig und charakteristisch, dass mir die Bestimmung der Gattungen nach der Mandibularbewaffnung möglich erscheint. Bei den Mandibeln mit breitem, zum Kauen dienenden Vorderrande unterscheiden wir im Allgemeinen einen oberen grösseren Zahn oder Haken, der mit breiter Basis beginnt und von den nachfolgenden kleineren Zähnen durch eine mehr oder minder weite Lücke getrennt ist. Die untere Begrenzung bildet gewöhnlich ein quer geringelter, im Halbkreise gekrümmter Borstenanhang, dem häufig eine Anzahl kürzerer Fasern vorausgehen. Bei *Phaënna* verlängert sich der Kiefer zu einer langen Platte (Taf. XXXI. Fig. 4), ohne darum den breiten Vorderrand zu verlieren, in anderen Fällen verbindet sich mit der Streckung eine stiletförmige Verschmälerung, so bei *Hemicalanus* (Taf. XXIX. Fig. 6), dessen Kieferspitze nur mit zwei Zähnen bewaffnet ist. Aehnlich verhält sich die Bezahnung der knieförmig gebogenen Mandibel von *Candace* (Taf. XXVII. Fig. 9). Auch bei den *Corycaeiden* sind die Mandibeln mehr oder minder gekrummte aber sehr gedrungene Platten mit reducirter Zahnbewaffnung.

Die Maxillen, das zweite Paar der Mundgliedmaassen, bilden sich aus den lappenförmigen mit Borsten besetzten Anhängen der Larve, welche hinter dem dritten Schwimmfusse, dem späteren Mandibulartaster, hervorwachsen. So abweichend sich auch ihr Bau in den einzelnen Familien und Gattungen gestaltet, lässt derselbe doch ein gemeinsames Schema mehr oder minder deutlich durchblicken, dessen Theile wiederum auf die vorausgehende Extremität der Mandibeln unverkennbar zurückgeführt werden können. Die Mandibeln sind in der Regel breit und flächenhaft entwickelt und dienen nicht nur zum Kauen, sondern auch zum Herbeistrudeln der Nahrungsstoffe. Die erstere Function knüpft sich an eine mit Zähnen und Borsten bewaffnete Lade, die dem Kautheil der Mandibel entspricht und sich zu jenem in ähnlicher Weise, wie der Maxillar-Lobus der Insecten zu den kräftig verhornten Mandibeln verhält. Zum Tasten und Strudeln dient der meist umfangreiche und complicirte Tasteranhang, dessen mannichfaltige Bildungsformen auf zahlreiche Modificationen in dem Gebrauche hinweisen. Die Lade (*lo*) sehen wir zunächst wie die entsprechende Bildung der Mandibel als einen zum Basalgliede der Extremität gehörigen Fortsatz an. Ueberblicke ich die grosse Zahl der vollständiger ausgeprägten Maxillen, wie sie vorzugsweise bei den *Calaniden* und *Pontelliden* auftreten, so scheint es mir, als ob man passend zu dem basalen Abschnitt einen cylindrischen nach vorn gerichteten Fortsatz (*w*) hinzuziehen müsste, der zwei bis drei Borsten trägt und sich in manchen Fällen zu einer zweiten oberen Lade ausbilden kann. Ebenso fasse ich als zum Basalabschnitt gehörig einen breiten Lappen (*p*) auf, der kammförmig mit zahlreichen Borsten besetzt (Taf. XXVIII. Fig. 8. Taf. XXIX. Fig. 7) an der Rückenfläche auftritt. An dem Mittelabschnitt der Mandibel, welchen ich den Tasterstamm nennen möchte und dem Hautstück der hinteren Antenne und des Mandibulartasters vergleiche, kommt es nochmals zur Entwicklung eines cylindrischen Fortsatzes (*w'*), der meist unmittelbar über dem ersteren (*w*) entspringt, zuweilen aber in eine bedeutendere Höhe rückt. Dieses in der Regel nicht scharf abgesetzte Mittelstück trägt einen hinteren Lappen (*x*), den Nebenast, und setzt sich in einen vorderen Endabschnitt fort, den wir dem Hauptast der Antenne an die Seite setzen. Der Nebenast entfaltet fächerartig an seinem äusseren convexen Rande einen reichen Borstenbesatz und soll desshalb kurz der Fächer heissen, der Hauptast trägt ebenfalls lange Borsten, aber am inneren Rande und auf drei Gruppen vertheilt. Die mannichfachen Modificationen der Maxille werden sowohl durch den Grad der Streckung, als auch durch die Grössenverschiedenheit oder den Ausfall der einzelnen Theile herbeigeführt. Sehr langgestreckte Maxillen besitzen *Hemicalanus* und *Calanella*, sehr gedrungene und breite dagegen die *Pontelliden*, bei denen sich der untere cylindrische Anhang zu einer zweiten Lade ausbildet. Bei *Dias* bildet der sehr verlängerte Basaltheil die Hauptmasse der gesammten Gliedmaasse, an welcher die kurze Lade ausserordentlich weit heraufrückt. Bei *Phaënna* und *Undina* (Taf. XXXI. Fig. 5, Fig. 11) streckt sich die Lade mandibelähnlich und scheint den Taster an der Basis ihrer

Rückenfläche zu tragen. Bei *Candace* (Taf. XXVII. Fig. 12) wird der untere cylindrische Fortsatz fussartig und endet mit zwei zangenförmig gestellten, sehr langen Borsten; die Lade erscheint triangulär und endet mit einem kräftigen Hakenzahn, der Mittelabschnitt bildet eine sehr breite umfangreiche Platte, an welcher der Hauptast ausfällt, der Nebenast sehr klein bleibt. Bei *Euchaeta* (Taf. XXX. Fig. 12) fehlen die cylindrischen Fortsätze, das Mittelstück ist fast oblong und umfangreich, der Nebenast und Hauptast bleiben verkümmert, der letztere krümmt sich über die kräftige Lade herüber und trägt krallenartige Spitzen. Im männlichen Geschlechte verkümmert die Maxille noch mehr und verliert sogar ihren Kautheil. Nicht minder reichhaltig und mannichfaltig sind die Maxillenformen der *Harpactiden* und *Peltidien*, die in zahlreichen Zwischenstufen zu einer immer grösseren Vereinfachung führen. Ganz allgemein tritt hier die Lade als der vorwiegende Abschnitt auf, auf deren Rückenfläche der Taster als ein mehrlappiger Anhang sich befestigt. Die Theile können auch hier noch in manchen Fällen, z. B. *Longipedia*, auf den kammförmigen Anhang, Fächer, Hauptast und Cylinderfortsätze zurückgeführt werden, doch scheint es mir passender, die Vergleichung jener Modificationen in den engeren Grenzen der Familien durchzuführen. Bei *Cyclops* (Taf. X. Fig. 3) bleibt der Taster zweiästig, aber sehr einfach und klein, ähnlich der Gattung *Canthocamptus* unter den *Harpactiden*, während er endlich bei den *Corycaeiden* (Taf. IX. Fig. 3*d*; Taf. XXV. Fig. 16) ganz ausfällt. Hier reduciren sich die Maxillen auf sehr einfache mit mehreren Borsten bewaffnete Platten, die von Thorell als Anhänge der Mandibeln betrachtet werden konnten. Sie führen also immer näher zu den ächten Schmarotzerkrebsen, bei denen die Maxille gar häufig auf einen tasterartigen Stummel beschränkt bleibt (*Lernaeopoden, Chondracanthen* etc.).

Die Kieferfüsse, wie wir die zwischen Kiefern und Füssen vermittelnden Mundwerkzeuge nennen, sind die auseinandergerückten Aeste eines einzigen Gliedmaassenpaares. Schon Rathke führte sie in diesem Sinne auf eine einzige Extremität zurück, aber unrichtigerweise auf die des dritten Paares, welches den Mandibulartastern entspricht. Dieselben gehen vielmehr aus dem fünften Paare hervor, welches an den alten *Nauplius*-Formen einzelner *Calaniden* (Taf. I. Fig. 7*e*) sehr deutlich hervortritt und durch die Grösse seiner beiden Aeste vor dem vorhergehenden und den beiden nachfolgenden Paaren von Fussstummeln in die Augen fällt. An den Larven von *Cyclops* bleiben diese Gliedmaassen auch in dem unmittelbar vor dem ersten *Cyclops*-Stadium vorausgehenden Alter klein, und auf wenig vorspringende aber breite Querhöcker (Taf. I. Fig. 6*e*) beschränkt, die früher[1]) von mir leider übersehen wurden. Ganz dieselbe morphologische Bedeutung kommt auch den Kieferfüssen der ächten Schmarotzerkrebse zu, wie ich früher aus der Entwicklung von *Achtheres*[2]) hoffentlich über allen Zweifel erhoben habe.

Was die Kieferfüsse der ausgebildeten Thiere so schwer als Theile desselben Gliedmaassenpaares kenntlich macht, ist ihre gegenseitige Lage. Nur bei einzelnen Gattungen, z. B. *Heterochaeta, Cyclops*, entspringen sie in derselben Durchschnittsebene der Körperachse und stehen durch Querstäbe verbunden wie äussere und innere Aeste einer Extremität neben einander (Taf. X. Fig. 4 e^{i} und e^{ae}). In der Regel aber erhalten sie eine ungleich hohe Insertion, die äusseren Aeste

---

1) Archiv für Naturg. 1858. Fig. 64.
2) Zeitschrift für wiss. Zool. 1861. Bd. XI. Taf. XXIII. Fig. 2, 3, 5.

werden zu den vorderen oder oberen, die inneren zu den unteren Kieferfüssen, während bei den *Lernaeopoden* die letzteren hinauf- und herabrücken, sodass sie dem grossen aus den äusseren Kieferfüssen hervorgegangenen Haftarme gegenüber eine untere (*Tracheliastes*), eine mittlere (*Achtheres*) oder eine obere Lage in verschiedenen Höhen (*Anchorella*, *Lernaeopoda*) bis unmittelbar unter dem Saugrüssel einnehmen können.

Der obere oder äussere Kieferfuss zeichnet sich vor dem unteren im Allgemeinen durch eine gedrungenere, breitere Form und durch den Besitz von fingerförmigen, meist etwas gekrümmten Ausläufern am Innenrande aus. Man wird an demselben zur besseren Zurückführung der zahlreichen Abweichungen drei Abschnitte unterscheiden, zunächst einen sehr umfangreichen Basalabschnitt (α, β), den Träger von meist vier mit Hakenborsten besetzten Cylinderfortsätzen, dessen obere kleinere Hälfte mit zwei solchen Ausläufern häufig abgesetzt und wieder in zwei Glieder, die medianen Glieder, gesondert ist. Auf diesen folgt ein kürzerer, immerhin noch breiter Abschnitt (γ), den wir das Zahnglied nennen wollen, weil sich an seinem Innenrande ein starker Zahnfortsatz entwickelt, welcher die kräftigste Bewaffnung trägt. Der obere Abschnitt (δ, ε) endlich bildet eine dünnere, mehrgliedrige Spitze mit einem unteren kleinen Zahnhöcker (δ) und einer Anzahl langer befiederter Hakenborsten (Taf. XXX. Fig. 13; Taf. XXXI. Fig. 12; Taf. VI. Fig. 6). Die mannichfaltigen Modificationen beruhen zunächst auf der ungleichen Gliederung des Endabschnittes, der grösseren oder geringen Streckung des Zahngliedes und der Basis, und auf der verschiedenen Form der Cylinderfortsätze und ihrer Hakenborsten. Bei den *Pontelliden* und *Ichthyophorba* sind die letzteren ausserordentlich mächtig, mit grossen Seitenspitzen besetzt und gekrümmt (Taf. XXXVI. Fig. 6), bei *Hemicalanus* streckt sich die Basis und das Hakenglied bei gleichzeitiger Reduction aller Fortsätze und gleichmässiger Gliederung des Endabschnittes (Taf. XXIX. Fig. 1 e°). Aehnlich verhält sich der obere mächtig entwickelte Kieferfuss von *Heterochaeta*, an welchem indess der obere Cylinderfortsatz eine mittlere Grösse bewahrt, der Endabschnitt dagegen äusserst rudimentär wird (Taf. XXXII. Fig. 12). Noch weiter entfernt sich die entsprechende Gliedmaasse der Gattung *Candace* (Taf. XXVII. Fig. 13), für die es schwer wird, die Analogie des ursprünglichen Typus durchzuführen. Wenigstens möchte ich nicht mit Sicherheit entscheiden, ob der Mitteltheil dem obern Abschnitte der Basis (β), oder dem Hakengliede (γ) entspricht. In den besprochenen *Calaniden*-Gattungen finden wir die Verbindungsglieder für die Maxillarfüsse der *Cyclopiden*, die sich bei einer grösseren oder geringeren Streckung durch das Zurücktreten der cylindrischen Fortsätze auszeichnen. Bei *Cyclops* bleibt nur der obere unter dem Hakengliede ein ansehnlicher Lappen (Taf. X. Fig. 4), ebenso bei *Oithona* (Taf. XI. Fig. 7) und *Cyclopina* (Taf. X. Fig. 11), in beiden Fällen bildet der auf das Hakenglied folgende Endabschnitt zwei ansehnliche mit Greifborsten versehene Glieder. Von diesen Formen aus findet sich leicht der Uebergang zu den *Harpactiden* und *Peltidien*, an deren Kieferfüssen durch die Verkümmerung des Endabschnittes und die hervorragende Ausbildung des Zahngliedes eine eigenthümliche Form sich ausprägt. Die Anzahl der Cylinderfortsätze des Basalabschnittes wechselt, in einzelnen Gattungen finden wir alle vier wieder, z. B. bei *Longipedia*, deren Mundtheile überhaupt einen *Calaniden*-Typus darbieten (Taf. XIV. Fig. 19), drei bleiben zurück bei *Euterpe* (Taf. XIV. Fig. 7), zwei bei *Canthocamptus* (Taf. XII. Fig. 10), *Dactylopus* (Taf. XVI. Fig. 7, Fig. 20), ein Fortsatz bei *Amymone* (Taf. XX. Fig. 4), endlich fallen dieselben ganz aus bei *Tisbe* (Taf. XV. Fig 4 e°), *Setella* (Taf.

XXI. Fig. 16 e'); in diesen Fällen erhalten wir bei der ansehnlichen Entwicklung des Hakengliedes die für den unteren Maxillarfuss so häufige Form der von einem kürzeren oder längeren Stiele getragenen Greifhand. Auf einer noch tieferen Stufe der Vereinfachung stehen die oberen Kieferfüsse mancher *Corycaeiden*, z. B. *Copilia* (Taf. XXV. Fig. 17), indem die Gliederung vollständig ausfällt, während wir in anderen Gattungen derselben, z. B. *Corycaeus*, ein kurzes Hakenglied auf einem breiten mit zwei lappenförmigen Anhängen besetzten Basalgliede eingelenkt finden (Taf. IX. Fig. 4).

Endlich muss ich hervorheben, dass in einzelnen Gattungen auch an diesen Gliedmaassen ein Dimorphismus des männlichen und weiblichen Geschlechtes bemerkbar wird. Bei *Undina* und *Euchaeta* verkümmern die oberen Maxillarfüsse des Männchens zu mehrhöckrigen Stummeln, an denen sich die Theile der weiblichen Gliedmaasse noch nachweisen lassen.

Die unteren oder inneren Kieferfüsse lassen sich ebenfalls auf drei Abschnitte zurückführen, die man als einen langgestreckten Basaltheil, einen nicht minder umfangreichen Mittelabschnitt und einen fünf-, seltener viergliedrigen mit Hakenborsten bewaffneten Endtheil unterscheidet (Taf. XXXIV. Fig. 9). In der Regel bildet der Innenrand des Basalabschnittes drei Borsten tragende Vorsprünge, auch die Spitze des Mittelabschnittes treibt einen nach innen gerichteten Höcker, der vielleicht dem obern Cylinderfortsatze des äusseren Maxillarfusses entspricht. In einzelnen Fällen kann sich dieser Theil zu einem ziemlich selbstständigen Gliede sondern, z. B. *Undina* (Taf. XXXI. Fig. 13), und dann mit dem Endabschnitt eine nähere Verbindung eingehen. Diese vollzählig gegliederten normalen Kieferfüsse, wie sie bei den *Calaniden* auftreten, überragen die oberen in der Regel um das Doppelte und Mehrfache an Länge. Eine hervorragende Grösse erlangen sie in den Gattungen *Euchaeta* und *Undina*, wo sie durch eine Drehung in dem Gelenke der beiden unteren Abschnitte eine eigenthümlich mit dem Endtheil nach aussen umgeschlagene Haltung[1]) gewinnen. Nicht minder umfangreich werden diese Extremitäten bei *Calanella* (Taf. XXVIII. Fig. 9) durch eine besondere Verlängerung des Endabschnittes. In anderen Fällen werden sie schmächtig und rudimentär, namentlich da, wo die vorderen Kieferfüsse durch ihre Grösse hervortreten, z. B. *Heterochaeta* und *Candace* (Taf. XXVII. Fig. 14). Bei *Dias* (Taf. XXXIII. Fig. 13) und den *Pontelliden* (Taf. XXXVI. Fig. 7, Fig. 16; Taf. XXXVII. Fig. 4) erlangen dieselben eine höchst charakteristische Form durch einen umfangreichen Zahnfortsatz des verkürzten Basalgliedes, auf welchem sich gewöhnlich die drei erwähnten Borstengruppen wiederfinden. Bei den *Cyclopiden* wird der Endabschnitt dreigliedrig, *Cyclopina* (Taf. X. Fig. 15), oder zweigliedrig, *Cyclops* (Taf. X. Fig. 4 e'), bei den *Peltidien*, *Harpactiden* und *Corycaeiden* endlich bildet sich die Gliedmaasse unter höchst mannichfaltigen Abstufungen der Grösse und Form zu einem Greiffusse, welcher aus einem einfachen oder mehrgliedrigen Stiele und einer Greifhand besteht. In der letzteren Familie variirt die Extremität einiger Gattungen, z. B. *Corycaeus*, *Saphirina*, nach dem Geschlechte, indem das Männchen eine umfangreichere und stärkere Bewaffnung trägt.

Die Schwimmfüsse. Die Gliedmaassen, welche die mittlere Gruppe von Leibessegmenten zur Entwicklung bringt, sind die für unsere Ordnung so charakteristischen Schwimmfüsse.

---

1) DANA bezeichnet daher diese Kieferfüsse als *duplice geniculati et sub corpore gesti.*

Dieselben bestehen im Allgemeinen aus einem plattgedrückten zweigliedrigen Basaltheile und zwei ebenfalls platten, in der Regel dreigliedrigen Aesten. Der Basaltheil vermittelt die Verbindung mit dem Chitinpanzer, die Aeste bilden vorzugsweise die Ruderfläche, zu deren Vergrösserung eine Anzahl dicht an einander gelegter Schwimmborsten verwendet wird. Für die letzteren kann man wohl als Gesetz hervorheben, dass sie die Innenränder der beiden Aeste besetzen; der Aussenrand des Innenastes entbehrt der Bewaffnung, höchstens sind es kurze Spitzen, in welche die untern Ecken der Glieder auslaufen, der äussere Rand des Aussenastes dagegen trägt starke Dornen und Stacheln meist in der Vertheilung, dass die beiden ersten Glieder von je einer, das Endglied dagegen von mehreren dieser Waffen besetzt wird (Taf. XXVIII. Fig. 1; Taf. XII. Fig. 6, Fig. 7). Zwischen den Basalgliedern zweier zu einem Paare gehöriger Ruderfüsse tritt noch eine eigenthümliche Skeletbildung hinzu, welche beide Extremitäten mit einander verbindet und wohl keine andere Bedeutung hat, als die Bewegung der beiden Ruder gleichzeitig und in gleicher Richtung erfolgen zu lassen. Zenker[1] hält diese Zwischenplatten für integrirende Theile der Bauchschienen und beschrieb sie mit eigenthümlichen Zapfen der letzten im Zusammenhang als »Bauchwirbelkörper«. In der That bieten die zwischen den Thoracalfüssen befindlichen Chitinbildungen ein regelmässig gegliedertes, zuweilen wirbelähnliches Bild, welches übrigens nach den einzelnen Gattungen äusserst mannichfaltig wechselt. Unter dem Vorderrande eines Segmentes liegt im Skelete ein verdickter medianer Zapfen, umgeben von zwei vorn und oben vereinigten Chitinstäben. Ersterer vermittelt mit seinem untern Theile die Einlenkung der Zwischenplatte, welche mit den zugehörigen Ruderfüssen um diesen Stützpunkt leicht nach vorn und hinten gedreht wird. In letzterer Stellung wird der Zapfen am Skelete sichtbar, in der ersteren dagegen bleibt er von der Basis der umgeschlagenen Zwischenplatte bedeckt. Die Platte selbst ist der Länge nach rinnenförmig gekrümmt und zeigt fast regelmässig zwei Längswülste, welche den seitlichen, cylindrisch umgebogenen Rändern entsprechen; ihre Basis nimmt zur festeren Verbindung einen stark verdickten Zapfen der Fussglieder auf.

In den vollzählig ausgeprägten Formen treten, wie schon bei der allgemeinen Schilderung des Körperbaues erwähnt wurde, fünf Schwimmfusspaare auf, ein Grund, für die Brustringe die gleiche Zahl als Norm aufzustellen. Indess zeigen sich die Fusspaare keineswegs überall in derselben Grösse und Form ausgebildet. Ganz allgemein bleibt zunächst bei den *Calaniden* und *Pontelliden* das vordere Paar kurz und schwach, sehr häufig ist sein Innenast zweigliedrig auch da, wo die nachfolgenden Füsse wenn auch schmächtige, doch dreigliedrige innere Aeste tragen. Wesentlicher entfernt sich derselbe bei den *Corycaeiden* und *Peltidien* im Bau und in der Verwendung von den nachfolgenden Paaren, indem er in mannichfachen sehr interessanten Uebergängen vom Schwimmfuss zum Kieferfuss übergeführt wird und gar häufig beide Functionen mit einander verbindet. Ich habe auf diese Modificationen einen besonderen systematischen Werth gelegt und in Verbindung mit Eigenthümlichkeiten der unteren Kieferfüsse eine Anzahl Gattungen gegründet; die extremen Formen derselben wie *Canthocamptus* und *Harpacticus* waren schon längst als Gattungen anerkannt, die zahlreichen Verbindungsglieder machen es aber nothwendig, entweder diese sehr verschiedenen Formen nur als verschiedene Arten anzusehen, oder eine Reihe von Gattungen zu bilden. Ersteres ist bei dem Werthe der aus einander weichenden Charaktere unter keiner Bedingung

1) Archiv für Naturg. 1854. p. 90. Taf. VI. Fig. 11.

zulässig, letzteres aber beweist, wie allmählich die Gattungen in einander übergehen durch Zwischenformen, denen man auch nur eine Artverschiedenheit beilegen könnte (vgl. die nähere Ausführung in dem speciellen Theile über die *Harpactiden*). Auch die nachfolgenden Füsse bieten übrigens in einzelnen Fällen Besonderheiten nach dem Geschlechte, wie im Speciellen für *Canthocamptus*, *Westwoodia*, *Pleuromma* etc. gezeigt worden ist. Weit mannichfaltiger aber sind die Abweichungen des fünften Fusspaares, welches nur in seltenen Fällen vollständiger Schwimmfuss in beiden Geschlechtern bleibt, z. B. bei *Cetochilus*. In der Regel wird dasselbe bei den *Calaniden* und *Pontelliden* zum Fangen des Weibchens, zum Festhalten desselben bei der Begattung und zum Ankleben der Spermatophoren in einer Fülle von Einrichtungen modificirt. Bei den Weibchen dient dasselbe zuweilen zum Tragen oder zum Schutze der Eiersäckchen, namentlich bei den *Harpactiden*, deren hintere Füsse breite Doppellamellen bilden, die vorzugsweise im weiblichen Geschlechte eine mächtige Grösse erlangen, z. B. *Thalestris* (Taf. XVIII. Fig. 12). In vielen Fällen bei den *Cyclopiden* und *Corycaeiden* sinken sie in beiden Geschlechtern zu einfachen oder mehrgliedrigen Stummeln herab, die nebst dem dazu gehörigen Segmente in seltenen Fällen ganz hinwegfallen können, z. B. *Undina* ♀, *Euchaeta* ♀ (Taf. XXX. Fig. 1).

5. Die Körperbedeckung.

Der Bau und die Beschaffenheit der Haut schliesst sich vollständig an die bekannten Panzerbildungen der Gliederthiere an und wiederholt auch in der feineren Structur eine Reihe von Verhältnissen, die wir von anderen Gruppen der Articulaten bereits kennen. Die Haut besteht aus einer äusseren festen chitinisirten Schicht, der Cuticula, und aus einer unteren weichen und zarten Zellenlage, welche als die Matrix der ersteren einer Drüse verglichen werden kann, deren secernirende Zellen flächenhaft im Umkreis des Körpers ausgebreitet liegen. Das nach aussen abgeschiedene Secret erstarrt ähnlich wie die kalkige Schale der Mollusken und liefert einen chitinogenen Panzer, welcher dem Thiere Schutz und Festigkeit verleiht und nach einer bestimmten Zeit, durch ein jüngeres Secretionsproduct ersetzt, vom Körper abgeworfen wird. Das Vorhandensein und die genetischen Beziehungen beider Lagen mögen wohl schon älteren Zoologen bekannt gewesen sein, oder wenigstens manchem Forscher bei der Erklärung des Schalenwechsels der Gliederthiere vorgeschwebt haben. In neuerer Zeit hat LOVÉN das unbestreitbare Verdienst, zuerst auf diesen Unterschied der Hautlagen aufmerksam gemacht zu haben, er spricht zuerst bei *Evadne*[1]) mit Klarheit aus, dass die weiche Innenlage an ihrer Oberfläche »immerfort eine neue Epidermis absondert«. Nach LOVÉN hat vor allen Anderen LEYDIG unabhängig von älteren Autoren die gleiche Anschauung vertreten und histologisch begründet. Während er in seinem Aufsatze über *Paludina vivipara*[2]) an der Wandung des Magens eine innere knorpelharte Membran, an welche sich die polygonalen

1) LOVÉN, Evadne Nordmanni et hittills okändt Entomostracon in k. Vet. Akad. Handl. Stockholm 1835, ferner im Archiv für Naturg. 1838. Vgl. LEYDIG's Naturgeschichte der Daphniden p. 15.

2) LEYDIG, Zeitschrift für wiss. Zool. 1850. Bd. II. p. 163.

Oberflächen der unterliegenden Cylinderzellen facettenartig abgedrückt haben, beschreibt, spricht er für die äussere Haut von *Argulus*[1] aus, dass die unterliegenden Zellen die Matrix für die homogene Cuticula und letztere das Absonderungsproduct der Zellen sei. LEYDIG hat unbestreitbar für das Verständniss des *Arthropoden*-Panzers die Grundlage geliefert und wenn er auch später durch das Streben einer histologischen Classificirung[2] der Gewebe zu der keineswegs allgemein acceptirten Deutung der Cuticularbildungen als Bindesubstanz geführt wurde und sich zu dem sicherlich verfehlten Vergleiche der Poren mit Bindegewebskörperchen verleiten liess, so wird man ihm desshalb nicht das Verdienst nehmen wollen, die heutigen Anschauungen über die Natur der Arthropodenhaut begründet zu haben. Dem Fundamentalsatze gegenüber von dem Verhältniss der Cuticula zur zelligen Matrix erscheint die Frage, ob Epithelialformation oder Bindesubstanz höchst untergeordneter Natur und wird überhaupt nur da discutirt werden können, wo es sich um Schematisirungen der Gewebe handelt. Spätere Beobachter wie KÖLLIKER und HÄCKEL haben LEYDIG's Beobachtungen bestätigt, aber einen grössern Werth auf die regelrechte vollständige Ausbildung der Zellen in dem Epithelialstratum gelegt, welches nach LEYDIG auch durch eine mit Kernen durchsetzte Schicht vertreten sein konnte (vgl. *Rotatorien* etc.).

Bei der geringen Grösse und dem Wasserleben unserer *Copepoden* kann es nicht auffallen, dass die Hautbildungen derselben im Allgemeinen eine zarte Beschaffenheit und einfache Structur besitzen. Gar oft, z. B. bei *Diaptomus* etc. ist die Cuticula dünn und homogen, auch für die stärksten Vergrösserungen ohne nachweisbare Structurunterschiede. Bei einzelnen *Cyclops*-Arten bemerkt man indess in derselben bei gewissen Einstellungen eine enge und unregelmässige Felderung, in welcher stärkere und dünnere Stellen miteinander alterniren. Zwischen kleinen rhomboidalen Feldern markirt sich ein System zarter Linien, welche ich für Furchen und Rinnen an der innern Fläche des Panzers halte. Bei andern *Cyclopiden* treten kleine Gruben und wirkliche Porencanäle auf, welche auch schon von LEYDIG[3] bei einem grossen blauen *Cyclops* an der Bauchseite des Abdomens beobachtet wurden. Mir waren die Porencanäle von *Cyclops* früher unbekannt geblieben, nachdem ich aber durch LEYDIG's Bemerkungen veranlasst noch einmal eine grosse Anzahl von Formen auf die Bildung des Panzers untersuchte, habe ich Arten mit Gruben und Porencanälen kennen gelernt. Auffallenderweise aber bilden diese Structureigenthümlichkeiten keine constanten Charaktere der Art, indem sie in höherm oder geringem Grade auftreten oder auch ganz fehlen. Am deutlichsten konnte ich dieselben bei *Cyclops brevicaudatus* und *Leuckarti* verfolgen, wo sie allerdings weniger am Abdomen als am Kopfbruststück und an den Basalgliedern der Antennen in die Augen fielen. Auch haben wir nicht trichterförmige Poren, sondern einfache cylindrische Canäle, von einem wallartigen äussern Ringe umgeben, bald in spärlicher, bald in dichter Anhäufung. Viel verbreiteter als bei den *Cyclopiden* sind Hautcanäle in den Familien der *Harpactiden* und *Peltidien*. Unter den erstern zeichnet sich vor Allem die Gattung *Amymone* aus, in deren Körperbedeckung zwischen kleinen dicht gestellten Poren hier und da grössere Oeffnungen sichtbar werden (Taf. XX. fig. 1 und 10). Unter den *Peltidien* treten

1) Daselbst p. 325 Ueber *Argulus foliaceus*.
2) LEYDIG, MÜLLER's Archiv 1851 p. 302; 1855 p. 376; Lehrbuch der Histologie p. 112.
3) Bemerkungen über den Bau der Cyclopiden. Archiv für Naturg. 1859. p. 195.

regelmässige und ansehnliche Hautcanäle bei *Porcellidium* auf, dessen Panzer dick und krustenartig wird.

Auch Erhebungen und Fortsätze tragen dazu bei, der Cuticula eine mannichfaltigere Form und Structur zu geben. Bei *Euchaeta Prestandreae* sind es kleine, fast conische Höcker, welche sich auf der Oberfläche in sehr dichter Häufung erheben und dieser eine fast chagrinartige Beschaffenheit verleihen, bei *Thalestris Mysis* erscheint der Panzer von einer Unzahl sehr feiner Spitzen fast hechelförmig besät. Auch bei *Canthocamptus staphylinus* wird die Cuticula von kleinen, minder zahlreichen und in grössern Intervallen getrennten Spitzen bedeckt, in anderen Fällen beschränken sich dieselben auf gewisse Theile der Oberfläche, auf die Basis der Antennen, auf die Mundwerkzeuge und Furcalglieder, oder sie besetzen die untern Verbindungsränder aller Leibesringe (*Harpactiden*), oder nur der Abdominalsegmente (*Cyclops brevicornis*). Ausser den Spitzen, Wimpern, Zähnen und Kerben, die als unmittelbare Erhebungen der Cuticularsubstanz hervortreten, giebt es Anhangsgebilde des Panzers, welche auf besondern Porencanälen eingelenkt sind und oft durch zarte Muskelfäden bewegt werden können. An der Bildung dieser letztern betheiligt sich zugleich die zellige Matrix, indem sie Fortsätze in dieselben hineinsendet, die freilich nach der vollkommenen Ausbildung der Anhänge nicht immer deutlich sichtbar bleiben. Dieselben sind einfache oder befiederte Borsten, Haare, Stacheln, Dornen, Klauen und Haken, welche namentlich an den Extremitäten zur Entwicklung gelangen. Klauen und Haken vermitteln oft wiederum den Uebergang von Cuticularanhängen zu Gliedern der Extremitäten, indem sie ebensowohl durch eine bedeutende Verdickung einer Borste oder eines Dornes entstanden sein, als dem langgestreckten Endgliede des Fusses entsprechen können. Die Grenze zwischen dem Gliede eines Segmentanhanges und dem einfachen Cuticularanhange ist oft schwer genug zu ziehen.

Kommen wir wiederum auf die Beschaffenheit des Chitinpanzers selbst zurück, so haben wir noch eigenthümlicher Sculpturen zu gedenken, welche an die Täfelung und Felderung mancher *Daphniden* erinnern. Eine grossmaschige Felderung beobachten wir an der Haut von *Leuckartia*, deren Ansehn mit dem Zellgewebe von Pflanzen eine gewisse Aehnlichkeit besitzt. Diese Zeichnung entspricht indess keineswegs dem Bilde der unterliegenden Zellenlage, für deren Abdruck man sie halten könnte, sondern enthält selbstständige weit grössere Maschen, welche von erhabenen Rahmen netzförmig umschlossen werden. Endlich treten am Panzer mancher *Peltidien* chitinisirte Schichten auf, die man als eine untere starke Skelet-bildende Schicht und eine zarte und blasse obere Lage unterscheiden kann. Die erstere verdickt sich an manchen Stellen zu Stäben und Leisten, selbst Rahmen und Platten, welche vorzugsweise als Stützen zur Einlenkung und Befestigung der Mundtheile verwendet werden. Die Aussenlage bildet dagegen einen blassen oft hohen Saum, namentlich an den seitlichen Rändern der Thoracalsegmente z. B. *Porcellidium*, der bei einigen Schmarotzerkrebsen, z. B. *Caligus*, ein System feiner senkrechter Streifen aufweist. Die letztern dürften auf ein Zerfallen in sehr zarte, Cilien vergleichbare Fasern hindeuten, und es würden somit an Cuticularausscheidungen ganzer Zellcomplexe Differenzirungen hervortreten, welche sich dem Verhalten von Cuticularbildungen der einfachen Zelle unmittelbar anschliessen.

Gewöhnlich erscheint die Cuticula hell und durchsichtig ohne specifische Pigmentirung, in einzelnen Fällen aber wird sie von Farbstoffen durchtränkt und nimmt dann einen gelblichen, rothen, braunen oder violetten Schein an, der sich bis zur Undurchsichtigkeit des Panzers steigern kann, z. B. *Thalestris robusta.* Ausser jenen Pigmenten scheinen sich auch Kalksalze, namentlich in der Familie der *Peltidien* mit den organischen Chitinsubstanzen, zu verbinden, dann erhält das Gewebe ein mehr oder minder brüchiges, incrustirtes Gefüge, z. B. *Porcellidium.*

Die Matrix der Cuticula finde ich bei grössern marinen Formen sehr deutlich aus scharf umgrenzten Zellen zusammengesetzt und einem regelmässigen Epithel ähnlich unter dem Panzer ausgebreitet, z. B. *Cetochilus* (Taf. IV, Fig. 14). Allein nicht bei allen Formen zeigen sich diese Verhältnisse scharf und deutlich, am wenigsten bei den *Cyclopiden* und *Harpactiden*, deren Gewebe überhaupt nicht zur Untersuchung geeignet sind. Wenn ich indess bei den letztern die secernirende Unterlage nur aus Kernen und molecularer Zwischenmasse zusammengesetzt finde, so möchte ich doch nicht unbedingt die Existenz der Zellmembranen läugnen. Auch die Matrix kann, wie wir das ja auch von höhern Krebsen und Insecten wissen, durch Aufnahme von körnigen Pigmenten zur Färbung des Leibes beitragen, doch sind es auch nicht selten tieferliegende, den Fettzellen und Bindegewebssträngen entsprechende Gewebe, welche zum Sitze dicht gehäufter Pigmentmolecüle werden und röthliche und schwarzbraune Flecken erzeugen. Die Thätigkeit der Matrix[1]) ist vorzugsweise in der Jugend während der Entwicklung des Körpers lebhaft, in dieser Zeit aber für das Wachsthum und das Durchlaufen der Metamorphose von hervorragender Bedeutung, denn die fortgesetzte Ausscheidung von Cuticularschichten ist die Bedingung für das Abstreifen der festen Oberhaut und für die Möglichkeit der räumlichen Ausdehnung des Leibes. Im ausgebildeten Zustand wurde kein Fall von Häutung beobachtet, während ich nicht selten die ältesten Jugendformen vor dem Stadium der vollzähligen Körpergliederung mit zwei übereinanderliegenden Cuticularschichten antraf. Natürlich fallen die Häutungen im Zusammenhang mit den gesetzmässigen Veränderungen der Metamorphose in ganz bestimmte Perioden des Wachsthums, sie grenzen eine Reihe morphologisch differenter Stadien von einander ab, die wir später in der Geschichte der Entwicklung im Speciellen kennen lernen werden.

Endlich mag an diesem Orte der merkwürdige Farbenschiller besprochen werden, welcher an der äussern Körperdeckung einiger *Saphirinen*-Männchen bereits ältern Forschern bekannt war. Schon ANDERSON beobachtete die Erscheinung auf COOK's letzter Reise an seinem *Oniscus fulgens*, einer Thierform, die offenbar mit BANKS's *Carcinium opalinum* und THOMPSON's *Saphirina* identisch ist. Von diesen Thieren schreibt jener Beobachter, dass sie bisweilen vollkommen durchsichtig seien, dann aber alle Schattirungen des Blauen, vom blassesten Saphir bis zum Violettfarbigen angenommen hätten. Oft waren ihre Farben, fährt er weiter fort, mit Rubinroth oder dem rothen Schimmer des Opales vermischt, und alle glühten so stark, dass sowohl das Wasser als das Gefäss davon illuminirt war. MEYER[2]), welcher *Saphirinen* in der Nähe der Azoren beobachtete, be-

1) Wie LEYDIG für die *Daphniden* bemerkt, verdickt sich die Matrix der Cuticula an manchen Orten, namentlich da, wo sie zur Neubildung von Anhängen verwendet wird. Als eine solche Verdickung fasst er das unter den zwei Schwanzborsten gelegene kolbige Organ auf, das SCHÖDLER für einen Muskel hielt, und erklärt es für die Matrix und innere Stütze der Schwanzborsten. Ein ganz ähnlicher Körper, dessen Erwähnung ich bei LEYDIG vermisse, liegt vor den Schwanzkrallen und man kann sich an diesem vor der Häutung mit Bestimmtheit überzeugen, dass er in der That als Matrix zur Bildung der neuen Krallen dient.

2) Nova acta XVI.

schreibt dieselben als äusserst bewegliche Plättchen mit beständigem Farbenwechsel. In die Tiefe hinabgesunken zeige sich das Thier mit dem glänzendsten Violettroth, das einen purpurnen Kern einschliesse, eingefangen aber, verliere es die Farben, welche nur durch die Brechung der Lichtstrahlen auf der spiegelnden Oberfläche des Körpers hervorgerufen würden. An der letztern aber entdeckte er auf der Rückenseite vier-, fünf- oder sechsseitige Schilder, die in stumpfen Kanten aneinander gereiht, eine glänzende Fläche zeigten; durch diese dachte sich MEYER wie durch aneinander gereihte Prismen das Licht gebrochen und so bei jeder Bewegung des Thieres den Farbenwechsel erzeugt. Eine bei weitem detaillirtere Beschreibung der erwähnten Farbenerscheinungen erhalten wir von GEGENBAUR[1]. Auch dieser Forscher verlegt ihren Sitz in jene polygonalen, schon von MEYER beobachteten Felder, die er auf eine zusammenhängende Schicht von platten Zellen unter der Cuticula, auf die Matrix der Chitinhülle zurückführt. »Beim Weibchen«, sagt unser Forscher, »ist der Zellinhalt während des Lebens durchaus hell, das Männchen dagegen lässt im Leben »beinahe dieselben Erscheinungen an jenen Zellen unter dem Mikroskope erkennen, wie man sie »am frei lebenden Thiere beobachten kann. Bei durchfallendem Lichte sowohl als bei auffallendem »ist der Wechsel des Farbenspieles von Zelle zu Zelle zu beobachten und während im letztern Falle »nur Metallglanz funkelt, so ist bei ersterem neben dieser Erscheinung noch ein dioptrisches Farben»spiel sichtbar. Oft grenzt sich eine Zelle von der benachbarten mit grösster Schärfe durch Farbe »oder Metallschimmer ab, erscheint gelb, roth oder blau mit den verschiedensten Nüancirungen von »einer Farbe in die andere übergehend, jedoch ohne alle Mittelfarben, ohne Grün, Violett oder »Orange. Die beiden ersten Farben kommen dagegen bei dem katoptrischen Phänomen vor, bei »welchem Blau die erste Rolle spielt. Betrachtet man die Erscheinung an einer einzelnen Zelle, so »findet man den Uebergang von Blau in Roth ohne die Mittelfarbe dadurch zu Stande kommen, »dass an einem Theile der Zelle, etwa in einer Ecke derselben, das Blau erblasst, fast grau wird und »dann plötzlich an dieser Stelle ein rother Saum auftritt, der breiter werdend über die Zelle in dem »Maasse sich ausdehnt als das Blau gewichen ist, so dass alsbald die ganze Zelle blau erscheint. »Dasselbe gilt vom Gelb. Die Qualität der Farbe einer Zelle ist völlig unabhängig von den benach»barten Zellen. So erscheinen gelbe mitten im Roth, rothe mitten im Blau. Doch kann auch die »Erscheinung auf benachbarte Zellen überschreiten; vom Rande einer blauen Zelle geht Blau auf »die Nachbarzelle über, die eben noch roth war, und so dehnt sich zuweilen eine Farbe über eine »grosse Strecke aus. Zuweilen tritt plötzlich in einer und derselben Zelle ein farbloser Fleck auf, »in der Mitte oder am Rande, grösser oder kleiner, während der übrige Theil noch in voller Farbe »prangt. Verwandelt man jetzt das durchfallende Licht in auffallendes, so leuchtet der Fleck in »vollem Metallglanze während die übrigen vorher und nachher gefärbten Partien dunkel sind. Die »Zeiträume, innerhalb welcher diese Phänomene verlaufen, sind verschieden lang, oft wechselt in »einer Secunde die Farbe dreimal, oft währt eine Farbe mehrere Secunden lang. Mit dem Tode »des Thierchens, wo sich der feinkörnige Inhalt jedesmal gegen die Mitte hin zusammendrängt, ist »die ganze Erscheinung erloschen.«

Ich habe die ganze Beschreibung GEGENBAUR's citirt, weil meine eigenen das Phänomen des Farbenwechsels bestätigenden Beobachtungen nicht bis in die von GEGENBAUR erforschten

---

1) Mittheilungen über die Organisation von *Phyllosoma* und *Saphirina*. MÜLLER's Archiv 1858. p.67

Details für die Aufeinanderfolge der Farben eingedrungen sind. Indess kann ich mich nicht in allen Stücken mit GEGENBAUR einverstanden erklären. Zunächst bilden nach meinen Beobachtungen die polygonalen Felder allerdings eine unter der Cuticula gelegene Schicht, aber sie sind 1) keine Zellen, 2) liegen sie nur unter der Rückenfläche, 3) konnten sie im weiblichen Geschlechte nicht gesehen werden. Dass sie keine einfache Zellen des Matricalepithels sind, geht nicht nur aus ihrer Grösse hervor, welche bei *Saph. auronitens* c. 0,08 Mm., bei *Saph. fulgens* 0,1 Mm. im Durchmesser beträgt, also mit den kleinen Zellen der Matrix anderer Copepoden gar nicht verglichen werden kann, sondern vor Allem aus dem Verhalten der Begrenzung. Die polygonalen Platten sind nicht von einer festen Membran umgeben, sondern zeigen sehr feingezackte Umrisse. Man hat es mit dünnen Platten einer feinkörnigen Substanz zu thun, mit Platten, welche durch suturenartig in einandergreifende Ränder begrenzt sind und bei *Saph. nitens*) häufig äusserst dichte und zarte Streifen ähnlich wie gewisse *Lepidopteren*-Schuppen darbieten. Kerne, wie sie GEGENBAUR für eins der drei von ihm gezeichneten Felder abbildet, habe ich niemals deutlich und regelmässig beobachtet, ich kann mich auch aus diesem Grunde nicht dazu verstehen, die Felder für Zellen zu halten. Weit eher entsprechen dieselben ganzen Complexen von verschmolzenen und veränderten Zellen der Matrix, für die ich keine zweite tiefere Lage eines Epitheles nachweisen konnte. Ferner habe ich hervorzuheben, dass der Farbenschimmer keineswegs mit dem Tode des Thieres erlischt, der nur den wunderbaren Wechsel der Farben, die Veränderung derselben Theile von Blau in Roth etc. aufhebt. Der goldgrüne Metallglanz (*S. auronitens*) sowohl als das grünlich violette Farbenspiel (*S. fulgens*) finde ich an einigen seit Jahren in diluirter Glycerinlösung aufbewahrten Formen prachtvoll erhalten. Auch an *Saphirinella mediterranea* treten unter der Cuticula die nämlichen polygonalen feinstreifigen Felder auf und zeigen bei auffallendem Lichte einen schwach violetten, bei durchfallendem einen blassgelblichen Schimmer.

Eine Erklärung der besprochenen Farbenerscheinungen wage ich im Detail nicht auszuführen. Von einem Vergleiche der polygonalen Tafeln mit aneinandergereihten Glasprismen, die das Licht in die Spectralfarben zerlegen, kann natürlich keine Rede sein, vielmehr haben wir es mit Interferenzerscheinungen zu thun, welche ihren Sitz in dem feinkörnigen zuweilen wie in Sprüngen und Rissen zerspaltenen Gefüge der Tafeln haben. Vollkommen dunkel aber bleiben die höchst merkwürdigen Farbenveränderungen während des Lebens in den einzelnen polygonalen Feldern, die, wenn auch nicht dem Willen des Thieres unterworfen, doch von Vorgängen des Stoffwechsels abhängig zu sein scheinen, in denen man auch die Ursache für das Leuchtvermögen der *Saphirinen* zu suchen hat.

---

6. Die Musculatur.

Ich unterlasse die Aufführung einer speciellen Myologie, weil dieselbe, wenn auch nicht mit grossen Schwierigkeiten verbunden, doch ohne grösseres Interesse bleiben würde; ich beschränke mich darauf, die allgemeine Vertheilung der Muskelgruppen darzustellen. An dem Rumpfe unterscheiden wir dorsale und ventrale Längszüge, und zwar in paarig symmetrischer Anordnung über die Seitenflächen ausgebreitet. Bei den *Calaniden* (*Ichthyophorba, Diaptomus*) laufen unter dem Rücken von der Kieferregion bis zum Ende des zweiten Thoracalsegmentes zwei breite Muskelbündel, nur durch einen kleinen Zwischenraum in der Medianlinie getrennt. An der äusseren Seite derselben entspringen Muskeln, die halbschräg nach innen zum untern Rande des ersten, des zweiten und vierten Thoracalsegmentes herabziehen. Noch weiter nach aussen heftet sich dann am Kopfbruststück neben der Insertion dieser schrägen Rückenmuskeln jederseits ein kräftiger gerader Rückenmuskel an, der bis zum untern Rande des dritten Brustsegmentes verläuft und zwei schräge Muskeln nach innen zum untern Rande des fünften Ringes absendet. In dieser Form der Vertheilung erhalten alle Segmente der Brust Insertionen von Rückenmuskeln zur relativ selbstständigen Verschiebung. Einfacher verhalten sich die Bauchmuskeln, die als breite von der Mittellinie ziemlich weit abstehende Längszüge, von Segment zu Segment unterbrochen, im Thorax herabziehen und für das Abdomen schräge Bündel nach einem medianen Chitinvorsprung des vorderen Abdominalsegmentes abgeben. Auch am Abdomen verfolgen wir dorsale und ventrale Längsmuskelpaare mit besonderen Befestigungspunkten an den einzelnen Leibesringen. Bei den flachen *Saphirinen* werden die Längsmuskeln sehr dünn und verlaufen am Mitteltheile des Körpers, indem sie die grossen schildförmigen Seitenflügel frei lassen. Am meisten nähern sich dieselben der Medianlinie im Abdomen, dessen drei letzte Segmente noch jederseits von einem kräftigen Längsmuskel durchzogen werden, der sich in die Furcallamellen fortsetzt und hier feinere Seitenfäden abgiebt. Die mehr oder minder ramificirte Muskelpartie ist jedoch keine Muskelzelle, wie sie Gegenbaur mit Unrecht bezeichnet. Die Muskeln zur Bewegung der Gliedmaassen entspringen mit breiter Insertionsfläche am Rücken oder an den Seitentheilen des Panzers, ihre Bündel convergiren in der Richtung nach der Extremität, die Fasern mehr oder minder deutlich in eine gemeinsame Chitinsehne vereinigend. Im Allgemeinen sehen wir mindestens zwei Gruppen von Muskelbündeln für jede Gliedmaasse bestimmt, eine obere zum Heraufziehen, eine untere, die an den Schwimmfüssen in der Regel an Masse überwiegt, zum Herabziehen. Viel complicirter verhalten sich die Muskeln der vorderen Antenne, zu deren Bewegung fünf und mehr Muskeln am Rumpfe entspringen. Unter diesen erlangt den grössten Umfang ein gestreckter Längsmuskel, welcher hinter der Kiefergegend am Rücken entspringt und schon an der eben ausgeschlüpften Larve mächtig entwickelt zur Bewegung der vorderen Ruderextremität dient.

Von Muskeln, welche sich an innere Organe heften, erscheinen am meisten bemerkenswerth die Aufwärtszieher des Schlundes, ferner die des Magens, letztere namentlich da, wo der rhythmische Zug des Darmcanales zum Ersatze des fehlenden Herzens, die Circulation des Blutes unterhält. Aber auch an den Seiten des Darmes finden wir nicht selten Muskeln befestigt, am deutlichsten bei *Saphirina* und *Copilia*, ganz normal endlich am Enddarm. An diesem letzteren Theile dienen sie dazu, die anliegenden Darmwandungen aus einander zu klappen und den Austritt der Kothballen zu bewirken. Wie ich häufig beobachten konnte, stehen die Contractionen derselben in einer Correlation zu den peristaltischen Bewegungen des Darmes, indem sie jedesmal dann sich zusammenziehen, wenn die peristaltische Welle am Enddarme im Abdomen angelangt ist. So deutlich und scharf die Muskeln am Mastdarme als contractile Elemente zu erkennen sind, so schwer wird es oft, die Natur zarter, an anderen Organen befestigter Fäden als Muskeln, Nerven oder Ausläufer von Bindesubstanz zu bestimmen. Was Leydig für die *Daphniden* hervorhebt, behält auch für unsere Gruppe volle Geltung. So lange der Muskel ganz lebensthätig und frisch ist, erscheint er wasserhell und durchsichtig und gar oft ohne scharf hervortretende Querstreifung, die man erst nach längerer Beobachtung namentlich an sehr zarten Muskelfäden entdeckt. So verhält es sich z. B. mit manchen Augenmuskeln, die man längere Zeit verfolgen und beobachten muss. Ueber die histologischen Verhältnisse der Muskelsubstanz kann ich an diesem Orte hinweggehen, da ich die von LEYDIG für die *Daphniden* gegebenen Erörterungen wiederholen müsste.

---

7. Nervensystem und Sinnesorgane.

Das Nervensystem, welches man nach Analogie der Gliederthiere in Gestalt eines Gehirnknotens und eines Bauchstranges nachzuweisen sucht, ist bei den *Cyclopiden* äusserst schwierig zu verfolgen, theils wegen der geringen Durchsichtigkeit der inneren umliegenden Organe, theils weil das dicke Bauchskelet und die Füsse mit ihren Borsten hinderlich im Wege stehen. Daher ist denn auch unsere Kenntniss über den Bau des Nervensystemes bis jetzt höchst unvollständig geblieben, zumal sich die Beobachter auf die Untersuchung der Süsswasserformen beschränkten. Allerdings wurde dasselbe bei den *Saphirinen* näher bekannt und zum Theil bis in die Details verfolgt, allein die hier auftretenden Eigenthümlichkeiten konnten unmöglich bei der grossen Differenz der gesammten Körperform auf die langgestreckten, seitlich comprimirten *Copepoden*, die *Cyclopiden*, *Calaniden* und *Pontelliden* übertragen werden. Die Untersuchung einer Anzahl pellucider Meeresformen, deren Nervensystem eine äusserst scharfe Beobachtung gestattet, hat mich in der That belehrt, dass die Abweichungen von den *Saphirinen* sehr bedeutend sind.

Nach ZENKER[1]) sollte das Nervensystem von *Cyclopsine Castor* und *Cyclops quadricornis* aus einem grossen breiten Gehirnknoten, aus fünf den Füssen entsprechenden Bauchganglien und einigen kleineren Schwanzganglien bestehen, die Längscommissuren des Stranges sollten dicht an einander liegen, beim ersten Fusspaare breiter als beim letzten, überall aber viel schmäler als die Ganglien sein. Ferner wurden von ZENKER Nerven für die Antennen und Füsse, kurze, zarte Augennerven und endlich ein Ganglion oberhalb des Darmes in der Nähe des Afters namhaft gemacht. Mir[2]) war es leider bisher ebensowenig als LEYDIG[3]) gelungen, bei den *Cyclopiden* mehr nachzuweisen als das Gehirn, die Schlundcommissuren und einen medianen Strang am Segmente des vorletzten Fusspaares mit zwei austretenden Seitennerven. Da der Zusammenhang der Commissuren mit einem unteren Schlundganglion nicht nachweisbar war und auch bei den *Daphniden*[4]) von LEYDIG keine Bauchganglienkette gesehen wurde, hätte man leicht zu der Vermuthung geführt werden können, dass bei den kleinsten *Crustaceen* die Ganglienzellen überhaupt auf das Gehirn beschränkt seien und die unter dem Schlunde liegenden Theile des Stranges nur Nervenfasern zur

1) Archiv für Naturgesch. 1854. p. 91.
2) Archiv für Naturgesch. 1858. p. 15.
3) Archiv für Naturgesch. 1850. p. 190.
4) Naturgeschichte der *Daphniden* 1860. p. 33.

Fortleitung der Erregung enthielten, dass die einfachste Form des Nervensystemes für *Arthropoden* und Würmer nahe übereinstimme. Allein bei den *Copepoden* sowohl als bei den *Daphniden* wiederholen sich unterhalb des Schlundes Gangliengruppen in verschiedener Concentration, welche unter den ersten bei den *Corycaciden* ihren höchsten Grad erreicht. Auch für die *Daphniden* habe ich mich an *Evadne* mit Bestimmtheit überzeugt, dass der aus den Schlundcommissuren hervorgehende Bauchstrang vier Anschwellungen bildet. Ebenso folgen bei allen langgestreckten *Copepoden* auf das Gehirn eine Reihe von Ganglien, die freilich mit den von ZENKER für *Cyclops* angegebenen Anschwellungen keineswegs vollständig zusammenfallen und in den einzelnen Gattungen Abweichungen bieten. Wir haben somit, worauf schon GEGENBAUR[1]), auf ZENKER's Angaben gestützt, aufmerksam macht, trotz der übereinstimmenden Segmentzahl und Gliederung des Leibes zwei wesentlich verschiedene Formen für die Gestaltung des Nervensystemes, von denen die eine bei *Saphirina* oder allgemeiner bei den *Corycaeiden* vorzugsweise durch die Verkürzung des Bauchstranges, und Concentration seiner ganglionaren Elemente, die andere bei den *Calaniden* durch die Streckung und Gliederung des Bauchstranges in eine Anzahl von Ganglienknoten bezeichnet wird. Im letzteren Falle, den wir am vollendetsten bei den sehr langgestreckten Gattungen *Cetochilus* und *Calanella* antreffen, folgt auf die Schlundcommissuren des Gehirns ein Bauchstrang, der fast durch die ganze Länge des Kopfbruststückes meist bis in die Mitte des vierten, in einigen Gattungen bis zum Ende des dritten, selten (*Euchaeta*) nur bis zum Ende des zweiten Thoracalsegmentes herabläuft und von da einen einfachen oder zwei getrennte Stämme in das Abdomen entsendet. Der gestreckte Bauchstrang bildet in der Regel sieben ganglionäre Anschwellungen mit vollständig ausgeprägter Verschmelzung der Seitenhälften. Die Ganglien selbst rücken in verschiedenen Abständen aus einander, die beiden vorderen und ebenso die beiden hinteren Anschwellungen folgen sich dicht auf einander, am grössten sind die Zwischenräume, welche das dritte Ganglion vom zweiten und vom vierten trennen. In einzelnen Fällen verschmelzen die vier letzten Brustganglien zu einer länglichen mehrfach aufgetriebenen Masse, an der man die einzelnen Ganglien nicht scharf wiedererkennt. Als Folge einer derartigen höheren Concentration verkürzt sich der ganglionäre Theil des Bauchstranges und endet schon im zweiten Brustsegmente (*Euchaeta*). Hier entsendet er mehrere starke Nervenstämme, von denen der mittlere die Fortsetzung des Bauchstranges bildet. Der mediane Nervenstamm, den wir bei *Cyclops* im hinteren Theile des Thorax wahrnehmen und zwei seitliche Nerven zu den rudimentären Füsschen abgeben sehen, entspricht diesem auf die Brustganglien folgenden Faserstrange. Weit bedeutender als bei *Euchaeta* erscheint die Concentration der ganglionären Theile bei *Hemicalanus*, dessen Nervensystem zwischen den *Calaniden* und *Corycaeiden* die Mitte hält.

Betrachten wir die Ganglien mit ihren austretenden Nerven etwas näher, so scheint zunächst das über dem Schlunde gelegene Gehirn wie bei *Daphniden* aus einem rechten und linken Lappen gebildet, die indess in einzelnen Fällen, z. B. *Calanella*, durch eine vollständige mediane Verschmelzung zu einem einfachen oblongen Körper sich vereinigen können (Taf. VII. Fig. 9). Der Form nach kann daher ein unpaares Gehirnganglion auftreten, der Structur nach bleibt die paarige Duplicität seiner Elemente stets erhalten. Von dem Gehirne aus entspringen drei Nervenpaare, die Augennerven, die Nerven des frontalen Sinnesorganes und die Nerven für die grossen Antennen.

1) Grundzüge der vergl. Anatomie 1859. p. 210. Anm.

Die ersteren entspringen selten als zwei von einander getrennte Nerven, z. B. *Calanella*, sondern entsprechend der Verschmelzung beider Augenhälften in der Medianlinie vereint. Daher haben wir es in der Regel nur mit einem unpaaren medianen Augennerven zu thun, welcher in den einzelnen Gattungen eine verschiedene Länge erreicht. Oft bleibt er sehr kurz, dann scheint das Auge dem Gehirne fast unmittelbar aufzuliegen, bei den meisten *Calaniden* erscheint er als ein breiter Nerv von mittlerer Länge, der zu keinem besonderen Sehganglion anschwillt, wie wir das am Augennerv der *Daphniden* finden. Leydig bezeichnet denselben zwar bei *Cyclopsine* als einen das Sehorgan tragenden Fortsatz oder Schenkel des Gehirnes, welcher dieselbe Structur wie dieses besitze, ich glaube indess mit Unrecht, bei *Calanella* wenigstens konnte ich mich an den langen Augennerven, die getrennt entspringen, aber in ihrem späteren Verlaufe zusammenfliessen, nur von einer fibrillären Structur überzeugen. Wo die Augen vollständig fehlen, fallen begreiflicher Weise auch die Augennerven aus, dann tritt das zweite Nervenpaar, welches das frontale Sinnesorgan versorgt, um so deutlicher hervor. Bei *Leuckartia* und *Heterochaeta* entspringen dieselben als zwei sehr zarte Nerven an dem vorderen Rande des Gehirnes, in den meisten Fällen bleibt indess der Ursprung dieser Nerven undeutlich, wahrscheinlich zweigen sie sich häufig erst vom Augennerven ab, wie ich dies sehr bestimmt bei *Calanella* (Taf. VII. Fig. 9) verfolgen konnte. Dann folgen, aus den Seiten des Gehirnes austretend, die beiden Nervenstämme für die grossen Antennen, in deren Innenraume sie an die zarten Anhänge und Borsten zarte Nervenfäden absenden, aber auch die zahlreichen Muskeln zu versehen haben. Aus den Commissuren des Schlundes nimmt ein viertes Nervenpaar seinen Ursprung, welches zu den hinteren Antennen tritt und deren Muskeln versorgt. Die Nerven der Mundtheile treten aus den zwei vorderen fast zu einem Doppelganglion verschmolzenen Anschwellungen aus, die wir desshalb die Kieferganglien nennen wollen, doch ist es mir an diesen bei ihrer verdeckten Lage nicht geglückt, über die Zahl und den Verlauf ihrer Nerven ins Klare zu kommen. Durch einen grösseren Zwischenraum getrennt folgt das dritte Ganglion des Bauchstranges in der Gegend der Kieferfüsse an der Grenze zwischen Kopf und Brust (Taf. VII. Fig. 8, Taf. IX. Fig. 10), hierauf in einem ebenfalls ansehnlichen Abstande das vierte Ganglion zwischen dem ersten und zweiten Fusspaare, das fünfte zwischen dem zweiten und dritten, endlich das sechste und siebente dicht hinter einander am Ende des dritten oder am Anfang des vierten Thoracalringes. Die beschriebene Lage sehe ich als die normale, regelmässige an; in einer Anzahl von Fällen wird sie, wie schon oben hervorgehoben, durch die dichtere, gedrängtere Aufeinanderfolge der vier hinteren Ganglien modificirt. Der Ursprung der aus den Brustganglien hervorgehenden Nerven erfolgt im Allgemeinen in der Weise, dass der Nerv des ersten Fusspaares eine Strecke unterhalb des in der Gegend der Maxillarfüsse gelegenen ersten Brustganglions austritt. Die Nerven des zweiten, dritten, vierten und fünften Fusses entspringen unmittelbar aus den Brustknoten der gleichen Zahl, der letztere indess häufig erst aus dem in das Abdomen sich hineinerstreckenden Faserstrange (*Cyclops*). Ausser den Nerven, welche sich an den Muskeln der Ruderfüsse verzweigen, sehen wir aus den Ganglien des Bauchstranges Nervenpaare austreten, welche die Rumpfmuskeln versorgen. Unterhalb der seitlichen Längsmuskeln der Bauchfläche, an welche Zweige von den Fussnerven (Taf. VII. Fig. 11 β) abgehen, treten in den Brustsegmenten fünf schräg nach hinten verlaufende Nervenpaare zu den Rückenmuskeln. Das letzte derselben geht indess nicht unmittelbar aus dem hinteren Doppelganglion hervor, sondern entspringt eine Strecke unterhalb desselben aus dem einfachen oder getheilten Faserstrange, welcher die Muskeln des Abdomens mit Zweigen zu versorgen scheint.

Die zweite Form des Nervensystemes, die wir bei den *Corycaeiden* am schärfsten ausgeprägt finden, charakterisirt sich durch die Verschmelzung des Gehirnes und der Bauchkette zu einer oblongen oder länglich ovalen Ganglien-Masse, welche vom Oesophagus in einer kleinen Oeffnung durchbohrt schon im Kopfe sich in zwei kurze Hauptstämme spaltet. Durch diesen hohen Grad der Concentrirung werden wir von den *Corycaeiden* unmittelbar zu den *Lernaeopoden*[1]) und *Siphonostomen* geführt, welche indess im Zusammenhang mit den tieferen Stufen der morphologischen Leibesgliederung ein weit einfacheres Verhalten der austretenden Nerven darbieten. In den Gattungen *Saphirina*, *Copilia*, *Corycaeus* etc. zeigen dagegen die Nervenstämme mit ihren peripherischen Verzweigungen eine höchst complicirte Gestaltung, welche an einigen Beispielen specieller betrachtet zu werden verdient. Bei *Copilia* erscheint der Ganglienstrang in seitlicher Lage winklig gebogen, indem sich der Gehirntheil oberhalb des Oesophagus nach hinten umschlägt. Von der ventralen oder dorsalen Fläche aus sieht man daher das Gehirn unvollständig und verkürzt (Taf. VII. Fig. 1), mit der unteren Schlundganglienmasse sich deckend. Während das Augenbläschen an der unteren Fläche des Gehirns dicht aufsitzt (Fig. 3), entspringen am Vorderrande desselben ein medianer Nerv, der sich in gerader Richtung nach der Stirn begiebt und nach mehrfacher dichotomischer Verzweigung in Anschwellungen unter der Haut endet, ferner zwei seitliche Nerven, die ebenfalls in gerader Richtung nach vorn verlaufen und als Hautnerven anzusehen sind. An den Seiten des Gehirnes entspringen die Nerven für die Antennen (α) und für die grossen seitlichen Augen (β), erstere versorgen zugleich die unteren Antennen mit einem Seitenzweige, was auch für einige *Saphirinen* Geltung hat. An dem unterhalb des Schlundes ausgebreiteten Theile des Nervencentrums wurden die zahlreichen Nerven der Mundtheile nicht im Detail verfolgt, dagegen um so genauer die Nerven der Extremitäten beobachtet. Das Ende des Stranges spaltet sich gabelförmig in zwei seitlich aus einander laufende Stämme, welche die Nerven der Brust und des Abdomens in sich einschliessen. Jeder dieser beiden Hauptstämme löst sich in vier Bündel von Nervenfasern auf, von denen das innere zuerst austritt und nahe der Medianlinie in gerader Richtung herabläuft. Dasselbe giebt an die Muskeln des vierten Fusspaares Seitenzweige ab und tritt in den Hinterleib ein, ohne unter dessen Muskeln bis zur Furca deutlich verfolgt werden zu können. Die drei äusseren Bündel werden erst an der Spitze des Hauptstammes frei und vertheilen sich mit ihren zahlreichen Ausläufern an den Muskeln der drei vorderen Fusspaare und des Rumpfes, an den ersteren in der Weise, dass das zweite Fusspaar auch Fäden vom dritten, das dritte solche vom zweiten Bündel erhält (Fig. 1). Das in den Hinterleib eintretende Nervenstämmchen, dessen Verhalten bei *Copilia* nicht genauer erforscht wurde, setzt sich bei den *Saphirinen* bis in die Furcalplatten fort und strahlt dort in zahlreiche feine und verästelte Fäden aus, die zum Theil in Anschwellungen unter der Haut enden. In den übrigen *Corycaeiden*-Gattungen zeigen sich für die Gestalt des Nervencentrums und die Vertheilung der Nerven mannichfache Modificationen. Bei *Saphirina* tritt ein zarter unpaarer Nerv für das mediane Augenbläschen auf (Taf. VIII. Fig 3, Fig. 4). Wenn Gegenbaur für die beiden grossen Augen bemerkt, dass sie, dem Gehirne dicht aufsitzend, keinen *Opticus* unterscheiden liessen, so dürfte er wohl den Augennerven übersehen haben, der kei-

1) Vgl. Claus, Ueber Achtheres percarum. Zeitschr. für wiss. Zool. Bd. XI.

neswegs am Ende des Pigmentstabes, sondern an dessen vorderer Partie in das Auge eintritt. Da wo der Pigmentkörper dem Gehirne anliegt, erhebt sich ein dritter Nerv, der den ersteren in seiner ganzen Länge begleitet und sich dann in drei bis vier zarte Fäden auflöst, welche sich als Hautnerven in dem Vordertheile des Kopfes ausbreiten. Wie ich mich früher an *Saphirina* und neuerdings an *Saphirinella*, deren grosses vereinigtes Augenpaar dem Gehirn unmittelbar aufliegt, überzeugen konnte, entspringen auch am mittleren Abschnitte des Ventralstranges zarte Hautnerven, die sich mehr über die Seitenflächen des Kopfbruststückes vertheilen. In ähnlicher Weise breiten sich seitliche Abzweigungen der beiden Nervenstämmchen des Hinterleibes als Hautnerven in dessen Segmenten aus. Die Configuration der die Extremitäten versorgenden Nerven, die ich für *Saphirina fulgens* schon früher[1]) näher beschrieben habe, weicht von der für *Copilia* hervorgehobenen Vertheilung in einigen Stücken ab. Zunächst erhalten die hinteren Antennen einen besonderen Nerven. Die beiden Stämme, in welche sich der Ganglienstrang noch innerhalb des Kopfes spaltet, laufen wie bei *Copilia* divergirend schräg nach rechts und links aus einander und keineswegs, wie Gegenbaur abbildet, parallel. Sie theilen sich dann im ersten Brustsegmente in vier Aeste, von denen der innere der Mittellinie parallel in das Abdomen eintretend bis in die Schwanzplatten verfolgt wird, während sich die drei anderen dagegen in den Thoracalsegmenten an den Muskeln der Extremitäten verzweigen. Ein dem Sympathicus entsprechendes System von Nerven ist mir nicht bekannt geworden, doch will ich hiermit das Vorhandensein eines solchen keineswegs bestreiten.

Die feinere Structur des Nervensystemes studirt man am besten an den durchsichtigen Gattungen *Calanella* und *Hemicalanus*. An diesen tritt sehr deutlich eine zarte mit länglichen Kernen versehene Membran als die Nervenfasern und Ganglienzellen umschliessende Hülle hervor. Die Ganglienzellen, deren Zusammenhang mit den Fasern nicht speciell untersucht wurde, liegen vorzugsweise in den Anschwellungen, aber auch in der Schlundcommissur, und bei den Formen mit gedrungenem Bauchstrange (*Euchaeta*) auch in den kurzen Längscommissuren der hinteren Ganglien. Die Nervenfasern sind meist sehr zart und blass, scheinbar solide, einzelne aber sind breiter und werden deutlich als Nervenröhren erkannt. Diese mögen eine ähnliche Bedeutung haben wie im Bauchstrange des Flusskrebses und der *Malacostraken* die vereinzelten colossalen Nervenröhren, die nach Remak's[2]) Entdeckung einen »centralen Faserbündel« einschliessen. Diese scharf contourirten Nervenröhren mit hellem Inhalt sieht man sehr schön bei *Cetochilus* und *Calanella* (Taf. VII. Fig. 9) aus entgegengesetzten Gehirnhälften entspringen und in die Schlundcommissuren eintreten, von wo aus sie weiter in dem Bauchstrange zu verfolgen sind. Ueber die Anordnung der Ganglien und den Verlauf der Fasern habe ich am Gehirn von *Calanella*, *Cetochilus* und *Pleuromma* Einiges ermitteln können. Bei *Cetochilus*, dessen Gehirn sich nach Abgabe der beiden grossen Antennennerven in zwei vordere Lappen verlängert, erscheinen die Ganglienzellen in drei Doppelgruppen gehäuft, in einer oberen, mittleren und unteren, von denen die letztere die seitlichen Anschwellungen des Gehirnes erfüllt. Zwischen dieser verlaufen die Nervenfasern in bestimmten Richtungen und zwar 1) von der oberen, mittleren und unteren

1) Claus, Beiträge zur Kenntniss der Entomostraken p. 3. Taf. 1. Fig. 1.

2) Müller's Archiv 1853. p. 197. Vgl. auch Häckel, Ueber die Gewebe des Flusskrebses, Müller's Archiv 1857. p. 476.

Gruppe der Länge nach herab in die Schlundcommissuren derselben Seite, 2) von den drei Gruppen schräg sich kreuzend in die Commissuren der entgegengesetzten Seite, 3) als Querfasern zur Verbindung beider Hälften der unteren Gangliengruppe und der von ihr ausstrahlenden Antennennerven. Bei *Calanella*, deren Gehirn der vorderen lappenförmigen Ausläufer und der seitlichen Anschwellungen entbehrt, drängen sich die Ganglienzellen in eine einzige Doppelgruppe zusammen, in deren Umgebung die Kreuzung der Nervenfasern mit derselben Bestimmtheit nachgewiesen wird (Taf. VII. Fig. 9). Wahrscheinlich treten auch in den Bauchganglien einige Nervenfasern von der einen zur anderen Seite über, sodass wir die Kreuzung der Nervenfasern auch für die *Copepoden* als Gesetz in Anspruch nehmen dürfen. Ueberhaupt möchte sich der partiell gekreuzte Faserverlauf, durch welchen zur Innervation der einen Körperhälfte die Centraltheile der entgegengesetzten einwirken, als eine mit der seitlichen Symmetrie eng zusammenhängende Einrichtung in weiter Verbreitung unter den bilateralen Thieren nachweisen lassen.

Von den Sinnesorganen dürfen wir wohl dem Auge die grösste Bedeutung zuschreiben, wenngleich dasselbe bei einigen hoch entwickelten marinen Formen, wie *Heterochaeta*, *Leuckartia*, *Hemicalanus*, vollständig vermisst wird. Diese augenlosen Gattungen verhalten sich zu den übrigen *Copepoden* ähnlich wie gewisse augenlose *Malacostraken* zu ihren Verwandten. Die letzteren freilich leben subterran, entweder in der Erde selbst, wie z. B. *Typhloniscus* unter den Asseln, oder in dunklen Höhlen und unterirdischen Räumen, wie gewisse blinde *Decapoden*. Die augenlosen *Copepoden* dagegen sind nicht auf Räume angewiesen, in welche überhaupt keine Lichtstrahlen eindringen, sondern leben auffallenderweise frei im Meere.

Da wo Augen auftreten, erhalten dieselben ihre Lage in der Nähe des Gehirnganglions unter der Stirnfläche, nur in einem Falle bei *Pleuromma* treten augenähnliche Organe zugleich in der Gegend der Maxillarfüsse auf, ähnlich wie wir auch unter den *Malacostraken* bei den *Euphausiden* Gesichtswerkzeuge an den Kiefern und Beinen der Brust und zwischen den Schwimmfüssen des Hinterleibes antreffen. Im einfachsten Falle bildet das Stirnauge einen medianen x-förmigen, dem Gehirne unmittelbar aufsitzenden, meist braunrothen Pigmentfleck, der aus paarig angelegten Theilen während der Embryonalbildung hervorgegangen ist. Dieser x-förmige Pigmentfleck, den wir in den jüngsten Larvenzuständen beobachten, findet im Thierreiche eine weite Verbreitung, derselbe kehrt bekanntlich bei manchen *Rotiferen*, bei zahlreichen niederen Würmern und deren Larven wieder und kann als die erste und primitive Augenform überhaupt angesehen werden. Indess treten gewöhnlich schon in den jüngsten Larvenstadien zwei lichtbrechende helle Kugeln aus den becherförmigen Seitenhälften des Pigmentkörpers hervor, ähnlich wie auch an den gleichgestalteten Augen einiger *Rotiferen*, *Turbellarien* und Wurmlarven. Gar häufig bleibt indess die Zahl der lichtbrechenden Kugeln nicht auf zwei beschränkt, sondern steigt in verschiedenen Stufen. Zuerst kommt eine unpaare dritte Krystallkugel hinzu, die eine dorsale, frontale und ventrale Lage einnehmen kann und gewöhnlich von einem dritten unpaaren Pigmentbecher umschlossen wird, z. B. *Ichthyophorba*. Bei *Tisbe* (Taf. XV. Fig. 1 und Fig. 10) treten neben den drei grossen Krystallkugeln noch zwei kleine, obere hinzu, bei *Dactylopus* (Taf. II. Fig. 5) sind es zwei Paare, bei *Thalestris* (Taf. II. Fig. 3, Fig. 6, Fig. 7) drei oder gar vier Paare verschieden grosser Krystallkugeln. Bei *Dias* (Taf. III. Fig. 1, Fig. 2) zähle ich sieben, bei *Temora* (Taf. III. Fig. 3, Fig. 4) neun helle Kugeln, die durch ihre Grösse und Lage dem Augenbulbus eine sehr specifische Form verleihen. In der Regel liegt das Auge auch nicht frei und unmittelbar den umgebenden Organen an, sondern in einem hellen Raume, der sich oft durch scharfe Contouren unterhalb der Körperbedeckung abgrenzt, mittelst zarter Bänder und Muskelfäden befestigt (Taf. II. Fig. 16; Taf. III. Fig. 2). Im letzteren Falle bei dem Vorhandensein von Augenmuskeln erleidet natürlich der Bulbus verschiedene Bewegungen nach rechts und links, z. B. *Diaptomus, Temora,* oder auch um eine transversale Axe nach oben und unten, z. B. *Dias,* wo zwei Paare schräg nach der Rückenfläche verlaufender Muskeln vorhanden sind, von denen das obere den Bulbus herauf, das untere herabdreht. Dazu treten noch einige frontale Fäden, die wohl vorzugsweise als Bänder zur Befestigung dienen. Die hellen, von der Körperbedeckung gesonderten Krystallkugeln sind übrigens nicht die einzigen lichtbrechenden Theile, die wir an den Augen der *Copepoden* wahrnehmen. Gar häufig grenzen sich über dem Augenbulbus linsenartige Verdickungen der Cuticula ab, Cornealinsen, wie wir sie nennen wollen, die sich von den ersteren durch ihr stärkeres Brechungsvermögen und ihre bedeutende Resistenzkraft unterscheiden. Am einfachsten verhalten sich die Cornealinsen bei *Cyclops tenuicornis,* wo über den Krystallkugeln zwei cirkelrunde Kreise der Cuticula als durchsichtige Hornhautfacetten bemerkbar werden (Taf. II. Fig. 17). Als mächtige Linsen entwickeln sich die Facetten der Cornea bei den *Pontelliden* und *Corycaeiden,* deren Augen von den *Cyclopiden* und *Calaniden* wesentliche Abweichungen bieten.

In diesen am höchsten organisirten *Copepoden* des Meeres beschränken sich die Gesichtswerkzeuge nicht auf ein einziges medîan gelegenes Auge mit paarig symmetrischen Seitentheilen, sondern bilden sich in doppelter Form aus als kleines Medianauge und als umfangreiches, in die seitlichen Hälften des Kopfes hineingerücktes Augenpaar. Wir erhalten hier eine Gestaltung der Sehorgane, welche sofort auf die Augen der *Daphniden* und *Phyllopoden* hinweist, bei denen ausser dem grossen zusammengesetzten Auge mit paarig entwickelten Hälften ein kleines Nebenauge mit dem Gehirne in Verbindung steht. Das letztere würde nicht nur seiner Lage nach dem medianen Auge der *Corycaeiden* entsprechen, sondern auch nach seinem Baue, indem sich im Pigmente gar häufig Krystallkugeln eingelagert finden. Erfährt man ferner, dass dasselbe in den Embryonen der *Daphniden* paarig angelegt wird, ähnlich dem einfachen *Cyclops*-Auge, so liegt die Anschauung nahe, das Nebenauge der *Phyllopoden,* der *Corycaeiden* und *Pontelliden* dem gesammten Sehorgane von *Cyclops* gleichzusetzen, in dem seitlichen Augenpaare dagegen ein morphologisch neues Element zu erblicken, welches die zusammengesetzten *Arthropoden*-Augen vorbereitet. So erklärt LEYDIG[1] das Sehorgan der *Cyclopiden* (und *Cypriden*) für analog dem Nebenauge der *Daphnien,* nachdem schon früher v. SIEBOLD[2]) und ZENKER[3]) die medianen Pigmentbildungen als Ueberreste aus dem Jugendzustande, als Larvenaugen in Anspruch genommen hatten. In ähnlicher Weise spricht sich GEGENBAUR[4]) aus, er sieht in dem *Cyclops*-Auge das persistirende Larvenauge, das mit den beiden Augen von *Saphirina* morphologisch nichts gemein hat, diese entsprächen vielmehr den vollkommneren Augen der *Argulinen, Daphniden* und *Phyllopoden.* Dieselbe Auffassung theilt endlich LEU-

1) Naturgeschichte der Daphniden p. 40.
2) Vgl. Anatomie p. 445.
3) Anatomisch system. Studien über Krebsthiere p. 27.
4) Saphirina etc. p. 74.

CKART[1], der das untere bewegliche *Pontellen*-Auge als Medianauge in Anspruch nimmt und dem Sehorgane von *Calanus, Cyclops* etc. gleichsetzt. Als ich[2] später die Beobachtung machte, dass auch die *Decapoden* in ihrem jüngsten Lebensalter ein medianes Auge haben, welches aus zwei mit einander verschmolzenen Seitenhälften besteht und ebensoviel Krystallkugeln einschliesst, also dem *Cyclops*-Auge durchaus entspricht, erhielt die bereits besprochene Zurückführung eine neue kräftige Stütze, sodass man auf der einen Seite das Nebenauge der *Daphniden, Phyllopoden,* das Medianauge der *Corycaeiden,* die untere Augenkugel der *Pontelliden,* das Larvenauge der *Decapoden* mit dem gesammten Sehorgane von *Cyclops* und *Calanus* als gleichwerthig zusammenzustellen berechtigt sein konnte. Indess legen uns doch die zahlreichen Complicationen in der Zusammensetzung des unpaaren Auges, die schon oben für einige *Calaniden*-Gattungen, z. B. *Temora, Dias* und für *Harpactiden* dargestellt wurden, die Frage vor, ob nicht auch die seitlichen Augen ursprünglich Theile des zusammengesetzten mittleren Auges sind, welche sich getrennt haben und als selbstständige Organe in die Seitenpartien des Kopfes eingetreten sind. Es fragt sich, ob die seitlichen Augen morphologisch neue Organe sind, oder nur Stücke des mittleren Sehorganes, dessen Bau sich in mannichfaltigen Stufen auch zu einer höheren Differenzirung erheben kann. Bei den *Malacostraken,* deren Facettenaugen in gesonderter Anlage auftreten, scheint allerdings die Selbstständigkeit derselben unzweifelhaft, indess dürfen wir hier, wo die vollendete höchste Form des Typus ausgeprägt hervortritt, keinen Beweis für jene Möglichkeit suchen, über die wir am sichersten an den einfachsten Formen Aufschluss erhalten. Der complicirte Bau des medianen Auges, der sich allmählich durch eine Entwicklung zahlreicher grosser und kleiner Krystallkugeln, durch seitliche und mediane Einschnürungen des Pigmentkörpers, durch das Hinzukommen bewegender Muskeln ausbildet, scheint die Zurückführung der Augenpaare auf Seitentheile des medianen Auges nicht so ganz unwahrscheinlich zu machen. Das grosse bewegliche Auge von *Dias* mit sieben Krystallkugeln und seinem grossen Augennerven gleicht auffallend einem zusammengesetzten *Daphniden*-Auge (Taf. III. Fig. 1), neben welchem ja auch in mehreren Formen das Nebenauge vermisst wird. Dazu kommen noch die Zwischenstufen von Augen der *Calaniden* und *Pontelliden,* wie wir sie bei *Ichthyophorba* einerseits und *Calanops* andererseits beobachten. Bei *Ichthyophorba* erscheint das grosse mediane Auge kleeblattartig aus drei Stücken zusammengesetzt, die nur in einer dünnen medianen Verbindung stehen, in dem mittleren und vorderen Pigmentstück ist die Krystallkugel nach der Bauchfläche, in den seitlichen nach rechts und links gerichtet. Denken wir uns den Zusammenhang der drei Pigmentkugeln aufgehoben, so erhalten wir ein medianes Auge und ein seitliches Augenpaar. Eine ähnliche Configuration zeigt uns nun in der That das Sehorgan von *Calanops* (Taf. II. Fig. 11), dessen seitliche Pigmentstücke der Medianlinie sehr genähert sind und dem Gehirne unmittelbar aufliegen. Jedes derselben enthält zwei kleine Krystallkugeln und wird durch musculöse Fäden an die umgebenden Theile des Panzers befestigt. Der un-

1) Carcinologisches p. 260.

2) *Malacostraken*-Larven, Würzb. nat. Zeitschr. 1861. p. 21. Ich will bei dieser Gelegenheit darauf aufmerksam machen, dass auch die *Cypridinen* vor dem zusammengesetzten Augenpaare ein medianes Auge besitzen. Schon GRUBE bemerkt für *Cypridina oblonga,* dass an der Stirn zwei rothe, ziemlich scharf umschriebene Punkte vorkämen. Ich beobachtete bei einer messinesischen, noch nicht näher bestimmten Form ein sehr umfangreiches Medianauge mit einer grossen oberen Kugel und einem aus dem Pigmente nach vorn hervorragenden streifigen Zapfen, in welchem eine Anzahl länglicher Körper sichtbar waren.

paare ovale Pigmentkörper rückt auf die Ventralfläche und kann mit demselben Rechte dem Medianauge der *Corycaeiden*, als der beweglichen unteren Augenkugel der *Pontelliden* gleichgestellt werden.

Die Augenbildung der letzteren zeigt mannichfache, interessante Modificationen, die man leider bisher sehr wenig berücksichtigt hat, obwohl sie auch eine systematische Bedeutung besitzen. TEMPLETON, GOODSIR, BAIRD, DANA, alle diese Beobachter haben die Augen sehr unzureichend untersucht, und auch LUBBOCK[1] war nicht im Stande, an seinen in Spiritus aufbewahrten *Pontelliden* eine richtige Beschreibung abzuleiten, wenn daher letzterer bei ***Monops*** nur das untere Auge, bei *Labidocera* nur die beiden oberen beobachtete, so dürften wir auf jene Angaben, noch weniger auf die denselben entlehnten Gattungscharaktere einen grossen Werth legen. An *Irenaeus Patersonii* hat LUBBOCK besser als seine Vorgänger die Augen beobachtet, aber nicht ausreichend untersuchen können. Nach meinen[2] mit LEUCKART[3] ziemlich übereinstimmenden Angaben rücken hier die paarigen Augen (Taf. II. Fig. 1) auf die Rückenfläche in die Seitentheile des Kopfes hinein. An jedem Seitenrande, sowohl am männlichen als am weiblichen Körper, bemerkt man zwei biconvexe Cornealinsen, eine vordere und eine hintere, beide durch einen geringen Zwischenraum getrennt. Hinter jeder Linse liegt ein ellipsoïdischer Krystallkegel, eingebettet in den langgestreckten Pigmentkörper, welcher unmittelbar auf einem seitlichen Fortsatze des Gehirnes ruht. Das untere Auge, eben sowohl ein Besitzthum des weiblichen als des männlichen Geschlechtes, bildet einen kolbigen Zapfen von dunkelblauer Pigmentirung, dessen gewölbte Fläche zwischen den Zinken des Schnabels nach oben und vorn gerichtet ist. Der Bau dieses kolbigen Anhangs ist schwer zu untersuchen, doch überzeugt man sich bestimmt von dem Vorhandensein einer mächtigen Chitinlinse, die von der vorderen Wölbung aus tief in das Pigment des Zapfens hineinragt, ferner von einem hinzutretenden Nerven, dessen Verhalten in dem unter der Chitinlage angehäuften Pigmente nicht näher erkannt wurde. In den anderen mir bekannt gewordenen *Pontelliden*, deren Zahl leider eine sehr beschränkte ist, bietet das Sehorgan charakteristische Abweichungen. Bei *Pontellina* enthält das untere kolbige Auge kleine Krystallkugeln und entbehrt einer vorderen Linse. Dagegen wölbt sich die Schnabelbasis nach oben und unten und gestaltet sich zu einer glänzenden biconvexen Linse um, welche offenbar die Lichtstrahlen auf das untere Auge zu concentriren hat (Taf. II. Fig. 8, Taf. III. Fig. 8). Die oberen Augen haben jederseits nur eine einzige kuglige Cornealinse, hinter denen ich Krystallkegel vermisse (Taf. II. Fig. 9 und Fig. 10). Dagegen liegt im Grunde eines jeden, die Krystallkugel umfassenden Pigmentkörpers eine streifige Retina, deren Elemente nicht näher erforscht wurden. Bei *Pontella helgolandica* erkannte ich in dem gewölbten unteren Auge eine grosse Linsenkugel und den von unten eintretenden Nerven des Gehirnes (Taf. III. Fig. 5). Das obere Auge dieser Art besteht aus zwei grossen in der Medianlinie sich berührenden Cornealinsen und einem unten liegenden beweglichen Bulbus, dessen Zusammensetzung aus zwei in der Medianlinie verschmolzenen Hälften unverkennbar ist. Während sich an die untere Fläche dieses zweilappigen Bulbus die Anschwellung des Opticus anlehnt, lagern in der oberen Fläche theils von grünem, theils von rothem Pigment umgeben sechs kleine Krystallkugeln. Wird

1) On two new species of Calanidae etc., Ann. of nat. hist. 1853.
2) MÜLLER's Archiv 1859.
3) Archiv für Naturgesch. 1859.

der Bulbus durch das Muskelpaar nach der Stirnfläche heraufgezogen (Taf. III. Fig. 7 und Fig. 5), so werden die Krystallkugeln deutlich an der oberen Fläche sichtbar, wirken dagegen die unteren nach der Rückenfläche verlaufenden Muskeln, so rückt der Pigmentkörper, in einer halben Drehung die Kugeln nach der Bauchfläche gewendet, herab (Taf. III. Fig. 6). Endlich kenne ich noch eine nicht minder überraschende Augenform einer jungen, leider nicht näher bestimmbaren[1]) *Pontellide* von Helgoland (Taf. III. Fig. 2) mit unterer Augenkugel und Linse der Schnabelbasis. An jedem oberen Auge liegen vier verschieden grosse lichtbrechende Kugeln (oder Linsen?) und über denselben noch zwei kleine in der Mittellinie zusammenstossende Linsen der Cornea.

Die Augen der *Corycaeiden* lassen sich nicht schwer auf die der *Pontelliden* zurückführen. Auch hier finden wir ein unpaares Medianauge, welches dem Gehirne unmittelbar aufliegt oder mit ihm durch einen längeren Nerv in Verbindung steht. Obwohl dieses niemals in einen ventralen Zapfen hineinrückt, hält es doch in allen Fällen dem seitlichen Augenpaare gegenüber eine mehr bauchständige Lage ein. Am einfachsten verhält sich das Medianauge bei *Corycaeus*, wo es bisher übersehen wurde, aber sehr bestimmt als scharf umschriebener, mit einer glashellen Kugel versehener Pigmentfleck wahrgenommen wird (Taf. IX. Fig. 1). Bei *Saphirinella* (Taf. VII. Fig. 7) bildet dasselbe ein kleines einfaches Bläschen mit einer Pigmentkugel an der Spitze, bei *Saphirina* ein grösseres Bläschen, welches eine hintere grössere und eine vordere kleinere Pigmentkugel und zwischen dieser in der Regel vier oder fünf lichtbrechende Kugeln in paariger Symmetrie einschliesst. Wie sich der mediane, von unten herantretende Nerv zu den Theilen des Bläschens verhält, konnte nicht vollständig erkannt werden. Sicherlich aber tritt derselbe durch die Wandung in das Bläschen ein und spaltet sich symmetrisch in zwei Hälften, welche wahrscheinlich mit den hellen Kugeln zusammenhängen. Ob in den Pigmentkörpern, von denen der untere grössere in der Regel in zwei seitliche Hälften zerfällt, nicht weitere mit Nervenfasern in Verbindung stehende Elemente einschliessen, wage ich nicht zu entscheiden. Auch bei *Copilia* (Taf VII. Fig. 3) besitzt das dem Gehirne unmittelbar aufliegende Medianauge eine bläschenförmige Beschaffenheit und schliesst im Allgemeinen dieselben Theile als das entsprechende Organ von *Saphirina* ein. Was die Sehwerkzeuge der *Corycaeiden* ferner auszeichnet, ist die mächtige Entfaltung des seitlichen paarigen Auges, die bedeutende Grösse des Pigmentkörpers und der ansehnliche, in gewissen Grenzen veränderliche Abstand dieses letzteren von der Cornealinse. Höchst wichtig für die Auffassung der seitlichen Augen scheint mir die Augenform von *Saphirinella*, die auch früheren Beobachtern aufgefallen, aber nur unvollständig erkannt worden ist. Wenn GEGENBAUR von einer zweiten *Saphirina* spricht, welcher entwickeltere Sehwerkzeuge abgehen, so hat er wahrscheinlich jene Form zur Untersuchung gehabt. Mit grösserer Bestimmtheit möchte ich LEUCKART's Angaben über das Auge seiner *S. uncinata* auf *Saphirinella* beziehen. Nicht nur dass er die Identität derselben mit LUBBOCK's *S. stylifera* hervorhebt, von der wir später nachweisen, dass sie mit *Saphirinella* zusammenfällt, er beschreibt auch zwei helle durchsichtige Körper, die rechts und links neben dem unpaaren Auge einem kurzen bräunlich pigmentirten Zapfen aufsitzen. Ich muss von LEUCKART's Angaben in sofern abweichen, als ich die bräunlichen Pigmentkörper mit einander verschmolzen finde (Taf. VII.

[1]) Da der Kopf dieser Jugendform in zwei seitlichen Zacken ausläuft, werden wir es mit einer *Pontellina* im Sinne DANA's zu thun haben.

Fig. 7. Oberhalb des medianen Augenbläschens treffen wir einen sessilen Pigmentkörper an, von der Form des *Caligus*-Auges, jederseits mit einer grossen Krystallkugel, über der sich in einiger Entfernung der längliche von Fäden umgebene helle Körper bemerklich macht. Ich muss indess hinzufügen, dass diese beiden tropfenartigen hellen Körper, in denen auch ich die Anlagen hinterer Linsen erkenne, einige Male vermisst wurden, dagegen in dem gemeinsamen Pigmentkörper noch drei kleine helle Krystallkugeln auftraten. Wie dem auch sei, das Hauptinteresse liegt in dem Nachweise eines *Caligus*- oder *Cyclops*-ähnlichen Auges oberhalb eines medianen Augenbläschens, die Homologie der beiden seitlichen Augen mit dem *Cyclops*-Auge kann unter solchen Verhältnissen nicht länger bezweifelt werden, und die oben von mir gegebene Zurückführung sowohl des paarigen als des medianen Auges auf auseinander gerückte Theile des einfachen *Cyclopen*-Auges erhält eine neue und unabweisbare Stütze. Linsen der Cornea fehlen, was schon LEUCKART mit Recht betonte, vollständig. In der Gattung *Saphirina* beobachten wir anstatt des einfachen *Caligus*-artigen Auges zwei seitliche Pigmentkörper meist von rother oder orangegelber, aber auch von rothbrauner und indigoblauer Färbung, deren untere Spitzen unmittelbar dem Gehirne aufliegen. Die Pigmentkörper sind gestreckt, stabförmig, schwach gekrümmt und in den einzelnen Arten von verschiedenem Umfange. Ihre vordere Partie ist in der Regel zur Aufnahme eines lichtbrechenden Körpers erweitert, welcher von DANA als Linse, von GEGENBAUR als das percipirende Nervenende betrachtet wurde. Der letztere Forscher erkannte in demselben einen continuirlich die Pigmentscheide durchsetzenden Kegel, der direct mit dem Gehirne in Verbindung stehe und als Krystallkörper einem einzigen Retinastäbchen entspreche. Es lässt sich indess eben nicht schwer nachweisen, dass der fragliche Körper auch an seiner unteren im Pigmente liegenden Basis abgerundet ist und eine abgeschlossene ellipsoidische Form besitzt, deren grosse Achse mit der Augenachse zusammenfällt. Ich halte unter solchen Verhältnissen die auch von LEUCKART vertretene Deutung DANA's als Linse für die richtige. Zudem tritt der Augennerv gar nicht in die Spitze des Pigmentkörpers ein, sondern von der inneren Seite unterhalb des vorderen heller pigmentirten Abschnittes. Zu diesen hinteren Augentheilen kommen dann noch in der Verlängerung der Augenachse zwei Linsen der Cornea in meist ansehnlichem Abstande von den hinteren ellipsoidischen Linsen hinzu. Dieselben liegen beim Männchen in der Regel auf der Rückenfläche des Kopfes, beim Weibchen unmittelbar am Stirnrande, bald in der Medianlinie zusammenstossend, bald durch einen Zwischenraum[1]) von einander getrennt. Wie schon GEGENBAUR mit Recht hervorhebt und LEUCKART auch für *Corycaeus* und *Copilia* bestätigt, sind die beiden Wölbungen der Cornealinsen ungleich, die vorderen schwächer, einem weit grösseren Radius entsprechend als die hintere. LEUCKART lässt sogar bei *Corycaeus* die vorderen Linsen aus zwei verschiedenen Theilen zusammengesetzt sein, ähnlich den aus Crown- und Flintglas zusammengefügten achromatischen Linsen, leider reichen meine Beobachtungen nicht aus, diese interessante Angabe beweisen zu können. Mir schien es vielmehr, als seien die centralen Schichten von dichterer Beschaffenheit wie die peripherischen. Eine andere Frage, die ich nach

1) DANA legt mit Unrecht auf die Lage und den Abstand der Cornealinsen einen systematischen Werth, indem er unter dem Charakter »*Conspicilla contigua*« die Arten mit in der Medianlinie sich berührenden Linsen zusammenstellt. Da Männchen und Weibchen derselben Art in diesem Charakter abweichen, liegt die Unhaltbarkeit jener Gruppirung auf der Hand.

meinen neueren Beobachtungen zum Theil abweichend von den früheren Forschern beantworten muss, bezieht sich auf den Zusammenhang der Conspicillen mit dem hinteren Auge. Nach GEGENBAUR soll jeder Pigmentkörper eine durchsichtige, aus leicht fasrigem Gewebe gebildete Scheide besitzen, welche sich conisch vom Kopfganglion bis zum Aequator der Cornea erstrecke und in ihrem Lumen zwischen der Cornea und dem Krystallkörper eine gallertartige, structurlose Substanz von geringem Lichtbrechungsvermögen, den Glaskörper, einschliesse. Ferner sollten in dem Gewebe der Hülle selbst vier zarte Muskelfasern verlaufen, durch welche der Krystallkegel der lichtbrechenden Cornea genähert und eine Accommodation im eigentlichsten Sinne ausgeübt würde. Für die als Glaskörper bezeichnete Flüssigkeit kann ich nur meine frühere Angabe wiederholen, dass sie der Brechung nach nicht von dem die Organe umspülenden Nahrungssafte zu unterscheiden ist. Die zarte, den sogenannten Glaskörper umgebende Scheide tritt allerdings, namentlich vor der hinteren Linse, deutlich hervor, indess ist es mir nicht gelungen, sie als zusammenhängende Membran bis zur Cornealinse zu verfolgen, sondern nur einzelne Fasern und Faserzüge in ihrer vorderen Ausbreitung nachzuweisen, die sich zum Theil auch über die Cornealinsen hinaus sowohl in der Längsrichtung als nach den Seiten fortsetzen. Ich halte daher die Scheide keineswegs für ein vollkommen abgeschlossenes Gewebe und die in ihr eingeschlossene Flüssigkeit mit dem Blute identisch. Die Muskeln aber, die GEGENBAUR beschreibt, entsprechen grossentheils Nerven, welche nach zahlreichen Verzweigungen an der Stirn und an den Seitentheilen des Kopfes in Anschwellungen unter der Haut enden. Der seitliche aus dem Gehirn entspringende Nervenstamm, welchem der Pigmentstab anliegt, theilt sich etwa da, wo die birnförmige Linse ihren Ursprung nimmt, in mehrere Fäden, von denen der eine schräg nach aussen, der zweite nach innen um den Linsenkörper herumgeschlagen, der dritte in gerader Richtung nach der Stirn verläuft. Letzterer sendet meist nahe seinem Ursprung mehrere seitliche Zweige ab. Indess treten auch Muskelfäden zu dem zarten Gewebe der Scheide heran, an welche das mediane Augenbläschen durch zwei Paare von seitlichen bläschenartigen Netzen angeheftet wird. Die Muskelfäden verlaufen schräg herab, theils von aussen, theils von innen, auch an die vordere Spitze des Medianauges befestigt sich ein Längsfaden, wahrscheinlich musculöser Natur. Die erwähnten Muskeln contrahiren sich während der Annäherung der hinteren Linse an die Conspicillen, ohne, wie es scheint, dieselbe ausschliesslich zu bewirken. Ausser dem hinteren Auge und dem mit ihm durch Fäden verbundenen Augenbläschen sieht man nämlich den Oesophagus und den vorderen Theil des Nervencentrums durch ähnlich verlaufende Muskeln vorgezogen. Ob die Bewegung nun freilich eine wirkliche Accommodation ist, wurde mir, so bestimmt ich sie anfangs mit GEGENBAUR in diesem Sinne auslegte, mit der erneuten Beobachtung mehr und mehr zweifelhaft, und ich wage jetzt nicht zu entscheiden, ob dieselbe nicht vielleicht ausschliesslich als eine während der Schluckbewegung des Oesophagus nothwendige Mitverschiebung der anliegenden Organe auftritt. In einzelnen *Saphirina*-Arten erscheint übrigens der Abstand des hinteren Auges von den Conspicillen äusserst gering (*S. auronitens*), bei *Corycaeus* und *Copilia* dagegen von ausserordentlicher Grösse, ohne dass mir in den letzteren Fällen bedeutende Accommodationsbewegungen bemerklich geworden wären. Bei *Corycaeus* werden die Pigmentkörper sehr lange, etwas gekrümmte Stäbe, die nach ihrem spitzen Ende zu convergiren. Während der kurze Nerv weit vorn an einem kleinen warzigen Höcker, ähnlich wie bei *Saphirina*, in das Pigment eintritt, erstreckt sich die spitze Basis desselben bis in die Mitte der Brust oder gar, wie bei *Cor.*

rostratus (Taf. XXVIII. Fig. 5), in einen schnabelartigen Medianfortsatz des Cephalothorax hinein. Bei *Copilia* rücken die mächtigen Cornealinsen in die beiden Ecken des breiten Kopfbruststückes, ebenso liegen die hinteren Augen weit von der Medianlinie entfernt zu den Seiten des Gehirnes, von dem sie, wie auch LEUCKART beobachtete, einen langen Augennerven erhalten (Taf. VII. Fig. 1 und Fig. 6). Sehr deutlich sieht man am hinteren lichtbrechenden Körper die zarte Scheide, deren Faserzüge kegelförmig ausstrahlend bis an die Aequatorialebene der mächtigen Linse leicht verfolgt werden, der Pigmentkörper ist nach innen gekrümmt, der Opticus tritt etwas oberhalb seiner winkligen Krümmung ein. Bei *Copilia* befestigen sich die Muskeln unmittelbar an dem Pigmentkörper selbst und zwar in einer Form und Lage, die unverkennbar an die Augenmusculatur der *Heteropoden* erinnert. Die umfangreichste Muskelgruppe besteht aus drei Fäden, welche an den äusseren Rand des Winkels schräg von oben und von der Seite herantreten [1]. Die anderen Muskelfäden kommen von der inneren Seite und begleiten theils den Augennerven, theils inseriren sie sich an der vorderen, die Linse umfassenden Auftreibung. Dass durch diese evident quer gestreiften Fäden eine Verschiebung des Pigmentkörpers nach innen und aussen und hiermit vorzugsweise eine ausgreifendere Bewegung des vorderen Abschnittes erfolgt, bedarf keiner weiteren Ausführung.

Im Anschluss an die paarigen und unpaaren Augen, welche unterhalb der Stirn in der Nähe des Gehirnes auftreten, habe ich endlich ein bereits erwähntes, wahrscheinlich als Auge fungirendes Organ hervorzuheben, das in der Gattung *Pleuromma* in der einen Art an der rechten, in der zweiten an der linken Seite neben dem Kieferfusse seinen Sitz erhält. Eine mit dunklem Pigment gefüllte Auftreibung fast von der Form eines Kugelsegmentes mit einem lichtbrechenden linsenartigen Körper im Centrum, ist im Grunde Alles, was von diesem Organe in die Augen fällt. Allerdings gelang es mir auch mehrmals, unter der Körperbedeckung einen hellen Streifen nach dem Grunde des Pigmentknopfes verlaufen zu sehen, allein über das weitere Verhalten dieses wahrscheinlich als Nerven zu deutenden Theiles konnte nichts ermittelt werden (Taf. V. Fig. 9, Taf. VI. Fig. 1).

Wenn wir bisher die Form und den Bau der Augen in den mannichfachen zum Theil für die einzelnen Familien oder Gattungen charakteristischen Modificationen kennen gelernt haben, so bleibt es noch übrig, die Deutung der einzelnen Augentheile rücksichtlich ihrer Function in Betracht zu ziehen; leider befinden wir uns hier auf einem noch sehr dunklen Gebiete, zumal da directe Beobachtungen der Nervenendigung des Opticus grossentheils fehlen, indess kann die Frage um so weniger umgangen werden, als wir einige Anhaltspunkte in den *Daphniden*, *Hyperiden* und *Arthropoden* mit Facettenaugen finden. Dass zunächst die hellen im Pigmente eingesenkten Kugeln, die ich als Krystallkugeln oder Krystallkörper bezeichnet habe, den Krystallkegeln der *Daphniden* gleichwerthig sind, wird kaum bestritten werden können, dieselben stimmen in ihrer optischen Beschaffenheit und in ihrer Lage mit jenen überein, und wenn auch gewöhnlich nur in doppelter Zahl vorhanden, können sie doch in einzelnen Fällen in grösserer Menge im Pigmentkörper sich wiederholen. Zieht man insbesondere das Auge von *Dias* zur Vergleichung heran, so wird man sicher von der Gleichstellung der glashellen Kugeln mit den Krystallkegeln von *Daphnia* überzeugt sein. Die letzteren hat nun freilich noch Niemand im Zusammenhange mit den Nerven

1) Die Muskeln des *Heteropoden*-Bulbus, welche dieser Gruppe ihrer Lage nach entsprechen, sind übrigens weder von LEUCKART, noch von GEGENBAUR ausreichend dargestellt.

gesehen, wohl aber erwähnt LEYDIG für die Krystallkegel von *Polyphemus*, dass sie mit aller Sicherheit mit vierkantigen Nervenstäben in Verbindung ständen, welche sich in optischer und chemischer Beziehung ganz so wie die Nervenstäbe der Insecten verhielten. Ebenso sehe ich bei *Evadne polyphemoïdes* an den vorderen und unteren Krystallkegeln den Uebergang in dünne aus dem Pigmente hervorragende Nervenstäbe mit aller Schärfe und Bestimmtheit, sodass über die Identität dieser Elemente mit den bei *Phronima sedentaria* so leicht zu beobachtenden Nervenstäben und Krystallkörpern kein Zweifel bestehen kann. Auf Grund dieser Analogien erscheint es wohl gerechtfertigt, in den Krystallkugeln unserer Gruppe nicht nur die lichtbrechenden, sondern zugleich die percipirenden Nervenenden wiederzufinden. Indess hat diese Deutung doch ihre Schwierigkeiten. In den Stäben und Krystallkörpern von *Phronima* und *Evadne* sehen wir die Fäden der einfachen Nervenfaser, durch welche nur die Perception einer einfachen Lichtempfindung vermittelt werden kann. Verhielten sich die hellen Kugeln des *Cyclops*-Auges genau so wie jene, so würde der Opticus nur zwei Nervenfasern in sich einschliessen, also nur zwei einfache Lichtempfindungen percipiren. Von Bildern im Auge unserer Thiere würde unter solchen Verhältnissen natürlich keine Rede sein können. Nun aber hat der Opticus z. B. bei *Cetochilus*, dessen Auge nur zwei Kugeln enthält, eine ansehnliche Dicke und umfasst eine ganze Menge von Fasern; sind also die Kugeln überhaupt Nervenenden, so gehört jede einer ganzen Reihe von Fasern an. Bei dieser Gelegenheit bemerke ich, dass ich an lebenden Thieren, namentlich bei *Candace* und *Cetochilus*, ein Zerfallen der glashellen Krystallkugel in zahlreiche kleinere Kugeln mit gemeinsamer Umhüllung nicht selten beobachten konnte, von denen jede möglicherweise einer Nervenfaser angehört. Ist die Deutung dieser leicht zu wiederholenden Beobachtung eine richtige, so entspricht die Kugel einem Complex von Nervenenden, welche gewöhnlich nicht als histologisch gesondert zu erkennen sind. Natürlich bleibt diese Auslegung immerhin nur ein Versuch, das Gesehene zu verwerthen und mit dem, was die Analogie verwandter Bildungen wahrscheinlich macht, in Einklang zu bringen, ohne im Entferntesten auf sichere Geltung Anspruch zu erheben. Wie aber verhält sich die Nervenendigung im Auge der *Corycaeiden*, deren glashelle Kugeln wir auf abgeschlossene Körper als hintere Linsen zurückgeführt haben? Bei *Saphirina* besteht der in den Pigmentkörper eintretende Nerv aus nur wenigen ziemlich breiten Fasern, die ich an äusserst glücklich erhaltenen, in Chromsäure und Glycerin aufbewahrten Präparaten im Innern des Pigmentkörpers in glänzende Stäbe umbiegen sehe. Der von LEUCKART erwähnte Krystallstiel entspricht in seiner hinteren Partie diesen glänzenden Nervenstäben, die vordere Partie ist eine helle Substanz, in welcher ich bei *Copilia* Kerne eingebettet fand. Auch bei *Pontellina*, wo die Cornealinsen unmittelbar dem Pigmente aufliegen, dürften vielleicht die Streifen in der Anschwellung des Opticus hinter dem Pigmentkörper als Nervenstäbe gedeutet werden.

Ausser den Gesichtswerkzeugen kommt einem zweiten Sinnesorgane eine weite Verbreitung zu, dessen Träger die vorderen Antennen sind. Wie die kurzen Antennenspitzen der *Daphniden* mit zarten und blassen Stäbchen besetzt sind, welche mit Nerven und Ganglien in Verbindung stehen, so tragen auch die vorderen Fühlhörner der *Copepoden* blasse mit Nerven zusammenhängende Cuticulargebilde[1], von äusserst mannichfacher Form und oft in reichhaltiger Menge. Ich nehme keinen

---

1) Vgl. CLAUS, Ueber die blassen Kolben etc. Würzb. nat. Zeitschr. I. p. 234.

Anstand, diesen zarten Anhängen beider Gruppen die gleiche Bedeutung beizulegen, um so weniger, als auch die Form der geknöpften Stäbchen in unserer Gruppe wiederkehrt. Ihre Lage und Zahl verhält sich in derselben Species ebenso wie dort constant, nach den Gattungen und Familien aber zeigen sich oft charakteristische Verschiedenheiten. Bei den *Harpactiden* dürfte die Zahl der blassen Fäden am geringsten sein. Männchen und Weibchen von *Canthocamptus* tragen auf einem zapfenförmigen Fortsatze des vierten Antennengliedes einen langen schmalen Cylinder, der mit scharf contourirter Basis auf einem Porus entspringt und von einer längeren Borste begleitet wird. An seinem Ende macht sich, ähnlich wie an den blassen Cylindern der *Daphniden*, ein glänzendes Knöpfchen bemerklich, neben dem zuweilen ein zarter Fortsatz des Cylinders beobachtet wurde. Das Männchen trägt auch noch an der Antennenspitze ein ähnliches, jedoch kleineres Organ, welches ich an der Antenne des Weibchens von *C. staphylinus* (Taf. XII. Fig. 2, Fig. 4; Taf. XIII. Fig. 1, Fig. 3) vermisse. Diese Zahl und Vertheilung der zarten Anhänge gilt für die gesammte Familie der *Harpactiden*, so ziemlich in allen Gattungen finden wir die beiden Fäden wieder und zwar den unteren in der Regel als einen sehr umfangreichen, oft säbelförmigen Anhang[1], z. B. bei *Tisbe* (Taf. XV. Fig. 1). An dem nämlichen Greifarme der *Cyclops*-Arten mit siebzehngliedrigen Antennen treten einige blasse cylindrische Schläuche auf, deren Gestalt unverkennbar an die bekannten parasitischen Schläuche der Asseln erinnert. Während an der Spitze dieser Körper das glänzende Knöpfchen fehlt, verengt sich die Basis zu einem dunkel contourirten, einem glänzenden Chitinring aufsitzenden Stiele. Der Inhalt, welcher sich anfangs, so lange das Thier lebt, hell und homogen zeigt, nimmt nach einiger Zeit eine etwas getrübte kleinblasige Beschaffenheit an und scheint die continuirliche Fortsetzung der Substanz eines Nerven zu sein, den man an günstigen Objecten zu dem Cylinder herantreten sieht. Die Zahl der besprochenen Organe ist auf fünf beschränkt, drei derselben gehören dem Basalgliede, je eines dem fünften und dem neunten Gliede an (Taf. IV. Fig. 13). Ausserdem findet sich ein äusserst zarter Faden an der Spitze des apicalen Gliedes und ein kurzes geknöpftes Röhrchen an dem verlängerten Abschnitte unterhalb des geniculirenden Gelenkes. Auch die übrigen Cuticularanhänge, die scharf contourirten, oft quergerippten Borsten stehen zum Theil mit Nerven im Zusammenhang und möchten als Tastborsten zu betrachten sein. Verfolgt man den starken, in das Lumen der Antenne eintretenden Nervenstamm, so sieht man am schärfsten in dem langgestreckten Basalgliede (Taf. IV. Fig. 10), dass ein Theil seiner Nervenfasern nach dem oberen Rande zu den Borsten ausstrahlt und dass eine jede Borste eine dieser Fasern erhält. Auch ist es nicht schwer, eine Anschwellung mit eingelagertem Kerne zu der Faser zu verfolgen. In seinem weiteren Verlaufe nimmt der Nervenstamm allmählich an Umfang ab und es bleibt in den Gliedern der Spitze nur eine kleine Anzahl von Fasern, die man zu den apicalen Borsten verlaufen sieht. Muskeln zur Bewegung der Borsten scheinen doch wohl überall vorhanden zu sein; denn wenn auch die Bewegungen der Borsten bei krampfhafter Contraction der Antennenmuskeln ausbleiben, so nimmt man doch nicht selten selbstständige Bewegungen der Borsten wahr. An den weiblichen Antennen der grösseren *Cyclops*-Arten werden wir durch den vollständigen Mangel der zarten Cylinder und Fäden überrascht. Nur am zwölften Gliede (Fig. 11) tritt ein Cuticularanhang hervor, der vielleicht die Stelle jener ersetzt; auf einem engen, dunkel contourirten Stiele sitzt ein blasser lanzettförmiger Zapfen

---

1) Appendix membranacea LILJEBORG.

auf. Eine andere Form der LEYDIG'schen Organe, wie ich diese specifischen Cuticulargebilde nach ihrem ersten genaueren Beobachter nennen möchte, finden wir an der Antenne von *Cyclops serrulatus* (Taf. IV. Fig. 12). An dieser werden zwei verschiedene Formen jener Organe erkannt, lange haarförmige Fäden, wie wir sie auch an dem apicalen Gliede der *Cyclopiden* mit siebzehngliedrigen Antennen antreffen, und breitere Cylinder (*T*), an deren Spitze ein zierlicher Kranz sehr zarter, ungleicher Fädchen meist im Umkreis eines glänzenden Knöpfchens hervorstrahlt. Auch an der Seite des Cylinders, nicht weit vom Endpole, setzen sich reihenweise feine aber scharf contourirte Fasern an, welche Ausläufer der äusseren Membran sein möchten und mit den zahlreichen, dicht stehenden Endfädchen nicht verwechselt werden können. Die letzteren haben sicherlich eine Beziehung zum Inhalt der Röhre und des Nerven und erinnern an die Endfäden des Olfactorius, ihre Substanz, die sich in den Cylinder fortsetzt, ist äusserst zart und empfindlich. An den Weibchen von *C. serrulatus* fehlen diese Anhänge vollständig, während sie bei dem Männchen in sechsfacher Zahl an den vier ersten Gliedern des Greifarmes befestigt sind. In weit grösserer Anzahl finden sich diese zarten Anhänge an den Antennen der *Calaniden* und *Pontelliden*, an denen sie schon LUBBOCK als »*flattened lanceolate hairs*« von den Borsten unterschieden hat. Fast jeder Ring der Antenne trägt nahe an dem oberen Verbindungsrande seinen blassen Anhang, dessen Grösse nach den Arten und dem Geschlechte mannichfache Modificationen erleidet. An den basalen Gliedern ist in der Regel die Zahl jener Organe eine grössere, andererseits fallen sie an einigen apicalen oder mittleren Gliedern zuweilen ganz hinweg, in anderen Fällen kann sich indess ihre Anzahl auch an den mittleren Gliedern beträchtlich vermehren, was wir am Männchen von *Hemicalanus* am schönsten beobachten. Es sind übrigens nicht blos lanzettförmige Organe, die an den Antennen der *Calaniden* auftreten, sondern äusserst verschiedene Formen von blassen Anhängen mit streifig feinkörnigem, von kleineren und grösseren Vacuolen durchsetztem Inhalt. Während sie einerseits in blasse Haare und Fäden übergehen, bilden sie sich andererseits, namentlich im männlichen Geschlechte, zu beutelförmigen Säckchen oder längeren, in der Mitte eingeschnürten und gebogenen Schläuchen aus, die oft quastenartig nach dem unteren Rande der Antenne herabhängen, z. B. bei *Cetochilus* (Taf. XXVI. Fig. 2), *Undina*, *Calanella*. Auch an derselben Antenne zeigen in der Regel die blassen Anhänge der einzelnen Glieder verschiedene, für das betreffende Glied charakteristische Formen, was man leicht (beispielsweise) an der männlichen Antenne von *Euchaeta* (Taf. IX. Fig. 12) verfolgen kann, an den unteren Gliedern werden sie schmal und legen sich mit ihrer ganzen Länge dem Gliede an. Unter allen mir bekannten Formen aber besitzt das Männchen von *Hemicalanus* die reichste und schönste Entfaltung der blassen Organe, und verhält sich in dieser Rücksicht zu den *Harpactiden* ähnlich wie unter den *Phyllopoden* die Gattung *Estheria* zu *Daphnia*. Der grösste Theil der Borsten zeigt die specifisch blasse Beschaffenheit des Inhaltes und bildet sehr lange und zarte Schläuche, die zum Theil auf besonderen Vorsprüngen der Antennenglieder ihre Insertion erhalten. Während man bei *Euchaeta*, *Undina*, *Cetochilus* etc. am schärfsten an den Basalgliedern die Verzweigung des Antennennerven und die ganglionären Anschwellungen der auseinander weichenden Fasern unter den blassen Säckchen nachweist, überzeugt man sich hier auch an den mittleren Gliedern von demselben Verhalten der Fasern, von denen in der Regel drei bis vier in den Inhalt eines jeden blassen Organes übergehen. Ohne mich auf die zahlreichen Details einzulassen, welche für die Form und Vertheilung dieser Anhänge in den einzelnen Gattungen und Arten bestehen, glaube ich in dem Mitgetheilten zur Genüge bewiesen zu haben, dass wir es mit Sinnesorganen zu thun haben. Morphologisch möchten unsere blassen Organe allerdings den dunkel contourirten Haaren und Borsten entsprechen, deren Function sich wohl auf die Vermittlung der Tastempfindung beschränkt, physiologisch aber darf man aus der zarten Beschaffenheit der Hülle, aus dem Zusammenhange mit Nerven und Ganglien, aus der reicheren Entfaltung im männlichen Geschlechte schliessen, dass es nicht ein einfacher mechanischer Eindruck äusserer Körper ist, den die Thiere durch die blassen Fäden percipiren, sondern eine specifische Empfindung von der Beschaffenheit des äussern Mediums. Die Organe stehen sicher in gleicher Linie mit den Fäden und Schläuchen, die auch an den Antennen der *Amphipoden*, Asseln und *Decapoden* etc. auftreten und haben wahrscheinlich geringe qualitative Veränderungen des Wassers fühlbar zu machen und somit eine dem Geschmackssinn, beziehungsweise dem Geruchssinn analoge Function auszuüben.

Ausser den vordern Antennen werden endlich bestimmte Stellen der Körperoberfläche, in manchen Fällen sogar ein grosser Theil der gesammten Hautfläche zum Sitze von ganglionären Nervenenden, welche zum Theil eine ganz ähnliche Bedeutung als die Nerven der Tastborsten haben und der Körperbedeckung einen gewissen Grad von Sensibilität verleihen. Zudem stehen dieselben meistens in Verbindung mit Cuticularanhängen, mit Haaren und Spitzen, so dass sie mit den Hautnerven an Insectenlarven etc. am natürlichsten zusammengestellt werden. Hierher gehört zunächst das frontale Sinnesorgan, dessen Nerven schon bei Gelegenheit des Gehirnes besprochen wurden. In zahlreichen Gattungen ragen an der Stirn oberhalb des Schnabels mehrere Spitzen hervor, unter denen eine mit Kernen durchsetzte Anschwellung zweier Nervenstämmchen mehr oder minder deutlich nachweisbar ist. Am besten lässt sich dieses Organ bei *Cetochilus*, *Undina* (Taf. XXXI. Fig. 17) und *Euchaeta* verfolgen; im letztern Falle sitzen die spitzen Fäden auf dem obern Zapfen des Schnabels auf, der sich bei *Undina* zu einer kaum merklichen Erhebung abflacht. Viel complicirter verhalten sich die Hautnerven in der Familie der *Corycaeiden*, bei denen sie in mehr oder minder ausgebreiteten Ramificationen den Kopf und oft auch die Seitenflächen der Brust und des Hinterleibes durchsetzen und zahlreiche Endanschwellungen unter der Haut bilden. Bei *Copilia* (Taf. VII. Fig. 1 und Fig. 1') beschränken sich dieselben vorzugsweise auf die Fläche des Kopfes und sind theils Abzweigungen von drei aus dem Gehirne entspringenden Nerven (Fig. 1), theils Ausläufer von Nerven, die man bis zu Pigmentkörpern der Seitenaugen verfolgen kann. Die Anschwellungen des obern medianen Nerven liegen auf der untern Fläche des vordern Kopfabschnittes und zwar unter Erhebungen und Papillen des Chitinpanzers, die auf ihrer Spitze einen haarförmigen Fortsatz tragen (Fig. 1'). Die Anschwellungen sind relativ sehr gross, äusserst blass und von hellen Bläschen durchsetzt, hier und da gelingt es einen Kern nachzuweisen. Der Verlauf der Ramificationen bietet zahlreiche individuelle Abweichungen. Bei *Saphirina* durchzieht das Netzwerk der Hautnerven den ganzen Körper, auch im Thorax und Abdomen erhält jede Seitenfläche ihren Nerven, dessen Zweige in den regelmässig fast symmetrisch vertheilten fettglänzenden Kugeln enden. Am reichsten kommen diese im vordern Abschnitt des Kopfbruststückes, vorzugsweise am Rande des Schildes zur Entwicklung, wo sie je unter einem kleinen Cuticularstäbchen liegen. Nicht überall aber füllt die fettglänzende Kugel die Anschwellung des Nerven vollständig aus, hier und da ist sie von geringerm Umfang oder durch mehrere kleine Kugeln ersetzt, an einzelnen Stellen, namentlich am Ende des Körpers, zeigen sich auch Pigmentkörnchen und Pigmentkugeln im Inhalt. Bei *Saph. nigromaculata* (Taf. VIII. Fig. 5) und anderen kleinen *Saphirina*-Arten treten dieselben in viel grösserer Zahl auf und ersetzen die fettartig-glänzenden Kugeln fast vollständig, so dass man anstatt der letztern grössere Pigmentkugeln in regelmässiger und symmetrischer Anordnung verbreitet findet. Bei *Saphirinella* erinnert die Verzweigung der frontalen Hautnerven mit ihren birnförmigen, von zahlreichen Fettkügelchen durchsetzten Anschwellungen an *Copilia*, indess verlaufen ähnliche Hautnerven auch im hintern Körpertheile und in den Furcalstielen. Auch bei den *Cyclopiden* finden sich unterhalb der Afteröffnung und in den Furcalgliedern einige Anschwellungen, die wahrscheinlich mit zarten Hautnerven in Verbindung stehen. Ausser den erwähnten Nerven verbreiten sich bei *Saphirinella* unter der Haut des Vorderleibes sehr umfangreiche polygonale Felder mit blassem hier und da körnigem Inhalt. Dieselben sind unter einander durch Fäden und breite Fortsätze verbunden und stehen ausserdem entschieden mit zarten Nerven im Zusammenhang (Taf. XXV. Fig. 12'). Endlich bemerkt man noch in den Seitentheilen und in der Medianlinie des Vorderleibes grosse glänzende Kugeln, welche strahlenförmig von einem Fasergewebe umschlossen und durch dieses an die Haut befestigt werden (Fig. 12').

Gehörorgane wurden nicht mit Sicherheit beobachtet, möglicher Weise aber gehört in die Kategorie dieser Organe eine eigenthümliche Bildung im Gehirnganglion von *Calanella*. Es sind zwei kuglige, Gehörblasen ähnliche Räume (Taf. VII. Fig. 9), in deren hellem Inhalte ein Ballen von Concretionen bemerkt wurde. Ob diese Differenzirung regelmässig auftritt oder nicht, habe ich leider unterlassen zu entscheiden.

---

8. Darmcanal und Drüsen.

Der Darmcanal beginnt mit der Mundöffnung unterhalb einer mehr oder minder hervorragenden Oberlippe, deren Bau und Lage wir schon früher kennen gelernt haben. Es genügt hier darauf hinzuweisen, dass die Oberlippe auf ihrer äussern und innern Fläche zerstreute Gruppen von Spitzen und Haaren, an ihrem Vorderrande häufig Zähne und Kerben zur Ausbildung bringt, und im Innern von einer besonderen Musculatur durchsetzt wird, welche ähnlich wie bei den *Daphniden* vorzugsweise zum Emporheben der Lippe dienen mag (Taf. V. Fig. 3, 4 und 5). Auch finde ich in der Oberlippe einiger *Corycaeiden* (Taf. IX. Fig. 1) grosse, kugelige Zellen, welche wahrscheinlich dem zuerst von Schödler bei *Acanthocercus* beobachteten Drüsen der *Daphniden* entsprechen. Leydig führt dieselben als gemeinsamen anatomischen Charakter der Oberlippe aller *Daphniden* an, ohne freilich über ihre Natur als Speicheldrüsen Näheres ermittelt zu haben, bemerkt aber für *Daphnia sima*, dass von den Zellen weg zur Haut der Lippe zarte Anheftungsfäden gingen, so dass vielleicht jede Zelle in einer dann freilich äusserst zarten Umhüllung liege. Aehnliche Ausläufer sind auch mir bei *Corycaeus* (Taf. XXIV. Fig 3) bekannt geworden, nur hielt ich dieselben nicht für Suspensorien und Bindegewebsfäden, sondern für die Ausführungsgänge der einzelligen Kugeln, die für Hautdrüsen angesehen wurden. Indess scheint mir der Bau einer analogen Drüse von *Copilia* der erstern Auffassung grössere Wahrscheinlichkeit zu verleihen, was spätere Beobachter vielleicht entscheiden werden. Bei *Copilia* (Taf. VII. Fig. 4) liegt unter der Oberlippe eine flache zweilappige Drüse dem Anfangstheil des Schlundes dicht an, dieselbe bewegt sich beim Schlucken mit dem Oesophagus herauf und herab und kann für nichts anders als eine Anhangsdrüse des letztern gelten.

Von der Mundöffnung, in deren Umgebung ein Ringmuskel bemerkbar ist, steigt der vordere Abschnitt des Darmrohres, der Schlund oder Oesophagus bogenförmig empor, ganz ähnlich wie bei den *Daphniden*. Ebenso wie bei den letztern besteht derselbe aus einer äussern Muskelschicht und einer kräftigen in Falten gelegten Intima, die wir als die unmittelbare Fortsetzung der äussern Haut ansehen können. Auch kann man bei *Euchaeta* die der Matrix entsprechenden Zellen und Kerne hie und da unterhalb der Intima nachweisen. Nicht selten wird der Schlund ganz ähnlich, wie wir das beim Magen wiederfinden werden, durch Muskelstränge an die obern Partien des Panzers befestigt und hierdurch nicht nur in seiner Lage erhalten, sondern bei der Contraction der Muskeln emporgehoben. Bei *Diaptomus* (Leydig), *Euchaeta* und wahrscheinlich allen *Calaniden* und *Pontelliden* springt der Schlund deutlich mit einer zapfenartigen Verlängerung in den Magen vor, bei andern, wie z. B. *Saphirina*, ist der Uebergang ein continuirlicher und von einem Vorsprung in den Magen nichts zu bemerken. Von einem Zahngerüst im Schlunde, wie es Zenker für die *Cyclopiden* beschreibt, kenne ich nichts, wahrscheinlich beobachtete er Chitinstäbe der Oberlippe, zu denen bei einigen *Calaniden* zwei Zahnreihen der Unterlippe hinzukommen. Alle diese Bildungen liegen ausserhalb der Mundöffnung und keineswegs im Oesophagus selbst.

Der auf den Oesophagus folgende Abschnitt, der Magen oder Chylusdarm besitzt einen ansehnlichen Umfang und bildet einen weiten den Vorderleib durchsetzenden Schlauch zur Verdauung der Speise. Dieser Function entsprechend zeigen die Wandungen den Charakter einer Drüse und tragen eine reiche Auskleidung blasskörniger und fettreicher Zellen, deren Secret sich mit den aufgenommenen zu verdauenden Substanzen mischt.

Die Zellen ragen frei in das Lumen des Darmes vor und treiben, namentlich in wässrigen minder indifferenten Lösungen untersucht, grosse helle Blasen nach der freien innern Fläche, die nicht weiter von einer Intima begrenzt werden. Möglich, dass eine äusserst zarte und weiche Grenzlage existirt, die Leydig für den mittleren Theil des Magens anzunehmen scheint, aber fast als geschwunden betrachtet; mir ist dieselbe, so leicht ich sie bei den *Daphniden* darstellen konnte, im Chylusdarme der *Copepoden* nicht deutlich geworden. Die Zellen selbst haben eine äusserst verschiedene Beschaffenheit und alle eine bedeutende Grösse und kuglig blasige Form; die Zellen mit blassem feinkörnigen Inhalte besitzen ein schönes scharfumschriebenes Kernbläschen, welches in den übrigen Zellen viel schwieriger zu erkennen ist. Viele Zellen sind mit gefärbten Fettkügelchen mehr oder minder dicht erfüllt, an deren Stelle in einzelnen *Calaniden*-Arten grosse glänzende Kugeln auftreten können, andere, namentlich im hintern Theile des Magens, umschliessen dunkel contourirte eckige oder biscuitförmige, meist klümpchenweise verpappte Concremente, welche wahrscheinlich, nach ihrem Aussehen und ihrer Resistenzkraft in Säuren und Alkalien zu schliessen, Harnausscheidungen sind. Wie die mit Fetttröpfchen gefüllten Leberzellen ihren Inhalt mit den zu verdauenden Stoffen mischen, so treten die Harnzellen[1]) und deren Concremente in den Enddarm über und werden sowohl in den Kothballen wiedergefunden als auch zu selbstständigen Auswurfsmassen angehäuft durch den After entfernt. Der enge und langgestreckte Enddarm

1) Vergl. Claus Zur Anatomie etc. l. c. p. 18 und Leydig l. c. p. 200.

beginnt in einiger Entfernung von dem Hinterleibe, oft durch eine scharfe Einschnürung vom Magen abgesetzt, in andern Fällen ganz continuirlich in denselben übergehend. Eine Art Klappe, durch die nach LEYDIG das Magenende von *Cyclopsine* abgeschlossen sein soll, kenne ich nicht. Auch an dem vordern Abschnitte des Enddarmes bilden grosse und helle Zellen die innere Auskleidung, welche wahrscheinlich zur Aufnahme des nicht schon im Magen zur Resorption gelangten Nahrungssaftes dienen. In diesem Theile bleiben die aus dem Magen eintretenden Nahrungsballen einige Zeit und erhalten eine helle flüssige Umhüllungsschicht, deren äussere Begrenzung bei *Cyclops* membranartig erhärtet. Die hintere Partie des Enddarmes, an deren Wandung die Intima wieder bemerkbar wird, die Zellenlage aber mehr und mehr zurücktritt, mündet auf der Rückenfläche des letzten Abdominalsegmentes in einem viereckigen Ausschnitte des Panzers nach aussen. In diesem Ausschnitte, dessen oberer Rand in Form eines schwach concaven Schildes der »Afterklappe« vorspringt, bildet die Afteröffnung einen medianen Längsschlitz, welcher im Zustande der Ruhe geschlossen ist. Werden die Wandungen des Enddarmes nach den Seiten hin auseinander gezogen, so klappen auch die den Darmwandungen angehörigen Ränder des Schlitzes auseinander, und dieser öffnet sich, um den nach unten gedrängten Kothballen den Austritt zu gestatten. Der Enddarm sowohl als der Chylusdarm besitzt ausser der innern Zellenlage, die wahrscheinlich einer sehr zarten *membrana propria* anliegt, eine Muskelhaut, an der man Längs- und Querfasern unterscheidet und eine äussere Haut. Die Längsmuskeln bilden das innere Stratum und entwickeln sich vorzugsweise am Enddarm, die Quermuskeln umziehen das Längsmuskelstratum als Gruppen von Reifen und Ringen, welche am Chylusdarm in breiten Zwischenräumen entfernt liegen, am Enddarm dagegen in dichterer Vertheilung sich wiederholen. Die regelmässigen Einschnürungen des Magens, die man oft zu beobachten Gelegenheit hat, verdanken den Zusammenziehungen dieser durch Intervalle getrennten Ringmuskeln ihre Entstehung. Die äussere Membran, welche den Darmcanal umkleidet und sehr reichlich mit Fettkügelchen und in manchen Formen, z. B. *Phaënna*, mit Pigment erfüllt ist, schliesst hier und da deutliche Kerne ein und dürfte genetisch auf dieselben Zellen zurückzuführen sein, welche in der Umgebung zahlreicher Organe den sogenannten Fettkörper bilden. Es sind zarte Zellstränge und Fäden, die mit einander zu einem netzförmigen an fettähnlichen Tröpfchen und gefärbten Oelkugeln überaus reichen Gewebe verschmelzen, welches die doppelte Bedeutung als Depot erübrigter Nahrungsstoffe und als Bindesubstanz und Mesenterium der innern Organe besitzen möchte. Die in den Körperräumen angehäuften Fetttröpfchen liegen keineswegs, wie ich früher mit ZENKER für die *Cyclopiden* annahm, frei in der Blutflüssigkeit, sondern eingebettet in die Stränge und anastomosirenden Zellennetze des Bindegewebes, wie LEYDIG ganz richtig für die *Daphniden* und *Cyclopiden* hervorgehoben hat. Gar häufig halten die grössern Fetttropfen eine regelmässige und symmetrische Lage ein; nicht nur bei *Cyclopsine*, sondern bei zahlreichen Gattungen kommt eine grössere unpaare Kugel oberhalb der vordern Magenspitze und mehrere paarige rechts und links in dem Zellnetze der Serosa zum Vorschein, andere liegen unter der Matrix des Panzers, wo die Zellen der Bindesubstanz auch mit Pigment gefüllt sein können. Sehr schön von einem strahligen in zahlreiche Fäden auslaufenden Gewebe umschlossen liegt eine unpaare Oelkugel in der Kopfspitze von *Hemicalanus mucronatus* (Taf. XXIX. Fig. 2), eine andere ausserordentlich umfangreiche Fettkugel zwischen Herz und Darm von *Calanella* (Taf. IX. Fig. 11), welche ähnlich wie die bereits früher erwähnten fettglänzenden Kugeln im Vorderleibe von *Saphirinella* fast den Werth eines specifischen Merkmales besitzen. In andern Fällen verschmelzen die Fettgebilde zu grossen oft langgestreckten Fettmassen, wie ich mehrmals die ganze dorsale Fläche des Darmcanales einer Helgolander *Calanus*-Art von einem *chorda*-ähnlichen Fettstrange begleitet fand; bei *Calanus mastigophorus* (Taf. XXVII. Fig. 5) liegt ein unregelmässig geformter homogener Fettballen auf der Bauchfläche des Darmes im untern Theile des Vorderleibes.

Endlich befestigen sich an der äusseren Wandung des Darmcanales selbstständige Muskeln, welche ihren zweiten Ansatzpunkt am Panzer haben und den von den Fettgeweben in seiner Lage erhaltenen Darm in bestimmten Richtungen bewegen. Bei den *Cyclopiden* und *Corycaeiden* treten zunächst Aufwärtszieher des Magens auf, diese entspringen an der Rückenfläche im vordern Kopfabschnitt und heften sich am obern Theile des Magens an, den sie durch ihre Contraction nach oben und vorn ziehen. Viel grösser ist die Zahl der Muskelfäden bei einigen *Corycaeiden*-Gattungen, an dem weiten Magensack der *Copilia* und dem engen Chylusdarm der *Saphirina*-Männchen (Taf. VII. Fig. 5), wo sie zugleich zur Erweiterung des Darmlumens zu dienen scheinen. Die seitlichen Muskeln, welche sich am Enddarm in den letzten Hinterleibssegmenten anheften, ziehen die anliegenden Darmwandungen auseinander und bewirken die Oeffnung des Afterschlitzes und unterstützt von den herabdrängenden peristaltischen Contractionen der Muskelschichten den Austritt der Kothballen. Ich habe mehrfach beobachtet, dass die Zusammenziehung der Seitenmuskeln und die Erweiterung des Darmlumens bei der Ankunft der herablaufenden peristaltischen Welle erfolgt.

Die Gestalt und Ausbildung des Darmcanals wechselt übrigens ganz ausserordentlich in den einzelnen Arten und zeigt selbst Abweichungen nach dem Geschlechte. Sehr häufig setzt sich das obere Ende des Magens oberhalb der Einmündung des Oesophagus in einen kürzern oder längern Blindsack oder zugespitzten Zipfel fort, der sich in den Vordertheil des Kopfes selten bis in die Stirn hinein verlängert und durch Bindegewebsstränge und Fäden an der Rückenfläche befestigt wird, z. B. *Calanus*, *Cetochilus*, *Euchaeta*, *Hemicalanus*. Bei *Pleuromma* (Taf. V. Fig. 13), ist der mediane vordere Blindsack kolbig erweitert, wie durch einen halsförmig eingeschnürten Gang mit dem Magen verbunden. Einfach-abgerundet bleibt der Magen bei *Cyclops*, vielen *Harpactiden*, *Dias* und *Corycaeus*. Bei *Temora* (Taf. XXXIV. Fig. 4) treten zu dem kurzen ausgebuchteten Blindsack noch zwei seitliche Säckchen hinzu, welche an die Leberhörnchen der *Daphniden* erinnern und wie alle diese Anhänge und Ausstülpungen des obern Magentheils die Vergrösserung der zur Verdauung secernirenden Darmfläche zur Folge haben. Bei *Calanella* (Taf. VII. Fig. 8 und Taf. IX. Fig. 11) und den *Saphirinen*-Männchen schnürt sich jeder Seitenanhang noch in mehrere Beutel und Säckchen ab, deren contractile mit Zellen ausgekleidete Wandung dem Charakter einer Anhangsdrüse noch näher kommt. Bei den Weibchen der *Saphirinen*, deren Chylusdarm eine sehr beträchtliche Weite besitzt, während er sich im männlichen Geschlechte in der Regel zu einem dünnen fast strangförmigen Canal verengt, sind die einfachen und getheilten Leberanhänge sackförmige Erweiterungen der vordern Magenfläche (Taf. VIII. Fig. 2) und ebenfalls mit Muskeln und Fäden an den Panzer befestigt. Eine *Saphirina*-Art (Taf. XXV. Fig. 13), die ich wegen ihres sehr weiten Magens *pachygaster* genannt habe, besitzt eine grössere Zahl zum Theil wiederholt getheilter Seitensäckchen des Magens, die in lebhaf-

8*

ter Contraction begriffen sich bald tiefer abschnüren, bald allmählich in die Darmwandung fortsetzen. Bei *Copilia* (Taf. XXV. Fig. 14) erstreckt sich der kuglige kurze contractile Magensack kaum bis in die Mitte des zweiten Brustsegmentes, bei *Pachysoma* (Taf. XXV. Fig. 6) füllt er fast den ganzen Leibesraum des Kopfbruststückes aus; Eigenthümlichkeiten der Magenform, die als Charaktere der Gattungen auch eine systematische Bedeutung verdienen.

Unter den Organen der Absonderung dürfte vielleicht die Schalendrüse besprochen werden, über deren Bedeutung wir leider wenig wissen. Zenker hat dieselbe bei *Cyclopsine* und den *Cyclopiden* entdeckt und als einen mehrfach gewundenen Canal mit farblosem Inhalt dargestellt, der in der Nähe des Mundes nach aussen zu münden scheine. Leydig, welcher die gleiche Drüse auch bei *Canth. staphylinus* gefunden haben will, schreibt ihr eine *tunica propria* und zelligen Wandbelag zu, weiss aber über ihre Ausmündung und Function nichts Bestimmtes anzugeben. Wohl aber scheint diesem Forscher der Nachweis geglückt zu sein, dass wir in der Schalendrüse der *Daphniden* und *Apus*, ferner in einem ähnlichen gewundenen Canale von *Artemia, Branchipus, Argulus*, in der »grünen Drüse« des Flusskrebses, in einer Drüse an der Antennenbasis von *Gammarus* und der Embryonen von *Asellus aquaticus* die gleichwerthigen Organe zu suchen haben. Ich kenne diese Canäle nur von den *Cyclopiden* und *Cyclopsine* oder *Diaptomus* und habe sie weder bei *Canthocamptus* noch an den marinen *Calaniden* und *Corycaeiden* gesehen, indess sehr bestimmt auch an den Larven von *Cyclops* und *Diaptomus* wiedergefunden (Taf. I. Fig. 2, Fig. 3 und Fig. 5). Auch von mir konnte über ihre Ausmündung keine sichere Beobachtung gemacht werden, die Wandung im Umkreis des relativ weiten blassen Lumens zeigte keine weitere Differenzirung und keine zellige Structur, die man so bestimmt an der Schalendrüse der *Daphniden* nachweist. Dagegen führt die Lage dieses Schleimcanales in den Larvenformen in der Nähe des zweiten Extremitätenpaares auf die morphologische Uebereinstimmung mit den Drüsen der untern Antennen von *Gammarus* und von den *Decapoden* hin, über welche ich durch die Untersuchung von *Leucifer* und *Sergestes* ergänzende Beobachtungen mittheilen kann. Bei *Sergestes* liegt in dem langgestreckten Basalabschnitte der Antenne ein breiter kurz geschlängelter Blindschlauch, der am obern Rande des Gliedes auszumünden scheint. Viel schärfer und bestimmter ist die Oeffnung eines ähnlichen aber umfangreichern Drüsenschlauches an der Antennenbasis von *Leucifer*[1]) zu verfolgen. Der mehrfach gewundene und zusammengelegte Drüsenschlauch rückt aus dem Basalgliede in den obern Theil des Kopfes herab und sendet seinen verengerten und zugespitzten Ausführungsgang in ein ausgehöhltes Stäbchen (Hörcylinder vom Flusskrebs, Kegel nebst cylindrischem Röhrchen vom *Gammarus*) am Rande des Basalgliedes. Daher hat sicherlich auch die grüne Drüse des Flusskrebses ihre von Leydig bezweifelte Ausmündung. Immerhin bleibt die physiologische Bedeutung dieser Organe und unserer Schalendrüse unklar und wenn sich Leydig nachzuweisen bemüht, dass wir in derselben keine der Niere vergleichbare Function zu suchen haben, so dürfte ihm der Beweis um so weniger geglückt sein, als er den gewundenen Canal mit den Wassergefässknäueln der *Hirudineen* und *Lumbricinen* zusammenstellt, deren Bedeutung als Excretionsorgane die grösste Wahrscheinlichkeit für sich hat.

1) Die hierauf bezüglichen Zeichnungen finden sich in: Zeitschr. für wiss. Zool. 1863. Bd. XIII. Heft III.

9. Circulation und Respiration.

Das aus den Verdauungssäften gewonnene Blut ist eine klare farblose Flüssigkeit, welche wohl hier und da, wie LEYDIG für *Cyclopsine* bemerkt, einen Stich ins Gelbe zeigt, aber nie eine intensive Färbung erhält. Merkwürdigerweise fehlen derselben zellige Elemente, die in so reicher Menge bei den verwandten *Daphniden* auftreten, und ich habe auch bei den grossen durchsichtigen marinen Gattungen, z. B. *Calanella* und *Hemicalanus*, niemals Blutkörperchen wahrnehmen können. Wenn daher ZENKER eine *Cyclopsine* beobachtet haben will, deren Blutkügelchen ihm die Verfolgung des Blutstromes möglich machten, so hat er wahrscheinlich ein Thier untersucht, dessen Leibesraum mit einer mässigen Anzahl jener Pilzsporen erfüllt war, über die wir später einige Bemerkungen anknüpfen werden.

Die Bewegung des Blutes scheint in zahlreichen Fällen keine regelmässige Circulation zu sein, und nur da einen bestimmten Kreislauf einzuhalten, wo sich ein selbstständiges pulsirendes Herz entwickelt. Bei den *Cyclopiden*, *Harpactiden* und *Peltidien* vermisst man dieses vollständig, dagegen übernehmen hier die fast rhythmischen Bewegungen des Magens, in welchen derselbe zum Theil durch die bereits beschriebenen Muskeln aufwärts und nach oben gezogen und dann wieder in entgegengesetzter Richtung herabgedrängt wird, die Function des fehlenden Circulationsorganes und bringen die im Leibesraume befindliche Blutmenge in eine gewisse Strömung. Grössere seitliche Schwingungen des Darmes, wie wir sie zur Blutbewegung bei den *Lernaeopoden* ausgeführt sehen, kenne ich bei den freischwimmenden *Copepoden* nicht. Auch die *Corycaeiden* entbehren eines selbstständigen Circulationsorganes und wenn GEGENBAUR für *Saphirina* ein Herz anführt, welches in Form eines rundlichen dünnwandigen Schlauches durch zwei seitliche Ligamente befestigt über dem Oesophagus liege, so muss ich nach meinen Beobachtungen diesen Angaben um so bestimmter entgegentreten, als wir in GEGENBAUR's Abbildungen jenes Organ vergebens suchen; auch hier ist es vielmehr der äusserst contractile und durch äussere Muskelzüge in verschiedenen Richtungen bewegbare Darm, welcher die Blutflüssigkeit im Körper umhertreibt. Dagegen kommt ein selbstständiges Organ des Kreislaufes allen *Calaniden* und *Pontelliden* zu. Bei diesen Formen liegt unter der Rückenfläche halb im ersten, halb im zweiten Brustsegmente ein pulsirender musculöser Schlauch, durch zarte Bindegewebsstränge an dem Rückenpanzer, an die Keimdrüse und den Magen befestigt (Taf. XXXIV. Fig. 2, Taf. V. Fig. 10, Fig. 11 und Fig. 16, Taf. XXX. Fig. 8). Die Wandung des Herzens besteht wie bei dem analogen Organe der *Daphniden* deutlich aus Ringmuskeln, welche in eine mediane Sehne des Rückentheiles schräg emporlaufen, und wird nicht von zwei, sondern von vier spaltförmigen Oeffnungen durchbrochen. Von diesen sind die beiden seitlichen (Taf. V. Fig. 10) und die hintere Oeffnung venöse Ostien zur Aufnahme des umspülenden Blutes der Leibeshöhle, die vordere, deren Ränder meist lippenartig vorspringen, ist die arterielle, durch welche das eingeströmte Blut aus dem Herzen wieder austritt. LEYDIG, der bei *Cyclopsine* nur die hintere Spaltöffnung direct beobachtete, lässt die vordere dem Stiele des birnförmigen Schlauches entsprechen. In der That liegt auch dies *ostium arteriosum* fast überall im Grunde eines aus dem Herzen entspringenden Canales, den ich kein Bedenken trage, als Aorta in Anspruch zu nehmen. In der Regel bleibt dieselbe weit und kurz, krümmt sich winklig an der Rückenfläche nach vorn und öffnet sich oberhalb der Keimdrüse hinter dem Darmcanale, z. B. bei *Euchaeta*

Taf. XXX. Fig. 8) in divergirende Fäden und Bindegewebsstränge übergehend; bei *Calanella* wird sie ein enges von zarter mit Kernen durchsetzter Wandung gebildetes Gefäss, welches die ganze Länge des Magendarmes nach oben begleitet und über den Leberdrüsen sich in zwei Paare seitlicher Gefässe spaltet; die untern scheinen sich um die Leber herum zu biegen und unterhalb derselben ihren Inhalt in den Leibesraum zu entleeren, die obern aber konnten bis zu den Seiten des Auges in die Stirn hinein verfolgt werden (Taf. IX. Fig. 11). Da andererseits in den einfachsten Fällen, z. B. bei *Cyclopsine* die vordere Blutbahn nur durch den Verlauf von Bindegewebszügen bezeichnet zu sein scheint, so haben wir für die Organe der Blutbewegung unter den *Calaniden* verschiedene Stufen der Ausbildung, von denen die höchste bei *Calanella* nicht nur eine Aorta, sondern auch seitliche Aeste derselben als Arterien besitzt und zu dem Gefässsystem der *Malacostraken*-Larven überführt. Für die *Daphniden* kennen wir bis jetzt mit Sicherheit keine Blutgefässe, wenngleich SCHÖDLER, FISCHER und andere Forscher dem Vorhandensein derselben das Wort reden, bei den *Calaniden* dagegen steht die Existenz derselben durch meine Beobachtungen an *Calanella* und zahlreichen anderen Gattungen ausser Zweifel.

Im Allgemeinen folgen die Pulsationen des Herzens ausserordentlich rasch und regelmässig, ZENKER giebt für *Cyclopsine* 150, LEYDIG für *Daphnia* 200 bis 250 Schläge in der Minute an und auch die marinen *Calaniden* mögen im Mittel eine gleich rasche Thätigkeit des Herzens entfalten. Mit den Pulsationen gerathen natürlich auch die umliegenden durch Fäden verbundenen Organe in eine zitternde Mitbewegung, so dass man nicht nur das Ovarium, sondern, wie auch LEYDIG bemerkt, das Gehirn und das Auge vibriren sieht. Schwierig ist die Verfolgung der Blutbewegung selbst, weil die Blutkörperchen in der strömenden Flüssigkeit fehlen. Berücksichtigt man indess den Verlauf der Aorta und ihrer Seitenzweige bei *Calanella*, so wird man darüber nicht im Zweifel bleiben können, dass der Hauptstrom in dem Kopfe, nach dem Gehirne und den Antennen zieht, und dann diesem auf der Bauchfläche eine rückwärtsströmende Blutbewegung folgt. Für *Cyclopsine* will sogar ZENKER beobachtet haben, dass der aus dem *ostium arteriosum* hervorschiessende Strom sich gleich in mehrere Theile trennte. Der Hauptstrom geht nach diesem Autor »vorwärts in den Kopf, zwischen Auge und Gehirn hindurch, biegt sich um auf die Bauchseite und verläuft sich zwischen den Kiefern und Füssen in der Mittellinie hindurch in einen *sinus abdominalis*, dem der grössern Crustaceen entsprechend. Seitliche Ströme zweigen sich im Cephalothorax von ihm ab, wo es der Raum zulässt und vereinigen sich bald wieder mit ihm. Der andere arterielle Strom, gleichsam die *aorta descendens*, wird durch die vor dem Herzen liegenden Theile des Geschlechts- oder Verdauungsapparates alsbald nach hinten herumgelenkt und tritt, den Darm umspülend, am hintern Ende des Leibes in den Strom des *sinus abdominalis*. Dieser geht, wenn auch einzelne Zweige schon früher zwischen den Muskelmassen unter der Haut empordringen, doch zum grössten Theile erst am Ende des Abdomens wieder auf die Rückenseite über in den starken Strom des *sinus dorsalis*, in welchem das Blut zum Herzen zurück und von Neuem in den Kreislauf geführt wird.« Da ich selbst nichts Näheres über den Kreislauf des Blutes ermitteln konnte, habe ich diese Angaben ZENKER's *in extenso* aufgenommen, ohne sie weder gutheissen noch für unwahrscheinlich erklären zu wollen.

Athmungsorgane als selbstständig entwickelte Flächen und Anhänge des Leibes fehlen durchaus, es muss daher die gesammte Körperoberfläche den für die Respiration nothwendigen endosmotischen Austausch übernehmen.

10. Die Geschlechtsorgane.

Die Vertheilung der männlichen und weiblichen Zeugungsorgane auf zweierlei Individuen, war schon O. F. MÜLLER bekannt, welcher die Begattung beider Geschlechter beobachtete. Von dem Bau der Geschlechtsorgane und den nähern Vorgängen bei der Begattung scheint dieser Forscher freilich keine klaren Vorstellungen gehabt zu haben; erst JURINE gelang es in seiner trefflichen *Histoire naturelle des Monocles* durch eine Reihe von wichtigen Beobachtungen unsere Kenntniss von den Geschlechtsthätigkeiten der *Cyclopiden* zu begründen. Sehr richtig führte er die als *laciniae* bezeichneten Anhänge der Weibchen, welche MÜLLER als Eigenthümlichkeiten der Art angesehen hatte, auf Samenschläuche oder Spermatophoren zurück, in richtiger Folgerung deutete er die männlichen Antennen als Fangapparate, die Auffassung MÜLLER's widerlegend, dass in denselben die äussern Begattungswerkzeuge vertreten seien. Auch versuchte sich derselbe in der Erforschung der innern Geschlechtsorgane, konnte indess, da zu seiner Zeit die Structurverhältnisse zu wenig gekannt und nicht zur Entscheidung physiologischer Fragen benutzt wurden, nur wenig zur Aufklärung dieser Organe beitragen. Von den Eiersäckchen nahm JURINE an, dass sie bei ihrem Austritt dem mütterlichen Organismus einen Theil des Ovariums kosteten und da er zahlreiche Eierlagen rasch aufeinander folgen sah, blieb ihm unerklärlich, wie dennoch die Substanz des Eierstockes erhalten würde. Erst durch VON SIEBOLD wurden JURINE's Angaben durch neue wesentliche Beobachtungen ergänzt.

Der weibliche Geschlechtsapparat zeichnet sich überall durch seine symmetrische Ausbildung in beiden Körperhälften aus und besteht, wie ich schon früher für *Cyclopsine* nachgewiesen habe, aus einer Keimdrüse, aus paarigen Eiergängen und einer unpaaren oder paarigen Kittdrüse, deren Lumen zugleich als *receptaculum seminis* dient.

Die Keimdrüse ist ein länglich birnförmiger Körper mit breiter nach oben gerichteter Basis und allmählich verengter oft zweizipfliger (*Euchaeta*) nach unten gerichteter Spitze. Sie liegt ganz constant im ersten und wohl auch im zweiten Thoracalsegment, bei den *Calaniden* vor dem Herzen, durch Bindegewebsstränge an die Umgebung befestigt und ragt mehr oder minder weit in den hintern Kopftheil empor. In einzelnen Fällen gewinnt dieselbe allerdings eine bedeutendere Länge und erstreckt sich bis in die hinteren Thoracalsegmente, bei *Dias* (Taf. XXXIII. Fig. 6) und *Cetochilus* bis in die Mitte des dritten, bei *Leuckartia* (Taf. XXXII. Fig. 7) sogar bis in das letzte Thoracalsegment. Mit Unrecht schrieb ich früher, getäuscht durch die obern paarigen Ausläufer, durch welche sich die Keimdrüse in die seitlichen Eiergänge fortsetzt, der Gattung *Cyclops* eine paarige Keimdrüse zu. Wie bei *Cyclops*, so ist auch bei den *Calaniden* diese Drüse das Ovarium im engern Sinne, das Eier bereitende Organ und keineswegs etwa, wie ich das früher für *Cyclopsine* glaubte, auf die Bildung der Keimbläschen beschränkt. Allerdings trifft man in der untern einfachen oder zweizipfligen Spitze kleine Keimbläschen sehr nahe beisammen in eine spärliche, zähe Zwischensubstanz eingebettet an (Taf. IV. Fig. 6 und Taf. V. Fig. 12 *b*), allein schon im untern Theile sondert sich diese letztere zu selbstständigen Protoplasmaumlagerungen der Keimbläschen, und man findet sehr kleine der Eizelle entsprechende Kugeln dicht aneinander gedrängt. Nicht selten liegen auch zwei, drei und mehr Keimbläschen von gleicher oder von verschiedener Grösse in einer einzigen Protoplasmakugel, aber ich weiss nicht zu entscheiden, ob sich die letztere im Endtheil um mehrere Keimbläschen concentrirte, oder ob die grössere Zahl der letztern, was mir wahrscheinlicher vorkommt, durch Theilungen des primären Keimbläschens entstanden ist. Dann würden wir eine Prolification der jüngsten Eizellen im untern Ende des Ovariums beobachten, wie sie für männliche und weibliche Zeugungsstoffe der *Nematoden* bereits bekannt ist. Je weiter wir nach der obern, breiten Basis der Keimdrüse aufsteigen, um so grösser werden die Keimbläschen und die sie umgebenden Protoplasmakugeln, deren blassgranulirte Substanz ohne membranöse Umhüllung durch ihre Dichtigkeit und Zähflüssigkeit befähigt ist, den abgeschlossenen und selbstständigen Körper der Eizelle zu bilden. In dem hellen Inhalt des Keimbläschens fehlen nicht selten dem Keimfleck entsprechende Differenzirungen, in der Regel aber tritt eine ziemlich grosse glänzende Concretion hervor, die gelegentlich auch durch mehrere kleinere ersetzt sein kann. Erst in den seitlichen Eiergängen, in welche die zähen blassen Eikugeln aus dem Ovarium gelangen, trübt sich der Inhalt der mächtig wachsenden Eizellen, es treten in grosser Menge die stark lichtbrechenden Dotterkörnchen (Taf. IV. Fig. 7) und nach den Arten verschieden spärliche oder zahlreiche Fettkügelchen auf. In manchen Fällen behält übrigens der Dotter seine helle und blasskörnige Beschaffenheit bei, bei einigen marinen *Calaniden* gruppiren sich in ihm grosse gelbliche Fettkugeln kranzförmig um das ganz constant mit zwei Keimflecken versehene Keimbläschen (*Cetochilus* von Messina). Die zarte Dottermembran, welche den Dotter der ausgewachsenen Eier in den untern Abschnitten der Eiergänge umgiebt, erklärte ich früher als erstarrtes Ausscheidungsproduct des sich condensirenden Dotters, indem ich einen hellen zähflüssigen Saum an den reifern Eiern erkannte, den man aber auch als die äussere von Dotterkörnchen befreite Grenzschicht der Dottersubstanz selbst in Anspruch nehmen kann.

Die beiden Eiergänge, welche an den Seiten des vordern Keimdrüsenabschnittes beginnen, durchsetzen in symmetrischer Schlängelung unter Abgabe seitlicher Ausläufer mehr oder minder verästelt den Vorderleib, um im ersten Abdominalsegmente auszumünden. Ihre Wandung ist eine zarte von Kernen durchsetzte Membran, welche direct in die Hülle der Keimdrüse übergeht und durch zarte Fasern und Stränge hier und da wohl auch durch musculöse Fäden an die umgebenden Organe befestigt ist. Natürlich gestaltet sich die Form dieser mit Eiern gefüllten Seitengänge nach den einzelnen Arten ausserordentlich verschieden, aber auch in derselben Species wechselt die Ausbildung ihrer Ramificationen nach dem Alter und nach der Energie der Geschlechtsthätigkeit.

Bei vielen *Calaniden*, z. B. *Diaptomus* (*Cyclopsine*), *Temora*, *Euchaeta* (Taf. XXX. Fig. 8) bleiben die Eiergänge einfach und senden höchstens einen obern und vordern Ausläufer ab, erweitern sich aber zu einem beträchtlichen Durchmesser, in welchem mehrere Eier nebeneinander Platz finden (Taf. XXXIV. Fig. 1). Bei *Leuckartia* (Taf. XXXII. Fig. 7) beschreiben dieselben ohne Verzweigungen zu treiben eine *S*förmige Krümmung durch die Seiten des gesammten Vorderleibes, bei *Cetochilus* entsenden sie der Medianlinie genäherte Ausläufer weit nach vorn in den Kopf hinein und setzen sich durch einen schrägen engen Verbindungsgang in den untern, mehr nach der Seite gerückten Abschnitt fort. Bei einigen *Harpactiden* berühren sich die Eiergänge in der Medianlinie und erstrecken sich bis in die letzten Segmente des Hinterleibes (Taf. XIII. Fig. 1 und Fig. 2), bei *Cyclops* tritt in der Regel ein äusserer longitudinaler Ausläufer auf, der wiederum drei, vier und mehr seitliche Querschläuche absendet (Taf. IV. Fig. 2, Taf. XI. Fig. 1 und Fig. 3). Noch zahlreichere Ramificationen treiben die Eiergänge von *Saphirina*

(Taf. VIII. Fig. 2), deren Zweige sich bis in die vordere Kopfspitze fortsetzen. Die Keimdrüse selbst liegt als ein kurzer birnförmiger Sack oberhalb des Magens und führt durch breite Seitenlappen in die sich verästelnden Eiergänge über, so dass GEGENBAUR von einer Querbrücke reden und den hintern Theil der Keimdrüse für einen am Chitinskelete befestigten Fortsatz der Querbrücke ausgeben konnte. Bei *Copilia* liegen die Eiergänge der Wandung des weiten Magensackes dicht auf und erinnern durch den Umfang ihrer schlauchförmigen Ausläufer an die im ganzen Körper sich verzweigenden Eiergänge von *Chondracanthus.* Indem sich bei *Copilia* wie bei *Saphirina* der obere Theil der Keimdrüse in der Medianlinie tief spaltet, tritt die Duplicität auch für das sonst unpaare Ovarium deutlich hervor.

Die Enden der beiden einfachen oder ramificirten Eiergänge, an deren Wandungen ich keinen selbstständigen Muskelbelag nachweisen konnte, münden am ersten Abdominalsegmente oder falls dieses mit dem zweiten verschmolzen ist, in der Mitte des gemeinsamen Abschnittes. In der Regel liegen die Geschlechtsöffnungen auf der ventralen Fläche dieses Körpertheiles der Medianlinie mehr oder minder genähert, sie rücken aber auch nicht selten auf die Seitenflächen, ja in einzelnen Gattungen (*Corycaeus* und *Antaria*) selbst auf die Rückenfläche. In den beiden letzten Fällen bleiben die aus den Geschlechtsmündungen ausquellenden Eier jeder Körperhälfte isolirt, und werden in Gestalt zweier Eiersäckchen von der Mutter umhergetragen, im erstern Falle dagegen verschmilzt gewöhnlich das mit den Eiern ausgetretene und in der Umgebung derselben gelagerte Secret der bereits erwähnten Kittdrüse zu einer gemeinsamen Eiersackhülle, mit deren Erstarrung die Bildung eines unpaaren bauchständigen Eiersäckchens zu Stande kommt. Einen Uebergang zu dieser einfachern Form, die wir ganz allgemein bei den *Calaniden* und *Pontelliden* beobachten, liefern die zwei in der Medianlinie aneinanderstossenden und abgeplatteten Eiersäckchen eines *Canthocamptus,* dessen nächstverwandte Arten alle einfache Eiersäckchen bilden. Auch die Form der Geschlechtsmündungen bietet mannichfache Verschiedenheiten nach der Gestaltung der sie begrenzenden Theile des Chitinskeletes. Bei *Cyclops* bildet dieselbe auf jeder Seitenfläche des vordern Abdominalsegmentes eine Querspalte, die von einer kurzen borstentragenden Chitinplatte überdeckt wird (Taf. IV. fig. 5 *l*), bei *Canthocamptus* und vielen *Harpactiden* und *Peltidien* (Taf. XII. Fig. 13 *ru*) liegen die quergestellten ovalen Geschlechtsöffnungen unbedeckt der Medianlinie genähert, bei *Tisbe* vereinigen sie sich zu einer breiten medianen Querspalte mit ausgebuchtetem untern und gezacktem obern Rande (Taf. XV. Fig. 6). Bei den *Calaniden* bleiben die auf der Bauchfläche genäherten Geschlechtsöffnungen nur seltener unbedeckt, wie z. B. bei *Pleuromma* und *Calanus* (Taf. XXVI. Fig. 14, Taf. XXVII. Fig. 7); gewöhnlich liegen sie symmetrisch von Chitinstäben begrenzt unter einem grössern medianen Schilde, dessen Form und Grösse nach den Gattungen variirt (Taf. XXXV. Fig. 4 und Fig. 16, Taf. XXXIV. Fig. 3, Taf. XXXII. Fig. 8). Complicirter gestaltet sich die Umgebung der Genitalöffnungen von *Euchaeta* (Taf. VIII. Fig. 6 und Fig. 7), welche von einer obern unpaaren Platte und paarigen unterhalb der erstern entwickelten Platten überragt werden. Zu ihren Seiten stehen mächtige Auftreibungen des Segmentes backenartig vor, die erstern liegen tief im Grunde von den vorstehenden Höckern geschützt und von einem gemeinsamen Chitinrahmen umgeben.

In dem vordern Segmente des Abdomens treten mit dem Endabschnitte der Oviducte vor ihrer Ausmündung accessorische Organe in Verbindung, welche theils die Bedeutung von Kittdrüsen zur Bereitung der Eiersäcke besitzen, theils als Samenbehälter zur Aufnahme des Sperma's nach der Begattung dienen. Bei *Cyclops* ist es eine mediane Drüse mit deutlich zelliger Wandung (Taf. IV. Fig. 5), welche an ihrem obern Theile nach rechts und links Ausläufer zu den Geschlechtsmündungen entsendet. Ihre Form wechselt nach den einzelnen Arten, zeigt aber für diese constante Verhältnisse, so dass sie mit zur Erkennung der *Cyclops*-Species[1]) benutzt werden kann. Diese Drüse steht aber noch durch einen sehr kurzen Gang mit dem äussern Medium in directer Verbindung (Fig. 5*po*) und mündet in einem Porus auf der Medianlinie der Bauchfläche an einer Stelle, an welcher regelmässig während der Begattung die beiden Spermatophoren befestigt werden. Auf diese Weise dringt die Samenmasse nicht, wie ZENKER glaubte, durch directes Einschieben der Spermatophoren in die *vulva*, sondern durch den erwähnten Porus in das Innere der Drüse ein. Ganz ähnlich wird auch bei den *Harpactiden* (Taf. XII. Fig. 13 und Fig. 14, Taf. XV. Fig. 6, Taf. XVII. Fig. 11) der mit Samen gefüllte Schlauch an eine mediane Oeffnung des entsprechenden (2ten Segmentes) Abschnittes angeklebt, oberhalb welcher die zuweilen mit 2 fettglänzenden Kugeln gefüllte Kittdrüse sichtbar ist. Bei *Saphirina* beobachten wir am innern Rande der Geschlechtsöffnungen zwei durch einen verengten Quercanal verbundene Drüsen, bei *Antaria* sind die analogen Organe zweilappig, langgestreckt und der Medianlinie genähert, zwischen den beiden nach den Seiten der Rückenfläche auseinandergerückten Geschlechtsöffnungen ausgebreitet. Ebenso wie bei *Corycaeus* werden hier die beiden Spermatophoren auf der Rückenfläche an Poren zwischen den Genitalöffnungen angeklebt. Bei *Pachysoma* (Taf. IX. Fig. 8) ist die Drüse unpaar und von sehr bedeutendem Umfang, indem sie sich flaschenförmig verlängert und weit in den Vorderleib hinein erstreckt. Wahrscheinlich wird das Sperma durch einen medianen Porus in zwei enge Canäle aufgenommen und nach den Seitenflügeln der Drüse unterhalb der Geschlechtsöffnungen geführt. In den bei weitem häufigsten Fällen finden wir indess zwei gekrümmte, in den Seitentheilen des vordern Abdominalsegmentes ausgebreitete Drüsenschläuche, von denen jeder mit dem Oviducte der entsprechenden Seite in Verbindung steht (Taf. IX. Fig. 5, Fig. 6 und Fig. 7). Auch hier befestigen sich die Spermatophoren während der Begattung nicht direct an der Geschlechtsmündung, sondern in einem in der Nähe liegenden Porus (Taf. XXVII. Fig. 6 und Fig. 7, Taf. XXVI. Fig. 14), den ich für einzelne Gattungen, z. B. *Calanus* im Zusammenhange mit der Spermatophore nachweisen konnte; nicht selten traf ich, z. B. bei *Calanella*, *Hemicalanus* etc., beide Drüsenbehälter mit Samenkörpern angefüllt. Bei *Euchaeta* (Taf. IX. Fig. 6 und Fig. 7) scheinen sich indess die Schläuche der rechten und linken Seite nach der Begattung verschieden zu verhalten, der linke kleinere als Samenbehälter zu dienen, der rechte dagegen, der in einen zapfenförmigen Auswuchs des Körpers hineinwächst, die Bereitung des Secrets zur Eiersäckchenhülle vorzugsweise zu besorgen. Durch mannichfache Zwischenformen sehen wir bei einigen Gattungen die paarigen Organe in eine mediane unpaare Drüse übergeführt, bei *Calanus* verbindet beide Drüsen ähnlich wie bei *Saphirina* ein Quergang, bei *Heterochaeta* (Taf. XXXII. Fig. 9) prävalirt der obere Verbindungstheil, welchem die beiden Schläuche als lappenförmige Fortsätze anhängen. Bei *Leuckartia* und *Pleuromma* (Taf. V. Fig. 7, Taf. VI. Fig. 2 und Fig. 3) finden

1) Vergl. CLAUS, Das Genus Cyclops l. c. p. 27.

wir eine einfache mediane Kapsel, gewöhnlich ganz mit Samenkörpern angefüllt. Wie die letztern in das Lumen der Kapsel gelangen, konnte ich nicht durch directe Beobachtung der angeklebten Spermatophoren entscheiden, doch vermuthe ich fast, dass sie durch eine mediane Oeffnung eintreten, welche im Zustand der Füllung mittelst eines dunkelpigmentirten Pfropfes verklebt ist. Ein unpaarer Canal, welcher nach der am obern Rande gelegenen gemeinsamen Genitalöffnung (Taf. V. Fig. 7, Taf. VI. Fig. 2 und Fig. 3) verläuft, führt wahrscheinlich einen Theil des Kapselinhaltes, während der Eierlage nach der Geschlechtsöffnung. Ueber die interessanten und sicherlich nach den Arten variirenden Vorgänge der Eiersackbildung und Befruchtung kann ich leider meinen frühern für die *Cyclopiden* und *Cyclopsine* gültigen Angaben keine neuen Mittheilungen hinzufügen.

Die männlichen Copepoden zeigen in ihrem äussern Bau und in der Bildung verschiedener Körpertheile Eigenthümlichkeiten, welche den specifischen Leistungen des männlichen Geschlechtslebens entsprechen. Sie sind im Durchschnitt kleiner als die Weibchen und besitzen an ihren vorderen Antennen und hintern Füssen Einrichtungen zum Fangen und Festhalten des Weibchens während der Begattung. Dazu gesellen sich noch Abweichungen in der Gliederung des Abdomens und minder constante Verschiedenheiten in dem Bau der hintern Antennen, Maxillen und Maxillarfüsse, welche schon ohne die Untersuchung der Zeugungsstoffe als constante accessorische Charaktere des Männchens zur Erkennung des Geschlechtes vollkommen ausreichen. Indem ich für diese Eigenthümlichkeiten des männlichen Geschlechtes, theils auf die frühern allgemeinen Betrachtungen der einzelnen Körpertheile, theils auf die nachfolgenden speciellen Beschreibungen der Arten verweise, schreite ich sofort zur Darstellung der Geschlechtsorgane selbst, an denen wir einen Hoden, einen unpaaren oder zwei paarige Samenleiter und ebensoviel Spermatophorenbehälter unterscheiden.

Der Hoden entspricht seiner Form und Structur nach in jeder Beziehung der weiblichen Keimdrüse und liegt als ein birnförmiger Sack oberhalb des Herzens auf der Rückenfläche des Magendarmes vorzugsweise im ersten Thoracalsegment. Selbst die beiden runden Aussackungen, welche wir an der Spitze des Ovariums mancher *Calaniden* hervorgehoben haben, kehren am untern Ende des Hodens bei *Euchaeta, Undina, Cetochilus* etc. wieder (Taf. V. Fig. 12 *a*). Sein Inhalt besteht aus hellen blassgranulirten zellartigen Körpern, welche man den von ihnen erzeugten Spermatozoen gegenüber als Samenzellen bezeichnen kann. Nur bei den *Corycaeiden* (Taf. VII. Fig. 5 etc.) spaltet sich der Hoden in zwei umfangreiche Seitenhälften, welche durch einen unpaaren zipfelförmigen Anhang verbunden sind, bei den *Cyclopiden* bleibt derselbe ebensowie bei den *Calaniden* einfach und wenn ich für die erstern in einer frühern Arbeit[1]) die Duplicität der Hoden hervorgehoben habe, so beging ich den Irrthum, zwei accessorische Drüsenschläuche *t'*) für die Keimdrüse auszugeben (Taf. IV. Fig. 8 und Fig. 9).

Die Form und der Verlauf der vom Hoden entspringenden Samenleiter gestaltet sich überaus mannichfaltig. Bei den *Cyclopiden*, den *Corycaeiden*, den meisten *Peltidien* und einigen wenigen *Harpactiden* schliessen sich dem Hoden paarige Ausführungsgänge an, welche in seitlich symmetrischem Verlaufe unter grössern oder geringern Schlängelungen bis zum ersten Seg-

1) Vgl. CLAUS Zur Anatomie etc. l. c. pag. 34.

9*

mente des Hinterleibes herabziehen (Taf. VIII. Fig. 5, Taf. IX. Fig. 1, Taf. XXIII. Fig. 1). Bei *Cyclops* entspringen an dem vordern Ende des Hodens zwei enge Ausführungsgänge, die schräg nach rechts und links verlaufend in die sich schlängelnden *vasa deferentia* einmünden. Mit den erstern zugleich treten die beiden bereits erwähnten Drüsenschläuche (Taf. IV. Fig. 9) in die Samenleiter ein, um den Samenkörpern ein feinkörniges, zähes und leicht gerinnbares Secret beizumischen. Diese Anhangsdrüsen laufen in der Regel bis zum Ende des dritten Brustsegmentes unter der Rückenfläche herab und enthalten in ihrer Wandung grosse cylindrische Zellen mit deutlichem Kerne und blassgranulirtem Inhalte (Fig. 8 α). Die beiden Samenleiter, deren Lumen theils von diesem Secrete, theils von Samenkörpern erfüllt ist, verengern sich in dem hintern Abschnitte des Bruststückes mehr und mehr und führen im vordern Abdominalsegmente jederseits zu einer fast bohnenförmigen Anschwellung, welche eine Spermatophore umschliesst. Erst in diesem Behälter scheint bei *Cyclops* die feste Wandung des Samenschlauches abgesondert zu werden, da ich niemals im untern Theile des Samenleiters einen Spermatophoren-ähnlichen Ballen von Samenkörpern beobachtete. Vor dem Eintritte des Samenleiters, welcher stets an der innern Seite der Spermatophorentasche mündet, bemerkt man in der Spermatophore selbst eine ölartig glänzende Kugel, wahrscheinlich das von den Wandungen des untern Samenleiters bereitete, erst nachträglich in den Samenballen eingepresste Secret, welches als Kittstoff zum Ankleben der Spermatophoren dienen möchte. Indem die in den Spermatophorenbehälter eingetretene, aus Samenkörpern und Secret der mächtigen Drüsenschläuche zusammengesetzte Masse an den Wandungen des erstern mit einer hellen Membran umhüllt wird, verhindert die Mündung des Samenleiters durch das nachdringende Secret seiner drüsigen Wandung den Verschluss der Spermatophore, es muss am vordern und innern Rande derselben eine Oeffnung bleiben, durch welche natürlich nach Beseitigung des von oben wirkenden Druckes, also während des Austritts der Spermatophore aus der Tasche die als Kittstoff bezeichnete Oelkugel wieder ausgetrieben wird, und zur Befestigung am Porus des weiblichen Körpers verwendet werden kann. Der Inhalt der abgesetzten Spermatophoren sondert sich erst jetzt schärfer in eine peripherische und centrale Partie; die peripherische entspricht dem Secrete der schlauchförmigen Drüsen, dessen Theile in zahlreiche, mit der endosmotischen Berührung des Wassers anschwellende Kügelchen zerfallen, sie dient als Austreibestoff der centralen Samenmasse, welche durch den Porus in den weiblichen Körper eintritt. Die beiden Geschlechtsöffnungen werden jede von einer hervorragenden mit Borsten besetzten Platte überdeckt, welche sich durch eine Quercontour von dem benachbarten Chitinskelet absetzt und eine Art Klappe darstellt, die wir für die Männchen mit paarig symmetrischem Geschlechtsapparat, also auch für die *Peltidien*, einige *Harpactiden* und die *Corycaeiden* (Taf. XXIV. Fig. 4 und Fig. 8, Taf. XXX. Fig. 7) als charakteristisch ansehen können. In diesen Familien wiederholt sich im Allgemeinen die für *Cyclops* hervorgehobene Anlage des männlichen Geschlechtsapparates, natürlich mit mancherlei Modificationen in der speciellen Form. Fast überall aber fallen die beiden mächtigen Drüsenschläuche als accessorische Anhänge hinweg und die obern Wandungen des Samenleiters übernehmen die Bereitung des Austreibestoffes. Bei *Saphirinella* erweitert sich der Samenleiter unmittelbar vor seinem Uebergang in den Spermatophorenbehälter an der innern Seite zu einer gelappten mit glänzenden Kügelchen gefüllten Drüse (Taf. VIII. Fig. 1), die wahrscheinlich den Austreibestoff liefert.

Ein neuer Typus für die Form des ausführenden Theiles der männlichen Keimdrüse entwickelt sich durch die Reduction der erstern auf einen unpaaren Samenleiter bei den *Pontelliden*, *Calaniden* und den meisten *Harpactiden*. Am einfachsten verhält sich der Samenleiter bei *Hemicalanus* (Taf. XXIX. Fig. 4), wo derselbe in der rechten Hälfte des Leibes von dem ebenfalls nach rechts gerückten, in der Gegend der Maxillarfüsse gelegenen Hoden aus fast ohne Biegungen in gerader Richtung herabläuft. Schon hier kommt, wie übrigens auch bei einigen *Corycaeiden* die Ballung der Samenmasse im Verlaufe des Samenleiters zu Stande, so dass man oberhalb des reifen im Spermatophorensacke befindlichen Samenschlauches noch einen zweiten unreifen im *vas deferens* wahrnimmt. Bei *Calanella* (Taf. V. Fig. 16) liegt der breite fast viereckige Hoden in der Nähe des Herzens im ersten und zweiten Brustsegmente und entbehrt des Ausführungsganges der rechten Hälfte. Das linksseitige *vas deferens* beschreibt hier zuerst eine *S*förmige Krümmung und dann im dritten Brustsegment eine rückläufige kreisförmige Biegung, in welcher der unreife Samenschlauch eingeschlossen liegt. Auf diesen Theil folgt der weite und umfangreiche Spermatophorensack, der die drei letzten Brustsegmente der Länge nach durchsetzt und vorn an der linken Seite des ersten Abdominalsegmentes mündet. In allen diesen Fällen fehlt die Genitalplatte, und die Geschlechtsöffnung erscheint als ein Spalt mit wulstförmigen Lippen, zuweilen auf einer kurzen papillenartigen Erhebung angebracht. Bei *Pleuromma* streckt sich der Hoden vom obern Rande des Herzens bis in die Mitte des Kopfes (Taf. V. Fig. 13 und Fig. 14) und entsendet ein linksseitiges, der Medianlinie genähertes *vas deferens*, welches schmächtig beginnt, allmählich stärker anschwillt und nach mehrfachen Biegungen eine grosse Schlinge in den beiden ersten Thoracalsegmenten bildet, um von da in den weiten und langgestreckten Spermatophorensack überzugehen. Noch umfangreicher erscheint dieser letztere bei *Euchaeta* und *Undina*, wo er sich bis in die Nähe der Kieferfüsse erhebt. Auch erlangt hier der Samenleiter eine weit grössere Länge und ist in zahlreichere Windungen und Schlingen eingelegt. Aehnlich gestaltet er sich bei *Diaptomus*, wie ich an einem andern Orte speciell beschrieben habe[1]. Nach Leydig[2] sollen die Wandungen des Samenleiters von *Diaptomus Castor* durch die Entwickelung von kurzen drüsenartigen Anhängen buchtige, folliculäre Contouren zeigen. Von sehr bedeutender Länge ist auch das *vas deferens* von *Canthocamptus staphylinus* (Taf. XII. Fig. 4), welches im ersten Thoracalsegment beginnt und nach links gedrängt über die Medianlinie hinaus bis zum Ende des dritten Abdominalringes absteigt, dann sich umbiegend rechtsseitig bis in die vordere Kopfpartie herauf läuft, um sich von da wiederum nach unten zu wenden. Die Geschlechtsöffnung liegt an der rechten Seite, bedeckt von einer kurzen aber breiten mit Borsten besetzten Platte. Die ausserordentliche Länge des ausführenden Canales macht es bei dieser Form möglich, dass drei lange, säbelförmige Spermatophoren in verschiedenen Zuständen der Entwicklung begriffen, hintereinander folgen. Die letzte vollständig reif und zum Absetzen befähigt erfüllt das Lumen der bis zum Ende des dritten Abdominalringes ausgestreckten Spermatophorentasche. In allen den besprochenen Fällen kommt die Abscheidung der accessorischen zur Spermatophorenbildung verwendeten Stoffe in der Wandung des gewundenen Ausführungsganges zu Stande, in einzelnen Gattungen, z. B. *Ichthyophorba*,

1) Zur Anatomie und Entw. etc. l. c. p. 29, Taf. II. Fig. 55.
2) Bemerkungen über d. Bau etc. l. c. p. 205. Taf. IV. Fig. 4.

erweitert sich ein Theil des knäuelförmig zusammengelegten, in die Medianlinie gerückten *vas deferens* und füllt sich mit einem körnigen, fettreichen, leicht gerinnbaren Inhalt. Ueber die Entstehung der Spermatophoren bei den *Calaniden* bin ich zu keinem andern Resultate gelangt als dem, welches ich früher für *Cyclopsine*[1]) zur Bestätigung der Angaben v. SIEBOLD's mitgetheilt habe.

Nicht minder als die Form des ausführenden männlichen Geschlechtsapparates wechselt die Gestalt der in ihnen gebildeten Spermatophoren nach den Arten und Gattungen. Bei den *Cyclopiden, Peltidien* und *Corycaeiden* sind sie kurze, ovale Schläuche, welche eines verengten Halses entbehren. Bei den *Calaniden* strecken sich die Samenschläuche ausserordentlich in die Länge und erhalten einen mehr oder minder langen und engen Hals, der zuweilen mehrmals um die vorderen Abdominalsegmente des Weibchens gewunden werden kann. Die bedeutendste Länge besitzt die Spermatophore von *Leuckartia*, welche das weibliche Abdomen fast um das Doppelte übertrifft. Die Samenschläuche von *Euchaeta* schwellen an der Spitze des Halses keulenförmig an und werden nicht selten an diesem Theile zwischen zwei Platten des rechten männlichen Fusses getragen (Taf. IX. Fig. 9, Taf. XXX. Fig. 9). In einzelnen Fällen verhalten sich die Spermatophoren sehr nahe verwandter Arten äusserst verschieden, z. B. bei *Canthocamptus minutus* und *C. staphylinus*, von denen letzterer eine grosse säbelförmig gekrümmte Spermatophore bildet, während der erstere einen viel kleineren und nicht gebogenen Samenschlauch besitzt.

Die Samenkörper sind bei *Cyclops* spindelförmige, in halber Spiralwindung gedrehte Stäbchen mit blassem, mehr oder minder hervortretenden seitlichen Saume. Sie messen 0,007—009 Mm. und zeigen deutliche Vibrationen, die an gewisse Bewegungen der *Navicula*-Arten erinnern. Die *Zoospermien* der *Calaniden* sind grössere elliptische oder mehr ovale Körperchen[2]) (Taf. V. Fig. 7 und Fig. 8) von scharf umschriebenen Contouren und hellem Inhalt.

In früheren Stadien sind sie blasse, granulirte Kugeln (Taf. V. Fig. 15), deren Verhältniss zu den im Hoden eingeschlossenen Samenzellen nicht mit Sicherheit erkannt wurde. Entwicklungszustände, wie sie ZENKER für die *Zoospermien* von *Cyclops* beschreibt, als Zellen mit aufgesetzten Kernen und gar mit stachelförmig hervorstehenden bereits entwickelten *Zoospermien* sind mir nie zur Beobachtung gekommen. Bei *Saphirina* und den *Corycaeiden* stellen die Samenkörper sehr kleine, glänzende Kügelchen dar.

Die Begattung, welche durch die so mannichfach geformten Fang- und Greiforgane der Männchen eingeleitet wird, bleibt eine äussere Vereinigung beider Geschlechter, während welcher die Spermatophore aus der männlichen Geschlechtsöffnung austritt und an den Körper des Weibchens angeklebt wird. Die Eigenthümlichkeit in dem Bau des fünften Fusspaares weist auf den Ablauf einer Reihe von Verrichtungen hin, welche theils das Ergreifen des austretenden Samenschlauches, theils die Befestigung an dem richtigen Orte, an den Poren und Oeffnungen der weib-

1) CLAUS Zur Anatomie u. Entw. etc. l. c. pag. 29—33; vergl. auch v. SIEBOLD, Beiträge zur Naturgesch. wirbelloser Thiere. Danzig 1839.

2) Für *Cyclopsine* habe ich früher die *Zoospermien* als länglich ovale granulirte Körper beschrieben, LEYDIG nennt sie im reifen intacten Zustande helle, schwach spindelförmige, glänzende Gebilde, lässt den Inhalt derselben aber durch Einwirkung von Wasser eine körnige Beschaffenheit erlangen. Da ich seither nicht wieder *Cyclopsine* untersuchen konnte, bin ich ausser Stande, die Angaben LEYDIG's, die mir übrigens nach meinen Beobachtungen mariner *Calaniden* wahrscheinlich vorkommen, noch einmal zu prüfen.

lichen Samenbehälter zu vermitteln haben. Ich habe schon bereits erwähnt, dass man nicht selten *Euchaeten*-Männchen beobachtet, welche, obwohl vereinzelt und nicht in der Begattung gefangen, eine Spermatophore frei zwischen den Endplatten des fünften Fusses tragen. Wahrscheinlich wurden jene Männchen während der Begattung gestört, nachdem sie den ersten Act derselben, welcher mit Austritt der Spermatophore schliesst, vollendet hatten.

Die Art und Weise, wie die Männchen den Körper des Weibchens während des Begattungsgeschäftes umklammert halten, variirt in den einzelnen Familien und Gattungen ausserordentlich im Zusammenhang mit den Einrichtungen der Fangorgane. Bei den *Cyclopiden* umfasst das Männchen, wie schon JURINE vortrefflich dargestellt hat, die hintern Schwimmfüsse des Weibchens mit seinen Klammerantennen und setzt Bauchfläche an Bauchfläche gekehrt nach emporgehobenem Hinterleibe die beiden Spermatophoren am Porus des weiblichen Abdomens ab. Ob bei dieser Action die rudimentären Füsschen eine mitwirkende Rolle spielen, habe ich durch die Beobachtung nicht entscheiden können. Die männlichen *Harpactiden* ergreifen die Leibesspitze des weiblichen Abdomens vom Rücken aus, die *Peltidien* (*Zaus*) (Taf. XXIII. Fig. 1) haken sich mit den Enden ihrer Klammerarme zwischen die Seitenstücke des vordern Körperabschnittes und des zweiten Brustsegmentes ein, die Männchen der *Corycaeiden* (*Corycaeus, Antaria*) umfassen das Weibchen ebenfalls auf der Rückenfläche, aber tiefer an der Basis des Abdomens. Mehrmals traf ich die Männchen der *Peltidien* in der eben erwähnten Haltung mit noch jugendlichen, vor der letzten Häutung begriffenen Weibchen vereinigt an, ohne entscheiden zu können, ob eine zufällige Begegnung jene noch unentwickelten Weibchen den Männchen zuführte, oder ob überhaupt in jener Familie der *Peltidien* die Weibchen vor ihrer letzten Häutung befruchtet werden. Das erstere scheint mir indess fast wahrscheinlicher, mit Rücksicht auf die Begattungslust der mit reifen Spermatophoren behafteten Männchen, die sich gelegentlich auch an männlichen Formen anklammern und, wie LEYDIG beobachtet hat, selbst zu mehreren Exemplaren (bis zu 4) sich zusammenketten und mit einander herumschwimmen. Bei vielen *Calaniden* endlich, und wahrscheinlich auch den *Pontelliden* umschliessen die Männchen den weiblichen Körper nicht nur mit der rechten Fangantenne, sondern zugleich mit dem Greifhaken, oder der Zange des rechten fünften Fusses, wie es JURINE[1] für *Cyclopsine* in trefflicher Abbildung beschrieben hat. Der fünfte Fuss der linken Seite dient während dieser Umarmung zum Befestigen der Spermatophore, vielleicht unterstützt von den entsprechenden zuweilen ebenfalls umgebildeten Füssen des Weibchens. Dass indess sehr verschiedene Formen der Umklammerung und der Art und Weise, wie die Füsschen das Ankleben des Samenschlauches ausführen, existiren, ergiebt sich aus der überraschenden Variabilität in dem Baue der männlichen Fangorgane in den einzelnen Gattungen und Arten.

1) Vergl. JURINE loc. c. Taf.

11. Entwicklung.

Die ausgebildeten, entwicklungsfähigen Eier werden aus der Geschlechtsöffnung in eigene Säckchen abgesetzt, in denen sie, von dem mütterlichen Körper getragen und geschützt, die Stadien der Embryonalentwicklung durchlaufen. Die Bildung der Eiersäckchen scheint übrigens, obwohl nur von der Geschlechtsthätigkeit des Weibchens abhängig, doch niemals spontan ohne vorausgegangene Copulation einzutreten, wenigstens habe ich *Cyclops*-Weibchen, die ich vor ihrer letzten Häutung isolirte und unter den Bedingungen einer genügenden Ernährung, aber ohne die Möglichkeit der Begattung Monate lang beobachtete, niemals Eiersäckchen absetzen und mit sich umhertragen sehen. Dieselben Erfahrungen hatte schon viele Decennien früher JURINE gemacht und auf dieselben gestützt geradezu behauptet: »*les femelles restent stériles sans la copulation.*« Für die Süsswasserformen hat in der That die Behauptung des trefflichen Forschers nach meinen bestätigenden Versuchen ihre Richtigkeit, ob die *Copepoden* des Meeres sich in gleicher Weise verhalten, habe ich leider nicht ermitteln können. Jedoch halte ich jene Beobachtungen für genügend, um der Parthenogenese, die wir für die verwandten *Crustaceen*-Gruppen der *Daphnien* und *Phyllopoden* vorläufig nicht abzuweisen[1]) im Stande sind, auf dem Gebiete der *Copepoden* wenig Wahrscheinlichkeit einzuräumen.

---

1) Bei dieser Gelegenheit mögen mir einige Bemerkungen über LEYDIG's Anschauungen gestattet sein, nach welchen die Parthenogenese auch für die *Daphnien* zurückzuweisen wäre. Zunächst betont LEYDIG als besonders wichtig, dass der Inhalt des Eierstockes erst im Brutraume zu individuell begrenzten Eiern sich gestaltet. Im Eierstocke selber könne man niemals eines abgegrenzten Eies ansichtig werden. Dem gegenüber muss ich hervorheben, dass ich bei *Daphnia sima* mit aller nur wünschenswerthen Klarheit schon im untern Theile des Ovariums (dem Keimstocke LEYDIG's) die mit grossen Keimflecken versehenen Keimbläschen von hellem Dotter umgeben finde. In diesem Theile schon liegen die Eikugeln als isolirte, scharf umgrenzte Körper ganz ähnlich wie in dem Ovarium der *Copepoden* vor. In dem untern Theile, der sich keineswegs so bestimmt als Dotterstock von dem obern abgrenzt, trübt sich die Dottermasse und füllt sich mit Oelkugeln, hier werden allerdings die Umrisse minder deutlich. Das Ei ist also im Ovarium als abgeschlossene Einheit vorgebildet, und gestaltet sich nicht etwa erst im Brutraume zum Ei.

Gestützt auf die Analogie mit der doppelten Fortpflanzung der *Hydren* durch Knospen und hartschalige Eier, betrachtet LEYDIG die sogenannten Sommereier der *Daphnien* als Knospen und somit als Producte einer ungeschlechtlichen Fortpflanzung. In wie weit aber diese Analogie gegründet ist, scheint sich jener Forscher nicht vollständig klar geworden zu sein. In der That wird man das Sommerei als eine im Organismus erzeugte Zelle einem Wachsthumsproduct oder einer einzelligen Knospe, Spore, wie man es nennen will, gleichsetzen können, dann aber natürlich das Ei überhaupt in dieser Weise zurückführen müssen. Nach einer solchen Anschauung muss consequenterweise auch das Winterei eine Knospe sein, um so nothwendiger, als das letztere von demselben Thiere und aus denselben Materialien des Eierstockes seine Entstehung nimmt. Der Schwerpunkt für den Begriff der geschlechtlichen Fortpflanzung liegt dann nicht mehr in dem Vorhandensein von Geschlechtsorganen, sondern in dem Bedürfnisse der Befruchtung, in der Nothwendigkeit der Vermischung der beiderlei Zeugungsstoffe. Das Winterei der *Daphnia* würde erst durch die Nothwendigkeit der Befruchtung den Charakter als Geschlechtsproduct erhalten, und wir würden zu keiner andern Definition vom weiblichen Geschlechtsproduct gedrängt, als unter demselben einen ungeschlechtlich erzeugten Keim zu verstehen, der zu seiner Entwicklung der Befruchtung bedarf. Das würde die Consequenz sein, zu der die einseitige Analogie führt. Ungereimt aber ist es, zu sagen: so lange der in der Eiröhre der *Daphnie* producirte Keim die Beschaffenheit des Sommereies beibehält, ist er eine Knospe und das Thier pflanzt sich ungeschlechtlich als Amme fort, sobald der Keim durch unbekannte Verhältnisse, wahrscheinlich durch den Einfluss der Begattung und Befruchtung, den Charakter als Winterei annimmt, wird er Geschlechtsproduct und das Thier verhält sich nun als weibliches Geschlechtsthier. Es leuchtet von selbst ein, LEYDIG giebt nichts als eine Umschreibung der Parthenogenese mittelst des vollkommen geläufig gewordenen Wechsels geschlechtlicher und unge-

Sicher aber ist es, dass die Weibchen nach einer einmaligen Begattung eine Anzahl von Eiersäckchen mit entwicklungsfähigen Eiern nach einander zu bilden im Stande sind, wenn auch nicht, wie JURINE glaubte, eine einzige Begattung ausreicht, um alle Eierlagen, welche die Mutter zeitlebens hervorbringen kann, zu befruchten. Aus den Einrichtungen, welche wir in den Samenbehältern der Weibchen kennen gelernt haben, erklärt es sich ausreichend, wie die aus einer oder zwei Spermatophoren aufgenommene Samenmasse für mehrere Eierlagen ausreichen kann, indem nur ein Theil derselben während des Austritts der Eier mit dem Secrete der Kittdrüse ausfliesst und zur Befruchtung verwendet wird.

Die Dottersubstanz der austretenden, mit einer Membran versehenen Eier besitzt bei den Süsswasserformen gewöhnlich eine dunkle, grobkörnige Beschaffenheit, bei zahlreichen marinen Formen, z. B. *Euchaeta*, *Saphirina*, ist sie mit blauen zarten Kugeln, seltener, z. B. bei *Cetochilus*, mit gelblich glänzenden fettartigen Kugeln erfüllt, in einzelnen Fällen aber, z. B. *Oithona* (Taf. XI. Fig. 4), erscheint sie überaus hell und durchsichtig. Bei der Eierlage quillt zuerst ein Tropfen jenes zähen ölartigen Secretes der Kittdrüse hervor; indem die Eier nachfolgen, drängen sie dieses rasch erhärtende Secret in der Weise auseinander, dass dasselbe eine gemeinsame peripherische Hülle des Eiersäckchens und zugleich secundäre zellartige Räume in der Umgebung der einzelnen Eier bildet. Ein jedes Ei erhält im Innern des Säckchens eine feine zellartige Kapsel, in welcher es vollkommen abgeschlossen von den benachbarten Eiern sich weiter entwickelt. Bei einigen marinen Formen mit äusserst zarten Eiersackhüllen scheinen indess diese secundären Räume zu fehlen. Begreiflicherweise bietet die Grösse der Eiersäckchen im Verhältniss zum mütterlichen Körper keine für die einzelnen Arten constanten Merkmale, sie richtet sich nach der Anzahl der abgesetzten Eier, diese aber nach dem Alter des Mutterthieres und den Ernährungsverhältnissen überhaupt. Nicht selten verhalten sich sogar die Eierbehälter der rechten und linken Seite ungleich (Taf. XI. Fig. 3). Bei einigen marinen Formen, z. B. *Oithona*, *Euchaeta*, bleibt die Zahl der in den ansehnlichen Säckchen eingeschlossenen Eier stets eine geringe, die Grösse der Eier aber wird eine um so bedeutendere. Wichtigere Merkmale, als der Umfang der Säckchen, bieten gar oft ihre specifische Färbung und die Art der Haltung am mütterlichen Körper, an der man z. B. einige *Cyclops*-Arten sofort schon mit unbewaffnetem Auge bestimmen kann.

Ueber die Veränderungen des Eiinhaltes, welche die Bildung des Embryos einleiten, habe ich meinen früheren Untersuchungen keine wesentlich neuen Beobachtungen hinzuzufügen. Der Dotter erleidet sowohl bei den *Cyclopen* als bei den marinen Formen, z. B. *Oithona* (Taf. XI. Fig.

---

schlechtlicher Fortpflanzung, er nennt die in den Ovarien erzeugten Eier, die sich ohne Befruchtung entwickeln, Knospen, und vertauscht die Parthenogenese mit einer neuen Form des Generationswechsels, die aber den Charakter des Generationswechsels im Sinne STEENSTRUP's vollkommen verloren hat, denn wir haben es nicht mit Ammen zu thun, von welchen die Generation der Geschlechtsthiere ungeschlechtlich erzeugt wird, sondern das Geschlechtsthier ist selbst zugleich die Amme, die ungeschlechtliche und geschlechtliche Fortpflanzung betreffen dasselbe Individuum. Darauf beruht aber eben, wenn wir zugleich die Natur des Keimes als unbefruchtetes Ei ins Auge fassen, die Parthenogenese; diese Vorgänge auf den Generationswechsel zurückführen heisst nichts anderes, als verschiedene Worte und Bezeichnungen für dieselbe Erscheinung gebrauchen, was LEYDIG erkannt haben würde, wenn er sich des Verhältnisses zwischen Generationswechsel und Parthenogenese vollkommen bewusst geworden wäre. (Vgl. in dieser Rücksicht meinen Habilitationsvortrag, Marburg 1858, und LEUCKART's Bemerkungen über die Rindenläuse, Archiv für Naturgesch. 1859.)

4 und 4'), eine totale Furchung, für die es mir nicht möglich war, das Verhältniss des Keimbläschens zu den Kernbläschen der ersten Furchungskugeln zu erforschen. Nach Vollendung der totalen Dotterklüftung hebt sich in der Peripherie eine einfache Schicht heller gekernter Zellen von der centralen Masse der grössern Dotterkugeln dunkeln und körnigen Inhaltes ab. Wir sehen eine Keimhaut gebildet, wahrscheinlich direct durch die Aufhellung der peripherischen Furchungskugeln, aus welcher äussere Theile des Embryonalkörpers hervorgehen. Von der Anlage eines Primitivstreifens an der spätern Bauchfläche des Embryos habe ich mich nicht überzeugen können und ich halte wenigstens für die *Cyclopiden* an meiner frühern Angabe fest, dass der Embryo nach totaler Klüftung durch die Bildung einer Keimhaut in seiner ganzen Peripherie des Körpers angelegt wird. Später markiren sich an der Oberfläche zwei Querfurchungen, welche die Längsachse des länglich runden Embryonalkörpers rechtwinklig durchschneiden und drei ziemlich gleich grosse Abschnitte begrenzen, welche den drei Segmenten des Embryos, den drei vordern Kopfsegmenten des ausgebildeten Thieres entsprechen[1]). Indem die Einschnürungen dieser Querfurchen nicht die ganze Peripherie, sondern vorzugsweise eine Hälfte derselben durchsetzen, an der entgegengesetzten aber sich allmählich verlieren, bezeichnen sie den Gegensatz von Bauch- und Rückenfläche am Embryonalkörper. Während sich inzwischen der Inhalt des Leibes aufhellt und in die innern Organe, Muskeln, Darmcanal und Auge differenzirt, sprossen an den Seiten der Bauchfläche die drei Gliedmaassenpaare hervor, am vordern Segmente die Antennen, am mittlern die ersten zweiästigen Schwimmfüsse, am hintern die zweiten zweiästigen Schwimmfüsse der Larve. Gleichzeitig mit diesen paarigen Auftreibungen entsteht auf der Bauchfläche der vordern Körperhälfte ein unpaarer Wulst, die Mundkappe der Larve oder die Oberlippe des ausgebildeten Thieres. Unter demselben, mehr nach der Rückenfläche zugewendet, haben sich die ersten Anlagen des Auges, zwei nach auswärts gekrümmte Pigmentstreifen, abgelagert, welche anfangs in geringem Abstande von der Mittellinie deutlich von einander gesondert sind, später aber mit ihrer Vergrösserung zu dem x-förmigen Pigmentkörper des einfachen *Cyclops*-Auges verschmelzen. Wenige Tage nach dem Austritt der Eierlage, für *Cyclops* an heissen Sommertagen schon nach 30 — 36 Stunden, im Winter nach 5 — 8 Tagen, sind diese Vorgänge im Eie zum Ablaufe gekommen und die junge Larve zu einem selbstständigen Leben fähig. Durch einige kräftige Bewegungen sprengt sie die umgebenden Hüllen, um unter freier Bewegung und selbstständiger Ernährung die noch übrigen Stadien der Metamorphose zu durchlaufen.

Die jungen Larven, welche das Ei eben verlassen haben, sind im Allgemeinen rundliche, mehr oder minder gestreckte Thierchen, welche die Grösse des zugehörigen Eies nur um Weniges übertreffen und mit den ausgebildeten Geschlechtsthieren formell nicht die geringste Aehnlichkeit besitzen. Weit eher erinnern sie, vornehmlich die *Harpactiden*-Larven, durch ihre Form und Bewegung an Wassermilben, von denen sie indess auf den ersten Blick durch die Bildung ihrer Extremitäten zu unterscheiden sind. Natürlich wurden sie bei so grosser Differenz mit den Geschlechtsthieren von den älteren Beobachtern, die weder ihre Beziehung zu dem Eiersäckchen der *Cyclopiden*, noch ihre späteren Schicksale kannten, für selbstständige Geschöpfe ausgegeben; sie theilten das Schicksal unzähliger Larvenformen, als besondere Gattungen und Arten benannt zu werden. Allerdings entdeckten schon Leeuwenhoek und de Geer die Larvennatur der jungen *Cyclops*-Stadien,

1) Vgl. Claus l. c. p. 40 etc. Fig. 39—44.

allein zahlreiche spätere Beobachter beschrieben sie als selbstständige Thiere[1], und selbst O. F. MÜLLER, welcher den Bau derselben weit besser kannte als seine Vorgänger, beging den gleichen Irrthum. Indem er für die jüngsten Stadien mit drei Extremitätenpaaren die Gattungsbezeichnung *Amymone* aufstellte, die älteren Formen, welche ein neues viertes Gliedmaassenpaar gebildet haben, in der Gattung *Nauplius* vereinigte, unterschied er im Ganzen acht Arten, von denen sich einige in der That als die Larven verschiedener *Cyclops*-Arten nachweisen lassen. Erst durch JURINE wurde O. F. MÜLLER's Irrthum mit voller Bestimmtheit aufgedeckt. Versuche, die mit grosser Sorgfalt angestellt waren, bewiesen unzweideutig, dass die vermeintlichen *Amymone* und *Nauplius*-Arten aus *Cyclops*-Eiern ihren Ursprung nehmen und andererseits durch eine Reihe von Zwischenstadien in die *Cyclopiden* übergehen. Später wurden JURINE's Angaben durch die trefflichen Beobachtungen RATHKE's[2] bestätigt und erweitert. RATHKE erkannte, dass die zwei ersten Gliedmaassenpaare der Larve in die vier Antennen von *Cyclops* übergehen, dass die Körpersegmente im Laufe der Entwicklung sich vermehren und neue Extremitäten als Ruderfüsse in gesetzmässiger Weise hervorsprossen. Während dieser fortschreitenden Entwicklung sollte das dritte Gliedmaassenpaar der Larve in die vier Maxillarfüsse umgebildet, die Mandibeln und Maxillen aber vor den erstern als neue Auftreibungen entstanden sein. Somit erhielten wir schon durch RATHKE für das morphologische Verständniss sehr bestimmte Angaben, allein die Umbildung der dritten Extremität blieb ebenso wie die Entstehung der Mandibeln und Maxillen mehr als zweifelhaft, andererseits wurde die Entwicklung der Ruderfüsse und die gesammte Veränderung des Körpers nur im Allgemeinen verständlich. Ich versuchte es daher, die ganze Entwicklung im Detail einem genauern Studium zu unterwerfen und kam nicht nur für das allmähliche Wachsthum und den Körperbau der einzelnen auf einander folgenden Larvenstadien zu bestimmteren Resultaten, sondern glaubte auch für die Entstehung der Mundtheile behaupten zu können, dass Mandibeln, Maxillen und Maxillarfüsse Theile eines einzigen und zwar des dritten Gliedmaassenpaares seien, dass der isolirte Coxaltheil mit dem Kieferfortsatz zu der Mandibel werde, die Maxillen aus dem Basalabschnitte, die Maxillarfüsse aus den beiden Aesten dieser Extremität entstünden. Indessen war mir das Verhältniss der ältesten *Nauplius*-Formen und jüngsten *Cyclops*-Stadien nicht vollkommen klar geworden, und es musste meine Aufgabe sein, die verhandenen Zweifel durch neue Untersuchungen womöglich an grösseren *Calaniden*-Larven zu beseitigen. Durch diese bin ich allerdings überzeugt worden, dass die Zurückführung der Mundtheile des ausgebildeten Thieres auf die dritte Extremität der Larve auf einem Irrthume beruhte, für welchen die unverkennbare Schwierigkeit, den morphologischen Zusammenhang ausschliesslich aus der Entwicklung von *Cyclops* abzuleiten, einige Entschuldigung bieten mag.

Die Gestalt der jungen *Cyclops*-Larven entspricht im Allgemeinen einem kurzen, gedrungenen Oval, dessen breiterer Theil die vordere Körperhälfte bezeichnet. Der hintere Leibesabschnitt verschmälert sich allmählich und läuft nahe am Ende in zwei den Furcalborsten analogen Borsten aus, zwischen denen die Afteröffnung liegt. Die Bauchfläche erhebt sich an dem vordern Abschnitte zu dem bereits erwähnten Wulste, welcher sich, einem Kappenschilde ähnlich, über die im Grunde gelegene Mundöffnung ausbreitet und desshalb als die Mundkappe bezeichnet wurde. Im Umkreis

1) Vgl. CLAUS l. c. p. 42, 43.
2) RATHKE, Beiträge zur Entwicklungsgeschichte, T. II. S. 85.

dieses morphologisch die Anlage der Oberlippe bildenden Schildes entspringen die drei Gliedmaassenpaare, welche ich in gleicher Zahl und in ähnlichem Baue bei allen mir bekannt gewordenen Jugendformen auch der *Calaniden* und *Harpactiden* wiederfand. Die vordern Extremitäten, aus welchen die Antennen des ersten Paares hervorgehen, bestehen ähnlich wie diese aus einer einfachen Gliederreihe, aus drei ziemlich gestreckten, mit Borsten besetzten Gliedern. Functionell mögen sie der Larve ähnliche Dienste, wie die Antennen dem ausgebildeten Geschöpfe, leisten, wenngleich wohl die locomotorische Thätigkeit vorwiegt. Die blassen Fäden und Cylinder habe ich auch an den marinen Larven stets vermisst, sie gehören erst einem spätern Alter als Anhänge der vordern Antennen an. Das zweite Gliedmaassenpaar trägt auf einem breiten Basalabschnitte zwei gegliederte Aeste und erinnert in seiner ganzen Form an die hintern zweiästigen Antennen der *Calaniden*. Ausser zur Locomotion als zweiästiger Schwimmfuss dient dasselbe indessen durch besondere Einrichtungen zur Nahrungszufuhr, also gewissermaassen zugleich als Mundwerkzeug, indem sich auf dem Basalgliede jederseits ein kräftiger Haken vorfindet, welcher bei jeder rückwärts schlagenden Bewegung in den Mundtrichter unterhalb der Mundkappe eingreift und wahrscheinlich die im Wasser suspendirten Nahrungsstoffe in die Mundöffnung leitet. Die Basis dieses Hakens erweitert sich gewöhnlich zu einer ansehnlichen Auftreibung, die wir geradezu als einen Kieferfortsatz der zweiten Extremität in Anspruch nehmen müssen, zumal ihr Ausläufer zu den Zwecken der Nahrungsaufnahme benutzt wird. Bei marinen Larven und ebenso an den Larven von *Cirripedien* (Taf. II. Fig 12) fand ich diesen Fortsatz stabförmig oder gar mandibelähnlich verlängert, und im letztern Falle noch von einem zweiten hakenförmigen Ausläufer begleitet. Das dritte Gliedmaassenpaar, in seinem Bau dem vorhergehenden verwandt, lenkt sich unterhalb der Mundkappe ein. Indess erscheint der Basaltheil mehr in die Länge gestreckt, die ihm aufsitzenden Aeste dagegen kürzer, ein dem Träger des Mundhakens ähnlicher Fortsatz erhebt sich an der Spitze des Basalabschnittes neben dem kurzen Innenaste (Taf. I. Fig. 1). Durch kräftige Ruderschläge, welche die Gliedmaassen gleichzeitig in der Richtung von vorn nach hinten und von aussen nach innen ausführen, wird die Propulsionskraft erzeugt, in deren Folge die Larve in einzelnen rasch auf einander folgenden Stössen das Wasser durchsetzt. Aber durch dieselben Bewegungen werden auch die Bedingungen zum Erwerbe und zur Aufnahme der Nahrung erfüllt, indem die innern Anhänge der beiden hintern Fusspaare die Wasserströmung so reguliren, dass kleine organische Körper die Richtung nach der Mundöffnung einschlagen. Locomotion und Nahrungserwerb sind daher nicht nur an die Action desselben Organes geknüpft, sondern coïncidiren auch der Zeit nach mit einander. Dieselben Körperanhänge, welche die Ortsbewegung vermitteln, betheiligen sich gleichzeitig an dem Erwerbe der Nahrung und machen einen Aufwand besonderer Organe und Kräfte unnöthig. Die beiden hintern zweiästigen Extremitäten, die spätern zweiten Antennen und Mandibulartaster vereinigen die Functionen der Schwimmfüsse und Mundtheile in sich. Erst wenn unsere Geschöpfe zu einer bedeutenderen Grösse herangewachsen sind und nach mehrfachen Häutungen und Gestaltveränderungen eine Körperform erhalten haben, welche durch deutliche und scharfe Gliederung des langgestreckten Leibes den *Cyclopiden* ähnlich ist, hat sich auch in der Form und Leistung der Gliedmaassen eine strengere Arbeitstheilung geltend gemacht.

Die innere Organisation unserer Larven steht mit der von anderen frei und selbstständig lebenden *Arthropoden*-Larven auf gleicher Stufe. Einen grossen Theil der Leibesmasse bilden äusserst zarte, gekernte Zellen, die sich unter der Cuticula als deren Matrix in allen Körpertheilen ausbreiten, und in ihren untern Partien dem die Organe umgebenden Bindegewebe und Fettkörper entsprechen. Deutliche membranöse Begrenzungen der Zellen fehlen, die tiefer liegenden verlängern sich aber zu spindelförmigen Körperchen mit langen fadenförmigen Fortsätzen, welche den mit heller Blutflüssigkeit erfüllten Leibesraum durchsetzen.

Mit diesem zum Theil mit Fetttröpfchen gefüllten Gewebe hier und da zusammenhängend treten quergestreifte Muskelfäden zur Bewegung der Extremitäten auf. Die Hauptmuskeln verlaufen schräg in drei Paaren von Bündeln von der hintern Partie der Rückenfläche nach der Basis der drei Gliedmaassenpaare, in deren Innenraum sich Fäden für die einzelnen Glieder und Borsten fortsetzen. In einiger Entfernung von dem Stirnrande bemerken wir den medianen x-förmigen Pigmentfleck, der in seiner specifischen Form nach den Arten mannichfaltig wechselt; unterhalb desselben scheint sich das Gehirnganglion abzugrenzen. Auch findet sich jetzt schon die helle Schalendrüse vor (Taf. I. Fig. 3), am mittlern Gliedmaassenpaare beginnend und in einfacher Schleife ausgebreitet. Zwischen Mund und After spannt sich der Nahrungscanal aus, dessen vorderer Abschnitt als kurzer Oesophagus, durch Fäden im Innern der Mundkappe befestigt, schräg nach vorn aufsteigt und durch energische Schluckbewegungen die Nahrung in den mittlern weiten Magensack befördert. Der dritte kurze Abschnitt des Darmes ist gegen den bei weiten am umfangreichsten mittleren Theil durch eine ringförmige Einschnürung abgesetzt, beinahe kugelförmig und häuft die verbrauchten Nahrungsstoffe zu einem Ballen an, welcher durch die Afteröffnung ausgeworfen wird. Die Wandung des Chylusdarmes oder Magensackes, in welchem die Verdauung stattfindet, ist durch eine äussere Muskellage ebenso wie der Enddarm äusserst contractil, ihre Bewegungen mögen schon jetzt, wenn sie auch nicht wie bei den ausgebildeten *Cyclopiden* mit rhythmischen Zügen in der Längsachse verbunden sind, zur Unterhaltung der Blutströmung beitragen. Der Innenraum des Magens aber wird von hellen hier und da fettreichen Zellen ausgekleidet, an deren Stelle sich unmittelbar vor dem Enddarme in zwei ventralen Ausstülpungen des Magens grössere, mit scharf umschriebenen lichtbrechenden Körnern gefüllte Bläschen vorfinden. Da diese oft klümpchenweise gehäuften Concretionen den in den Malpighi'schen Gefässen und in den Harnorganen der Mollusken abgelagerten Concrementen in optischer und chemischer Beziehung ähnlich sind und von Essigsäure und Alkalien nur schwer angegriffen werden, wurden sie zuerst von Leydig als Harnconcremente angesehen. Die Thatsache, dass dieselben sammt den sie umschliessenden Zellen im Inhalte des Enddarmes angetroffen und mit den Kothballen aus dem Körper geführt werden, schien mir schon früher jener Auffassung eine wesentliche Stütze zu bieten, zumal da ich nachweisen konnte, dass Zellen mit ähnlichen Concrementen auch bei allen spätern Larvenzuständen und bei den ausgebildeten Thieren im untern Theile des Chylusdarmes auftreten. Es würden demnach in allen Stadien der Entwicklung die Harnausscheidungen anstatt durch die Flächen einer besondern Anhangsdrüse, durch einen Theil der Darmfläche selbst besorgt, eine bei der geringen Grösse unserer Geschöpfe begreifliche und eben so morphologisch leicht verständliche Vereinfachung.

Was bisher über den Bau der jüngsten Larven hervorgehoben wurde, ist ein Eigenthum der ersten Jugendzustände nicht nur der *Cyclopiden*, sondern unter geringen Beschränkungen aller *Copepoden*-Larven überhaupt. Für die Specialitäten einzelner Arten und Gattungen darf ich wohl auf meine in dem mehrfach citirten Aufsatze gegebenen Mittheilungen verweisen.

An die für *Canth. staphylinus* charakteristischen Eigenthümlichkeiten schliessen sich die Larven der *Harpactiden* an, wenngleich sich die Form des Körpers sehr verschieden gestalten kann. Während sie bei *Dactylopus* (Taf. XVI. Fig. 2) tonnenförmig gestreckt erscheint, dehnt sie sich in andern Fällen in die Breite aus und erhält eine fast an *Gonoplax* erinnernde Gestalt. Die *Calaniden* folgen mehr dem für *Cyclopsine* geschilderten Typus durch die Grösse ihrer Antennen und die entschiedene seitliche Compression des Körpers. Unter diesen besitzen die Larven von *Calanella* einen sehr gestreckten und schmalen Körper und äusserst lange Extremitäten; andere marine Larven, deren Bestimmung mir bislang nicht möglich war, nähern sich durch den flachen fast schildförmigen Körper, die gerade Stirn, durch den vielgliedrigen Nebenast des mittleren Gliedmaassenpaares und das Vorhandensein eines mit Querhaken besetzten Schwanzstachels mehr den *Cirripedien*-Larven (Taf. II. Fig. 13, 14, 15). Ueberhaupt ist die Formenmannichfaltigkeit der *Copepoden*-Larven, mit welcher sich der am Meere weilende Forscher in kurzer Zeit bekannt machen kann, eine erstaunlich reiche, aber auch die Bestimmung derselben in demselben Maasse schwierig. Ich selbst habe eine grössere Anzahl interessanter Larvenformen des Meeres kennen gelernt, halte es aber für zweckmässig, ihre Beschreibung erst dann mitzutheilen, wenn mir die Zurückführung derselben möglich geworden ist.

Die Veränderungen, welche die Larven von ihrem ersten Jugendstadium an erleiden, finden einerseits in der Vergrösserung und Längsstreckung des Leibes, andererseits in der Neubildung von Gliedmaassen ihren allgemeinsten Ausdruck. Die zunächst folgenden Stufen, welche die Larven unter mehrfachen Häutungen durchlaufen, entbehren einer deutlichen Leibessegmentirung und behalten im Wesentlichen den *Amymone*- oder *Nauplius*-Typus bei, wenngleich die älteren derselben bei den *Calaniden* im Ausdruck der gesammten Körperform zu der spätern Reihe von Entwicklungsstadien mit *Cyclops*-Typus eine allmähliche Vermittlung herstellen.

Indem die jüngsten Larven an Grösse zunehmen, verlängert sich ihr hinterer Körpertheil, und man beobachtet auf der Rückenseite in geringem Abstande vom hintern Pole eine scharfe Quercontour, welche ursprünglich als der untere Rand der Rückenfläche mit der hintern Peripherie des Leibes zusammenfiel (Fig. 3). Die hintere Partie drängt sich gleichsam mit dem fortschreitenden Wachsthum aus dem Körper hervor und ist die Anlage der Brust und des Hinterleibes; die Hauptmasse des Larvenleibes vor der hintern Quercontour, welche eine Art Rückenschild des Panzers umgrenzt, entspricht dem Kopfe oder dem Kopfbruststück und erhält mit dem Hervorwachsen der hintern Leibespartie die ersten Spuren eines neuen Gliedmaassenpaares. Zu beiden Seiten der mit Harnzellen erfüllten Darmsäckchen erhebt sich zunächst eine unbedeutende, mit einer Borste besetzte Auftreibung an der ventralen Körperfläche (Fig. 3), die sich bald vergrössert, neue Borsten hervorsprosst und eine fast handähnliche Form erhält. Dieselbe bildet die Anlage der Maxillen. Auch die vordern Gliedmaassen haben sich inzwischen, wenn auch nur wenig, verändert, die Antennen sind gewachsen, an dem mittlern Gliedmaassenpaare erscheint der dorsale Ast zahlreicher gegliedert. Wesentlicher sind die Neubildungen der dritten Gliedmaasse, an deren Basaltheil bei den *Cyclopiden* ein kleiner conischer Fortsatz (Fig. 2), bei den *Calaniden* (Fig. 4) ein mächtiger Kiefer hervorgewachsen ist, an dem zuerst vorhandenen Mandibulartaster treibt der Kautheil der Mandibel hervor. Der Enddarm hat seine ursprüngliche gedrungene Gestalt verloren und sich in einen kurzen Strang ausgezogen, der unter der Quercontour beginnt und am hintern Pole in einer tiefern Ausbuchtung mündet. Die Furcalborsten, der Zahl nach vermehrt, erheben sich auf besondern Fortsätzen des hintern Körperpoles, welche die Ausbuchtung der Afteröffnung begrenzen. Diese Fortsätze sind die Anlagen der Furcalglieder[1]). In diesem Alter tritt an den Larven der *Calaniden* die bereits als Rückenschild erwähnte Verdickung des Chitinpanzers (Fig. 4) ausserordentlich schön auch in ihrer seitlichen Begrenzung hervor und liegt wie eine gewölbte Platte auf der Rückenfläche des Kopfes oder Kopfbruststückes. Der gesammte seitlich comprimirte Larvenkörper erinnert unverkennbar an die Leibesform der *Daphniden*, deren formelle Verwandtschaft am besten von diesem Entwicklungsstadium aus beurtheilt werden kann. Lassen wir die Seitentheile des Kopfschildes um den ungegliederten, mit Haken bewaffneten Hinterleib zu schalenartigen Duplicaturen auswachsen, so gelingt es unmittelbar, die *Daphniden*-Form aus den Jugendformen mariner *Calaniden* abzuleiten.

In dem durch vier freie Gliedmaassen bezeichneten Stadium scheinen die Larven mehrfache Veränderungen und Häutungen zu bestehen, die Gliedmaassen verlängern sich, der Körper wächst, Theile des Nervensystems, vor Allem das Gehirn, wird in der Seitenlage kenntlich, die Kieferextremität wird zweilappig, der hintere Leibesabschnitt streckt sich mehr und mehr und lässt auf der Bauchfläche unter der Haut die Anlagen zu drei nachfolgenden Gliedmaassen sichtbar werden (Taf. III. Fig. 9). Nach einer abermaligen Häutung sind die neu angelegten Extremitätenpaare als mit Borsten besetzte Stummel zum Durchbruch gekommen, die Larve ist in das letzte *Nauplius*-Stadium eingetreten (Taf. I. Fig. 5, 6, 7; Taf. XIII. Fig. 4). Die Leibesform der 0,3—0,5^{mm} langen Larven erscheint gestreckt, nach hinten zugespitzt, bei den *Cyclopiden* und *Harpactiden* bewahrt sie den Typus der frühern Altersstufen, bei den *Calaniden* dagegen bietet sie eine unverkennbare Annäherung zu dem Habitus der zweiten Reihe von Entwicklungsstadien, sodass O. F. Müller die junge *Cyclopsine* dieses Alters als *Cyclops claviger* beschreiben konnte. Die Antennen haben sich zwar verlängert und die Zahl ihrer Borsten bedeutend vermehrt, beschränken sich aber noch auf die drei ursprünglichen Glieder, von denen das Endglied bei den *Calaniden* unter der Haut eine Anzahl Querringel erkennen lässt. Die zweiten und dritten Gliedmaassen der *Calaniden*-Larven tragen jetzt schon unverkennbar den Charakter der hintern Antennen und Mandibeln; die unteren Mundgliedmaassen dagegen besitzen noch die provisorische Form rudimentärer Anhänge und weichen wesentlich von den Kiefern und Kieferfüssen der spätern Entwicklungszustände ab; ebenso sehr bleiben die beiden hintern Gliedmaassenpaare (*f*, *g*) als zweilappige mehr oder minder langgestreckte, mit Borsten besetzte Anhänge hinter dem Bau der zweiästigen Ruderfüsse zurück. Am meisten treten die Extremitätenstummel, aus welchen die Maxillarfüsse hervorgehen, bei den *Cyclopiden* (Fig. 6*e*) und bei den *Harpactiden* (Taf. XIII. Fig. 4*e*) zurück, sodass sie früher von mir ganz übersehen werden konnten und Anlass zu der unrichtigen Deutung gaben. Hier liegen dieselben in Form wenig hervorragender Querleisten unmittelbar hinter den Kieferlappen und entbehren der längern Borsten. Bei *Cyclopsine* (Fig. 5) sind dieselben dagegen umfangreicher, borstentragend und den zwei nachfolgenden Paaren von Fussstummeln ähnlich, bei einzelnen *Calaniden* verlängern sich dieselben sogar so ansehnlich (Fig. 7), dass man ebenso deutlich wie an den

1) Vgl. Claus l. c. Fig. 60.

entsprechenden Körperanhängen von *Achtheres*[1]) in ihren beiden Aesten die äussern und innern Kieferfüsse wiedererkennt. Aus dem Verhalten dieser Extremitäten sowie aus dem Körperbau und der Gliedmaassenzahl des nächsten Entwicklungsstadiums wird es klar, dass die beiden letzten Paare von Anhangsstummeln (*f*, *g*) zu den beiden ersten Fusspaaren des Thorax werden, während die vierte lappenförmig getheilte Gliedmaasse, die erste der neu am Larvenkörper hervorgewachsenen Extremitäten überhaupt, der Maxille, die fünfte (*e*) den beiden Maxillarfüssen entspricht, welche auch in vielen Fällen im ausgebildeten Zustande die Lage als äussere und innere Aeste derselben Extremität bewahren (Taf. X. Fig. 4). Schon RATHKE liess die vier Maxillarfüsse aus einer Gliedmaasse entstanden sein, täuschte sich aber, wenn er den dritten Fuss der Larve, welcher evident zur Mandibel und zum Mandibulartaster wird, als diese Extremität in Anspruch nahm. Ich selbst aber irrte, indem ich ausschliesslich die zur Entscheidung dieser Frage ungünstigen *Nauplius*-Larven von *Cyclops* verwenden musste, an denen ich die Anlage der Maxillarfüsse übersah. Nachdem ich nicht nur die Schmarotzerkrebse (*Achtheres*), sondern die *Calaniden*- und *Harpactiden*-Larven dieses Alters kennen lernte, glaube ich die Entstehung und die morphologische Bedeutung der Mundtheile in dem dargelegten Sinne über allen Zweifel erhoben zu haben.

Auf die ältesten *Nauplius*-Larven, deren zweites und drittes Gliedmaassenpaar noch als Ruderfüsse fungiren, folgen nach Abstreifung der Cuticula die jüngsten Stadien der zweiten Entwicklungsreihe, die wir als die der *Cyclops*-ähnlichen Jugendformen bezeichneten. Diese gleichen schon in der gesammten Körperform, in der Bildung der Furca, im Bau der Antennen und Mundtheile den ausgebildeten Thieren, wenn auch die Zahl ihrer Leibessegmente, der Antennenglieder und Fusspaare eine weit geringere ist. Der unter dem Rückenschilde des Larvenkörpers hervorgewachsene Leib zeigt sich deutlich gegliedert und schliesst für den normalen Fall, in welchem das Segment der ersten Schwimmfüsse mit dem Kopfe als Cephalothorax verbunden bleibt, von den beiden Furcalgliedern abgesehen, vier Segmente in sich ein, von denen die vordern oft schon an den ältesten *Nauplius*-Stadien als Querabtheilungen nachweisbar sind (Fig. 7). In diesem Alter besteht der Larvenkörper aus dem vordern ovalen Kopfbruststück, dem zweiten, dritten, vierten Thoracalsegmente als getrennten Gliedern und einem langgestreckten Endabschnitte, welcher nicht nur das fünfte Thoracalsegment, sondern auch das ganze Abdomen vertritt und in allmählichem Wachsthum aus sich entwickelt[2]) (Taf. III. Fig. 11). Die sich anschliessende Furca, die erst jetzt zur Sonderung gelangt ist, trägt zwei lange an einander liegende Furcalborsten (die beiden mittleren der vier Endborsten) und ein Paar kurze Spitzen am Aussenrande. Von Gliedmaassen finden wir ausser den Antennen und Mundtheilen die beiden vordern Schwimmfusspaare als wohlentwickelte mit zwei einfachen ungegliederten Aesten versehene Ruderfüsse, deren Entstehung aus den beiden hintern Stummelpaaren der ältesten *Nauplius*-Larven nicht nur aus der übereinstimmenden Lage und Zahl, sondern auch aus dem gleichmässigen Bau beider Anhangspaare bewiesen wird; aber auch das dritte Fusspaar erscheint als eine grössere mit Borsten besetzte Auftreibung des dritten Leibesabschnittes, ja sogar das vierte durch einen kleinern Wulst am nachfolgenden Segment der Anlage nach bezeichnet. Die vordern Antennen variiren in ihrer Länge und Gliederzahl schon jetzt nach den Familien beträchtlich, bei *Cyclops* sind sie 5- oder 6gliedrig bei den *Calaniden* weit län-

1) Vgl. meinen Aufs. über *Achth. percarum* in: Zeitschrift für wiss. Zool. 1861. Bd. XI.
2) Vgl. ferner CLAUS l. c. Fig. 72.

ger und reicher gegliedert. Die hintern Antennen und Mandibeln zeigen den bleibenden Typus, bei den *Cyclopiden* und wahrscheinlich auch bei den *Corycaeiden* haben erstere den Nebenast bereits abgeworfen, letztere den Taster zum Theil verloren, welcher bei den übrigen Familien in den mannichfaltigsten Modificationen persistirt. Auch die Maxillen und Maxillarfüsse besitzen im Wesentlichen schon jetzt die Eigenthümlichkeiten der Gattung und Art. Das Auge[1] hat seine lichtbrechenden Kugeln erhalten, der Darmcanal schliesst sich dem des ausgebildeten Thieres an. Da, wo ein Herz die Blutbewegung regulirt (*Calaniden, Pontelliden*), findet sich dieses Organ schon in diesem Alter im Kopfbruststück und zweitem Thoracalsegment (*Diaptomus, Dias*). Auch die obern Partien des Bauchstranges sind nachweisbar.

Es gewinnt sicherlich auch für die Entwicklung der freilebenden *Copepoden* ein besonderes Interesse, dass die noch folgenden *Cyclops*-ähnlichen Larvenstadien in der parasitisch lebenden *Copepoden*-Reihe nicht überall durchlaufen werden. Die mannichfachen und zum Theil höchst überraschenden Eigenthümlichkeiten in Form und Körperbau der Schmarotzerkrebse leiten sich nicht nur aus abnormen, mit dem Parasitismus innig verknüpften Wachsthumsvorgängen des Leibes ab, sondern sind zugleich aus dem Hinwegfallen von Leibesringen und Gliedmaassen zu erklären, aus morphologischen Reductionen, welche einzelnen Entwicklungsstadien von *Cyclops* und der *Calaniden* entsprechen. Schon über die besprochene erste Stufe der *Cyclops*-Form gelangen manche Schmarotzerkrebse, z. B. *Lernanthropus, Chondracanthus* nicht hinaus, indem sie weder die Gliedmaassen des dritten und vierten Paares zur Ausbildung bringen, noch eine weitere Gliederung des hintern, das fünfte Brustsegment und Abdomen vertretenden Abschnittes zu Stande kommt. Andere wie die *Lerneopoden* sinken sogar noch tiefer herab durch den spätern Verlust der beiden Schwimmfusspaare.

Das nächste Stadium, in welches die zuletzt beschriebene Larve nach Abstreifung ihrer Haut eintritt (Taf. III. Fig. 10), ist um ein Segment reicher als das vorhergehende, indem der hintere Abschnitt in das fünfte Brustsegment und ein langgestrecktes Endsegment, das noch ungegliederte Abdomen, zerfällt.

Auf das Kopfbruststück folgen jetzt die vier freien hintern Brustringe und ein einfacher längerer Abschnitt, welcher dem gesammten Hinterleib entspricht. Die Gliederzahl der Antennen und Schwimmfussäste ist vergrössert, ferner das dritte Schwimmfusspaar mit zwei einfachen Aesten als freier Anhang gesondert, während das vierte noch durch einen ansehnlichen Wulst des entsprechenden Segmentes vertreten wird. Diese zweite Entwicklungsstufe der *Cyclops*-Reihe, für welche sechs Leibesabschnitte und drei Schwimmfusspaare charakteristisch sind, hat für die *Harpactiden* (Taf. XIII. Fig. 3) und *Calaniden* die gleiche Geltung. Mit der nächsten Häutung tritt das dritte Stadium der *Cyclops*-Form auf, in welchem der beträchtlich vergrösserte siebengliedrige Körper auch ein viertes Fusspaar entwickelt hat. Abermals hat sich die Gliederzahl der vordern Antennen durch gesetzmässige Differenzirung vermehrt, die Aeste der früher vorhandenen Fusspaare sind zweigliedrig (bei den *Calaniden* unter den für die Arten gültigen Modificationen), das fünfte Fusspaar wird durch einen mit Borsten besetzten Höcker vertreten, dem in einzelnen Arten ein kleiner Stummel am nächsten Leibesringe, dem freigewordenen ersten Abdominalsegmente, folgt (Vergl. CLAUS l. c. Fig. 73 *l, m*). Mit diesem letztern ist die Anlage zu einem sechsten Ex-

1) Von den *Corycaeiden* und *Pontelliden* sind mir die Jugendformen dieses Alters unbekannt geblieben.

tremitätenpaare gegeben, welches sich indess niemals am ausgewachsenen Thiere zu einem selbstständigen Fusse entwickelt, dagegen in rudimentärer Form als Höcker oder Platte über der Geschlechtsöffnung persistirt.

Die späteren durch Häutungen von einander abgegrenzten Entwicklungsformen vergrössern sich der Reihe nach um je ein Segment unter fortschreitender Gliederung der Antennen und Weiterbildung der Ruderfüsse und des fünften Fusspaares. An dem achtgliedrigen Leibe wird das zweite, an dem neungliedrigen auch das dritte Abdominalsegment frei; in diesem letzten Stadium, welches der letzten Häutung und der Geschlechtsreife vorausgeht, haben sich nur noch die beiden hintern Leibessegmente aus dem Endabschnitte zu sondern. In diesem Alter werden die Anlagen der Geschlechtsorgane und zwar zuerst die Keimdrüsen oberhalb des Herzens sichtbar, die Gegensätze des männlichen und weiblichen Geschlechtes bereiten sich an den äussern Körpertheilen, namentlich an den vordern Antennen und Füssen des fünften Paares vor, so dass man schon jetzt mit grosser Bestimmtheit beide Geschlechter von einander unterscheiden kann. Nach einer neuen Häutung tritt endlich die letzte morphologisch abgeschlossene Form des Geschlechtsthieres hervor, an welcher auch die bestimmte Zahl von Antennengliedern erreicht, die specifische Gestalt der Schwimmfüsse erworben und die vollzählige Gliederung des Leibes vollendet ist. Auch die zwei letzten Segmente des Abdomens erscheinen gesondert, in der Regel aber sind die beiden vordern Ringe im weiblichen Geschlechte zu einem gemeinsamen Abschnitte vereinigt, so dass man für die vollzählige Leibesgliederung des Männchens zehn, des Weibchens neun Abschnitte als normale Zahl bestimmen kann.

Natürlicherweise bieten die einzelnen Gattungen und Arten für die Gliederung der Antennen und Ruderfüsse in den einzelnen aufeinanderfolgenden Jugendstadien Modificationen, welche selbst in gewissen Grenzen innerhalb derselben Gattung auftreten können. Indessen habe ich diese Specialitäten nicht zum Gegenstand einer eingehenden Untersuchung gemacht und nur für *Cyclops* die mit den Altersstufen coïncidirenden Formverhältnisse der Gliedmaassen kennen gelernt. Die Jugendformen von *Cyclops*[1]) zeigen in den einzelnen Stadien eine fortschreitende Entwicklung ihrer Gliedmaassen, welche in folgender Tabelle einen übersichtlichen Ausdruck findet:

	Körpersegmente ohne die Furca.	Anzahl der Schwimmfusspaare.	Beschaffenheit der Schwimmfuss-Aeste.	Die vordern Antennen.
Erstes Stadium von c. 0,4 Mm. Grösse	5	2	eingliedrig	5 gliedrig
	5	2	eingliedrig	6 ,,
Zweites Stadium	6	3	die zwei vordern Fusspaare mit zweigliedrigen, das dritte mit eingliedrigen Aesten	6 ,,
	6	3		7 ,,
Drittes Stadium	7	4	die drei vordern Fusspaare mit zweigliedrigen, das vierte mit eingliedrigen Aesten	6 ,,
	7	4		7 ,,
Viertes Stadium	8	4	wie vorher	8 ,,
	8	4		9 ,,
	8	4	zweigliedrig	8 ,,
	8	4	zweigliedrig	9 ,,
	8	4	zweigliedrig	10 ,,
Letztes Stadium	9	4	zweigliedrig	10 ,,
	9	4	dreigliedrig	10 ,,
	9	4	dreigliedrig	11 ,,

1) *Cyclops*-Arten mit 12—17gliedrigen Antennen.

Bei den *Calaniden* und *Corycaeiden* entfernen sich die spätern Entwicklungszustände einzelner Gattungen von den beschriebenen der *Cyclopiden* und bereiten die Eigenthümlichkeiten in der Gliederung des Abdomens vor, deren systematische Bedeutung wir später noch specieller berücksichtigen werden.

Fassen wir die in freier Metamorphose durchlaufenen Veränderungen in ihren wesentlichen Zügen zusammen, so sehen wir in der ersten Entwicklungsreihe am Körper der *Nauplius*-Larve die Mundtheile und die zwei vordern Schwimmfusspaare angelegt und das Material zur Bildung des Thorax herbeigeschafft; in der zweiten Entwicklungsreihe, mit deren Beginn sich dieses Material zu der segmentirten *Cyclops*-Form sondert, werden die drei hintern Fusspaare und das Abdomen gebildet, es sondern sich in continuirlicher Aufeinanderfolge der Reihe nach das letzte Brustsegment und die Segmente des Hinterleibes, während die Gliedmaassen durch fortgesetzte Differenzirung der Form des geschlechtlichen Stadiums näher und näher kommen. Die Vorgänge dieser Metamorphose aber knüpfen sich an eine Fülle von Neubildungen und Umgestaltungen, die nicht minder als der Formenreichthum der ausgebildeten Geschöpfe uns mit Bewunderung erfüllen.

---

12. Lebensweise, geographische Verbreitung und Parasiten.

Die *Copepoden* beleben sowohl die mit Pflanzenwuchs erfüllten süssen Gewässer als die Seen und das offene Meer, in deren unendlich reicher, unerschöpflicher Fauna diesen Thieren eine wesentliche Bedeutung für den Haushalt des Lebens zufällt. Hier treten sie nicht nur in weit mannichfaltigern Formen und unter äusserst wechselnden Bedingungen des Baues auf, sondern zugleich massenhaft in ungeheuern Schaaren, von denen Fische und selbst die grössten Wasserthiere ihren Unterhalt nehmen können. Schon in Landseen, in den Gebirgsseen Bayerns und im Bodensee sollen nach Leydig[1]) die *Cyclopiden* neben den *Daphniden* die fast ausschliessliche Nahrung der geschätztesten Fische, der Saiblinge und Renken ausmachen. Roussel de Vauzeme[2]) berichtet von *Cetochilus australis*, dass sich diese Formen in der Südsee zu förmlichen Bänken anhäufen, durch welche das Wasser auf meilenweite Strecken röthlich gefärbt sei. Da diese Angaben von Goodsir[3]) bestätigt werden, so können wir uns kaum darüber wundern, wenn die kleinsten Crustaceen den grössten Geschöpfen, die wir kennen, den *Cetaceen* die Nahrung liefern. Wie uns Goodsir mittheilt, bezeichnen die Fischer von Firth of Forth, als »*Maidre*« Massen von ungeheurer Ausdehnung, welche neben *Cirripedien*, *Akalephen*, *Amphipoden* vorzugsweise aus *Entomostraceen* bestehen. Bei solchen Thatsachen bedarf es keiner Worte weiter, um die Bedeutung unserer kleinen Krebse für die Belebung und Erhaltung der Schöpfung darzulegen.

Die *Copepoden* ernähren sich von thierischen Stoffen, entweder von Theilen abgestorbener grösserer Thiere, oder von kleinern Geschöpfen, *Infusorien*, *Rotiferen*, *Turbellarien*,

1) Daphniden l. c. p. 2.
2) Ann. des sc. nat. 2 sér. Zool T. 1. 1834. 333.
3) Edinb. New. Phil. Journ. XXXV. 1843.

welche sie sich zur Beute machen. Selbst ihre eigenen Larven und Nachkommen verschonen sie nicht, wovon man sich täglich am Darminhalt der *Cyclopiden* überzeugen kann. Pflanzliche Körper, Algen und Diatomaceen scheinen nur gelegentlich als Nahrung aufgenommen zu werden. Andere Copepoden leben als Parasiten von den Säften grösserer Thiere, *Mollusken* etc., wie der Bau ihrer Mundtheile und die Bildung der Klammerantennen wahrscheinlich macht. Diese führen dann durch allmähliche Zwischenstufen zu den ächten Schmarotzerkrebsen über, von denen sie sich nur durch die Höhe ihrer gesammten Organisation und die ausgebildete freie Ortsbewegung, natürlich nur graduell abheben. Die Art der Locomotion und der Aufenthalt variirt nach den einzelnen Familien und nach der Ernährungsweise. Die langgestreckten schlanken *Calaniden* und *Pontelliden* sind die besten Schwimmer und sind fast alle Meeresbewohner; bald durchsetzen dieselben pfeilschnell in behenden, durch den gleichzeitigen Rückschlag der Ruderäste ausgeführten Sprüngen das Wasser, bald ruhen sie frei von den Bewegungen aus, zwar an einem Punkte fixirt, aber nur durch das Gleichgewicht ihres Körpers im Wasser getragen und lassen ihre befiederten Maxillarplatten zur Herbeistrudelung kleinerer Geschöpfe in raschen Schwingungen spielen. Anders die *Cyclopiden*. Auch diese bewegen sich zwar in lebhaften Sprüngen, erzeugen aber keine Strudelung durch ihre Kiefertheile, sondern legen sich mit den Borsten ihrer kleinen Antennen an Wasserpflanzen an. Mehr als diese noch sind die *Harpactiden* und *Peltidien* auf das Leben an und zwischen Wasserpflanzen, Algen und Tangen angewiesen, daher findet man die Süsswasserformen dieser Familien am häufigsten in seichten pflanzenreichen Pfützen und Gräben, die Formen des Meeres weniger auf der hohen See als nahe am Ufer zwischen Seegewächsen aller Art, auch an Brettern und faulendem Holze, und endlich zwischen *Sertularinen* und *Tubularinen*. Die *Corycaeiden* leben wie die *Calaniden* als treffliche Schwimmer in dem freien Meere, allein die Gedrungenheit und Form der Mundtheile, die Klammerantenne und ihr gelegentlicher Aufenthalt in *Salpen* verdächtigt sie als temporäre Parasiten. Indess giebt es auch unter den *Calaniden* Gattungen wie *Candace*, *Hemicalanus*, für welche der Bau der Mundwerkzeuge eine ähnliche Lebensweise folgern lässt. Mehr als die *Calaniden* führen die *Corycaeiden* und *Harpactiden*, wie schon bei einer frühern Gelegenheit entwickelt wurde, in die Reihen der Schmarotzerkrebse über.

Für die Frage nach der geographischen Verbreitung der freilebenden *Copepoden* umfassen begreiflicher Weise meine Untersuchungen ein zu beschränktes Material, um allgemeinere Gesichtspunkte gewinnen zu können. Denn ausser den Süsswasserformen einiger Gegenden Deutschlands liegt denselben nur die Fauna der Nordsee und des Mittelmeeres zum Grunde. Indessen fordert die Bedeutung des Gegenstandes zu einem Versuche auf, die Beobachtungen anderer Forscher, und namentlich die umfassenden Untersuchungen DANA's über die Fauna des atlantischen und stillen Oceans zur Beantwortung dieser Frage heranzuziehen. Die *Cyclopiden* der süssen Gewässer scheinen in der Mehrzahl ihrer Arten nicht nur über die verschiedenen Theile Deutschlands, sondern auch über deren Grenzen hinaus, vielleicht über den ganzen Continent verbreitet zu sein. Ich selbst fand die meisten der beschriebenen Arten in der Umgebung von Göttingen, Cassel, Giessen, Würzburg, überall, wo ich *Cyclopiden* untersuchte wieder und schliesse aus den von JURINE und BAIRD unterschiedenen Varietäten, dass die grössern Species wie *Cyclops coronatus*, *brevicornis*, *tenuicornis* auch in der Schweiz und in England einheimisch sind. Die beiden erstgenannten Arten kommen ferner in Gemeinschaft mit *C. serrulatus* in den Gewässern Böhmens vor, wie ich aus den von Herrn Dr. KIRCHNER im

Budweiser Kreise gesammelten und mir zur Bestimmung zugesandten *Cyclopiden* sehe. *C. serrulatus* und *canthocarpoïdes* wurden ferner von FISCHER in der Umgebung von Petersburg aufgefunden, erstere Art gehört nach ihren von O. F. MÜLLER als *Amymone satyra* beschriebenen Larven auch der *Cyclopiden*-Fauna Dänemarks an. Von den Süsswasser-*Calaniden* wurde *Diaptomus castor* in verschiedenen Localitäten Deutschlands, in Dänemark, Skandinavien, England, Frankreich, Russland und in der Schweiz beobachtet. Eine noch weitere Verbreitung scheinen die kleinen *Harpactiden* zu besitzen, welche sogar über den Continent hinausreichen. Die von FISCHER als *Canthocamptus horridus* beschriebene Form, welche wahrscheinlich mit der kleinern bei uns einheimischen Species *C. minutus* identisch ist, soll nach demselben Autor in der Umgegend von München und auf Madeira vorkommen. Endlich gedenke ich der von C. VOGT am Aargletscher beobachteten *Cyclopsine alpestris*, einer mit unserer grössern *Canthocamptus*-Art sehr nahe verwandten oder gar identischen Form, zum Belege, dass die Lebensbedingungen einzelner Süsswassercopepoden unter den verschiedensten Verhältnissen des Klima's und der Ernährung erfüllt werden. Der Einfluss, den die Differenzen der Temperatur und des Klima's im Zusammenhange mit den veränderten Bedingungen der Ernährung auf unsere Geschöpfe ausüben, scheint der Ausbreitung derselben über sehr verschiedene Regionen keine absolute Grenze zu setzen.

Auch für die marine Verbreitung gilt das Vorkommen identischer oder nahe verwandter Arten und Gattungen unter sehr abweichenden Temperaturverhältnissen. Zunächst fällt die grosse Uebereinstimmung in der *Copepoden*-Fauna der Nordsee und des Mittelmeeres auf, fast alle Gattungen der erstern kehren in dem Mittelmeere wieder, oft sogar in den nämlichen Arten. Indessen zeichnet sich die mediterrane Fauna durch einen weit grössern Formenreichthum aus, eine Reihe von Gattungen, wie z. B. *Euchaeta, Candace, Hemicalanus, Undina, Saphirina, Copilia* etc. scheinen der Nordsee und überhaupt den nordischen Meeren zu fehlen. Von identischen Arten beider Meere hebe ich hervor: *Amymone sphaerica, Longipedia coronata, Dias longiremis, Irenaeus Patersoni.* Bei andern Arten beobachtet man nach dem Vorkommen in der Nordsee oder im Mittelmeere Differenzen, die mir nicht gross genug zu sein scheinen, um die Trennung in besondere Arten zu begründen. So z. B. hat die mediterrane *Tisbe furcata* gestrecktere Antennen und längere Schwanzborsten, der *Harpacticus chelifer* von Nizza ist kleiner als der von Helgoland und besitzt ein längeres Basalglied der vordern Antenne, ohne im Wesentlichen von dem nordischen *Harpacticus* verschieden zu sein. Möglicherweise haben wir es in diesen Fällen mit geographischen Varietäten derselben Art zu thun, welche allerdings nur einer genauen Beobachtung bemerklich werden. Auch unter den Süsswassercyclopiden sind mir gelegentlich constante Eigenthümlichkeiten nach dem Fundorte aufgefallen, vor Allem eine Varietät von *Cyclops serrulatus* mit ausserordentlich verlängerter Furca, welche es denkbar erscheinen lässt, dass sich durch Summirung von Abweichungen einzelner Körpertheile wesentlich von einander verschiedene Abarten erzeugen, die wir als Species unterscheiden. Sehr nahe verwandt sind ferner die mediterranen und nordischen Arten der Gattungen *Dactylopus, Calanus, Ichthyophorba, Temora,* von denen mir allerdings vollkommen identische Species an beiden Localitäten nicht bekannt geworden sind.

In der Fauna des atlantischen Oceans kehren die Gattungen des Mittelmeeres wieder und wahrscheinlich in zahlreichen identischen Arten. Für die messinesische *Euchaeta Prestandreae* kenne ich z. B. keine wesentlichen Unterscheidungsmerkmale von *Euchaeta communis*, welche DANA aus den aequatorialen Gegenden des atlantischen Oceans beschreibt, wahrscheinlich fällt diese wiederum mit der LUBBOCK'schen *Euchaeta atlantica* zusammen. Der als *Pleuromma abdominale* beschriebene *Calanide* des Mittelmeeres ist mit dem *Diaptomus abdominalis* LUBB. aus dem atlantischen Ocean identisch. Ebenso gehören *Saphirina fulgens* und *Saphirinella stylifera* beiden Meeren an, sehr nahe aber stehen sich z. B. *Undina messinensis* und *Undina pulchra* LUBB., *Corycaeus furcifer*, *Corycaeus styliferus* LUBB., *Antaria mediterranea* und *Oncaea pyriformis* LUBB., *Setella messinensis* und *Setella tenuis* LUBB. Leicht wäre es, die Zahl der ähnlichen Formen um ein beträchtliches zu vermehren, indess mögen die erwähnten Beispiele genügen, da die Uebereinstimmung beider Meere in Geschöpfen, deren Existenz minder an die Bedingungen eines bestimmten Klima's geknüpft ist, durch den unmittelbaren Zusammenhang der Meere erklärt wird.

Weit mehr muss uns die grosse Aehnlichkeit in der *Copepoden*-Fauna der erwähnten Meere und des polynesischen Gebietes des grossen Oceans überraschen, in welchem ganz die nämlichen Gattungen wiederkehren und neben diesen nicht einmal besonders bemerkenswerthe neue Typen aufzutreten scheinen. *Euchaeten* werden uns von DANA aus dem Busen Banka aus dem Paumotu-Archipel, und aus der Nähe der Kingsmill-Inseln beschrieben, Arten der Gattung *Candace* fand derselbe Forscher im Meere Sulu bei den Samoa und Kingsmill-Inseln und bei Valparaiso; aus den nämlichen Regionen und von Port Jackson beschreibt derselbe einige Species der mit *Dias* identischen Gattung *Acartia*. In *Calanus elongatus* vom Meere Sulu und *attenuatus* von den Kingsmill-Inseln erkennen wir den Typus der *Calanellen* wieder, welche auch nach LUBBOCK's *Calanus Danai* und *mirabilis* zu schliessen dem atlantischen Ocean angehören. Die als *Calanus turbinatus*, *curtus* und *scutellatus* beschriebenen *Calaniden* aus dem Meere Sulu repräsentiren die Gattung *Temora*, die *Calanopia brachiata* von den Lagulhas-Syrten und *C. elliptica* aus dem Meerbusen Banka die Gattung *Ichthyophorba*. Manche Species dieser und anderer Genera erscheinen sogar mit gewissen mediterranen und nordischen Arten so auffallend übereinstimmend, dass man fast ihre Identität vermuthen möchte. Die bereits genannte *Calanopia brachiata* steht der *Ichthyophorba denticornis* der Nordsee ausserordentlich nahe, die *Copilia quadrata* aus der Südsee der mediterranen *Copilia denticulata*, die *Antaria obtusa* aus dem Meere Sulu der *Antaria mediterranea* und *Oncaea pyriformis* des atlantischen Oceans, ebenso sehr gleichen sich *Corycaeus furcifer* von Messina, *C. styliferus* des atlantischen Oceans und *C. longistylis* aus dem sinensischen Meere. Auch dürfte die Aehnlichkeit der *Monstrilla viridis* aus dem Meere Sulu mit der *M. helgolandica* und *anglica* hervorgehoben zu werden verdienen. Was endlich die Vertheilung der Meerescopepoden unter den verschiedenen Breitegraden anbetrifft, so entfalten die tropischen Regionen bei weitem den grössten Reichthum an Arten und schönen, prachtvoll gefärbten Formen, wie die Fülle der von DANA beschriebenen *Pontelliden*, *Calaniden* und *Corycaeiden* beweist. Einzelne Gattungen wie *Calanus* und *Cetochilus* scheinen in allen Breitegraden vom Aequator bis in den höchsten Norden zu reichen, vielleicht stellen sie hier in den nördlichsten Meeren das Hauptcontingent der Meeresformen; andere Gattungen scheinen einen in verschiedenem

Maasse beschränktern Verbreitungsbezirk zu haben, die *Saphirinen* z. B. nur in den heissen und wärmern Zonen zu leben. Jedenfalls bestätigt sich auch in unserer Gruppe das für andere Meeresbewohner gültige Gesetz, von der steigenden Zunahme der Arten und Gattungen nach dem Aequator zu, im Zusammenhang mit der reichern und mannichfaltigern Gestaltung der Lebensbedingungen.

Schliesslich mögen an diesem Orte die mir bekannt gewordenen Schmarotzer der *Copepoden* eine kurze Erwähnung finden. Die zahlreichen Parasiten, welche sich an der äussern Körperfläche der Süsswassercyclopiden ansiedeln, sind dem Algologen und dem Beobachter der *Infusorien* bekannt genug, da sie dem erstern eine Fülle von einzelligen Algen, dem letzten ein reiches Material von *Vorticellinen* liefern. Nicht selten häufen sich die fremden Ansiedler, denen unsere Geschöpfe nur als Boden zur Befestigung dienen, in solcher Menge an allen Körpertheilen an, dass die kleinen Krebschen die Fähigkeit der Locomotion mehr und mehr verlieren und unter der erdrückenden Last in allen Bewegungen gehemmt zu Boden sinken und des Hungertodes sterben. Auch an den marinen Formen findet man eine Fülle von *Vorticellinen* und *Acineten*-artigen *Infusorien*, für welche einige, freilich nicht specieller untersuchte Formen (Taf. XV. Fig. 11 und Fig. 12), als Beispiele dienen mögen. Als Parasiten, welche sich von Theilen unserer Thiere ernähren, und im Innern des Körpers leben, traf ich sehr lange, fast closterienartig gekrümmte *Gregarinen* im Darme von *Saphirina* (Taf. VIII. Fig. 2), junge geschlechtslose Rundwürmer in dem Leibesraume von *Cyclops* und ein ebenfalls der Geschlechtsorgane entbehrendes *Monostomum* in der Leibeshöhle von *Calanus parvus* (Taf. XXVII. Fig. 2). Die früher von mir als »Pilzsporen« bezeichneten Körper, von denen ich mehrmals den Leibesraum von *Cyclops* ganz erfüllt fand, habe ich leider in der letztern Zeit nicht wieder beobachten können. Aus der frühern Zeit aber fehlen mir leider über diese Körper ausreichende Notizen, so dass ich ihre Natur und ihre Beziehung zu dem durch die Krankheit der Seidenraupe bedeutungsvollen *Parhistophyton ovatum* unentschieden lassen muss. Endlich kann ich die Angaben Leydig's bestätigen, dass sich in der Leibeshöhle und im Darme von *Cyclops* nicht selten monadenähnliche Organismen umherbewegen.

II. Specieller, systematischer Theil.

1. Die Entwicklung des Systemes.

Nachdem sich durch die Beobachtungen von TILESIUS, WESTWOOD, PHILIPPI u. a. die Zahl der bekannt gewordenen *Copepoden*-Gattungen beträchtlich vergrössert hatte, machte M. EDWARDS[1] den ersten Versuch einer speciellern Eintheilung. Er unterschied in der Gruppe der *Copepoden*, welche er als eine Ordnung der *Entomostraceen*[2]) betrachtete, die beiden Familien der *Pontien* (*Pontiens*) und der *Monokeln* (*Monocles*) nach der Trennung oder der Verschmelzung der Augen. Zu der erstern Familie stellte er seine Gattung *Pontia*, ferner *Saphirina* THOMPS., *Peltidium* PHIL., *Hersilia* PHIL. und *Cetochilus* ROUSS., zu der letztern *Cyclops* O. F. MÜLL., *Cyclopsine* M. EDW. (*Diaptomus* WESTW.) und *Arpacticus* M. EDW. Begreiflicher Weise konnte diese Gruppirung um so weniger Anspruch auf eine dauernde Geltung erheben, als sich das einzige Unterscheidungsmerkmal auf eine ungenügende Kenntniss vom Bau des Auges gründete. *Cetochilus* und *Peltidium*, wahrscheinlich auch die unzureichend beschriebene Gattung *Hersilia* stimmen aber in der Augenform mit *Cyclops* und den *Monokeln* überein.

Der englische Naturforscher BAIRD unterschied später drei Familien, die *Cyclopiden*, *Diaptomiden* und *Cetochiliden*; die erstern mit den Gattungen *Cyclops*, *Arpacticus*, *Canthocamptus* BAIRD und *Alteutha* BAIRD wurden durch die Verschmelzung von Kopf und Thorax (erstes Brustsegment) durch den Besitz von zwei Kieferfusspaaren und fünf Fusspaaren, durch das einfache Auge und die Umformung beider Antennen des Männchens zu Greifarmen charakterisirt. Für die *Diaptomiden* mit den Gattungen *Diaptomus* WESTW., *Temora* BAIRD (*Calanus* LEACH) und *Anomalocera* TEMPL. gelten die Trennung von Kopf und Brust, der Besitz von drei Kieferfusspaaren und von fünf Fusspaaren, von denen das letzte nach dem Geschlecht differire, und endlich die Umbildung der rechten männlichen Antenne zum Greifarm als die wichtigsten Merkmale. Die *Cetochiliden* endlich mit *Cetochilus* und *Notodelphys* sollten sich vorzugsweise durch die Duplicität des Auges und die normale Form des letzten Ruderfusspaares von den *Diaptomiden* unterscheiden.

---

1) Hist nat. d. Crust. tom. III. p. 412.
2) The Brit. Entomostraca 1850.

Ein anderer um die Kenntniss der *Entomostraken* nicht minder verdienter Forscher, LILLJEBORG[1], umging die Schwierigkeit der Abgrenzung von Familien und stellte folgendes Schema zur Bestimmung und Charakterisirung der von ihm gekannten Gattungen auf:

- *Palpus mandibulorum biramosus.*
  - *Caput a thorace disjunctam.*
    - *Pedum paris postremi ramus interior aut rudimentaris aut omnino deficiens.*
      - *Ramus antennarum 2 paris exterior magnus et ex articulis pluribus compositus.*
        - *Caput annulos duos praebens. Ramus internus pedum 1 paris biarticulatus, 2—4 paris triarticulatus* . . . **Diaptomus.**
        - *Caput annulum unicum praebens. Ramus interior pedum 1 paris uniarticulatus, 2—4 paris biarticulatus* . . **Temora.**
      - *Ramus antennarum 2 paris exterior brevis et uniarticulatus. Abdomen tantummodo 4 vel 5 segmentis compositum.* . . . . **Dias.**
    - *Pedum paris postremi ramus interior magnus, setiferus et eidem pedum antecedentium similis. Antennae primi paris apud marem dissimiles* . . . **Ichthyophorba.**
  - *Caput cum annulo primo thoracico conjunctam.*
    - *Antennae 1 paris flagellum vel appendicem membranaceam, tenuem, cylindricam et uniarticulatam gerentes. Ramus interior pedum 1 paris biarticulatus* . . . . **Tisbe.**
    - *Antennae 1 paris flagello carentes. Rami ambo pedum quatuor parium triarticulati* . . . . **Tachidius.**
- *Palpus mandibulorum simplex*
  - *vero sat magnus et e tribus articulis compositus. Antennae 2 paris biramosae, ramo uno parvulo.*
    - *Pedes 1 paris unguiculati, ramo exteriore biarticulato. Abdomen thorace angustius* . . . . . **Harpacticus.**
    - *Pedes 1 paris minime unguiculati, ramo exteriore triarticulato. Corpus fere lineare, postice parum attenuatum, abdomine ad basin thoraci aequali* . . . . **Canthocamptus.**
  - *minimus rudimentaris et tuberculo bisetoso tantummodo formatus. Antennae 2 paris simplices* . . **Cyclops.**

Beiweitem am meisten ausgebildet und auf das reichste Beobachtungsmaterial gegründet ist das System DANA's, welcher auf seiner mehrjährigen Weltumsegelung aus dem Atlantischen Ocean und den Meeren der Südsee eine Fülle von Formen untersuchen konnte, wie sie keinem zweiten Forscher zu Gebote stand. DANA stellte in seinem der Veröffentlichung des grossen Reisewerkes vorausgeschickten *Conspectus*[2]) fünf Familien auf, welche er in folgender Weise charakterisirte:

1. **Cyclopidae.** *Oculi duo simplices tantum. Palpi mandibulorum maxillarumque breves aut obsoleti. Sacculi ovigeri duo.*

2. **Harpactidae.** *Oculi duo simplices tantum. Palpi mandibulorum maxillarumque parvuli aut obsoleti, setis diffusis non instructi. Sacculus ovigerus unicus. Antennae posticae setis habitu digitorum apice instructae.*

---

1) De Crustaceis ex ordinibus: Cladocera, Ostracoda et Copepoda in Scania occurentibus. Lund. 1853, p. 132.

2) Conspectus crustaceorum, quae in orbis terrarum circumnavigatione, C. WILKES e classe reipublicae foederatae duce, lexit et descripsit DANA. Proc. of the Amer. Acad. 1847 und 1849.

3. **Calanidae.** *Oculi simplices, etiam saepe alii duo inferiores deorsum spectantes. Pedes mandibulares maxillaresque articulati et longe setigeri. Sacculus ovigerus unicus. Antennae anticae elongatae non appendiculatae. Antennae posticae apice setigerae.*

4. **Corycaeidae.** *Oculi duo grandes plus minusve remoti, lenticulis duabus prolatis maximis, et corneis oblatis instar conspicillorum constructi; quoque duo oculi connati minutissimi. Antennae anticae pauciarticulatae, simplicissimae. Antennae posticae simplicissimae. Pedes mandibulares maxillaresque brevissimi. Sacculi ovigeri duo.*

5. **Miracidae.** *Oculi duo conspicillis maximis constructi. Antennae posticae ad apicem setigerae. Pedes mandibulares maxillaresque brevissimi. Abdomen feminae (an maris quoque?) 6 articulatum. Sacculus ovigerus unicus.*

In dem später erschienenen Prachtwerke [1]) sah sich DANA in Folge einer erneuten Durchsicht und einer eingehenderen Benutzung der vorhandenen Literatur zu Modificationen der oben angeführten Eintheilung veranlasst in der Art, dass er die Zahl der Familien auf drei reducirte und eine Reihe von Unterfamilien gründete, welche er in folgender Weise charakterisirte:

1. **Calanidae.** *Oculi duo simplices minutissimi, pigmentis sive coalitis, sive discretis, interdum oculi quoque alii duo coaliti infra caput deorsum spectantes. Mandibulae maxillaeque elongatae palpigerae vel instar pedum productae, palpis bene setigeris. Sacculus ovigerus unicus. Antennae 1 p. elongatae non appendiculatae, antennae maris sive dextra sive nulla geniculantes. Pedes 1 p. extremitate nunquam subprehensiles.*

1. Subf. **Calaninae.** *Abdomen longitudine mediocre. Oculi inferiores nulli. Antennae 1 p. longae, fere transversim porrectae, dextra maris articulatione non geniculans. Antennae 2 p. apice setigerae. Maxillae latere interiore setigerae.*

Hierhin gehörten die Gattungen:

Calanus LEACH, *Rhincalanus* DANA, *Cetochilus* GOODS., *Euchaeta* PHIL., *Undina* DANA.

2. Subf. **Oithoninae.** *Abdomen praelongum et lineare, cephalothorace vix brevius. Oculi inferiores nulli. Maxillae latere anteriore subdigitatae. Antennae 1 p. longae, pauci articulatae; dextra maris non geniculans nec angulo flexa. Antennae 2 p. apice setigerae simplices.*

Mit der Gattung *Oithona* DANA.

3. Subf. **Pontellinae.** *Abdomen longitudine mediocre. Oculi superiores saepeque inferiores. Antennae 1 p. longae, dextra maris articulatione geniculans (genere Acartia forsan excepto). Antennae 2 p. apice setigerae. Pedes postici maris crassi dextro prehensili.*

Die hierher gehörigen Genera gruppirte er nach den Abweichungen der Augen:

1. *Oculis superioribus instructi tantum.*

Diaptomus WESTW., *Hemicalanus* DANA, *Candace* DANA.

2. *Oculis superioribus et inferioribus instructi.*

Acartia DANA, *Pontella* DANA mit den Subgenera: *Calanopia*, *Pontellina*, *Pontella*.

---

1) The Crustacea of the United States Exploring during the years 1838, 1839, 1840 and 1841 under the commando of CH. WILKES, 1853.

3. *Oculis superioribus carentes.*

Catopia DANA.

II. **Corycaeidae.** *Oculi duo simplices minutissimi, pigmentis coalitis, alii quoque duo portentosae magnitudinis, lenticulo prolato interno, corneaque magna oblata in testam insitu instructi. Sacculi ovigeri duo sive unicus. Antennae 1 p. numquam geniculantes. Pedes 1 p. extremitate saepius subprehensiles.*

1. Subf. **Corycaeinae.** *Antennae anticae non appendiculatae. Antennae posticae plus minusve monodactylae. Sacculi ovigeri duo.*

Corycaeus DANA, *Antaria* DANA, *Copilia* DANA, *Sapphirina* THOMPS.

2. Subf. **Miracinae.** *Antennae posticae apice setigerae et non monodactylae. Sacculus ovigerus unicus.*

Miracia DANA.

III. **Cyclopidae.** *Oculi duo simplices minutissimi, pigmentis coalitis. Mandibulae palpo parvulo vel obsoleto et parce setigero. Sacculi ovigeri sive unicus sive duo. Antennae 1 p. saepe appendiculatae, maris sive ambae sive nullae geniculantes. Pedes 1 p. extremitate plus minusve subprehensiles.*

1. Subf. **Cyclopinae.** *Sacculi ovigeri duo.*

Cyclops O. F. MÜLL.

2. Subf. **Harpacticae.** *Sacculus ovigerus unicus.*

Canthocamptus WESTW., *Harpacticus* M. EDW., *Westwoodia* DANA, *Alteutha* BAIRD, *Metis* PHIL., *Clytemnestra* DANA, *Setella* DANA, *Laophon* PHIL., *Oncaea* PHIL., *Aenippe* PHIL., *Idya* PHIL.

3. Subf. **Steropinae.** *Habitu Sapphirinis paulo similes sed oculis superioribus minutis conjunctis in progressum rostriformem saepe insitis, stylisque caudalibus vix lamellis discretis. Pedes 1 p. monodactyli ac in Corycaeo. Antennae breves.*

Zaus GOODS., *Sterope* GOODS., sowie vielleicht *Thyone* PHIL.

An dieser von DANA begründeten Eintheilung halte ich nach meinen Untersuchungen eine Reihe von Veränderungen im Ganzen wie im Einzelnen für nothwendig, wofür ich zahlreiche Beweise theils in den allgemeinen anatomischen Betrachtungen bereits mitgetheilt, theils in den nachfolgenden Detailbetrachtungen nachliefern werde. Zunächst haben sich eine Menge von Charakteren für die Gattungen als müssig oder irrthümlich, und einige Gesichtspunkte von allgemeinerem Werthe, welche zu Trennungen benutzt wurden, als unhaltbar herausgestellt. Indem DANA die Familie der *Miraciden*, welche auf die einzige, noch dazu ungenügend gekannte Gattung *Miracia* gegründet war, zurücknahm, traf er unstreitig das Richtige, dass er aber auch die *Harpactiden* als selbstständige Familie eingehen liess, kann nach den wesentlichen Eigenthümlichkeiten dieser Formen nicht gebilligt werden, um so weniger, als er sich nun zur Aufstellung von Unterfamilien genöthigt sah, deren Verhältniss keineswegs richtig bestimmt werden konnte. So gehören die *Oithoninen* nicht zu den *Calaniden*, sondern zu den *Cyclopiden*, die *Pontellinen* und *Calaninen* wurden höchst mangelhaft begrenzt und z. B. Gattungen wie *Candace*, *Acartia* etc. mit *Pontella* in eine nähere Verbindung gebracht, obwohl sie *Cetochilus* und *Calanus* viel näher stehen. Die Unterfamilie der *Steropinen*, identisch mit den *Peltidien*, wie ich die platten schildförmigen *Harpactiden*-ähnlichen Formen nannte[1]), bevor ich mit GOODSIR's[2]) Arbeit und DANA's grösserem Werke bekannt geworden war, verdient ebenso wie die der *Pontelliden* zu einer selbstständigen Familie erhoben zu werden. Nach solchen durch die ausgebildetere Kenntniss des Baues und der Formen nothwendig gewordenen Veränderungen unterscheide ich die sechs Familien der *Cyclopiden, Harpactiden, Peltidien, Corycaeiden, Calaniden* und *Pontelliden*, deren allgemeine Charaktere folgende sind:

I. **Cyclopidae.** Körpergliederung vollzählig. Die vordern Antennen von mittlerer Länge, im männlichen Geschlechte jederseits zu Fangorganen umgebildet. Die hintern Antennen viergliedrig, ohne Nebenast. Die Taster der Mandibeln und Maxillen sind sehr verkümmert, erstere häufig durch zwei lange Borsten vertreten. Fünftes Fusspaar cylindrisch, rudimentär und in beiden Geschlechtern gleich. Herz fehlt. Auge einfach, in der Mittellinie verschmolzen, mit zwei seitlichen, lichtbrechenden Körpern. Männlicher und weiblicher Geschlechtsapparat paarig. Zwei Eiersäckchen.

II. **Harpactidae.** Körperform linear, cylindrisch, wenig comprimirt. Körpergliederung vollzählig. Kopf und Thorax verschmolzen. Die vordern Antennen beide zu Fangarmen umgebildet. Die hintern Antennen tragen einen Nebenast und sind mit knieförmig gekrümmten Borsten bewaffnet. Die Mandibeln und Maxillen mit kurzen, aber meist zweiästigen Tastern. Der innere Kieferfuss rückt nach unten herab und trägt einen Greifhaken an der Spitze. Das erste Fusspaar mehr oder minder modificirt, den Kieferfüssen ähnlich. Das fünfte Fusspaar meist blattförmig, in beiden Geschlechtern nur wenig verschieden. Herz fehlt. Das Auge einfach, in der Mittellinie verschmolzen, mit zwei, drei oder zahlreichen lichtbrechenden Körpern. Der männliche Geschlechtsapparat meist unpaar. Die beiden weiblichen Geschlechtsöffnungen der Mittellinie genähert. In der Regel ein Eiersäckchen.

III. **Peltididae.** Körperform platt, meist mit breiten Seitenflügeln der einzelnen Abschnitte. Gliederung meist vollzählig, Kopf und Thorax verschmolzen. Chitinpanzer sehr kräftig. Die vordern Antennen des Männchens sind beide zu Fangarmen umgebildet. Die hintern Antennen mit Nebenast und knieförmig gebogenen Borsten. Die Taster der Mandibeln und Maxillen ansehnlich entwickelt. Das fünfte Fusspaar blattförmig, in beiden Geschlechtern wenig verschieden. Herz fehlt. Augen einfach, in der Mittellinie verschmolzen, mit lichtbrechenden Körpern. Der männliche Geschlechtsapparat paarig, symmetrisch. Ein Eiersäckchen.

IV. **Corycaeidae.** Vordere Antennen wenig gliedrig, in beiden Geschlechtern gleich, die hintern ohne Nebenast, mit Klammerhaken oder Fangborsten bewaffnet. Mundtheile ohne Taster, mit Ausnahme der untern Maxillarfüsse kurz und gedrungen, oft zum Stechen dienend, selten unvollständig vorhanden. Der untere Maxillarfuss bildet einen Fangfuss und ist im männlichen Geschlechte mit kräftigerem Haken versehen. Fünftes Fusspaar rudimentär und in beiden Geschlechtern gleich, selten ganz fehlend. Herz fehlt. Zu den Seiten des medianen unpaaren Auges meist paarige zusammengesetzte Augen mit vordern und hintern Linsen. Männlicher und weiblicher Geschlechts-

1) Beiträge zur Kenntniss der Entomostraken, 1858.
2) On several new species of Crustaceans allied to Saphirina. Ann. of nat. hist. 1845.

apparat paarig und symmetrisch. Meist zwei, selten ein Eiersäckchen. Zum Theil Schmarotzer.

V. **Calanidae.** Körper langgestreckt. Die vordern Antennen sehr lang, in der Regel aus vierundzwanzig bis fünfundzwanzig Gliedern zusammengesetzt; im männlichen Geschlechte ist meist die rechte, seltener die linke Antenne zu einem geniculirenden Fangarme umgebildet. Die hintere Antenne gross, zweiästig mit umfangreichem Nebenaste. Mandibularpalpus zweiästig, den hintern Antennen ähnlich. Die Maxillen mit grossem und mehrfach gelapptem Taster. Maxillarfüsse mächtig entwickelt. Die Füsse des fünften Paares meist ansehnlich, entweder den vorausgehenden Schwimmfüssen gleich und in beiden Geschlechtern übereinstimmend, oder von jenen abweichend und dann nach dem Geschlechte verschieden, beim Männchen zu Fangfüssen umgebildet. Herz vorhanden. Augen median, oft beweglich und mit mehreren lichtbrechenden Körpern versehen. Männlicher Geschlechtsapparat unpaar, weiblicher paarig. Ein Eiersäckchen.

VI. **Pontellidae.** Körper in Form und Bildung der Antennen, Mundtheile und Füsse den *Calaniden* ähnlich. Die rechte Antenne und der rechte Fuss des fünften Paares im männlichen Geschlechte Fangorgane. Die vordern Kieferfüsse sehr umfangreich, mit langen Borsten bewaffnet. Herz vorhanden. Ausser dem medianen Auge ist ein paariges Auge vorhanden. Ersteres ist meist gestielt, in Gestalt einer Kugel unterhalb des Schnabels vorspringend. Das paarige Auge meist mit lichtbrechenden Körpern und Cornealinsen versehen. Männlicher Geschlechtsapparat unpaar, weiblicher paarig. Ein Eiersäckchen.

---

2. Die Familien, Gattungen und Arten.

I. Die Familie der Cyclopiden.

Die *Cyclopiden* bewohnen vorzugsweise süsse Gewässer, langsam fliessende Bäche und stehende Teiche mit reichem Pflanzenwuchse; als Süsswasserbewohner sind sie unter allen *Copepoden* am frühesten zur Beobachtung der Zoologen gelangt. Ob dieselben schon im Alterthum gekannt waren, vermag ich leider nach der mir zu Gebote stehenden Literatur nicht zu entscheiden, doch sollte man aus ihrer Grösse und ihrem oft massenhaften Auftreten vermuthen, dass sie einem Forscher wie Aristoteles, der allerdings wiederum mehr auf die Küstenfauna des Mittelmeeres angewiesen war, nicht entgangen wären.

Die ersten Notizen über *Cyclops* finden sich in einem kleinen Werke von Steph. Blankaart: »*Schou-buch der Rupsen, Wormen, Ma'den*« aus dem Jahre 1688, in welchem eine für die damalige Zeit anerkennenswerthe Beschreibung der äussern Form und einige gute Beobachtungen über die Lebensweise mitgetheilt wurden. So heisst es in diesem Buche von der Bewegung und dem Schwimmvermögen unter anderem: »wenn das Wasser bewegt wird, halten diese kleinen Wasserthiere ein und sinken nach dem Grunde. Sie schwimmen ruckweise sich fortstossend, und wenn sie vom Schwimmen nachlassen, sinken sie mit dem Kopfe voran nieder, wenn sie dann wieder zu schwimmen anfangen, steigen sie wieder in die Höhe empor.« Einmal eingeführt unter die bekannten Wasserinsecten, von denen die *Daphnien* schon früher von SWAMMERDAM entdeckt waren, wurden unsere Geschöpfe von fast allen namhaften Naturfreunden und Beobachtern[1]) wieder gefunden und nach dieser oder jener Seite hin vollständiger beschrieben. Nächst BLANKAART war es zunächst LEEUWENHOEK, welcher in einem seiner »*Epistolae ad societatem regiam anglicam*« (1699) über *Cyclops* berichtete und auf die grosse Differenz zwischen den Jugendformen und älteren Thieren hinwies; LEEUWENHOEK scheint zuerst die Larven gesehen und als solche in Anspruch genommen zu haben, die später von andern Beobachtern fälschlich für selbstständige Thiere gehalten wurden. Später führte O. F. MÜLLER[2]) die Kenntniss der *Cyclopiden* in ein neues Stadium, indem er über die Organisation und Fortpflanzungsweise zahlreiche vortreffliche Beobachtungen mittheilte und eine grosse Reihe von Arten genauer beschrieb, für welche er die Gattungsnamen *Cyclops*, *Amymone*, *Nauplius* gebrauchte.

Nach ihm beschäftigte sich vor allen andern der treffliche Genfer Naturforscher JURINE mit dem Ausbau unseres Gebietes und lieferte in seiner »*Histoire des monocles*« (1820) eine auf gründliche und sorgfältige Untersuchungen gestützte Darstellung von dem Baue, der Lebensweise und der Entwicklung der *Cyclopiden*, die neben den Werken O. F. MÜLLER's die Grundlage und den Ausgangspunkt aller späteren Beobachtungen bilden. JURINE beschrieb die äussern und innern Unterschiede der einzelnen Formen, erforschte die innere Organisation, die Bildung der Eiersäckchen, die eigenthümliche Fortpflanzungsweise und vor Allem die Entwicklung der aus dem Eie schlüpfenden Larven bis zur Umwandlung in das *Cyclops*-Stadium, er wies nach, dass die milbenähnlichen Gattungen O. F. MÜLLER's, *Nauplius* und *Amymone*, mit den Jugendstadien vor der Umwandlung in die *Cyclops*-Form identisch sind. Was nach einem so inhaltsreichen Werke den Nachfolgern JURINE's zu erforschen blieb, beschränkt sich fast auf die Details im Bau und in der Entwicklung, ferner auf die genauere und schärfere Abgrenzung der einzelnen Arten, und hierzu haben eine ganze Reihe von Forschern[3]) durch einzelne Arbeiten beigetragen.

DANA gebrauchte zuerst die Bezeichnung »*Cyclopiden*« im Sinne einer engern Familie

---

1) *Cyclopiden* sind gekannt und beobachtet von BAKER, DE GEER, HERMANN, JOBLOT, FRISCH, LEDERMÜLLER, STRÖM, EICHHORN, KÖHLER, GOEZE, HERBST, REAUMUR etc.

2) Zoologiae dan. prodromus, 1776, und Entomostraca seu insecta testacea, 1785.

3) Vgl. KOCH, Deutschlands Crustaceen. (Ist mir leider nicht zugängig gewesen.)
DANA, Conspectus crustaceorum etc. »The Crustacea of the United States« etc. 1852, 53.
ZENKER, Ueber die Cyclopiden des süssen Wassers. Archiv für Naturgesch. 1854.
LILJEBORG, De crustaceis ex ordinibus tribus etc. Lund. 1853.
BAIRD, The British Entomostraca. 1850.
FISCHER, Beiträge zur Kenntniss der in der Umgegend von Petersburg sich findenden Cyclopiden. Bulletin de la société impériale des naturalistes de Moscou. 1851 und 1853. Beiträge zur Kenntniss der Entomostraken. Abhandl. der königl. Akad. der Wissensch. München 1860.
CLAUS, Das Genus Cyclops und seine einheimischen Arten; ferner: Weitere Mittheilungen über die einheimischen Cyclopiden. Archiv für Naturgesch. 1857.
Beiträge zur Anatomie und Entwicklung der Cyclopiden. Archiv für Naturgesch. 1858.
LEYDIG, Bemerkungen über den Bau der Cyclopiden. Archiv für Naturgesch. 1859.

der *Copepoden*, in die er anfangs nur die Gattung *Cyclops* aufnahm, später aber auch die *Harpactiden* hineinzog. Letztere entfernen sich indess durch eine Reihe von Differenzen in dem Bau und in der Lebensweise von *Cyclops*, sodass ich sie wiederum aus dieser Gruppe entferne und als selbstständige Familie gegenüberstelle. Dagegen gehört zu den *Cyclopiden* die BAIRD'sche *Oithona*, ferner eine zweite mit *Cyclops* sehr nahe verwandte neue Gattung, *Cyclopina*.

Suchen wir die *Cyclopiden*, deren Gebiet durch den Ausschluss der *Harpactiden* und die Aufnahme von *Oithona* und *Cyclopina* in andere Grenzen gebracht werden muss, durch bestimmte Charaktere zu definiren, so finden wir schon in der gesammten Körperform Eigenthümlichkeiten, die sie den Geübten auf den ersten Blick erkennen lassen. Der Vorderleib hat eine langgestreckte, ovale, wenig comprimirte Gestalt und setzt sich scharf von dem Abdomen ab. Das letztere erscheint verschmälert, nach dem Ende allmählich zugespitzt und erreicht bei einer vollzähligen Gliederung eine ansehnliche Länge. Die gestreckte Furca trägt vier grosse Endborsten, aus denen die beiden mittlern stets durch ihren Umfang hervorragen. Der Kopf und Thorax sind in der Regel mit einander verschmolzen, sodass der Vorderleib fünf Segmente in sich einschliesst; seltener (*Oithona*) trennt sich das vordere Brustsegment vom Kopf, und dann unterscheiden wir am Vorderleibe sechs Segmente. Die vordern Antennen haben eine mittlere Länge, variiren aber in ihrer Gliederzahl beträchtlich und nähern sich in dem einen Extrem den *Calaniden*, in dem andern den *Harpactiden* und *Corycaeiden*. Im männlichen Geschlecht entwickeln sich beide, die rechte sowohl als die linke, zu kräftigen Fangarmen, mit denen die Weibchen bei der Begattung umklammert werden, dafür aber fehlen auch dem Männchen andere Hülfsorgane der Begattung, wie sie z. B. bei den *Calaniden* in den zu Greiforganen umgebildeten Füssen des fünften Paares auftreten. Die hintern Antennen sind viergliedrig, ohne Nebenast, und tragen an den zwei letzten Gliedern mehr oder minder gekrümmte Borsten, welche ihnen zum Anklammern an festen Gegenständen dienen. Die Kautheile der Mandibeln und Maxillen sind wohl entwickelt, dagegen ihre Taster schmal und verkümmert, niemals von der Breite und Grösse, wie wir sie bei den *Calaniden* finden. Die Maxillarfüsse, die wir ihrer Stellung nach eher als äussere und innere, denn als obere und untere unterscheiden, bestehen aus vier bis sechs Gliedern und tragen lange, meist befiederte Borsten. Die vier Schwimmfüsse sind normale Ruderfüsse mit dreigliedrigen Aesten und an allen Segmenten gleich gebildet, allerdings an dem vordern Brustringe etwas kürzer und schmächtiger. Von diesen weicht das fünfte rudimentäre Fusspaar bedeutend ab im Zusammenhange mit der geringen Grösse des zugehörigen Segmentes. Dasselbe bildet einen einfachen oder zweigliedrigen mit Borsten besetzten Anhang, der sich in beiden Geschlechtern gleich verhält und beim Männchen niemals zur Begattung verwendet wird. Bezüglich der innern Organisation vermissen wir ein Herz, dagegen sind es regelmässige Bewegungen des Darmes, welche die Blutcirculation vermitteln. Das Auge ist ein medianer, mit zwei seitlichen Krystallkugeln versehener Pigmentfleck, über denen in einzelnen Fällen die Chitinhaut der Stirnfläche zwei entsprechende Hornhautfacetten abgrenzt. Weibliche und männliche Geschlechtsorgane bilden ihre ausführenden Theile in paariger, seitlich symmetrischer Entwicklung aus und münden in zwei seitlichen Oeffnungen an dem vordern Abschnitte des Hinterleibes. An diesem tragen die Weibchen ihre Eier in zwei Säckchen bis zum Ausschlüpfen der Jungen mit sich umher. Beim Männchen liegen die Spermatophorenbehälter in den Seitentheilen des vordern Abdominalsegmentes.

Uebersicht der Gattungen.

Der Mandibularpalpus rudimentär, durch zwei lange Borsten ersetzt		1. **Cyclops.**
Der Mandibularpalpus kurz, gestreckt, zweiästig.	Nebenast des Mandibularpalpus einfach. Innerer (unterer) Maxillarfuss sechsgliedrig, am fünften Thoracalsegment ein Paar rudimentärer Füsschen	2. **Cyclopina.**
	Nebenast des Mandibularpalpus mehrgliedrig. Innerer Maxillarfuss viergliedrig, sehr lang gestreckt, dem von *Cyclops* ähnlich. Am fünften Thoracalsegment sind zwei Paare rudimentärer Anhänge, jeder mit sehr langer Borste	3. **Oithona.**

1. Cyclops O. F. Müll. (Zool. dan. prodromus 1776.).
(Taf. I. Fig. 1—3, 6; Taf. II. Fig. 16, 17; Taf. III. Fig. 9—11; Taf. IV. Fig. 1—13; Taf. X. Fig. 1—8; Taf. XI. Fig. 1—3, 13.)

Corpus antice latiusculum, postice attenuatum, maris annulis decem, feminae novem compositum. Caput cum annulo primo thoracico conjunctum. Palpus mandibularum tuberculo bisetoso formatus. Palpus maxillarum obsoletus. Pedes quinti paris antecedentibus dissimiles, obsoleti. Oculus unicus, Sacculi ovigeri duo.

Der Vorderleib erscheint ziemlich langgestreckt, mehr oder minder eiförmig und bei Verschmelzung des Kopfes mit dem vordern Brustringe aus fünf deutlich geschiedenen Segmenten zusammengesetzt. Das letzte derselben, mit dem rudimentären Füsschen ausgestattet, ist auffallend verschmälert und stellt das Verbindungsglied zwischen Vorderleib und Abdomen her, welches beim Männchen fünf Segmente einschliesst, beim Weibchen aber nur vier Leibesringe deutlich gesondert zeigt, indem hier das erste mit dem zweiten Segmente zu einem gemeinsamen Vorderabschnitte vereinigt bleibt. In den vorausgehenden Jugendstadien sind beide Segmente getrennt.

Die vordern Antennen erreichen höchstens die Länge des Vorderleibes, variiren aber in ihrer Gliederzahl nach den einzelnen Arten in sehr bedeutenden Grenzen. Nach Baird[1]) scheint es sogar *Cyclopiden* mit sechsundzwanziggliedrigen Antennen zu geben, während auf der andern Seite durch Fischer[2]) eine *Cyclops*-Art mit sechsgliedrigen Antennen beschrieben worden ist. Nach meinen Beobachtungen erscheinen die siebzehn- und zwölfgliedrigen Antennen am häufigsten, welche, wie ich früher nachgewiesen habe[3]), morphologisch nach demselben Gesetze gebildet sind und nur in soweit differiren, als das achte Glied in drei, das neunte Glied in vier schmale Ringe zerfallen ist. Die eilf-, zehn-, acht- und sechsgliedrigen Fühlhörner repräsentiren in ähnlicher Weise persistente Entwicklungszustände, die von den erstern während der freien Metamorphose durchlaufen werden. Die blassen Cylinder[4]) und zarten Fäden, welche wahrscheinlich eine specifische Sinnesfunction vertreten, habe ich mit Sicherheit nur an den männlichen Antennen und zwar stets in geringer Zahl nachweisen können. Wichtig erscheint die Bildung des Mandibulartasters. Derselbe

1) Baird, The British Entomostraca, p. 200.
2) Fischer l. c. Abhandl. der Akad. der Wissensch. zu München. 1860.
3) Claus, Das Genus Cyclops etc.
4) Claus, Ueber die zarten Kolben und Cylinder etc. Würzb. Naturw. Zeitschr. 1860.

reducirt sich auf einen sehr kurzen stummelförmigen Höcker, welcher sich in zwei sehr lange Borsten fortsetzt und öfter neben diesen noch ein Paar kurze Borsten trägt (Taf. X. Fig. 2). Die Maxillen haben die Form conischer Platten, deren Innenrand mit kräftigen Hakenzähnen und Borsten bewaffnet ist, sie reduciren sich gewissermaassen auf das Kieferstück der entsprechenden Extremität, da der Taster sehr verkümmert und in Gestalt von zwei kurzen und einfachen Anhängen der Rückenfläche nahe der Spitze eingelenkt ist (Taf. X. Fig. 3). Von den Maxillarfüssen besteht sowohl der äussere breitere, als der innere schlankere aus vier Gliedern, die mit zahlreichen, oft befiederten Borsten und Haken besetzt sind (Taf. X. Fig. 4). An beiden bilden die zwei untern Glieder langgestreckte, umfangreiche Abschnitte, die beiden obern sind kürzere Ringe. Der äussere Maxillarfuss trägt am untern Abschnitte einen papillenförmigen, mit mehreren Borsten bewaffneten Vorsprung, am Ende des zweiten Abschnittes einen lamellenförmigen, ebenfalls mit zwei Borsten besetzten Anhang. Das dritte Glied setzt sich in einen breiten Ausläufer fort, dessen Spitze den stärksten Haken trägt, während das kurze Endglied fast knopfförmig aufsitzend mit einem schwächern Haken und einer Anzahl zarter Borsten besetzt ist. Das letztere entspricht dem Höcker sammt der mehrfach geringelten Spitze, die wir an den oberen Kieferfüssen von *Calanus* und *Cetochilus* finden. Einfacher verhalten sich die beiden letzten Glieder des innern Maxillarfusses, von denen jedes eine grössere Hakenborste trägt.

Wollen wir auch noch die Bildung der Geschlechtsorgane in den Kreis der Gattungsmerkmale ziehen, so dürfte hervorzuheben sein, dass die Seitengänge der Ovarien jederseits zwei Längsstämme bilden, von denen der innere als ein Ausläufer des äussern erscheint. Letzterer bleibt keineswegs einfach, sondern treibt noch drei bis vier seitliche Schlingen, vorzugsweise an den Grenzen der vordern Thoracalsegmente. Die einfache aber verschieden gestaltete Kittdrüse nimmt durch einen medianen Porus, an welchem zwei Spermatophoren befestigt werden, die Samenkörper auf. Im männlichen Geschlechte münden unterhalb des unpaaren Hodens zwei Drüsenschläuche, die bis zum Ende des dritten Thoracalsegmentes herablaufen, in die geschlängelten Samenleiter ein (Taf. IV. Fig. 8, 9).

a. Arten mit achtzehngliedrigen Antennen.

1) **C. elongatus** n. sp. (Taf. XI. Fig. 1 und 2.)

Körperlänge 2½mm, langgestreckt, nach dem Ende zu allmählich verschmälert. Die vordern Antennen achtzehngliedrig, durch die Trennung des siebenten Ringes in zwei Ringe von den siebzehngliedrigen Antennen abweichend; sie ragen nicht weit über den vordern Abschnitt des Vorderleibes hinaus. Das fünfte Abdominalsegment stark ausgezackt. Das rudimentäre Füsschen zweigliedrig mit relativ schmalem Basalgliede und langgestrecktem Endgliede, an dessen Spitze eine sehr kleine und eine lange Borste entspringen. Die Furca länger als die beiden letzten Abdominalsegmente mit relativ kurzen Borsten, deren Grössenverhältniss mit dem später zu beschreibenden von *C. bicuspidatus* nahezu übereinstimmt. Umgebung Cassels.

b. Arten mit siebzehngliedrigen Antennen von 3 bis 5mm Länge.

2) **C. coronatus** Cls. (Das Genus Cyclops etc. Taf. II. Fig. 1—11.)

Cyclops phaleratus Koch (?); *Cyclops quadricornis var. c.* Baird; *Cyclops quadricornis var.* *fuscus* Jur., *var.* *prasinus* Jur.; *Cyclops obesicornis* ♂ Templ. (Transact. of the entom. soc. of London. Vol. 1. p. 196. Fig. 12.)

(Taf. II. Fig. 16; Taf. X. Fig. 1.)

Körper 3,5 mm lang, dunkelbraun bis schwarz. Cephalothorax breit und gewölbt. Die beiden Augenhälften treten als grosse birnförmige Zapfen hervor. Die vordern Antennen reichen etwa bis zu der Basis des Abdomens, sind langgestreckt, nach der Spitze zu allmählich verschmälert und tragen am Endgliede eine sägeförmig gezähnte Firste. Die beiden vorhergehenden Glieder besitzen ebenfalls eine Längsfirste, die sich als ein einfacher unbezähnter Skeletvorsprung über die Länge der Glieder hinzieht und als scharf contourirte Längslinie bis auf die Basis der Antenne zurück verfolgen lässt. Ein ausgezeichnetes Merkmal für die vordern Antennen, welchem ich auch die Benennung der Art »*coronatus*« entlehnt habe, ist ein Kranz von zahnförmigen Spitzen am obern Verbindungsrande des achten, neunten, zehnten, zwölften, dreizehnten und vierzehnten Antennenringes. Sehr langgestreckt und wohlgeformt erscheinen die hintern Antennen, deren zweites Glied am untern Rande fast halbkreisförmig gebogen und mit kurzen Spitzen besetzt ist. Die beiden nachfolgenden Glieder sind halb so dick, dagegen doppelt so lang als die vorausgehenden. Den mittlern Theil der Oberlippe besetzen acht bis zehn kleine zahnartige Höcker, denen sich jederseits zwei grosse nach auswärts gerichtete Zähne anschliessen. Auf diese folgt nach einer grössern Lücke ein seitlich vortretender Höcker. Die Mandibeln bilden einen langgestreckten Zapfen und tragen neben den zwei langen Borsten noch mehrere kurze Anhänge. Durch seinen kräftigen Bau tritt dann das zweite Kieferpaar hervor, mit einem stark gebogenen Haken am Kautheil und ebenfalls gekrümmten Borsten an dem zweiästigen Taster. Die Maxillarfüsse zeichnen sich durch ihre schlanke Form und den Besitz kräftiger Haken und befiederter Borsten aus. Der rudimentäre Fuss ist zweigliedrig, trägt am innern und am Verbindungsrande des Basalgliedes einen Besatz feiner Spitzen nebst einer Borste und am Ende des zweiten Gliedes drei Borsten. Die Abdominalsegmente sind relativ von ansehnlicher Breite, die von der Basis aus mit jedem nachfolgenden Gliede nach der Furca zu abnimmt. Das kurze fünfte Segment besitzt am Verbindungsrande mit der ebenfalls kurzen und breiten Furca einen Wimperbesatz. Die vier dichtbefiederten Furcalborsten haben folgende Grössenrelation: die äusserste ist die kürzeste, die zunächststehende beträchtlich grösser, fast von der Länge des Abdomens und wird von der dritten um fast ein Drittheil übertroffen; die innere endlich kommt etwa der Furca mit den beiden vorhergehenden Abdominalringen gleich.

Abgesehen von diesen detaillirten Merkmalen der einzelnen Körpertheile lässt sich unsere Art leicht und von dem geübtern Beobachter schon mit blossem Auge an dem fast schwarzen Inhalt des Ovarium, an der bläulichen Färbung der hintern Leibesringe und endlich an der Haltung der schwarzen Eiersäckchen erkennen. Diese liegen nämlich, wie es auch schon Baird für seine *var. c.* sehr richtig beobachtet hat, dem Abdomen dicht an und werden zum Theil von der untern Fläche desselben in der Weise bedeckt, dass man auf den ersten Blick eine Form mit einem einzigen runden Eiersack, also eine *Cyclopsine*, zu beobachten glaubt.

Das Männchen, das freilich nicht so leicht mit blossem Auge bestimmt werden kann, ist ein Drittheil kleiner, stimmt aber in den Hauptmerkmalen mit dem Weibchen überein. Die Art scheint in beschatteten Bächen mit langsam fliessendem Wasser vorzugsweise zu leben und über ganz Deutschland und die benachbarten Länder verbreitet zu sein. Ich habe sie nicht nur an zahlreichen Orten

Deutschlands beobachtet, sondern auch unter den von H. Dr. KIRCHNER im Budweiser Kreise gesammelten und mir zur Bestimmung zugeschickten Formen wiedergefunden.

3) **C. tenuicornis** CLS. (Das Genus Cyclops etc. Taf. III. Fig. 1—11.)
Cyclops quadricornis albidus, viridis JUR.; *var. b.* BAIRD.
(Taf. I. Fig. 3; Taf. II. Fig. 17; Taf. IV. Fig. 5.)

Die Körperform ist schlanker und gestreckter, die Färbung heller als bei der ersteren Art. Die vordern Antennen an der Basis breit, von der Mitte an allmählich verschmälert, in drei lange dünne Endglieder auslaufend, von denen jedes eine einfache unbezahnte Längsfirste besitzt. Die vorhergehenden Glieder tragen an der innern Seite Reihen von kleinen Spitzen, das Basalglied halbkreisförmig gestellte kurze Haare. Die Fühlhörner erreichen etwa die Länge des Kopfbruststückes. Die untern Antennen sind ebenfalls langgestreckt, mit gleichmässig breiten und langen Gliedern. Die Oberlippe läuft am vordern Rande in zehn bis zwölf Zähne aus, von denen die zwei äussersten jederseits die grössten sind. Weit gedrungener als in der vorigen Art erscheinen die Kiefer und Kieferfüsse, deren Fortsätze minder lange aber starke Haken bilden. Die Fusspaare tragen an den Verbindungsrändern der einzelnen Glieder kurze, feine Spitzen, während ihre Borsten schwächer befiedert sind, als in der ersten Art. Das rudimentäre Fusspaar ist zweigliedrig, dem von *C. coronatus* ähnlich. Die Furca hat eine gestrecktere Form, die äussere Borste kurz, kaum länger als die Furca, die übrigen Schwanzborsten stimmen in ihrem Grössenverhältniss so ziemlich mit denen von *C. coronatus* überein, sind aber viel schwächer befiedert. Trotz der Aehnlichkeit in der Form mancher Körpertheile lassen sich beide Arten schon bei oberflächlicher Betrachtung leicht unterscheiden. Der grünliche gestrecktere Körper, das gestrecktere Abdomen, das schmale Ende der vordern Antenne, die schiefe Haltung der Eiersäckchen machen eine Verwechslung mit der zuerst beschriebenen Art unmöglich.

4) **C. brevicornis** CLS. (Das Genus Cyclops etc. Taf. III. Fig. 12—17.)
Cyclops viridis FISCH. (?); *var.* = *elongatus* BAIRD.
(Taf. IV. Fig. 11.)

Körper 3,5^{mm} lang. Die ersten Antennen sind von gedrungenem Bau und reichen kaum über das erste Thoracalsegment hinaus. Ihre drei letzten Glieder, die sich bei fast allen andern Arten durch eine langgestreckte Form auszeichnen, sind breit und kurz, kaum länger als die vorhergehenden Glieder. Die hintern Antennen stimmen im Wesentlichen mit denen von *C. tenuicornis* überein, haben indess eine etwas gedrungenere Form. An den Maxillen finden wir neben dem spitzen, mit kurzen Haken versehenen Kautheil den Taster wenig entwickelt. Sehr charakteristisch erscheint die Form des rudimentären Füsschens, dasselbe besteht aus einem sehr breiten Basalgliede, dessen äussere Ecke mit einer langen Borste besetzt ist, und einem schmalen cylindrischen Stummel, welcher sich am Innenrande des Basalgliedes einlenkt und ebenfalls eine Borste trägt. Diese Bildung des letzten Fusspaares bietet für die Erkennung jüngerer Entwicklungsstadien einen ähnlichen Anhaltspunkt, als bei *C. coronatus* die Beschaffenheit der vordern Antenne. Ein anderes Merkmal für die Erkennung dieser Art liegt in der starken Zähnelung, die im ausgebildeten Zustande sowohl, als in den spätern Jugendstadien den Verbindungsrändern der Abdominalsegmente eigenthümlich ist. Die Furca übertrifft die von *C. tenuicornis* an Länge, während die schwach befiederten Schwanzborsten ein ähnliches Verhältniss darbieten. Auch diese Art ist in den einheimischen Bächen weit verbreitet und an der gedrungenen Form des gesammten Leibes und der Antennen sehr bald zu unterscheiden. Nach den mir von Dr. KIRCHNER mitgetheilten Präparaten gehört sie auch der Fauna Böhmens an und es scheint mir fast, als reiche sie wie der später zu beschreibende *C. serrulatus* viel weiter nach dem Osten und Norden Europa's. Wahrscheinlich ist der von FISCHER aus der Umgegend von Petersburg leider unzureichend beschriebene *C. viridis* mit unserer Art identisch.

5) **C. gigas** CLS. (CLAUS, Weitere Mittheilungen etc. Fig. 1—5.)

Körper 5,5mm lang. Eine der vorhergehenden nahe stehende Art, die sich durch einen ziemlich gedrungenen Bau aller Körpertheile auszeichnet und durch ihre Grösse von 5,5mm alle bekannten *Cyclops*-Species übertrifft. Die Antennen des ersten Paares sind etwas mehr gestreckt, als die von *C. brevicornis*, und an ihrem Endtheil bedeutend schmäler als an der Basis. Die Kauwerkzeuge tragen schwach befiederte Anhänge. Besonders langgestreckt ist der innere Maxillarfuss. Die Oberlippe läuft am obern Rande in zehn unregelmässig geformte Zähnchen aus, über denen sich ein Besatz langer Fiedern erhebt. Das rudimentäre Füsschen gleicht dem der erwähnten Art, ist aber schlanker und beginnt mit enger Basis. Das erste und zweite Abdominalsegment ist beim Weibchen zu einem oben nur wenig erweiterten, fast cylindrischen Gliede von gleichen Längs- und Querdurchmessern verschmolzen. Am untern Verbindungsrande dieses und der folgenden Segmente sitzen kleine Zähnchen auf, die nur an dem des letzten Segmentes fehlen, wo sie durch feine Fiedern ersetzt sind. Die Furca ist sehr gestreckt und erreicht fast die Länge der drei letzten Abdominalsegmente. Von den vier Schwanzborsten erscheint die äussere jederseits als die kürzeste, kaum halb so lang als die Furca, und wird von der innersten etwa um das Doppelte übertroffen. Von ziemlich übereinstimmender Grösse sind die beiden mittlern Schwanzborsten, welche nur schwach befiedert dem Abdomen an Länge gleichkommen. Die Farbe ist braun, die Eier sind lichtgrün, die Embryonen sehr hell und durchsichtig. Ich fand diese Art in grosser Menge in einem Teiche bei Giessen.

c. Kleinere Arten mit siebzehngliedrigen Antennen von 2—3mm Länge.

6) **C. brevicaudatus** CLS. (CLAUS, Das Genus Cyclops Taf. II. Fig. 12.) = *C. furcifer* CLS.

Körper 2,4mm lang. Die Antennen des ersten Paares reichen bis zum Ende des dritten Thoracalsegmentes und besitzen einen gedrungenen Bau; ihre letzten drei Glieder sind indess gestreckter als die von *C. brevicornis*. Auch die zweiten Antennen haben breite und kurze Glieder. An den Verbindungsrändern der Fussglieder fehlen die Reihen Spitzen und Fiedern. Die Maxille mit kurzem und breitem Taster, der fast an der Spitze des Kautheils eingelenkt ist. Die Kieferfüsse mit viel stärkern Haken und Borsten. Das ansehnlich entwickelte zweite Glied des rudimentären Fusspaares trägt in der Mitte des innern Randes einen kurzen Dorn und an seiner Spitze eine längere Borste. Die schlanke Furca ist mindestens dreimal so lang als das letzte Abdominalsegment, ihre kurzen äussern Seitenborsten fast bis an die Spitze heraufgerückt. Von den vier Endborsten ist die äussere die kürzeste, halb so lang als die Furca und wie alle andern schwach befiedert. Die hierauf folgende, also zweitinnere, ist etwa um die Hälfte länger als die Furca und wird von der dritten noch um ein Stück überragt. Die innere Borste endlich, dicht über der innern Seitenborste eingelenkt, kommt der Furca an Länge gleich. Der von mir früher als besondere Species aufgeführte *C. furcifer* scheint mir nur eine grosse Varietät mit verlängerter Furca zu sein.

7) **C. Leuckarti** Cls. (Claus, Das Genus Cyclops etc. Taf. II. Fig. 13, 14.)

Körper kaum 2mm lang. Die kleinste mir bekannte Art mit siebzehngliedrigen Antennen von schlankem Körper und gestrecktem, stark zugespitzten Abdomen, dessen Form sich der von *C. serrulatus* nähert. Die ersten Antennen gestreckt, mit schmaler Basis, reichen kaum bis an das Ende des dritten Thoracalsegmentes. Von der Mitte an sind ihre Ringe fast von gleicher Breite. Sehr deutlich machen sich auf der Dorsalseite des äussern Maxillarfusses an der Basis eine Reihe kleiner Einkerbungen bemerkbar, welche das Ansehn einer geperlten Contour bieten. Das rudimentäre Füsschen, dem von *C. brevicornis* ähnlich, trägt an der Spitze des zweiten, verkümmerten Gliedes nur eine Borste. Die Furca ist fast doppelt so lang als das letzte Abdominalsegment, die äussere Seitenborste steht mehr als ein Drittheil der Furcallänge von der Spitze der Furca entfernt. Von den vier schwach befiederten Endborsten erreicht die äussere die Länge der Furca, die zweite kommt den drei letzten Abdominalringen sammt der Furca gleich, wird aber von der dritten noch um ein gutes Stück übertroffen. Die innere endlich ist über doppelt so lang als die äussere.

8) **C. bicuspidatus** Cls. (Claus, Weitere Mittheilungen etc. Fig. 6 und 7.)

Körper 2mm lang. Die grossen Antennen dieser niedlichen Art sind von geringer Länge, aber viel gedrungener gebaut als die der vorher besprochenen Species, mit der wegen der gleichen Grösse eine Verwechslung wohl möglich wäre. Auch hier bietet das rudimentäre Füsschen ein sicheres Unterscheidungsmerkmal, ebenso die Furca mit ihren Borsten. Während das erstere bei jener Species ein sehr breites Basalstück besitzt, dem sich ein kurzes, nur eine Borste tragendes Glied anschliesst, finden wir hier ein schmales, gestrecktes Basalglied und ein sehr langes, dünnes Endglied mit zwei Borsten an der Spitze. Die Furca erlangt fast die vierfache Länge des letzten Thoracalsegmentes bei geringerer Dicke. Aeussere und innere Schwanzborsten sind auf kurze Spitzen reducirt, von den beiden mittleren erreicht die innere die Länge des Abdomens, die äussere die der Furca sammt den drei vorhergehenden Ringen.

d. Arten mit unvollzählig gegliederten vordern Antennen.

9) **C. insignis** Cls. (Claus, Weitere Mittheilungen etc. Fig. 8—12.)

Körper 4mm lang. Die vordern Antennen sind vierzehngliedrig in Folge der unterbliebenen Sonderung des achten Ringes. Die Maxillarfüsse ausserordentlich verlängert mit befiederten Borsten und kräftigen Haken. Das rudimentäre Fusspaar zweigliedrig, dem von *C. brevicaudatus* ähnlich. Das erste Segment des Abdomens mächtig aufgetrieben in seitliche Fortsätze ausgezogen, mit klaffenden Genitalöffnungen. Die Furca von ansehnlicher Grösse, etwa so lang als die drei letzten Abdominalsegmente, auf der Dorsalfläche mit einer Längsfirste versehen. Die beiden äussern Endborsten halb so lang als die Furca, die mittlern fast von doppelter Länge unter einander beinahe gleich.

10) **C. serrulatus** Fisch. (Fischer, Beiträge zur Kenntniss etc. 1851. Taf. X. Fig. 22, 23 etc. Claus, Das Genus Cyclops etc. Taf. I. Fig. 1—3.)

Taf. I. Fig. 1 und 2; Taf. IV. Fig. 12; Taf. XI. Fig. 3.)

Körper 2mm lang. Die vordern Antennen zwölfgliedrig, gestreckt, so lang als der Vorderleib. Ihre drei letzten Glieder sehr dünn und lang, mit schwacher Firste bewaffnet. Mundtheile klein. Das rudimentäre Füsschen besteht aus einem einfachen, mit drei Borsten besetzten Gliede. Das Abdomen sehr schmal und gestreckt, hier und da unregelmässig mit kleinen Dornen und Spitzen besetzt. Die Furca ungefähr vier- bis fünfmal so lang als breit, am Verbindungsrande des letzten Abdominalsegmentes und am Aussenrande der Furca findet sich eine Reihe feiner Spitzen. Von den Schwanzborsten gleichen die beiden äussern denen von *C. bicuspidatus*, die mittleren sind bedornt und sehr lang.

11) **C. spinulosus** n. sp.

C. diaphanus Fisch. (?).

(Taf. X. Fig. 5, 5'; Taf. XI. Fig. 13.)

Körper 2mm lang[1]). Die vordern Antennen zwölfgliedrig, etwas länger als die von *C. serrulatus*, mit dem das Weibchen in der gesammten Leibesform eine grosse Uebereinstimmung zeigt. Auch schliessen sich die Furca und das rudimentäre Füsschen dem entsprechenden Körpertheil dieser Art an. Jedoch erscheint das Abdomen gedrungener, die gesammte Oberfläche mit unregelmässig gestellten Spitzen besäet. Die Antenne des Männchens hat eine ganz abweichende Form und zeichnet sich durch Kürze und Gedrungenheit aus.

Bei Würzburg beobachtet.

12) **C. minutus** n. sp. (Taf. X. Fig. 6—8.).

Körper 1¼—1½mm lang. Antenne eilfgliedrig, kurz, etwa von der Grösse des Kopfbruststückes (vordern Körperabschnittes). Abdomen fast wie bei *C. serrulatus*, aber minder gestreckt. Die Schwimmfüsse mit zweigliedrigen Aesten. Das rudimentäre Füsschen besteht aus einem kurzen, einfachen, borstentragenden Stummel und einer Borste, welche getrennt von den erstern unmittelbar am Panzer entspringt. Die Furca ist etwa doppelt so lang als das letzte Abdominalsegment und trägt sehr kurze Schwanzborsten. Bei Cassel beobachtet.

13) **C. canthocarpoides** Fisch. (Fischer, Beiträge zur Kenntniss etc. Taf. X. Fig. 24, 25; Claus, Das Genus Cyclops etc. Taf. I. Fig. 6—10.)

C. longispina Templ.

(Taf. IV. Fig. 1—4.)

Körperlänge 2mm. Die ersten Antennen sind klein, zehngliedrig und erreichen nicht einmal das Ende des ersten halbeiförmigen Leibesabschnittes. Die hintern Antennen zeichnen sich durch eine sehr gedrungene Form aus und sind ebenso wie die Schwimmfüsse mit starken Fiedern besetzt, welche fast die Form von feinen Zähnen annehmen. Mundtheile kurz und dick. Das letzte Thoracalsegment bildet einen breiten, nach dem Abdomen erweiterten Körperring und trägt die sehr verkümmerten Füsschen des fünften Paares, die auf einfache, mit drei befiederten Borsten versehene Erhebungen reducirt sind. Der untere Verbindungsrand dieses Segmentes trägt einen Besatz von kleinen Zähnchen. Das Abdomen, fast so breit als die hintere Thoracalgegend, erinnert an die Körperform von *Canthocamptus* (*Canthocarpus*) und ist ebenfalls am untern Rande der einzelnen Segmente gezähnelt; die kurze, breite Furca lenkt sich an dem noch kürzern fünften Abdominalsegment unterhalb eines Besatzes zahnartiger Fiedern ein und wird auf der Dorsalfläche von drei Reihen

1) Wenn nicht der Ausschluss der Schwanzborsten bei der Grössenangabe des Leibes besonders hervorgehoben ist, wird die gesammte Länge von der Stirn bis an die äusserste Spitze der Furcalborste gemeint.

schräg nach unten und innen laufender Spitzen bedeckt. Am äussersten Ende der Furca findet sich endlich die letzte Reihe von kranzförmig um die Schwanzborsten gestellten Spitzen. Diese Art bildet durch ihren Bau und die Art der Bewegung einen Uebergang zu der Gattung *Canthocamptus*.

14) **C. magniceps** Lilj. (Liljeborg, loc. cit. p. 204. Taf. XXII. Fig. 1.)

Körperlänge $^{2}/_{3}$ mm. Die Antennen des ersten Paares achtgliedrig. Das erste Leibessegment gross, ungefähr zwei Drittheile von der Länge des Kopfbruststückes umfassend. Die Aeste der Furca kurz. Von den beiden mittleren befiederten Schwanzborsten kommt eine dem Abdomen an Länge mindestens gleich. Mir ist diese kleinste aller Arten unbekannt, doch möchte nach der freilich unvollständigen Beschreibung Liljeborg's und der von ihm mitgetheilten Abbildung die Existenz derselben ausser Zweifel stehen.

15) [1]) **C. aequoreus** Fisch. (Fischer, Abhandl. der Akad. zu München 1860. Taf. XX. Fig. 26.)

Die vordern Antennen sechsgliedrig, das Kopfbruststück halboval, das fünfte Fusspaar zweigliedrig, das zweite Glied breit und mit drei Dornen versehen. Funchal.

Auch diese Art ist keineswegs ausreichend untersucht worden, doch nehme ich keinen Anstand, sie unter die sichern Arten aufzunehmen, da von Fischer Eiersäckchen derselben abgebildet sind, und mit der Anzahl der Antennenglieder ein wichtiger Anhaltspunkt zur Unterscheidung vorliegt.

2. Cyclopina n. g. (Taf. X. Fig. 9—14.)

Corpus Cyclopum formam praebens. Mandibularum palpus biramosus, ramo secundario simplici. Maxillipedes interni 6 articulati, tribus ultimis articulis perbrevibus. Quinto thoracis segmento unum par pedum rudimentarium affixum.

---

1) Minder sichere Species sind die folgenden, von denen ich hier nur die unzureichenden Diagnosen mittheile, um sie spätern Beobachtern zur Prüfung und zum besseren und genaueren Studium zu empfehlen.

Cyclops gracilis Lilj.

Corporis forma quam apud congeneres magis elongata. Cephalothorax postice gradatim coarctata et hic abdomine parum latior. Antennae primi paris reflexae, segmentum secundum corporis superantes, articulis 11 compositae. Articulus primus et tertius antice, articulus octavus et decimus postice apud feminam setam longam ciliatam gerens. Antennae secundi paris tenues, iisdem antecedentis (Cyc. magniceps) longiores et fere eadem forma, ac apud Cyc. quadricornem. Rami abdominales breves ad apicem setas quinque, quarum duae majores fere aequales, et ad medium marginis exterioris setam unam minorem gerentes. Color albido coerulescens. Oculus ruber. Long. fem. adult. setis abd. compreh. vix 1 mm.

Cyclops aurantius Fisch. (Abhandl. der Münchener Akad. 1860. Taf. XX. Fig. 17, 18.) Palermo.

Antennis anticis 17 articulatis, coloris aurantiaci, furca tribus ultimis segmentis caudalibus longitudine aequali vel quidquam longiori, setis caudalibus medianis longitudine inter se fere aequalibus.

Cyclops prasinus Fisch. (Abhandl. der Münchener Akad. 1860. Taf. XX. Fig. 19—26.) Madeira. Baden-Baden.

Antennis anticis 12 articulatis, prasinus, corpore ovali, rostro sat obtuso, oculo grandi, pigmento purpureo et processu lotjus supero cinnaberino, segmento corporis quinto ad latera piloso, furca sat brevi, sacculis oviferis ad segmenta caudalia appressis.

Die von mir früher als *C. pennatus* beschriebene Form lasse ich als besondere Art fallen. Für die übrigen von Fischer aufgestellten Species sind die Beschreibungen zu ungenügend, um nur annähernde Anhaltspunkte zu einer Bestimmung zu bieten, die Unterscheidungen Koch's, die mir freilich nur durch die Jahresberichte bekannt geworden sind, aber sind zu künstlich und unsicher, um sie überhaupt verwerthen zu können. Dana endlich giebt noch Diagnosen von fünf Arten: *Cyclops Brasiliensis* (Rio Janeiro), *curticaudus* (Valparaiso, Chile), *pubescens* (Valparaiso, Chile), *Mac Leayi* (Sydney), *Vitiensis* (Lebu), indess sind die angeführten Charaktere viel zu allgemein und wie es scheint ohne genauere Untersuchung der Mundtheile und des Körperbaues aufgestellt, so dass man nicht ein Merkmal zur specifischen Abgrenzung benutzen kann und überhaupt ganz in Zweifel bleiben muss, ob die Formen in die Gattung *Cyclops* gehören.

Von marinen *Cyclopiden* kenne ich nur wenige kleine Formen, deren genaue Untersuchung zudem mit grosser Mühe verbunden ist. Dieselben scheinen trotz der übereinstimmenden Gestalt des Körpers keineswegs in den engern Kreis der Gattung *Cyclops* zu gehören, sondern sich von dieser durch eine abweichende Bildung der Mundtheile zu entfernen. Genauer habe ich eine solche kleine *Cyclops*-ähnliche marine Form von Messina untersucht und in der Bildung der Mundtheile interessante Eigenthümlichkeiten gefunden, indem die Mandibeln und Maxillen einen Uebergang zu den *Harpactiden* vermitteln, während sich die Kieferfüsse den *Calaniden* nähern. Diese bedeutenden Abweichungen rechtfertigen die Aufstellung einer neuen Gattung, für die ich wegen der formellen Aehnlichkeit mit *Cyclops* den Namen *Cyclopina* gewählt habe.

Die gesammte Körperform und Leibesgliederung stimmt mit der von *Cyclops* vollständig überein. Kopf und Brust sind zu einem ovalen fünfgliedrigen Cephalothorax verschmolzen, das Abdomen sehr schlank und schmal, in beiden Geschlechtern wie bei *Cyclops* gegliedert. Ebenso sind auch die vordern Antennen des Männchens beide zum Fangen und Festhalten des Weibchens mit geniculirenden Gelenken versehen, während das zweigliedrige rudimentäre Füsschen des fünften Thoracalsegmentes in beiden Geschlechtern gleich bleibt. Die Form der Augen, des Ovariums, der doppelten Eiersäckchen wie bei *Cyclops*, ebenso die viergliedrige Antenne des zweiten Paares. Die Mandibeln aber tragen einen zweiästigen Palpus, dessen Form sich manchen Gattungen der *Harpactiden* anschliesst und in dessen untern ungegliederten Anhange wir das Aequivalent des Nebenastes erkennen. Die Maxillen tragen auf der obern Seite des mit mehrfachen Haken und Borsten versehenen Kautheils einen einfachen zweigliedrigen Taster. Von den beiden Maxillarfüssen besitzt der innere schon vollständig die Theile des untern Maxillarfusses von *Calanus*, einen zu zwei Höckern erhobenen Basalabschnitt, ein ziemlich kräftiges Mittelglied und endlich die verschmälerte, hier noch dreigliedrige Spitze; der äussere aber stellt eine Zwischenstufe von der Gattung *Cyclops* zu den *Calaniden* dar, indem die Haupttheile der erstern noch nachweisbar, aber sehr langgestreckt und in ihrer Form so verändert sind, dass wir nur an dem innern Rande des grossen Basalabschnittes eine Anzahl unter einander eingelenkter Glieder mit scheerenförmig gestellten Borsten an ihren Spitzen hinzuzusetzen brauchen, um den obern Maxillarfuss der letztern zu erhalten.

Die einzige mir bekannte Art nenne ich:

1) **C. gracilis.** (Taf. X. Fig. 9—15.)

Ihre specifischen Charaktere sind folgende: Die vordern Antennen eilfgliedrig (zehngliedrig?), die untern Antennen sehr langgestreckt mit verkürztem dritten Gliede. Das zweigliedrige rudimentäre Füsschen trägt eine Borste am Basalgliede und zwei am Endgliede. Abdomen so lang als Kopfbruststück. Furca etwa einundeinhalbmal so lang als das letzte Segment mit vier Endborsten von mittlerer Entwicklung. Körperlänge $\frac{1}{2}^{mm}$. Messina.

3. Oithona[1]) Baird. (Zoologist. 1843.)

(Taf. XI. Fig. 4—12.)

Corpus Cyclopum formam praebens, magnopere elongatum. Palpus mandibularum biramosus, ramo secundario nonnullis articulis composito. Maxillipedes interni 4 articulati, elongati,

1) = Scribella Dana. Proc. Amer. Journ. 1849.

externi validi iisdem Heterochaetae haud dissimiles. Quinto thoracis segmento duo pedum rudimentarium paria affixa.

In dieser Gattung, welche Baird zuerst beschrieb und Dana in die Nähe von *Acartia* zu den *Calaniden* stellte, haben wir ein Verbindungsglied der *Cyclopiden* und *Calaniden*, das sich indess in der Leibesgliederung und im Bau seiner Organe viel näher dem Genus *Cyclops* anschliesst. Die vordern Antennen sind im weiblichen Geschlechte mit einzelnen sehr langen Borsten versehen, im männlichen rechts und links zu Fangorganen umgebildet, die rudimentären Füsschen verhalten sich in beiden Geschlechtern gleich. Ebenso trägt die Form des Abdomens durchaus den Charakter der Gattung *Cyclops*. Der Vorderleib ist schmal und ausserordentlich gestreckt, sechsgliedrig, indem sich Kopf und Brust durch eine Quercontour abgrenzen. Die hintern Antennen entbehren des Nebenastes und bestehen aus vier Gliedern, von denen die beiden letzten in einem knieförmigen Gelenke auf dem basalen befestigt, lange und gebogene Borsten tragen. Abweichender verhalten sich die Mundtheile, indem der Oberkiefer einen sehr langgestreckten zweiästigen Anhang trägt, dessen Nebenast aus mehreren Gliedern besteht, während der Hauptast an seinem Ende in kräftige, hakenförmig gekrümmte Borsten ausläuft. Der Taster der Maxillen ist ansehnlich entwickelt, aber einfach, ohne die complicirte Gliederung des entsprechenden *Calaniden*-Tasters; man kann sich ihn durch eine Längsstreckung des Maxillartasters von *Cyclops* unter geringen Modificationen ableiten. Von den schlanken grossen Kieferfüssen nähert sich der obere manchen *Calaniden*-Gattungen. Sein basaler Abschnitt läuft am innern Rande ähnlich wie der von *Cyclops* in mehrere warzenförmige Erhebungen aus, auf denen sich befiederte Borsten einlenken und trägt unterhalb der Verbindung mit dem dreigliedrigen zum Greifen eingerichteten Endtheil einen kurzen cylindrischen Anhang mit scheerenförmig gestellten Borsten. Der untere Maxillarfuss lässt sich am einfachsten durch eine bedeutende Streckung auf den innern Maxillarfuss von *Cyclops* zurückführen. Was schon Dana als einen auffallenden und wichtigen Charakter hervorhebt, das ist der Besitz von zwei Paaren von rudimentären Füsschen am fünften Thoracalsegment; beide sind eingliedrige mit einer langen Borste besetzte Stummel. Die innere Organisation, die Form des Auges, der Bau der Hoden und Ovarien, die Bildung von zwei Eiersäckchen schliesst sich unmittelbar an die Gattung *Cyclops* an. Von Arten habe ich bisher nur zwei mit Sicherheit kennen gelernt:

1) **O. spinirostris** Cls. (Taf. XI. Fig. 4—9.)

Der Körper 1⅛ mm lang von blasser Färbung und langgestreckt, mit einem sehr spitzen Schnabel versehen. Die vordern Antennen von gleichmässiger Dicke sind zehngliedrig und reichen fast bis zum Ende des Abdomens. Viertes und fünftes Abdominalsegment unter sich und mit der Furca gleich lang. Eine ansehnliche äussere Seitenborste sitzt nahe an der Basis der Furca auf. Von den Endborsten ist die innere sehr kurz, die zweite zartbefiederte so lang als das Abdomen, die dritte noch um die Hälfte länger, die äussere endlich in der Nähe der obern kurzen Seitenborste ungefähr dreimal so lang als die Furca. Messina.

2) **O. helgolandica** Cls. (Taf. XI. Fig. 10—12.)

Körper dicker und breiter, ohne den spitzen Schnabel ¾ mm lang. Die vordern Antennen reichen kaum bis an das Ende des Thorax und bestehen aus zwölf Gliedern. Das letzte Abdominalsegment kürzer als das vorhergehende, fast so lang als die Furca mit ihren kurzen Endborsten, die äussere Seitenborste sitzt in der Mitte des äusseren Randes auf. Helgoland.

II. Die Familie der Harpactiden.

Von O. F. Müller wurden die zuerst bekannt gewordenen Formen dieser Familie, *Canthocamptus minutus* und *Harpacticus chelifer* ebenso wie *Cyclopsine castor*, als Arten der Gattung *Cyclops* beschrieben. Später nach der Entdeckung neuer verwandter Arten trennte man dieselben von *Cyclops* und stellte für sie selbstständige Gattungen auf. Aber erst Dana[1]) vereinigte sie in einer besondern Familie der *Harpactiden*, deren Charaktere er vornehmlich auf die Bewaffnung der hintern Antennen mit fingerförmigen Borsten, auf die Bildung der Mandibular- und Maxillartaster und auf die einfache Zahl der Eiersäckchen gründete. Dana gab freilich in seinem Hauptwerke die Selbstständigkeit der *Harpactiden* wieder auf, allein es will mir scheinen, als wenn trotz der vielfachen Uebereinstimmungen mit den *Cyclopiden* ein gewisser engerer Baustyl nicht zu verkennen sei, welcher zu der Aufstellung einer besondern Familie berechtigte. Wir haben allerdings dieselbe Leibesgliederung, die Verwendung beider männlichen Antennen zu Fangarmen, die gleiche Stufe der innern Organisation und selbst einen Anschluss in der Bildung der Kiefertaster namentlich an *Oithona* und *Cyclopina*, wir treffen sogar *Harpactiden* mit doppelten Eiersäckchen an, aber es treten andererseits eine Reihe von Eigenthümlichkeiten in der gesammten Gestalt, in dem Baue einzelner Organe und in der Lebensweise auf, deren Summe den hierher gehörigen Gattungen einen so eigenthümlichen Charakter verleiht, dass ich die *Harpactiden* als selbstständige Familie wieder aufnehme.

Die Leibesgliederung erscheint vollzählig, ähnlich wie bei *Cyclops*, aber Vorder- und Hinterleib sind minder scharf abgesetzt, indem sich die Breite des Thorax am Abdomen nur wenig reducirt. Durch eine solche mehr oder minder lineare Leibesform wird bei vielen Arten eine gewisse Unbehülflichkeit in der Bewegung herbeigeführt, welche weniger in raschen Sprüngen als in gleichmässigen durch geringe Schlängelungen des gesammten Körpers unterstützten Schwimmbewegungen besteht. Doch giebt es auch *Harpactiden* mit mehr verschmälertem Abdomen, und diese schliessen sich dann auch in der Art ihrer Locomotion an *Cyclops* an. Die vordern Antennen bleiben kurz, weniggliedrig, höchstens aus 8 oder 9 Gliedern zusammengesetzt und überragen niemals beträchtlich die Länge des vordern Körperabschnittes, an einem der mittlern, gewöhnlich dem vierten Gliede tragen sie einen sehr umfangreichen blassen Faden von säbelförmiger Gestalt, der als geisselartiger Anhang angesehen werden konnte (Liljeborg). Im männlichen Geschlechte sind sie rechts sowohl als links zu kurzen aber kräftigen Fangarmen umgebildet, an denen der säbelförmige Faden deutlich erhalten bleibt. Die hintern Antennen bestehen nur aus zwei oder drei Abschnitten, von denen der letzte wahrscheinlich zwei Gliedern entspricht und stets an der Spitze eine Anzahl kräftiger knieförmig gebogener Greifborsten trägt. Was diese schon schärfer als Klammerorgane ausgeprägten Gliedmaassen aber vorzugsweise von denen der *Cyclopiden* unterscheidet, ist der Besitz eines Nebenastes, der an der Spitze des Basalgliedes, oder falls dieses mit dem zweiten Gliede verschmolzen ist, in der Mitte des langgestreckten Basalabschnittes aufsitzt. In der Regel bleibt der Nebenast sehr schmächtig und rudimentär, einfach oder zweigliedrig, in einzelnen Fällen

1) Conspectus crustaceorum etc.

aber erreicht er eine ansehnliche Grösse und kann in vier (*Tisbe*), ja sogar in sechs Ringe (*Longipedia*) zerfallen, so dass er an Umfang dem entsprechenden Theile der *Calaniden* kaum nachsteht. Die Kiefer besitzen wohl entwickelte Kautheile, dagegen verkürzte und verkümmerte Taster, an denen in der Regel beide Aeste deutlich nachweisbar bleiben, aber doch selten eine ansehnliche Grösse erlangen. Die Kieferfüsse sind in der Regel obere und untere, selten (*Euterpe*) äussere und innere. Die obern (äussern) nähern sich den entsprechenden Gliedmaassen von *Cyclops*, tragen indess gewöhnlich am Innenrande eine grössere Anzahl lanzettförmiger mit Zähnen und Borsten besetzter Glieder, während sich häufig das dem grossen Hakengliede folgende Endglied auf einen Bündel von Borsten beschränkt. Einfacher, aber umfangreicher und kräftiger gestaltet sich der untere (innere) Maxillarfuss, an dem wir einen kürzern oder längern, selten in zwei Glieder getheilten Stiel, ein Mittelstück (Handhabe des Hakens) und endlich einen Greifhaken unterscheiden, welcher gegen das Mittelstück wie die Klinge eines Taschenmessers gegen den Schaft eingeschlagen wird. Von den Schwimmfüssen, welche häufig eine ausserordentlich schmale und gestreckte Form erhalten (*Longipedia, Amymone*), ist das vordere Paar in der Regel abweichend gebildet, indem es in sehr verschiedenen Zwischenstufen zu dem Bau und der Leistung von Kieferfüssen überführt. In einigen Fällen differiren die Schwimmfüsse des dritten Paares nach dem Geschlechte; während sie beim Weibchen den normalen Bau beibehalten, tragen sie im männlichen Geschlechte einen kurzen mit einer Scheere endigenden Innenast. Die Füsse des fünften Paares, welche niemals ganz hinwegfallen, schliessen sich in sofern an die der *Cyclopiden* an, als sie aus einem Basalglied und einem Endgliede bestehen, erreichen aber durch die Umgestaltung ihrer Abschnitte zu breiten blattförmigen Lamellen einen viel bedeutendern Umfang. Was sie ferner von den rudimentären Füsschen der erstern Familie unterscheidet, ist ihre grössere Betheiligung an den Geschlechtsthätigkeiten, indem sie häufig die Eiersäckchen tragen und schützen, beim Männchen in seltenen Fällen sogar zu Hülfsorganen der Begattung werden. Den abweichenden Leistungen entspricht die nach beiden Geschlechtern differente Form; beim Weibchen erreichen die Platten einen grössern Umfang, namentlich die innere aus dem Basalgliede hervorgegangene Lamelle, welche im männlichen Geschlechte stets zurücktritt. Dagegen kann beim Männchen der äussere Rand des Basalgliedes, welcher gewöhnlich einen zipfelförmigen mit Borsten besetzten Fortsatz bildet, in einen kräftigen gekrümmten Haken auslaufen. Endlich verdient unter den Charakteren der *Harpactiden* die Form der Furca berücksichtigt zu werden, welche sich durch Kurze und Gedrungenheit auszeichnet. Von ihren Endborsten treten die äussern und innern sehr zurück oder fehlen ganz, während die beiden mittleren eine bedeutende Länge erreichen. Die innere Organisation verhält sich ähnlich, wie bei den *Cyclopiden*. Das Auge bildet einen Xförmigen medianen mit zwei seitlichen Krystallkugeln besetzten Pigmentfleck, zu welchem indess häufig noch ein vorderer Pigmenttheil mit einer Krystallkugel hinzukommt. In andern Fällen wird die Zahl der seitlichen Krystallkugeln eine grössere. Ein Herz fehlt, die Ausführungsgänge der Ovarien entwickeln sich in paariger Symmetrie, setzen sich zuweilen bis in die hintern Segmente des Abdomens fort und münden auf der Bauchfläche am vordern Abschnitte des Hinterleibes, an welchem in der Regel ein einfaches Eiersäckchen getragen wird. Der männliche Geschlechtsapparat dagegen ist in den meisten mir bekannten Fällen unpaar. Die *Harpactiden* leben weniger auf der Höhe des Meeres, als zwischen *Algen, Tangen, Sertularinen,* nur wenige halten sich im süssen Wasser auf und werden dann am häufigsten in seichten Bächen zwischen Wasserpflanzen angetroffen.

Uebersicht der Gattungen.

Die hintern Antennen entbehren des Nebenastes und sind dreigliedrig. Körperform sehr lang und dünn, fast borstenförmig . . . . 12. **Setella.**

- Die hintern Antennen mit Nebenast. Körper linear, mehr oder minder *Cyclops*-ähnlich.
  - Erstes Fusspaar zum Schwimmen dienend, den nachfolgenden ähnlich.
    - Beide Aeste des ersten Fusspaares eingliedrig. Körper rund scheibenförmig . . . . 4. **Amymone.**
    - Beide Aeste zweigliedrig . . . . 1. **Euterpe.**
    - Beide Aeste dreigliedrig.
      - Nebenast der hindern Antennen sehr schmächtig, die drei hintern Paare der Schwimmfüsse gleichartig . . . 3. **Tachidius.**
      - Nebenast der hintern Antenne sehr umfangreich, sechsgliedrig. Der innere Ast des 2. Fusspaares springstangenförmig verlängert . . . . . . 2. **Longipedia.**
    - Beide Aeste des ersten Fusspaares wenig verschieden, dreigliedrig, der innere längere am Ende des ersten sehr gestreckten Gliedes knieförmig gebogen, mit schwachen Borsten. Unterer Maxillarfuss schmächtig. Mandibularpalpus einfach, zweigliedrig 7. **Canthocamptus.**
    - Der innere Ast dünn, zweigliedrig, mit einem Greifhaken an der Spitze, der äussere dreigliedrig, sehr kurz und dünn. Unterer Maxillarfuss von mittlerer Länge. Mandibularpalpus einfach zweigliedrig . . . . 8. **Cleta.**
    - Beide Aeste dreigliedrig, ziemlich kräftig, mit ansehnlich entwickelten fingerförmigen Greifborsten; der innere mit sehr gestrecktem Basalgliede und zwei (selten einem einzigen) kurzen Endgliedern. Mandibulartaster kurz, zweiästig. Unterer Maxillarfuss von mittlerer Grösse . . . . 9. **Dactylopus.**
  - Erstes Fusspaar von den nachfolgenden Schwimmfüssen abweichend, mehr oder minder modificirt, zugleich als Kieferfuss zum Greifen dienend.
    - Die Aeste bilden beträchtlich verlängerte Greiffüsse; der äussere Ast dreigliedrig, mit sehr kurzem ersten und dritten Gliede, aber sehr gestrecktem Mittelgliede, der innere dreigliedrig, selten zweigliedrig, ziemlich so lang als der erstere. Mandibulartaster zweiästig, mehrfach gelappt. Unterer Maxillarfuss mit kräftiger grosser Greifhand. Die Füsse des fünften Paares beim Weibchen meist zu umfangreichen Deckblättern des Eiersäckchens verbreitert . . . . 10. **Thalestris.**
    - Die Aeste bilden ansehnliche Greiffüsse; der innere Ast zweigliedrig, der äussere dreigliedrig, fast doppelt so lang, mit sehr langgestrecktem ersten und zweiten Gliede. Sein Endglied rudimentär durch eine Anzahl Haken vertreten. Mandibulartaster zweiästig. Unterer Maxillarfuss mit kräftiger Greifhand 11. **Harpacticus.**
    - Die Aeste sind Schwimm- und Greiffüsse, der äussere kürzere dreigliedrig, der innere zweigliedrig. Ihre Greifborsten kräftig, mit Hautsäumen besetzt. Die hintere Antenne mit umfangreichem viergliedrigen Nebenast. Körper ziemlich breit, vom Rücken nach dem Bauche zusammengedrückt . . . . 5. **Tisbe.**
    - Der äussere Ast eingliedrig, sehr kurz, mit dicken, fingerförmigen Borsten besetzt. Der innere zweigliedrig, mit verlängertem Basalgliede . . . . 6. **Westwoodia.**

1. Euterpe n. g. (Taf. XIV. Fig. 1—13.)

Antennae anticae 7 articulatae. Antennarum posticarum ramus secundarius maris validus uncinatus. Maxillipedes interni elongati, unco tenui armati. Pedum primi paris rami ambo biarticulati, maris ramus internus articulatione media flexus. Abdomen feminae et maris 5 articulatum.

Ich stelle diese Gattung nach einer kleinen Helgolander Form auf, deren genauere Untersuchung eine Reihe von Eigenthümlichkeiten in den Mundtheilen und Gliedmaassen ergab. Anfangs hielt ich dieselbe für eine marine *Cyclops*-Art bei der relativen Breite des Cephalothorax, doch machten die hintern zweiästigen Antennen, ferner die Bildung der Mundtheile und der rudimentären Füsschen die Aufnahme unter den *Harpactiden* nothwendig. Die Gliederung des Leibes ist vollzählig (Fig. 1 und Fig. 10), und der erste Abschnitt des Abdomens durch eine Quercontour in seine beiden Segmente zerlegt. Die vordern Antennen ergeben sich im weiblichen Geschlechte als siebengliedrig, auch hier ist es wiederum das vierte Glied, welches einen langen zarten Anhang trägt, der ebenso wie zwei kürzere blasse Fäden an der Spitze des siebenten Gliedes in die Kategorie der Leydig'schen Organe gehört (Fig. 2). Beim Männchen bilden beide Antennen Greiforgane von eigenthümlicher Form. Ihr Basalabschnitt ist ebenfalls viergliedrig, aber weit gedrungener als der entsprechende Theil der weiblichen Antenne und wiederum mit dem charakteristischen blassen Cylinder; die zwei folgenden Glieder sind zu einem langen aufgetriebenen Stück verschmolzen, gegen welches das zugespitzte Endglied klauenförmig eingeschlagen werden kann (Fig. 10). Die zweiten Antennen stimmen mit denen von *Canthocamptus* nahezu überein, doch scheint das Basalstück vor der Einlenkung des Nebenastes schärfer abgesetzt zu sein. Der Nebenast verhält sich aber in beiden Geschlechtern verschieden. Beim Weibchen (Fig. 3) ist er klein und schmächtig, mit vier zarten Borsten besetzt, ohne nachweisbare Gliederung, beim Männchen dagegen (Fig. 11) viel umfangreicher, freilich auch ungegliedert, aber mit grössern gekrümmten Borsten und einem hakenförmigen Fortsatz versehen, der ohne Zweifel bei der Begattung die Function der vordern Antenne unterstützt. Wir haben in diesem Greifhaken der hintern Antennen eine Einrichtung, die sich am besten mit den gekrümmten Fortsätzen an den Tastantennen und Vorderfüssen der *Daphniden* vergleichen lässt, durch welche sich die Männchen vor den Weibchen auszeichnen. Die Mandibeln (Fig. 4) sind kurz und gedrungen, mit breiten, stumpfen Zähnen und kurzem, aber zweiästigen Taster. Sehr schön und scharf gefiedert stellt sich der Taster der Maxillen dar (Fig. 5), derselbe ist zweiästig, mit einem vordern eingliedrigen Nebenaste, dessen Spitze in eine leicht gekrümmte Borste ausläuft, und einem stärkern Hauptaste, der sich am Ende wieder in zwei Glieder spaltet. Die beiden Maxillarfüsse sind innere und äussere (Fig. 6), wie Aeste eines Gliedmaassenpaares neben einander eingelenkt. Der äussere (Fig. 7) schliesst sich dem obern Maxillarfuss von *Canthocamptus* an, trägt aber am Basalabschnitte nicht zwei, sondern drei lanzettförmige Anhänge. Der innere ist sehr schmächtig, langgestreckt und dreigliedrig mit einer hakenförmig gekrümmten Greifborste an der Spitze. Wie bei *Canthocamptus* trägt auch hier das erste Fusspaar (Fig. 8) noch vollständig den Charakter des Ruderfusses, besteht aber im Gegensatz zu den nachfolgenden Extremitäten aus zweigliedrigen Aesten, von denen der innere beim Männchen knieförmig eingeknickt und umgebogen wird (Fig. 12). An den drei folgenden Schwimmfüssen sind die innern Aeste kürzer und schmächtiger als die äussern. Sehr eigenthümlich und in beiden Geschlechtern verschieden verhält sich das fünfte Fusspaar am letzten, schmalen Thoracalringe. Beim Weibchen bildet dasselbe eine schmale langgestreckte Doppelplatte, mit befiederten Dornen am Ende und am äussern Rande. Beide Hälften stossen in der Mittellinie zusammen und bedecken fast vollständig die untere Fläche der beiden vereinigten Abdominalsegmente (Fig. 9 und Fig. 1 *k*). Im männlichen Geschlechte spitzt sich diese Doppelplatte, die nur bis über das erste Abdominalsegment reicht und in dem Zwischenraume der beiden Vorsprünge oberhalb der Geschlechtsöffnung endet, ausserordentlich zu und erscheint in der Medianlinie grossentheils verschmolzen (Fig. 13).

Da mir nur eine einzige Art bekannt geworden ist, wird die Sonderung der Artcharaktere von den Gattungsmerkmalen kaum ausführbar. Ich sehe mich daher bei der Charakterisirung unserer Art, die ich als *gracilis* benenne, auf folgende Angaben beschränkt:

1) **E. gracilis** n. sp. (Fig. 1—13.)

Körper ohne die Schwanzborsten 0,7 mm lang. Kopfspitze in einen langen sanft gekrümmten zahnförmigen Schnabel auslaufend. Antennen siebengliedrig, kürzer als der vordere Leibesabschnitt. Abdomen nicht länger als die drei mittleren Thoracalsegmente und vom fünften Thoracalsegment nicht scharf abgesetzt. Furca nach dem Ende zu verschmälert etwas länger als der letzte Leibesring und mit zwei Endborsten von mittlerer Grösse. Helgoland.

2. Longipedia n. g. (Taf. XIV. Fig. 14—24.)

Corpus lineare, longirostratum. Antennae anticae breves, arcuatae, 5 articulatae. Antennarum posticarum ramus secundarius magnus, 6 articulatus. Partes manducatoriae iisdem Calanidum similes. Rami pedum interni et externi 3 articulati, primi paris perbreves, secundi paris ramus internus magnopere elongatus. Pedum quinti paris pars basalis unco permagno armata. Abdomen et feminae et maris 5 articulatum.

Auch diese Gattung muss ich nach einer einzigen Species aufstellen, die sich durch zahlreiche interessante Eigenthümlichkeiten ihres Baues von allen andern mir bekannten Gattungen entfernt. Während sie sich einerseits in dem ganzen Habitus den *Canthocampten* anschliesst, bildet sie durch die Form der Mundtheile einen Uebergang zu den *Calaniden*. Der Körper ist sehr langgestreckt, von vorn nach hinten allmählich verschmälert. Die kurzen Antennen (Fig. 15) bestehen aus fünf Gliedern, von denen die beiden ersten die umfangreichsten sind, und tragen beim ♂ und ♀ in dichter Stellung längere befiederte Borsten und stumpfe mit zahlreichen Seitenhäkchen besetzte Dornen. Die untern Antennen (Fig. 16) erinnern durch die ansehnliche Entwicklung ihrer beiden Aeste an die homologen Ruderantennen der *Daphniden*. Man wird sich ihre Form wohl am besten in der Weise erklären, dass man das umfangreiche Basalstück in Verbindung mit dem dreigliedrigen innern Aste auf den Hauptstamm (die viergliedrige Antenne der *Cyclopiden*) zurückführt und dann den obern sechsgliedrigen Ast, der zwar von geringerer, aber noch immer sehr ansehnlicher Grösse ist, als den Nebenast auffasst. Bei einem solchen Bau dienen unsere Antennen wie die der *Calaniden* zum Rudern, aber auch, wie man an den gekrümmten Endborsten des Hauptstammes sieht, zum Anklammern an fremden Körpern. Die Mandibeln (Fig. 17) sind gedrungen, stumpfzähnig und tragen einen ansehnlichen zweiästigen Palpus, der schon vollständig die Theile des Mandibulartasters der *Calaniden* erkennen lässt. Ebenso weist der Maxillartaster (Fig. 18) durch seine flächenhafte Form und Gliederung auf die *Calaniden* hin. An diesem sehe ich den vordern mit rückwärts gekrümmten Borsten besetzten Anhang als den Nebenast, die breite Fläche aber mit drei lappenförmigen Ausläufern als den Hauptstamm an. Von den Maxillarfüssen zeichnet sich der obere (Fig. 19) durch eine beträchtliche Vermehrung der lanzettförmigen Anhänge aus, welche theils mit Haken, theils mit Borsten ausgestattet sind. Der untere (Fig. 20) erscheint verkürzt und massig, schwillt nach dem Ende zu keulenförmig an und besteht wie der entsprechende Maxillarfuss der *Harpactiden* aus zwei Abschnitten, die am innern Rande in dichter Gruppirung befiederte Borsten tragen, aber an der Spitze des hakenförmigen Fortsatzes entbehren. Das erste Fusspaar (Fig. 21) tritt als durchaus normaler Schwimmfuss auf, mit zwei dreigliedrigen aber kurzen und schmächtigen Aesten. Dagegen ist das nachfolgende, zweite Fusspaar (Fig. 22) in auffallender Weise durch eine Verlängerung des inneren Astes zu einer Art von Springfuss umgebildet. Wie eine Springstange ragt dieser Ast zwischen den benachbarten Ruderfüssen vor und dient, wenn nicht wie die hintern Abdominalfüsse der *Amphipoden* unmittelbar zum Springen, doch zu einer bestimmten Modification der Ortsbewegung. Das letzte Fusspaar (Fig. 24) besitzt ein relativ gestrecktes Basalglied mit einem innern lanzettförmigen, gezähnelten Fortsatz und einem äussern hakenförmig gekrümmten Anhang, der zum Festhalten des einfachen Eiersäckchens verwendet und beim Männchen durch eine einfache Borste ersetzt wird. Zwischen beiden lenkt sich ein grosses langgestrecktes Endglied ein mit kräftigen Borsten an der Spitze und am innern Rande. Am Abdomen des Weibchens unterbleibt die Verschmelzung der untern beiden Segmente, und man sieht in der Mitte des erstern eine einfache mediane Geschlechtsöffnung (Fig. 14). Versuchen wir es, die Speciescharaktere unserer Form, die ich in Helgoland und Neapel beobachtet habe, von den generischen zu sondern, so würden vielleicht die folgenden Angaben zur Unterscheidung ausreichen.

1) **L. coronata** n. sp. (Fig. 14—24.)

Körper langgestreckt, circa $1\frac{1}{4}$ mm lang, ganz allmählich sich nach hinten verengernd. Die vordern Antennen fünfgliedrig, sehr dicht mit befiederten Anhängen besetzt, kreisförmig gekrümmt, wie ein Kranz dem Kopfe anliegend. Der Schnabel bildet eine lange trianguläre Platte. Der innere Ast des zweiten Fusspaares ausserordentlich verlängert. Die beiden letzten Abdominalsegmente kurz, jedes kaum halb so lang als das vorhergehende. Von den beiden Endborsten der ziemlich gestreckten Furca erreicht die äussere fast die Länge des Abdomens und wird von der innern noch um die Hälfte überragt. Helgoland und Neapel.

3. Tachidius[1], Lilj. (Liljeborg, De crustaceis ex ord. etc. pag. 195).

Leider sind mir keine Formen, welche auf diese Gattung Bezug haben, zur Beobachtung gekommen; ich muss mich daher auf die Angaben Liljeborg's beziehen und aus ihnen die Stel-

---

1) Liljeborg giebt folgende Diagnose: *Caput cum thorace conjunctum, rostratum. Abdomen thorace angustius, 5 vel 6 annulatum. Antennae 1 paris breves, flagello carentes, apud marem vero postice appendicem membranaceam et vesiculiformem gerentes, apiceque unguiculato. Antennae 2 paris minutae, biramosae, ramo uno minore. Palpus mandibulorum biramosus, ramo uno biarticulato, altero minore uniarticulato. Maxillae 1 paris lobulis 3, setas ex parte validas gerentibus, compositae videntur. Maxillae 2 et 3 paris inter se fere similes, 3 articulatae, articulo tertio ungue longo gracili et parum arcuato formato. Pedum quatuor paria priora inter se similia, ramis ambo 3 articulatis; 5 par fere evanescens, tantummodo lamina minuta setifera formatum. Oculus unicus. Sacculus oviferus unicus. Corporis forma Cyclopem refert.*

lung und das Verhältniss der Gattung zu den Verwandten soweit als möglich zu bestimmen suchen. Als der wesentlichste Charakter möchte jedenfalls die Bildung des ersten Fusspaares hervorzuheben sein, welches den nachfolgenden gleich aus zwei dreigliedrigen Aesten zusammengesetzt wird, also eigenthümlicher Abweichungen vollständig entbehrt. In dem Bau der vordern Thoracalgliedmaasse würde also *Tachidius* mit der Gattung *Longipedia* übereinstimmen, bei der allerdings diese Extremität ausserordentlich kurz ist. Die Gliederung des Körpers und die Antennenbildung scheint in beiden Geschlechtern normal zu sein. Merkmale, aus denen die Unterschiede von *Longipedia* hervorgehen, bieten die hintern Antennen und Mundtheile. Die Antennen sind zweiästig, mit einem kleinen Nebenaste (LILJEB. Taf. XXII. Fig. 13). Der Mandibularpalpus ist ebenfalls zweiästig, mit einem grössern zweigliedrigen und einem kleinern eingliedrigen Aste (LILJEBORG Taf. XXVI. Fig. 17). Die Maxillen (wohl nicht ausreichend untersucht) scheinen aus drei Lappen zusammengesetzt, die zum Theil sehr starke Borsten tragen. Die Maxillarfüsse endlich sind, wie bei *Tisbe*, einander ähnlich, dreigliedrig, das dritte Glied zu einer langen wenig gekrümmten Klaue umgestaltet.

Für die einzige durch LILJEBORG bekannte Art »*Tachidius brevicornis*« wird es mir unmöglich, die specifischen Charaktere aus der Beschreibung des Autors zu sondern, da ich nicht weiss, ob LILJEBORG's Darstellung auf die mir zur Artbegrenzung wichtig scheinenden Eigenthümlichkeiten genaue Rücksicht genommen hat. Mit Recht verweist endlich jener Forscher noch auf BAIRD's *Canthocamptus minuticornis*, welcher durch die Uebereinstimmung des ersten Fusspaares mit den nachfolgenden Gliedmaassen und deren Zusammensetzung aus zwei dreigliedrigen Aesten zu *Tachidius* zu gehören scheint.

1) **T. brevicornis**[1]. (*Cyclops brevicornis* MÜLLER Zool. Dan. Prod. *Tachid. brevicornis* LILJEBORG De Crust. etc.)

(Taf XXII. Fig. 12—16, Taf. XXIII. Fig. 1, Fig. 2 und Fig. 9, Taf. XXVI. Fig. 17 u. Fig. 18.)

4. Amymone CLS. (CLAUS, Beiträge zur Kenntniss der Entomostraken H. I. p. 11).
(Taf. XX.)

Corpus compressum, sphaericum, abdomine perbrevi. Palpus mandibulorum et maxillarum uniramosus, bi-vel triarticulatus. Maxillipedes inferiores fortes, manu subcheliformi instructi. Pedes primi paris natatorii, ramis uniarticulatis.

Bekanntlich hielt O. F. MÜLLER die *Cyclops*-Larven für ausgebildete, specifisch verschiedene Arten und fasste die jüngsten Stadien mit kuglig gedrungenem Körper und drei Gliedmaassenpaaren in seinem Genus »*Amymone*«, die etwas ältern Formen, mit einem vierten Gliedmaassenpaare unter dem Gattungsnamen »*Nauplius*« zusammen. Diese Gattungen mussten natürlich, nachdem sie auf Jugendstadien zurückgeführt, wieder eingehen, ähnlich wie die vermeintlichen Genera *Pluteus, Strobila, Scyphistoma* und zahlreiche andere. Wie wir aber an diesen letztern Bezeichnungen, obwohl sie ihren ursprünglich systematischen Werth verloren haben, festhalten, theils aus

1) BAIRD citirt als identische Form MÜLLER's Cycl. minuticornis. Ein Blick auf die Abbildung (MÜLLER's Entomostraca Taf. XIX. Fig. 15) reicht jedoch zur Widerlegung der vermeintlichen Identität aus, da man an MÜLLER's Form sofort die Umbildung der ersten Füsse zu Greiffüssen erkennt; dieselbe gehört vielmehr zur Gattung *Cleta*.

Gründen der geschichtlichen Entwicklung, theils aus dem wirklichen Bedürfnisse für das Gesammtbild einer bestimmten Entwicklung einen Ausdruck zu besitzen, so habe ich auch früher schon die Bezeichnung *Nauplius* für die jüngern Larven vor der Umbildung zur *Cyclops*-Form gebraucht. Den Namen *Amymone* aber glaubte ich nicht unpassend als Gattungsnamen für eine Reihe von ausgebildeten See-*Copepoden* verwenden zu können, welche trotz vollzähliger Entwicklung aller Gliedmaassen durch die gedrungene runde Körperform an die jüngsten Jugendstadien erinnern. Damals war mir nur eine einzige Nizzaer Art und zwar nur im männlichen Geschlechte bekannt, gegenwärtig bin ich im Stande, von vier verschiedenen Arten der Nordsee und des Mittelmeeres Beschreibungen mitzutheilen und die Lücken und Mängel der ursprünglichen Darstellung zu ergänzen und zu berichtigen.

In der allgemeinen Körperform dieser Gattung treffen wir geradezu das Extrem zu der langgestreckten linearen *Setella*, mit der sie allerdings die seitliche Compression gemeinsam hat. Indem sich der Cephalothorax verkürzt und in der Richtung vom Rücken nach der Bauchfläche mächtig ausdehnt, indem sich ferner das schmale und verkümmerte Abdomen nach vorn umschlägt, bietet der Leib in der Seitenlage einen fast runden, kreisförmigen Umriss dar (Fig. 9). Kuglig kann man denselben indess keineswegs nennen, vielmehr erscheint er bei der stark ausgeprägten seitlichen Compression scheiben- oder tellerförmig. Kopf und Thorax sind mit einander verschmolzen, ihre Grenze aber häufig durch eine quere Chitinleiste bezeichnet. Ferner verdient hervorgehoben zu werden, dass das letzte Thoracalsegment häufig nicht mehr von dem vordern Abdominalabschnitt zu scheiden ist, sondern mit diesem Theile, der beim Männchen aus dem ersten Abdominalsegment, beim Weibchen aus dem ersten und zweiten besteht, eine innige Verbindung eingeht. Die auf diesen grossen und erweiterten Abschnitt folgenden drei letzten Abdominalringe sind ausserordentlich verkürzt und in einander geschoben, sodass man sie erst unter der stärksten Vergrösserung als getrennte Segmente unterscheidet. Es würde also für die Zahl der Leibessegmente nur der Ausfall des fünften Thoracalsegmentes als gesonderten Ringes eine Verminderung bewirken. Der Panzer selbst zeichnet sich durch eine ansehnliche Dicke und hiermit im Zusammenhang durch den Besitz grösserer und kleinerer Porencanäle aus (Fig. 1). Die vordern Antennen sind gestreckt, namentlich beim Männchen, wo sie beide mit knieförmigen Gelenken versehen sind. Auch an ihnen treffen wir wiederum am vierten Gliede den für die *Harpactiden* charakteristischen Anhang. Die hintern Antennen bestehen aus drei langgestreckten Abschnitten mit kräftigen, zum Anklammern dienenden Endborsten und tragen einen kurzen eingliedrigen oder zweigliedrigen Nebenast am Ende des ersten Abschnittes. Von den Mundtheilen sind die Taster der Mandibeln und Maxillen langgestreckt, aber einästig und zweigliedrig (Fig. 2 und 3). Die obern Kieferfüsse entbehren der lanzettförmigen Anhänge am innern Rande des Basalgliedes bis auf einen einzigen kurzen Fortsatz, der überdies nicht einmal in allen Arten vorhanden zu sein scheint. Ihr Endabschnitt bildet eine Art Scheere (Fig. 4). Am kräftigsten entwickelt sich der untere Maxillarfuss, den ich früher unrichtigerweise für den ersten Thoracalfuss hielt. Er entspricht in seiner Lage und Bildung genau dem Greiffuss von *Harpacticus* und besteht aus zwei Abschnitten, von denen der basale den langen stielförmigen Träger, der zweite dagegen die breitere, mit einer Klaue versehene Hand darstellt (Fig. 5). Dass ich diesen Greiffuss früher für einen Ast des ersten Fusspaares halten konnte, erklärt sich mir jetzt aus der versteckten Lage des letztern, welches am untern Theile des unverhältnissmässig breiten vordern Leibesabschnittes eingelenkt mehr oder minder von den drei nachfolgenden, seitlich nach vorn gerichteten Schwimmfusspaaren bedeckt wird. Das erste Paar der Thoracalfüsse aber unterscheidet sich sehr bestimmt von den nachfolgenden durch die Kürze der eingliedrigen Ruderäste (Fig. 6) und wurde von mir in der ersten Arbeit wahrscheinlich übersehen. Die fünften rudimentären Füsse bieten in beiden Geschlechtern wesentliche Abweichungen. Während sie beim Männchen den vorhergehenden sehr langgestreckten Ruderfüssen ähnlich, aber einästig und meist dreigliedrig erscheinen, sind die weiblichen zu breiten blattförmigen Lamellen umgebildet, welche dazu dienen, die zwischen dem Cephalothorax und dem vordern Abschnitte des Abdomens befindliche Lücke seitlich zu umgrenzen. In ihrem Baue schliessen sie sich streng den hintern Gliedmaassen der *Harpactiden* an, werden aber nicht wie dort über die obere Fläche des Eiersäckchens horizontal ausgebreitet, sondern quer nach oben emporgerichtet. Auf diese Weise umgrenzen sie die Seitenflächen des Eiersäckchens, welches wie in einem Brutraume eingeschlossen liegt. Von den innern Organen tritt vor Allem das grosse dreilappige Auge hervor, dessen nähere Beschaffenheit auch unter den Gattungscharakteren erwähnt zu werden verdient. Wie bei *Tisbe* etc. gehen in seine Bildung nicht zwei, sondern drei Pigmentkörper ein, ein mittlerer unpaarer, mit grosser nach vorn gerichteter glasheller Kugel, und zwei seitliche, deren lichtbrechende Kugeln seitwärts aufsitzen. Die Eier sind gross, nur wenige zu einem Säckchen vereint sind im Brutraume eingeschlossen.

1) **A. sphaerica** n. sp. (Fig. 1—9.)

Körper mehr oder minder kreisförmig, $^1/_3 - ^1/_2$ mm lang. Die weiblichen Antennen sechsgliedrig, die männlichen siebengliedrig, letztere mit dreigliedrigem gedrungenen Endabschnitt. Der obere Kieferfuss mit kurzem untern Scheerengliede und ohne den rudimentären Anhang an dem Basalgliede. Der Endabschnitt des Greiffusses gestreckt. Das fünfte Fusspaar des ♀ sehr breit und blattförmig. Der vordere Abschnitt des Abdomens sehr weit aufgetrieben mit grossem Spermatophorenbehälter und zackigen Fortsätzen an der ventralen Fläche. Die zwei Endborsten der Furcalglieder kurz, von gleicher Grösse. Helgoland, Neapel.

2) **A. satyra** Cls. (Claus, Beiträge zur Kenntniss etc. Hft. I. p. 11. Taf. III. Fig. 30, 31.)

Körper etwas gestreckter, zarter, circa $^1/_3$ mm lang. Die männlichen Antennen neungliedrig, mit langem und dünnem fünfgliedrigen Endabschnitt. Die obern Kieferfüsse mit einem grossen befiederten Innengliede der Scheere und einem kurzen Anhang am Basalgliede. Der vordere Rand des vordern umfangreichen Abdominalabschnittes nur mit einem untern zackenförmigen Ausläufer. Furca ansehnlich entwickelt. Nizza.

3) **A. neapolitana** n. sp. (Fig. 12.)

Körper kaum $^1/_3$ mm lang. Die Antennen des Weibchen gestreckt und dünn, achtgliedrig. Der Nebenast der hintern Antennen zweigliedrig. Der Basalabschnitt des Abdomens wenig erweitert in einen langen untern Fortsatz ausgezogen, auf welchem das Eiersäckchen ruht. Fünftes Fusspaar blattförmig (Fig. 12), aber mit einem fast cylindrischen schmalen Aussengliede. Die Furcalglieder sehr kurz und verkümmert. Unter den Endborsten ragt eine längere hervor.

Neapel.

4) **A. harpactoides** n. sp. (Fig. 10 und 11.)

Körper nach hinten zugespitzt und verlängert. Vordere Antenne sehr gestreckt, beim Weibchen neungliedrig. Der Nebenast der hintern Antennen zweigliedrig. Das fünfte Thoracalsegment deutlich vom Abdomen abgegrenzt. Der vordere Abschnitt des Abdomens kaum erweitert, das fünfte Fusspaar des Weibchens schmal, fast lanzettförmig. Die hintern Abdominalsegmente ziemlich hoch, die Furcalglieder breite Lamellen mit einer längern Borste. Die Eier scheinen unter dem ersten Fusspaare getragen zu werden. Messina.

5. **A. longimana** n. sp. (Fig. 13, 14.)

Körper fast eiförmig nach hinten zugespitzt, circa $\frac{1}{3}$ mm lang. Vordere Antennen des Weibchens breit und sechsgliedrig. Die untern Kieferfüsse sehr lang mit gegliedertem Basalstück, triangulärer Handhabe und langer kräftiger Klaue. Helgoland.

5. **Tisbe** Lilj. (Liljeborg, De Crustaceis ex ordinibus etc. p. 191. Taf. XXV.)
Canthocamptus Baird; *Cyclopsine* M. Edw.; *Nauplius* Phil.; *Canthocarpus* Baird.
(Taf. XV. Fig. 1—10.)

Corpus paulo depressum, Antennae anticae 7 vel 8 articulatae, posticae ramo secundario magno 4 articulato. Mandibulae nec minus maxillae longe porrectae. Maxillipedes superiores et inferiores inter se similes, uncinati. Pedum primi paris ramus internus longior, 2 articulatus, externus brevis 3 articulatus. Pedes postici elongati. Abdomen 5 articulatum.

Liljeborg's sorgfältige Untersuchungen machten es unzweifelhaft, dass der zuerst durch Baird näher bekannt gewordene *Canth. furcatus* von den übrigen *Canthocampten* generisch verschieden ist. Schon die gesammte Körperform weicht zu auffallend von jenen ab, als dass nicht auch eine Summe von charakteristischen Differenzen in dem Bau der Organe und Anhänge zu erwarten gewesen wäre. Im Gegensatz zu einem linearen, mehr seitlich comprimirten Leibe haben wir (Fig. 1) einen immerhin langgestreckten aber halb flachen, vom Rücken nach dem Bauche zusammengedrückten Körper, der gewissermaassen zu der Familie der *Peltidien* hinüberführt. Die Körpergliederung ist vollzählig, Kopf und erstes Thoracalglied sind verschmolzen, aber beim Weibchen die zwei ersten Segmente des Abdomens getrennt. Die Antennen zeichnen sich durch die gestreckte Form der vier untern Glieder aus, von denen das vierte das zarte Sinnesorgan als langen, säbelförmigen Anhang trägt. Die männlichen Antennen weichen nur wenig von denen des Weibchens ab, auch sie tragen am vierten Gliede den säbelförmigen Anhang, aber ihr Endabschnitt kann in zwei knieförmigen Articulationen zusammengeschlagen werden (Fig. 7). Die untere Antenne (Fig. 2) mit dreigliedrigem Hauptstamm und eingeknickten Klammerborsten an der Spitze zeichnet sich durch die Grösse des viergliedrigen Nebenastes aus, welcher am Ende des Basalgliedes aufsitzt. Ausserordentlich langgestreckt erscheinen die Oberlippe, die Mandibeln und Maxillen (Fig. 4). Erstere bildet eine grosse, nach dem mit Zähnen besetzten Vorderrande verschmälerte Platte. Zu beiden Seiten derselben breiten sich die Mandibeln aus, deren Kautheil an der vordern Fläche in eine Anzahl spitzer Zähne ausläuft und vom Basalabschnitt, dem Träger des Palpus, fast rechtwinklig abgesetzt ist (Fig. 3). Der Palpus besteht aus einem Basalgliede und zwei langen cylindrischen, aber ungegliederten Aesten. Die mit einem ähnlichen Palpus versehenen Maxillen liegen an der Aussenseite neben der ganzen Länge der Mandibeln ausgestreckt. Die beiden Kieferfüsse endlich sind gleichartig gebildete Greiffüsse, deren verkürzte Basalglieder sich schräg neben einander am Skelete einlenken (Fig. 4). Die vordern Thoracalfüsse (Fig. 5) dürfen wohl in Form und Leistung als Maxillarfüsse angesehen werden, indem beide Aeste zum Greifen dienen. Der äussere dreigliedrige Ast erreicht kaum die halbe Länge des innern und trägt an der Spitze des sehr kurzen Endgliedes eine Anzahl bartförmig befiederter Borsten. Der innere Ast dagegen besteht nur aus zwei sehr lang gezogenen Abschnitten, von denen der letzte mit zwei scheerenförmig gegen einander gestellten befiederten Haken endet.

Das fünfte Fusspaar hat bei der geringen Entwicklung des Basalgliedes und der Streckung des beweglich eingelenkten Endgliedes die flächenhaft ausgebreitete lamellöse Form ganz verloren, und liegt auch hierin eine Annäherung zu manchen *Peltidien* (Fig. 8 und 9) vor.

Bezüglich der innern Organisation verdient zunächst die Gestalt des Auges (Fig. 10) hervorgehoben zu werden. An diesem lassen sich drei Abschnitte mit grossen lichtbrechenden Kugeln, einer mittleren und zwei seitlichen, unterscheiden. Bei genauerer Betrachtung aber treten noch zwei obere dorsale, allerdings sehr kleine helle Kugeln in Sicht, welche ebenfalls mit dem Pigmente in Verbindung stehen. Am Darmcanal fällt das Vorhandensein eines unpaaren Leberschlauches auf, in welchen sich der obere Theil des Magens oberhalb der Mündung des Oesophagus fortsetzt.

Die weiblichen Geschlechtsmündungen vereinigen sich in der Mittellinie zu einer grossen medianen Oeffnung (Fig. 6), an welcher ein Eiersäckchen getragen wird. Erst am zweiten Segment (Fig. 6*p*.) findet sich der Porus zum Ankleben der Samenschläuche. Die männlichen Geschlechtsöffnungen liegen seitlich, paarig, jede unter einer Klappe (Fig. 8 und 9).

1) **T. furcata** Baird. (Mag. Zool. and Bot. p. 330. 1837.)
Cyclops furcatus Baird; *Cyclopsine furcatus* M. Edw.; *Nauplius furcatus* Phil.; *Canthocarpus furcatus* Baird; *Tisbe ensifer* Fisch.
(Fig. 1—12.)

Körper langgestreckt, das ♂ 1, das ♀ $1\frac{1}{3}$ mm lang. Stirn zu einem conischen Vorsprung erhoben. Weibliche Antennen achtgliedrig, die vier letzten Glieder schmal und mit Ausnahme des Endgliedes sehr kurz. Der säbelförmige Anhang ungefähr dreimal so lang als die vier Endglieder der Antenne. Die Seitenränder der Thoracalsegmente mässig ausgezackt. Das fünfte Segment des Abdomens sehr kurz, nicht halb so lang als das vorletzte, die Furcalglieder nur wenig länger.

Helgoland, überhaupt die nordischen Meere.

Auch in Messina habe ich *T. furcata* beobachtet, indess mit einigen Abweichungen, die mir zur Begründung einer besondern Art nicht auszureichen scheinen. Die Antennen sind gestreckter, namentlich die vier untern Glieder, ferner erscheint der blasse Anhang minder gebogen und die beiden Schwanzborsten beträchtlich länger. Sonach würde *T. furcata* oder mindestens eine sehr nahe verwandte Varietät auch im Mittelmeer verbreitet sein und wahrscheinlich auch im Ocean, da Fischer's *T. ensiformis* von Madeira ebensowenig als die Messineser Form trotz der abweichenden Form und Grösse des Eiersackes specifisch verschieden sein möchte. Sehr häufig beobachtete ich an *Tisbe* in Messina Schmarotzerinfusorien aus der Familie der *Vorticellinen* (Fig. 11) und eine zweite höchst eigenthümliche Form, die mir zu den *Acineten*-Stadien zu gehören scheint (Fig. 12). Letztere trägt in der gegebenen Figur drei Gruppen von Mundstielchen auf drei armförmigen Fortsätzen und treibt eine seitliche Knospe oberhalb des kurzen basalen stielförmigen Trägers.

6. Westwoodia DANA. (DANA, The Crustacea of the united Staates exped. etc.)
Harpacticus BAIRD.
(Taf. XXI. Fig. 1—14.)

Cephalothorax dilatatus, abdomen arcuatum et valde attenuatum. Partes manducatoriae elongatae, acutae, palpis voluminosis. Maxillipedes superiores uncinati, inferiores manu subcheliformi instructi. Ramus externus primi pedis brevis uniarticulatus, internus prehensilis biarticulatus, articulo basali valde elongato.

Von den vier *Arpacticus*-Arten, welche BAIRD in seinem »The British Entomostraca« beschreibt, wurde *Arpacticus nobilis* von DANA mit Recht zu einer besondern Gattung erhoben. Namentlich war es neben der gesammten Leibesform die Bildung des ersten Fusspaares, auf welche DANA diese Trennung stützte, aber es war zu vermuthen, dass auch in den übrigen Gliedmaassen und Mundtheilen charakteristische Abweichungen auftreten. Diese habe ich denn auch in reichlichem Maasse an zwei verschiedenen Species nachweisen können und bin daher im Stande, die Gattung durch eine Summe von Merkmalen schärfer abzugrenzen. Die allgemeine Körperform entfernt sich bedeutend von der gestreckten linearen Form der meisten *Harpactiden* und zeichnet sich bei einer vollzähligen Segmentirung durch die Auftreibung und den Umfang des Kopfbruststückes aus, dem sich das Abdomen als kurzer und nach hinten gekrümmter Abschnitt anschliesst (Fig. 1 und 10). Die untern Maxillarfüsse haben eine mittlere Grösse zwischen *Canthocamptus* und *Harpacticus*, stehen aber in ihrer Form der letztern näher. Sie sind immerhin ansehnliche, am Kopfbruststück hervorragende Greiffüsse. Auch hier ist es wiederum das erste Fusspaar, das sich in eigenthümlicher und charakteristischer Weise von allen übrigen Gattungen entfernt. Während sich der äussere Ast (Fig. 8) auf einen kurzen eingliedrigen Anhang reducirt mit fingerförmig gestellten Borsten, bildet der innere Ast wie bei *Cleta* eine Art Greiffuss. Derselbe besteht nur aus zwei Gliedern, einem verlängerten stielförmigen Basalabschnitt und aus einem kurzen, mit Greifhaken versehenen Endgliede, welches gegen den Aussenrand des erstern eingeschlagen wird.

Unter den nachfolgenden Thoracalfüssen verdient noch das nächste Fusspaar eine nähere Berücksichtigung, indem sein innerer Ast nur aus zwei Gliedern gebildet wird und im männlichen Geschlechte in einen geraden Zapfen oder in einen gekrümmten Fanghaken ausläuft (Fig. 13). Das fünfte Fusspaar stimmt mit dem von *Canthocamptus* überein. Vordere und hintere Antennen, letztere mit zweigliedrigem Nebenaste, bieten nichts Bemerkenswerthes. Um so mehr aber die Mandibeln und Maxillen. Wie wir unter den *Calaniden* Gattungen kennen, deren Kautheile durch eine bedeutende Längsstreckung fast stiletförmig werden und mehr zum Stechen als zum Zerkleinern einer festen Nahrung zu dienen scheinen, so treffen wir ähnliche Modificationen der Mundwerkzeuge, welche auf den Erwerb einer flüssigen Nahrung und die Aufnahme der Säfte und des Blutes anderer Organismen hindeuten, auch unter den *Harpactiden*. Unsere Gattung *Westwoodia* besitzt eine solche Form der Mundtheile. Allein noch eine zweite morphologisch interessante Eigenthümlichkeit kommt hinzu, es ist die ansehnliche Entwicklung ihrer Taster und Anhänge, in denen wir geradezu die dritten und vierten Gliedmaassenpaare der Larven wiedererkennen. Die Mandibeln (Fig. 4) bilden langgestreckte, stiletförmige Zapfen, deren zugespitztes Ende in mehrere Zähne ausläuft und deren Basis die grosse zweiästige Gliedmaasse, den Palpus, trägt. Hier genügt ein einfacher Blick, um in dem Kautheil der Mandibel das einseitig verlängerte Basalglied des dritten Larvenfusses wiederzuerkennen, welches ja auch schon in dem zweiten Stadium der Larve diesen Fortsatz, den Kautheil, entwickelt. Die Maxille (Fig. 5) ist ebenfalls langgestreckt und umfangreich mit breitem, flächenhaft entwickelten Taster, in dessen Gliederung schon deutlich die Gliederung des *Calaniden*-Tasters zu erkennen ist. Der Kautheil verlängert sich in eine breite klauenförmige Spitze, die wohl auch zum Stechen und Verwunden dienen möchte. Nicht minder ausgezeichnet ist die Bildung des obern Maxillarfusses, der gewissermaassen eine Zwischenform zwischen denen der *Harpactiden* und *Saphirinen* darstellt (Fig. 6). Die Spitze derselben läuft in einen langgestreckten kräftigen Haken aus, vor welchem am innern Rande des Basalabschnittes ein oberer beweglicher Anhang und ein unterer breiter Fortsatz entspringen.

1) **W. nobilis** BAIRD. (*Arpacticus nobilis* BAIRD. Trans. Berw. Nat. Club. 1845. Ann. and Mag. Nat. Hist. XVII. British Entomostraca p. 214. T. 28. F. 2.)

(Fig. 1—9.)

Körper circa 1⅕mm lang, mehr oder minder ?-förmig gekrümmt mit grossem dreieckigen Schnabel und kurzem, scharf zugespitztem Abdomen. Die männlichen Antennen kurz und gedrungen. Die beiden Endborsten der Furcalglieder fast gleich lang, etwa einundeinhalbmal so lang als das Abdomen. Die untern Kieferfüsse gross und kräftig. Nordsee.

2) **W. minuta** n. sp. (Fig. 10—14.)

Körper 0,4mm lang mit sehr kurzem Schnabel. Der vordere Leibesabschnitt sehr umfangreich, das Abdomen mehr im Winkel vom Kopfbruststück abgesetzt und nach hinten gestreckt. Die vordern Antennen des Männchens gestreckter, mit viel längerem zweiten Gliede und kurz gegliederter Spitze. Untere Kieferfüsse schmächtiger. Die Haken am zweiten Fusspaare des Männchens kräftig entwickelt. Die zwei Endborsten der Furcalglieder stehen im Grössenverhältniss wie 2 : 3.

Nordsee.

7. Canthocamptus WESTW. (Partingt. Cyclop. Nat. Hist., Art. Cycl., ferner The Entomologists' Text-Book.)

(Taf. XII und XIII.)

Antennae anticae 8 articulatae, posticae ramo secundario perbrevi, biarticulato. Mandibularum palpus uniramosus, biarticulatus. Maxillipedes inferiores parvuli, tenuibus uncis apicalibus instructi. Pedum primi paris ramus uterque tribus compositus articulis, internus longior articulatione mediana flexus. Ramus internus quarti paris biarticulatus.

Diese Gattung wurde bisher von keinem der zahlreichen Autoren scharf begrenzt und ausreichend charakterisirt. O. F. MÜLLER, JURINE u. a. sonderten dieselbe noch nicht von *Cyclops*, während M. EDWARDS in der Bildung der hintern Antennen und Kiefer Veranlassung fand, sie mit *Cyclopsine* zu verschmelzen. WESTWOOD stellte eine besondere Gattung *Canthocamptus* auf, welcher Name durch ein Versehen von BAIRD in *Canthocarpus* verändert wurde. Später setzte der letztere Forscher die ursprüngliche Bezeichnung wieder in ihr Recht ein, die denn auch von LILJEBORG u. a. acceptirt wurde. Während BAIRD zur Unterscheidung von *Harpacticus* M. EDW. ein besonderes Gewicht auf die Beschaffenheit der Kieferfüsse legte und als Charaktere angab »*Foot jaws small simple*« (für *Harp.* dagegen »*Foot jaws forming strong cheliform*«, also im Sinne der Artunterschiede von *Cycl. minutus* und *Cycl. chelifer* O. F. MÜLLER's), hob LILJEBORG mit Recht die Bildung des ersten Fusspaares in den Vordergrund (»*pedes primi paris minime unguiculati, ramo exteriore triarticulato*). LILJEBORG kannte aber selbst zu wenig den detaillirten Bau der Mundtheile und die Differenzen in der Bildung des ersten Fusspaares, sonst würde er wohl auch den *Canth. Strömii* zu einer besondern Gattung erhoben haben. DANA endlich liess die Unterschiede von *Canthocamptus* und *Harpacticus* der frühern Autoren unberücksichtigt und gründete für die *Harpactiden* mit sehr grossen untern Maxillarfüssen, welche nach seiner Meinung den Männchen einen Ersatz für den Mangel der Greifantennen bieten sollten, die Gattung *Clytemnestra*. In seinem Hauptwerke nahm er allerdings die beiden ersten Genera wieder auf und hob als Merkmale für *Canthocamptus* kleine Kieferfüsse (*pedes antici*) und dreigliedrige Ruderäste des ersten Fusspaares, für *Harpacticus* grosse Greiffüsse und zweigliedrige Ruderäste des ersten Brustfusspaares hervor. Indessen sind diese Unterschiede weder richtig, noch *Clytemnestra* gegenüber ausreichend, für welche die Abwesenheit von Greifantennen mehr als zweifelhaft scheint. Die letztere Gattung muss unter solchen Verhältnissen als ungenügend begrenzt hinwegfallen.

Es gehören hierher kleine und schmale *Harpactiden*, welche in ihrem allgemeinen Habitus an die Zuckergästchen (*Lepisma*), oder auch an die *Staphylinen* erinnern, von denen in der That JURINE die Speciesbezeichnung entlehnte. Dieselben leben vornehmlich im süssen Wasser, wenigstens ist mir erst eine marine Art bekannt geworden. Allerdings hat man zahlreiche Meeresformen als *Canthocamptus*-Species beschrieben, indessen weichen diese, wie ich begründen werde, in den Mundtheilen und in den ersten Brustfüssen wesentlich ab und verdienen in einer selbstständigen Gattung zwischen *Canthocamptus* und *Harpacticus* eingereiht zu werden. Sie leben besonders gern in seichten Bächen und Pfützen zwischen modernden Blättern und Pflanzentheilen, wie sie denn auch durch ihren gesammten Bau mehr zu einer kriechenden, sich schlängelnden Locomotion, als zu einer ausgebildeten Schwimmbewegung befähigt sind. Die Gliederung ihres Leibes schliesst sich vollständig der Gattung *Cyclops* an. Kopf und erstes Thoracalsegment erscheinen zu einem gemeinsamen Abschnitt verschmolzen, auf welchen die vier freien, kaum bemerkbar verschmälerten Brustringe folgen. Das Abdomen beginnt fast mit gleicher Breite und ist fünfgliedrig (♂) oder viergliedrig (♀) durch die verschmolzenen Vordersegmente. Die Antennen sind von mittelmässiger Länge und reichen etwa bis an die Grenze des vordern Abschnittes, sie bestehen im weiblichen Geschlechte aus acht Gliedern, von denen das vierte in einen Zapfen ausläuft, der zuweilen fälschlich für einen besondern Ast gehalten wurde. Im männlichen Geschlechte sind beide zu Greiforganen umgebildet, indem die vier letzten Glieder in mehreren Gelenken zusammengelegt gegen den untern umgeschlagen werden, welcher aber in den einzelnen Arten Verschiedenheiten bietet. Die untern Antennen sind zweiästig (Taf. XII. Fig. 5), aber sehr einfach auf die Antennen der *Cyclopiden* zurückzuführen. Man wird ihren Hauptast diesen einfachen Antennen gleichsetzen. Während der untere Abschnitt mit dem dünnen gegliederten Nebenaste an seiner Basis den beiden mit einander verschmolzenen Basalgliedern entspricht, hat man den obern Abschnitt den beiden verwachsenen Endgliedern zu parallelisiren. Am Ende trägt dieser Abschnitt eine Anzahl fingerförmig in der Mitte geknickter Borsten, am obern Rande starke Spitzen und Dornen. Die kräftigen Mandibeln (Fig. 8) tragen einen kurzen zweigliedrigen Palpus. Dagegen weist man an dem Palpus der Maxillen (Fig. 9) zwei Aeste nach, die mit gemeinschaftlicher Basis am Grunde des breiten erhabenen Kautheiles aufsitzen. Am stärksten ist der äussere Ast, der ebenso wie der kleinere innere ein einfaches cylindrisches Glied darstellt mit zahlreichen Borsten am obern Rande und einem kräftigen fast stiletförmigen Fortsatze an der Spitze. Auch die Kieferfüsse schliessen sich an die entsprechenden Körpertheile der *Cyclopiden* in der Weise an, dass wir sie uns aus jenen durch geringe Veränderungen construiren können. Denken wir uns den äussern Kieferfuss von *Cyclops* verkürzt, die beiden ersten Glieder zu einem kräftigen Basalstück verschmolzen, das dritte Glied verkürzt und anstatt des vierten nur ein Paar Borsten entwickelt, so haben wir nur noch die Zahl der lanzettförmigen Anhänge zu verdoppeln, um im Wesentlichen die Form des obern Kieferfusses zu erhalten (Fig. 10). Der untere Kieferfuss (Fig. 11) ist dünn und schmächtig, er besteht aus einem kurzen Basalabschnitte und aus einem gestreckten Endgliede, dessen Spitze einen schwachen aber langen Haken trägt. Ebenso wichtig als der untere Kieferfuss erscheint für die Unterscheidung unserer Gattung die Beschaffenheit des ersten Fusspaares, welches am untern Theile des Kopfbruststückes aufsitzt (Fig. 1 und 6). Nur durch ein strenges Festhalten der beiderseitigen Charaktere wird es möglich, dieses Genus von den zahlreichen verwandten Gattungen streng abzugrenzen. Wie schon in den vorausgeschickten Betrachtungen über die Charaktere der Familie bemerkt wurde, übernimmt das erste Fusspaar in den einzelnen Gattungen der *Harpactiden* Functionen der Kieferfüsse und variirt der Form nach in einer Reihe sehr interessanter Zwischenstufen. In unserm Falle sind beide Aeste noch dreigliedrig und, was wichtiger ist, noch von der Form der Ruderäste, aber der innere verlängert sich wohl um das Doppelte des äussern Astes und kann in seinen Theilen knieförmig, namentlich in dem Gelenk zwischen dem sehr gestreckten Basalgliede und dem kurzen zweiten Gliede, gebogen werden. Hierin und in der ansehnlichen Grösse der Dornen des äussern Astes bereitet sich der Uebergang zur Verwendung als Greiffuss vor.

An den nachfolgenden Schwimmfüssen tritt der innere Ast durch seine Kürze und schmächtigen Bau zurück, am vierten Fusse wird derselbe sogar in beiden Geschlechtern zweigliedrig. Dagegen weicht der innere Ast des dritten Fusspaares im männlichen Geschlechte durch eine Eigenthümlichkeit ab, welche in der Umbildung seiner beiden letzten Glieder zu einer Art Scheere besteht. Das letzte Glied ist auf eine einfache lanzettförmige Platte reducirt, welche sich gegen einen längern und kräftigern fingerförmigen Fortsatz am innern Rande des mittlern Gliedes bewegt (Fig. 7). Die Füsse des fünften Paares prägen die für die Familie der *Harpactiden* charakteristische Form in hohem Grade aus; sie sind breite, mit zahlreichen Borsten besetzte Doppelplatten, von denen die innere dem Basalgliede entspricht (Fig 3 und 12). In der Mittellinie stossen beide Füsse fast zusammen, bedecken die Geschlechtsöffnung und dienen wahrscheinlich dazu, dem einfachen grossen Eierbehälter eine Stütze zu bieten. Im männlichen Geschlechte, wo diese Function hinwegfällt, zeigen sich auch die Füsschen auffallend kleiner, ihr Basalglied ist schmäler und nur mit zwei Borsten besetzt. Die innere Organisation tritt dem Beobachter nicht so klar entgegen, theils wegen der Dicke des röthlichen Panzers, theils wegen der trüben fettreichen Beschaffenheit der Matrix und der Bindesubstanz. Das röthlich pigmentirte Auge mit seinen beiden hellen Krystallkugeln liegt unmittelbar dem grossen birnförmigen Ganglion auf, dessen Zusammenhang mit den seitlichen Schlundcommissuren man in günstigen Objecten nachweisen kann. Dann erkennt man auch ein unteres Schlundganglion (Taf. XIII. Fig. 1) und verfolgt den sich verschmälernden Bauchstrang bis zum dritten Fusspaare, ohne die einzelnen Gangliengruppen der *Calaniden* schärfer abgeschnürt zu finden. Bei etwas tieferer Einstellung sieht man den Darmcanal mit seinen wellenförmigen Umrissen und peristaltischen

Contractionen. Gleichzeitig mit den letztern bewegt sich der erweiterte Magen fast in regelmässigen rhythmischen Schwingungen herauf und herab.

Die gewundenen Drüsen unter dem Schalenpanzer, welche wir bei *Cyclops* und *Diaptomus* so deutlich entwickelt sahen, habe ich bei *Canthocamptus* vermisst, während Leydig auch für diese Gattung ihre Existenz hervorhebt. Auf der Rückenfläche des Darmes und zu seinen Seiten breiten sich die Geschlechtsorgane aus, im weiblichen Geschlechte paarig, im männlichen unpaar und zum Theil unsymmetrisch. Bei dem Weibchen liegt die keimbereitende Drüse des Ovariums im vordern Leibesabschnitte. Die beiden aus ihr hervorgehenden seitlichen Eierschläuche laufen symmetrisch an den Seiten des Darmes unverzweigt und mit einer einfachen Reihe von Eiern erfüllt, oft bis in das Ende des Abdomens herab (Taf. XIII. Fig. 1 und Fig. 2). Die Geschlechtsöffnungen liegen am vordern Abdominalsegmente, nur durch einen kleinen Zwischenraum getrennt (Taf. XII. Fig. 13), so dass die austretenden Eier mit dem Secrete der Kittdrüse zu einem einfachen Säckchen zusammenfliessen. Wie bei den *Cyclopiden* liegt die meist mit fettglänzendem Secrete gefüllte Kittdrüse unterhalb der Geschlechtsöffnung und führt durch einen Canal zu einem medianen Porus (Fig. 13 *po*), an welchem die Spermatophore angeklebt wird. Fast jedes Weibchen trägt an dieser Stelle eine langgestreckte, wenig gekrümmte leere Spermatophore. Die Geschlechtsorgane des Männchens wurden vorzugsweise an der grössern Art (*C. staphylinus*) näher verfolgt und ihr Bau in einem frühern Capitel mitgetheilt (Taf. XII. Fig. 4).

Unter den einheimischen *Canthocampten* konnte ich zwei Arten mit Schärfe unterscheiden, von denen ich die bei weitem grössere als *C. staphylinus* bezeichne, weil sie sicherlich dem von Jurine beobachteten *Monoculus staphylinus* entspricht. Für die kleinere Art behalte ich die Bezeichnung *C. minutus* bei, wie O. F. Müller seine *Canth.*-Art benannte, obwohl die Identität derselben nicht wahrscheinlich ist.

1) **C. staphylinus** Jur.

Cyclops minutus O. F. Müller, Zool. Dan Prodr. 1776. Entomostraca etc., pag 101. pl. 17. Fig. 1—7.

Nauplius bracteatus }
Amymone baccha } Entomostraca etc. pl. 1 und 2.

Cyclops minutus Ramdohr, Latreille, Bosc, Lamarck, Baird.

Monoculus minutus Gmelin, Faricius.

Monoculus staphylinus Jurine, Hist. des monocles.

Cyclops staphylinus Desmarest, Baird.

Cyclopsina staphylinus M. Edwards, Hist. des crustacés.

Doris minuta Koch, Deutschl. Crustaceen 1841.

Cyclopsina alpestris[1] (?) C. Vogt, Denkschriften d. allg. schweiz. Gesellsch. etc. 1843.

Canthocarpus staphylinus Baird, Trans. Bergw. Nat. Club. 1843.

Nauplius minutus Philippi, Archiv f. Naturg. 1843.

Canthocamptus minutus Baird, British Entomostraca 1850.

---

1) Leider reicht C. Vogt's Beschreibung dieses am Aargletscher beobachteten *Harpactiden* nicht aus, um die Identität mit dieser Art oder die Selbstständigkeit als Species zu beweisen.

Canthocarpus minutus Fischer, Bulletin des natur. de Moscou 1851.
Canthocamptus staphylinus Claus, Beiträge etc. 1858.
(Taf. XII. Fig. 4—14, Taf. XIII. Fig. 1, 3, 4.)

Der Körper ohne die Schwanzborsten 1 mm lang. Die vordern Antennen reichen ungefähr bis an die Grenze des vordern Körperabschnittes. Im männlichen Geschlechte ist die untere Hälfte der vordern Antennen erweitert und sechsgliedrig. Das erste Glied des Innenastes vom ersten Fusspaare sehr langgestreckt, fast so lang als der äussere Ast, der von dem Innenaste um das zweifache übertroffen wird. Die Furca doppelt so lang als breit. Ueber den untern Rand der vordern Abdominalsegmente läuft ein Kranz feiner Spitzen; die innere der beiden Schwanzborsten fast so lang als der Körper, die äussere erreicht kaum den sechsten Theil desselben. Die Spermatophore langgestreckt und säbelförmig gekrümmt.

2) **C. minutus** n. sp.
(*Canth. horridus* Fisch.[1]?)
(Taf. XII. Fig. 1—3, Taf. XIII. Fig. 2.)

Körper ohne die Schwanzborsten etwas über 1/2 mm lang. Die vordern Antennen sind weit gedrungener als die von *C. staphylinus* und nicht so lang als der vordere Körperabschnitt. An der männlichen Antenne wird der untere Abschnitt nur aus vier besondern Ringen gebildet, und das vorletzte Glied des oberen besitzt einen grossen zahnförmigen Fortsatz. Die beiden Aeste des ersten Fusspaares weichen nicht so auffallend ab, indem das erste Glied des innern grössern Astes nur wenig verlängert ist. Die Spitzen am untern Rande der vier Abdominalsegmente grösser und stärker, die des letzten Segmentes zweizackig. Die Furca gedrungener, fast so breit als lang; die innere Endborste halb so lang als der gesammte Körper, die äussere erreicht aber beinahe die Hälfte der innern. Die Spermatophore sehr klein und flaschenförmig.

3) **C. rostratus** n. sp. (Taf. XIII. Fig. 5—8.)

Noch kleiner als *C. minutus*, ohne Schwanzborsten kaum 1/2 mm. Der Schnabel sehr lang (Fig. 8), fast sichelförmig. Der zarte Anhang am vierten Antennengliede sehr dick und lang. Die männlichen Antennen (Fig. 5) achtgliedrig, mit sehr langgestrecktem zweiten und vierten Gliede. Die vordern Füsse nähern sich denen von *Dactylopus* durch die Form des kurzen äussern Astes. Der

1) Fischer beschreibt mehrere Arten leider ungenau und giebt folgende specifische Charaktere:

Canthocamptus elegantulus. C. antennis anticis 7 articulatis, margine postico segmentorum thoracicorum et trium primorum caudalium protuberantiis linearibus variae formae exarato segmento caudali ultimo magno, furca brevissima, setas duas medias, unam longissimam, alteram dimidio minorem gerente. Länge 1/8 Linie. Madeira.

Canthocamptus Mareoticus. C. antennis 6 (7?) articalis, rostro triangulari sat magno, segmento caudali largo et quasi 4 latero, lateribus posticis quidquam rotundatis, furca longiori, ad latus externum setulosa, et setis 3 sat elongatis, seta caudali una longissima, alteram externam longitudine ter superante. Longit. 1/3—1/2 Lin.
Habitat in Lacu »Marcotis« Alexandriae.

Canthocamptus horridus. C. marginibus posterioribus segmentorum corporis et superioribus segmentorum caudalium denticulatis; spinis plurimis longis ad lineam parallelam cum margine posteriore et inferiore segmentoram caudalium insertis. Cetera cum C. minuto conveniunt.

An dieser letztern von Fischer bei Baden-Baden, München und in den Gewässern Madeira's gefundenen Form wird noch die kleine länglich ovale Spermatophore und das vierte bauchig erweiterte Antennenglied des Männchens hervorgehoben, Charaktere, welche auf die Identität der Art mit *C. minutus* hindeuten, an der ich übrigens die Bezeichnung der Thoracalsegmente vermisse.

innere Ast mit verlängertem Basalglied, das über den innern Ast hinausragt, und mit sehr verkürztem Mittelglied (Fig. 7). Die zwei Schwanzborsten liegen aneinander fest an, die innere erreicht fast die Grösse des ganzen Körpers. Messina.

8. Cleta n. g. (Taf. XV. Fig. 13—25.)

Corporis et antennarum habitus sicut in »Canthocamptus«. Palpus mandibularum uniramosus, biarticulatus. Maxillipedes inferiores mediocres. Pedum primi paris ramus internus tenuis, valde elongatus, biarticulatus, uncinatus; ramus externus brevis, triarticulatus. Omnium pedum rami interni biarticulati.

In der Nordsee und im Mittelmeer leben kleine *Harpactiden*, die sich durch den Bau der Mundtheile am nächsten der Gattung *Canthocamptus* anschliessen, und auch bisher (*Canth. minuticornis* Baird) in jener ihre Stellung fanden. Dieselben weichen aber in andern wesentlichen Körpertheilen so bedeutend ab, dass sie unmöglich länger mit *Canthocamptus* vereinigt bleiben können. Zunächst stimmt in beiden Geschlechtern die Segmentirung des zehngliedrigen Leibes überein, da beim Weibchen die Verschmelzung des ersten und zweiten Abdominalsegmentes unterbleibt. Ferner sind die innern Aeste der Schwimmfüsse zweigliedrig, bei *Canthocamptus* hingegen nur der entsprechende Ast des vierten Ruderfusses. Vor Allem aber zeichnet sich wiederum das für die Gattungsunterschiede so wichtige Fusspaar des ersten Thoracalsegmentes durch einen eigenthümlichen Bau aus, indem dasselbe in der einen Hälfte (Fig. 22) Schwimmfuss bleibt, die andere dagegen zu einem sehr langen Greiffuss umgestaltet. Der äussere Ast bildet einen dreigliedrigen, aber sehr schmächtigen Ruderanhang, der innere viel stärkere dagegen wird eine Art Maxillarfuss, indem sich das Basalglied stielförmig zu der doppelten Grösse des ganzen Ruderastes verlängert und an der Spitze mit einem kurzen zweiten Gliede in Verbindung tritt, welches in einen sanft gekrümmten Greifhaken ausläuft und mit diesem gegen den äussern Rand des Stieles umgebogen werden kann (Fig. 13 und Fig. 18). Aber auch die Mundtheile sind keineswegs mit denen von *Canthocamptus* identisch, denn wenn auch der zweigliedrige Mandibularpalpus (Fig. 14) und die Maxille (Fig. 15) mit jenen übereinstimmen, so nehmen doch die Maxillarfüsse einen abweichenden Charakter an, indem der obere (äussere) am innern Rande des Basalstückes noch einen dritten sehr kleinen Anhang trägt (Fig. 16), der untere aber (Fig. 17) durch die beträchtliche Verlängerung und kräftigere Entwicklung seiner Abschnitte der Gattung *Harpacticus* sich nähert. Die vordern Antennen sind kurz, achtgliedrig mit vier sehr kurzen und schmalen Endgliedern, die untern Antennen mit einem gestreckten Nebenast. Das fünfte Fusspaar (Fig. 20) von normaler Form und mittlerer Grösse reicht bis zum Ende des ersten Abdominalringes.

Ich kenne bis jetzt drei verschiedene Arten, von denen ich zwei in Messina, die dritte in Helgoland beobachtete.

1) **C. lamellifera** n. sp. (Fig. 21—25.)

Der Körper inclusive der Schwanzborsten $^3/_4$—1 ^{mm} lang, mit dickem, von Porencanälen durchsetztem Panzer. Stirn flach gewölbt in einen kurzen horizontalen Schnabel auslaufend. Die unteren Ränder aller Leibesabschnitte mit Ausnahme des letzten Segmentes gezähnt. Der untere Maxillarfuss gedrungener, als der von *C. serrata*. Der innere Ast des ersten Fusspaares dreimal so lang als der äussere. Die Furca bildet zwei langgestreckte Lamellen mit einer kurzen dornförmigen Endborste. Messina.

2) **C. serrata** n. sp. (Fig. 13—20.)

Der Körper inclusive der längern Schwanzborsten 1 mm lang, mit sägeförmig abgesetzten Leibesringen. Die Ränder derselben fein gezähnelt. Die Rückenfläche des vordern Leibesabschnittes ausgebuchtet, nach vorn in einen grossen verticalen Schnabel auslaufend. Das Basalglied der obern Antennen trägt mehrere Zähnchen, das zweite Glied aber einen grössern hakenförmigen Fortsatz. Die untern Maxillarfüsse lang gestreckt. Die Glieder der Furca cylindrisch, nicht viel länger als das letzte Abdominalsegment. Von den beiden Endborsten liegt die äussere kürzere der innern dicht an. Die letztere erreicht die Länge des Abdomens. Helgoland.

3) **C. brevirostris** n. sp.

Körper inclusive der Schwanzborsten $^3/_4$—1 mm lang, der Rückenrand einfach linear, ohne die zackenförmigen Absätze der Leibesringe, Schnabel vertical aber kurz. Die Antennen dagegen gestreckter und ohne den hakenförmigen Fortsatz des zweiten Gliedes. In der feinen Zähnelung der Segmente, in der Form der Kieferfüsse, der Furca und Schwanzborsten herrscht eine annähernde Uebereinstimmung mit *C. serrata.* Messina.

4) **C. fortificationis** Fisch. (Beiträge zur Kenntniss der Entomostraceen p. 666.)

Harpacticus fortificationis Fisch.

Die vordern Antennen sechsgliedrig von der Länge des vordern Abschnittes. An dem Hinterrande der Leibesringe stehen Reihen kleiner viereckiger Fortsätze oder stumpfer Dornen. Der äussere Ast des ersten Fusspaares eingliedrig(?). Der fünfte Abdominalring ist am Ende gablig getheilt und in der Mitte vor der Theilung steht ein starker nach oben und rückwärts gerichteter Stachel, von mehreren unregelmässigen Erhöhungen und Auswüchsen umgeben. Die Furca ist sehr schmal, ungefähr so lang als der letzte Abdominalring und geht in eine lange, einfache Schwanzborste über, umstellt von drei bis vier stachelförmigen Borsten. Das fünfte Fusspaar sehr gross, den vordern Theil des Eiersackes bedeckend.

9. **Dactylopus** n. g. (Taf. XVI. Fig. 1—28 und Taf. XVII. Fig. 1—6.)

Cyclops; Canthocamptus; Nauplius.

Corporis forma sicut in »Canthocamptus«. Antennae anticae saepissime 8 articulatae. Antennae posticae ramus secundarius triarticulatus. Maxillipedes inferiores iisdem Canthocampti majores. Pedum primi paris rami ambo triarticulati, setis digitiformibus armati, rami interni prehensilis articulo primo valde elongato, duobus apicalibus articulis perbrevibus.

Ich vereinige in dieser Gattung eine Reihe von Formen, von denen eine bisher bekannt, aber nicht von *Canthocamptus* gesondert war, da man ihrem eigenthümlichen Baue der Mundtheile und vordern Thoracalfüsse keine genaue Berücksichtigung schenkte. Durch die Bildung dieser Gliedmaassen entfernt sich dieselbe von *Canthocamptus* und nähert sich *Harpacticus,* so dass sie eine zwischen beiden stehende Gattung bilden muss. Während die untern Kieferfüsse eine bedeutendere Grösse erlangen, sind die vordern Thoracalgliedmaassen wenigstens in der einen Hälfte wirkliche Greiffüsse, deren Bau allerdings schon von *Canthocamptus* vorbereitet wird. Dort haben wir bereits an dem innern längern Aste eine winklige Beugung hervorgehoben, durch welche die letzten zwei Glieder von dem langgestreckten Basalgliede sich absetzen. Indem sich diese verkürzen und mehr oder minder mit einander verschmelzen, ihre Borsten aber zu Greifhaken umgestalten, bilden sie eine kurze gedrungene Handhabe, die gegen das Basalglied eingeschlagen werden kann. Hierin stimmen sie mit der Gattung *Cleta* überein, deren Füsse indess viel dünner und schmächtiger sind. Der äussere Ast behält im Allgemeinen noch die Form des Ruderfusses bei und besteht aus drei kurzen Gliedern, welche nicht die Länge des innern Astes erreichen. Aber auch schon an dem äussern erscheint der Uebergang zu einem Greiffusse durch die Stellung der Dornen vorbereitet, welche sich quer nach aussen richten und namentlich am Endgliede wie die Finger an der Hand (Fig. 1 und 9) einfügen. Erst in der Gattung *Thalestris* finden wir auch die Umgestaltung dieses Astes zu einem Greiffusse vollendet. Die andern Antennen bestehen bei allen vier bekannten Arten aus acht Gliedern und tragen auf einem Ausläufer des vierten Gliedes den bekannten fadenförmigen Anhang. Auch im männlichen Geschlechte (Fig. 12) lassen sich diese Abschnitte wieder erkennen, obwohl sie einigermaassen verändert sind. Allgemein finde ich das dritte Glied kurz und eine geringe Beugung vermittelnd, das vierte aber mit dem zarten Anhang sehr umfangreich und seine Verbindung mit dem fünften durch einen kurzen Zwischenring hergestellt. Der Nebenast der zweiten Antenne ist dünn, langgestreckt und mehr oder minder deutlich dreigliedrig, mit kurzem Mittelglied, aber cylindrisch verlängertem Basal- und Endglied (Fig. 3). Für die Mundtheile möchte zunächst der zweigliedrige Taster der Mandibeln (Fig. 5) charakteristisch sein, an dessen breitem Basalgliede zuweilen ein dünner cylindrischer Anhang, das Aequivalent des zweiten Astes auftritt. Der Taster der Maxillen ist breit und im Gegensatz zu *Cleta* flächenhaft entwickelt, mit zwei cylindrischen Anhängen (Fig. 6).

Den innern Rand der vordern Maxillarfüsse besetzen zwei dicke klauen- oder scheerenförmige Anhänge unterhalb des Hakengliedes (Fig. 7). Die hintern Maxillarfüsse erlangen bei normaler Form eine mittlere Grösse (Fig. 8). Die Schwimmfüsse besitzen dreigliedrige Aeste, von denen die innern kürzer sind. Das fünfte Fusspaar entwickelt sich zu einer ansehnlichen Grösse, namentlich im weiblichen Geschlechte und trägt grosse äussere Blätter (Fig. 10). Die Gliederung des Körpers endlich ist vollzählig. Im weiblichen Geschlechte bleiben zwei vordere Abdominalsegmente selbstständig. Von den innern Organen verdient hervorgehoben zu werden, dass das Auge sich durch eine complicirtere Differenzirung von dem einfachen Auge von *Canthocamptus* unterscheidet, indem es ausser den zwei grössern seitlichen lichtbrechenden Kugeln noch obere kleinere besitzt, deren genaue Anordnung ich leider versäumt habe zu untersuchen. Bezüglich des Geschlechtsapparates ist es von Interesse, dass neben den Arten mit einfachen Eiersäckchen auch solche vorkommen, welche wie die *Cyclopiden* doppelte Eiersäckchen tragen, eine Thatsache, die zur Genüge beweist, dass man mit Unrecht auf jenen Gegensatz ein so grosses systematisches Gewicht gelegt hat. In beiden Gruppen wird die Anlage und der Bau des Geschlechtsapparates übereinstimmen, und hauptsächlich in der Entfernung der Geschlechtsöffnungen der Grund zu suchen sein, wesshalb die austretenden Eierballen in beiden Hälften getrennt bleiben oder mit dem Secrete der Kittdrüsen zu einem gemeinsamen Säckchen zusammenfliessen. In der That liegen denn auch bei einer Art, bei *Dactylopus hamatus* beide Eiersäckchen in der Mittellinie genau zusammen und treten erst nach mechanischer Trennung nach beiden Seiten auseinander.

Die mir bekannten Species sind folgende:

1) **D. Strömii.** BAIRD.

Cyclops Strömii BAIRD. Mag. Zool. and Botany 1837.

Cyclops brevicornis BAIRD, Trans. Bergw. Nat. Club. 1835.

Nauplius Strömii PHILIPPI, Archiv f. Naturg. 1843.

Canthocamptus Strömii LILJ. (?) De Crustaceis etc. 1850.

(Taf. XVI. Fig. 1—6.)

Körper allmählich verschmälert, linear c. 1½ mm lang, mit verlängertem Schnabel. Antennen kürzer als der vordere Körperabschnitt, gedrungen, die ersten vier Glieder ziemlich gleich lang, das fünfte und siebente kurz. Der Ast des ersten Fusspaares ist kräftig, mit langgestrecktem Mittelgliede und so gross als das erste Glied des innern Astes. Die Ränder der vier untern Abdominalsegmente mit einer Spitzenreihe besetzt. Das letzte Abdominalsegment so lang als das vorhergehende, die Furca kürzer. Die beiden Endborsten jedes Furcalgliedes liegen an einander, die innere erreicht kaum die Grösse des Abdomens, die äussere ist um ein Drittel kürzer. Trägt ein Eiersäckchen. Helgoland und die nordischen Meere.

2) **D. porrectus** n. sp. (Taf. XVI. Fig. 16.)

Körper ähnlich der Form von *D. Strömii*, etwas gestreckter und c. ¾ mm lang. Antennen mit längerer oberer Hälfte. Das sechste Glied gestreckt, ebenso das siebente, letzteres mehr oder minder deutlich in zwei Abschnitte zerfallen (Fig. 16). Der äussere Ast des ersten Fusspaares nicht so lang als das erste Glied des innern Astes. Die Spitzen an den vier Abdominalrändern sehr kurz. Das letzte Abdominalsegment ungefähr halb so lang als das vorhergehende, dagegen die Endborsten der breiten Furca länger als das Abdomen. Trägt ein Eiersäckchen. Helgoland.

3) **D. minutus** n. sp. (Taf. XVI. Fig. 14 und Fig. 15.)

Körper allmählich verschmälert, fast linear, von 1 mm Länge, Schnabel verlängert. Die vordern Antennen dünner und gestreckter, mit verlängertem zweiten und vierten Gliede, mit längerem Endtheil (Fig. 15). Der äussere Ast des ersten Fusspaares mit gestrecktem Mittelgliede, fast um ein Drittel kürzer als das erste Glied des äussern Astes. Ueber dem untern Rand der vier letzten Leibesringe und beim Weibchen auch über der Grenzleiste des ersten und zweiten Abdominalsegmentes eine Spitzenreihe. Das letzte Abdominalsegment kürzer als das vorhergehende, die Furcalglieder sehr kurz und breit, ihre beiden Endborsten liegen ebenfalls aneinander, die innere aber ist länger als das Abdomen, die äussere kaum halb so gross. Trägt zwei Eiersäckchen.

Helgoland.

4) **D. nicaeensis** n. sp. (Taf. XVII. Fig. 1 und Fig. 2.)

Körper gedrungen, über 1 mm lang, mit kurzem Rostrum. Antennen minder gestreckt als bei *D. minutus* (Fig. 1). Das siebente Glied in zwei Absätze zerfallen. Die Aeste des ersten Fusspaares kräftig, der äussere etwas mehr als halb so lang wie der innere, dessen kurze Endglieder mit einander verschmolzen sind. Die Lamelle des Basalgliedes des fünften Fusspaares so lang als die Lamelle des äussern Gliedes. Das Abdomen breit, mit Spitzen besetzt, das letzte Segment kaum kürzer als das vorhergehende, die Furcalglieder sehr breit und kurz, die innere Endborste beginnt mit dünner Basis, wird aber um die Hälfte länger als das Abdomen, die äussere ist etwa halb so lang.

Nizza.

5) **D. tenuicornis** n. sp. (Taf. XVI. Fig. 17—23.)

Körper mit weitem Kopfbruststück und dünnem, langem Abdomen, $1\frac{1}{2}$—$1\frac{3}{4}$ mm lang. Schnabel lang und schmal. Der vordere Rand des ersten Körperabschnittes fast kreisförmig, ähnlich wie bei *Amymone* gewölbt. Die vordern Antennen sehr dünn, ihre vier untern Glieder ausserordentlich verlängert (Fig. 17). Die untern Maxillarfüsse mit erweiterter Handhabe, *Harpacticus*-ähnlich. Die ersten Thoracalfüsse gestreckt, minder kräftig (Fig. 22), mit schmächtigem Aussenaste. Die rudimentären Füsse (Fig. 23) spitzen sich zu einer triangulären Lamelle zu und tragen nur kurze kräftige Dornen. Ihr äusseres Glied ist oblong, mit der ganzen Breite dem Basalstücke angefügt. Die Spitzenreihen an den Abdominalringen fehlen. Das letzte Abdominalsegment sehr gestreckt, länger als das vorhergehende. Die Furcalglieder kurz, so lang als breit, mit sehr langer innerer und kaum halb so grosser äusserer Endborste. Trägt zwei Eiersäckchen, die in der Mittellinie flächenhaft aneinander liegen. Messina.

6) **D. tisboides** n. sp. (Taf. XVI. Fig. 24—28.)

Körper breit, flach, *Tisbe*-ähnlich mit kurzem conischen Schnabel c. $1\frac{1}{4}$ mm lang. Die vordern Antennen kurz, auffallend gedrungenen Baues, mit langen Haaren dicht besetzt (Fig. 24). Der untere Maxillarfuss von mittlerer Grösse, seine Handhabe mit flachem Innenrande und gewölbter Dorsalfläche (Fig. 27). Die ersten Thoracalfüsse kräftig, äusserer Ast halb so lang als der innere. An diesem wird das mittlere Glied sehr undeutlich, die Borste an dem Innenrande des Stieles rückt über die Mitte nach der Basis herab und ist dicht befiedert (Fig. 25). Das Abdomen sehr breit mit Spitzenbesatz und bauchig erweiterter Basis. Das rudimentäre Füsschen (Fig. 28) mit breiter hoher Basalplatte und viereckiger äusserer Lamelle, die über den innern kurzen Fortsatz der Basalplatte hinausragt. Das letzte Abdominalsegment sehr kurz, ebenso die Furcalglieder, deren innere Borsten fast doppelt so lang als die äusseren, etwa zwei Drittel der Körperlänge erreichen. Trägt ein Eiersäckchen. Messina.

7) **D. longirostris** n. sp. (Taf. XVII. Fig. 4—6.)

Körper linear, cylindrisch mit breiterem Kopfbruststück, c. $\frac{3}{4}$ mm lang. Der Schnabel sehr lang, so lang wie die beiden ersten Antennenringe. Diese sind fast doppelt so breit als die zwei nachfolgenden Glieder. Die obere viergliedrige Hälfte der Antennen ist gestreckt und von der Länge der beiden vorhergehenden Ringe. Die untern Maxillarfüsse ziemlich gross, mit kurzem Basalgliede und dünner langgestreckter Handhabe. Die Basis des Greifhakens ist wie ein besonderes Glied abgesetzt (Fig. 5). Die innern Füsse lang und kräftig. Der äussere Ast mit verlängertem Mittelgliede reicht über die Mitte des innern hinaus. Vom fünften Fusspaar bedeckt das äussere ovale Blatt das erste und einen Theil des zweiten scharf abgesetzten Abdominalsegmentes, der innere Zapfen der Basalplatte dagegen kaum das erste Abdominalsegment. Die untern Ränder der Abdominalglieder mit Spitzenbesatz. Letztes Segment kaum kürzer als das vorhergehende. Die innern Endborsten der kurzen Furcalglieder sind fast so lang als der ganze Körper, die innern kürzer als das Abdomen. Helgoland.

8) **D. pygmaeus** n. sp. (Taf. XVII. Fig. 3.)

Körper linear und breit, nach der Furca nur wenig verschmälert, $\frac{1}{2}$ mm lang. Der Schnabel ist sehr kurz. Die Antennen sind gestreckt aber nur sechsgliedrig (Fig. 3), die untere wie die obere Hälfte auf drei Ringe reducirt. Die untern Maxillarfüsse sehr schmächtig, wie bei

Canthocamptus. Die ersten Thoracalfüsse sind ebenfalls denen von *Canthocamptus* ähnlich; der kurze äussere Ast mit kräftigen, fingerförmig nach aussen gerichteten Dornen und knieförmig gebogenen Borsten ist sehr hoch eingelenkt und reicht (ohne die Borsten) bis zur Mitte des ersten Gliedes vom innern Aste. Dieser erscheint sehr verlängert und trägt eine schwache gestreckte Handhabe mit zwei dünnen kaum gekrümmten Borsten an der Spitze. Das Abdomen ist breit und am Rande der Segmente mit grossen Spitzen besetzt. Das letzte Abdominalsegment etwas kürzer als das vorhergehende; die Furca so breit als lang, ihre Borsten aneinandergelegt, die innern so lang als das Abdomen. Helgoland.

10. Thalestris n. g. (Taf. XVII. Fig. 7—21, Taf. XVIII, Taf. XIX. Fig. 1, Taf. X. Fig. 11, Taf. II. Fig. 3, Fig. 6 und Fig. 7.)

Antennae anticae saepissime 9 articulatae. Maxillipedes inferiores manu forti prehensili armati. Pedum primi paris rami ambo valde elongati, prehensiles, ramus externus triarticulatus articulo mediano porrecto, internus tribus, interdum duobus articulis compositus. Pedes postici feminae foliosi, sacculum oviferum tegentes. Palpus mandibularum et maxillarum valde compositus.

Ich stelle in der Gattung *Thalestris* eine Reihe *Harpactiden* zusammen, welche sich durch die kräftige Entwicklung der untern Kieferfüsse und durch einen höhern Grad in der Umformung des ersten Fusspaares von *Canthocamptus* noch weiter als *Dactylopus* entfernen und den Uebergang von *Dactylopus* zu *Harpacticus* vermitteln. Ausser der ansehnlichen Grösse des untern Maxillarfusses ist es namentlich der eigenthümliche Bau des ersten Fusspaares, auf welchen sich die Aufstellung der Gattung gründet. Dieses Fusspaar erscheint sehr langgestreckt, beide Aeste zu Fangfüssen umgestaltet. Indem sich der äussere Ast durch die stielförmige Streckung des Mittelgliedes, zu der wir schon bei *Dactylopus* Andeutungen finden, bis zur Grösse des innern, ja über diese hinaus verlängert und sein Endglied zu einer kurzen Handhabe der Fanghaken umbildet, wird er dem innern mehr oder minder ähnlich, unterscheidet sich von diesem aber durch das Vorhandensein eines kurzen Basalgliedes, welches in einzelnen Fällen winklig von seinem Träger abgesetzt sein kann. Der äussere Ast bleibt also wie der von *Dactylopus* dreigliedrig, zeigt sich aber viel gestreckter und als Fangfuss; die Dornen seines ersten und zweiten Gliedes sind schmächtiger, dagegen die des Endgliedes zu Greifhaken entwickelt. Der innere Ast kann dreigliedrig und zweigliedrig sein, letzteres wenn die beiden Endglieder der Handhabe mit einander verschmelzen.

Die vordern Antennen besitzen meist eine höhere Gliederzahl als die von *Dactylopus*, sie sind neungliedrig, indem eine Trennung des vorletzten oder letzten Ringes stattgefunden hat. Die untern Antennen tragen einen kurzen zwei- oder dreigliedrigen Nebenast. Grössere Differenzen aber bieten die Mundtheile, und ich zweifle nicht, dass man diese, wenn eine grössere Zahl von Formen bekannt geworden sein wird, zur Aufstellung einer Reihe von Gattungen benutzen wird. Die Mandibeln sind meist stumpfzähnig und tragen einen Palpus, dessen Basalglied zwei cylindrische Glieder, die Aequivalente zweier Aeste trägt. Die Form aber des Mandibularpalpus wechselt. Bei *Th. robusta* schliesst sie sich genau an die der *Dactylopus*-Arten an, indem das äussere Glied (β) am Rande des langgestreckten Basalgliedes (α) noch auf einen kleinen cylindrischen Anhang

Taf. XVIII. Fig. 17) reducirt ist. Bei *Th. helgolandica* (Taf. XVII. Fig. 15) erscheint das Basalglied quadratisch, der Nebenast (β) fast so lang als der Hauptast (γ), der schon durch die Bildung eines mittlern Höckers die Spaltung in zwei Glieder vorbereitet. Bei *Th. longimana* und *Th. Mysis* (Taf. XVIII. Fig. 15) ist diese Spaltung ausgeführt (γ γ') und zugleich der innere mit Borsten besetzte Rand des Basalgliedes in einen kürzern oder längern Fortsatz ausgezogen. Der Taster der Maxillen steht ebenfalls dem von *Dactylopus* nahe. An dem Hauptstamme sitzen zwei äussere Glieder auf, während sich von der Basis desselben ein cylindrischer Anhang erhebt, den wir auch schon, z. B. bei *Dact. tenuicornis*, antreffen. Im speciellern Bau beobachtet man auch am Maxillarpalpus eine Reihe von Verschiedenheiten. Bei *Th. Mysis* ist z. B. der parallele cylindrische Nebenanhang (δ) sehr schmal und fingerförmig, der Hauptstamm (α) breit und lang, das obere Anhangsglied (γ) auf einen einfachen, mit zwei Borsten besetzten Höcker reducirt. Bei *Th. helgolandica* (Taf. XVII. Fig. 16) theilt sich die Spitze des Stammes durch eine Einschnürung in zwei Partien. Bei *Th. robusta* ist der cylindrische Nebenanhang sehr langgestreckt (Taf. XVIII. Fig. 18). Noch beträchtlicher weichen die obern Maxillarfüsse ab, während die untern nur in der Grösse und Form Verschiedenheiten bieten. Die erstern erinnern bei *Th. robusta* (Taf. XVIII. Fig. 19) an die entsprechenden Theile der *Corycaeen* und *Saphirinen*, indem der kräftige, mit einem breiten Haken versehene Endabschnitt eines grössern tasterförmigen Anhangs entbehrt und rechtwinklig gegen den Basalabschnitt umgebogen wird, dessen Anhänge in kurze Spitzen enden. Aehnlich, aber mit längerem geradgestreckten, fast stiletförmigem Endtheile, sind die obern Kieferfüsse von *Th. Mysis*. Bei *Th. longimana* trägt der Endabschnitt einen kräftigen Hakenzahn (Taf. XVIII. Fig. 8); ähnlich bei *Th. helgolandica* (Taf. XVII. Fig. 17), wo der Basalabschnitt unterhalb der beiden langgestreckten Fortsätze einen breiten warzenförmigen Vorsprung mit doppelten Borsten und eine einfache, mit einer einzigen Borste besetzte Erhebung bildet. Die Gliederung des Leibes ist normal und vollzählig, auch im weiblichen Geschlechte bleiben die beiden ersten Abdominalsegmente geschieden. Das fünfte Fusspaar erscheint lamellös mit doppelten Blättern, die mitunter einen bedeutenden Umfang erreichen und mit der innern concaven Fläche die Eiersäckchen bedecken. Die Augen setzen sich aus mehrfachen lichtbrechenden Körpern zusammen. Alle mir bekannten Arten tragen ein einziges Eiersäckchen.

1) **Th. robusta** n. sp. (Taf. XVIII. Fig. 17—23; Taf. XIX. Fig. 1.)

Körper breit und plump mit dickem, gedrungenem Abdomen, ohne die Schwanzborsten circa $1\frac{1}{2}$ mm lang. Panzer sehr derb, braunroth bis violett. Die vordern Antennen neungliedrig mit langen Haaren dicht besetzt (Taf. XIX. Fig. 1). Der Schnabel liegt fast horizontal und ist eine dreieckige, von der Stirn scharf abgesetzte Platte. Der Nebenast der hintern Antennen lang und dünn. Die vordern Füsse nähern sich denen von *Dactylopus* (Fig. 21), sie sind sehr kräftig, minder gestreckt, der äussere Ast ist kürzer als der innere, dessen Mittelglied aber schon um das Dreifache länger als das Basalglied erscheint. Der Dorn dieses Mittelgliedes inserirt sich nicht an dem Verbindungsrande mit dem Endgliede, sondern ist fast bis zur Mitte des äussern Randes herabgerückt. Die Handhabe des innern Astes einfach ungegliedert, die befiederte Borste des stielförmigen Basalgliedes unter die Mitte herabgerückt. Die untern Maxillarfüsse kräftig, von mittlerer Grösse (Fig. 20), die obern (Fig. 19) mit breitem, rechtwinklig gegen den Basalabschnitt gekrümmten Hakentheil und kurzen Anhängen des Basalstückes. Mandibeln und Mandibulartaster denen von *Dact. Strömii* ähnlich, die Maxillartaster (Fig. 18) mit cylindrischem, verlängerten Nebenanhang. Die Füsse des fünften Paares bilden breite, umfangreiche Blätter, die beim Weibchen bis zum vorletzten Abdominalsegmente reichen und das Eiersäckchen bedecken. Das basale Blatt vom dreifachen Flächeninhalte des äussern Blattes hat fast die Form einer *Cypris*-Schale, deren Schlossrand der breiten Basis des Blattes entspricht (Fig. 22). Beide Blätter sind gewölbt, von violetter Färbung und auf der äussern Fläche mit feinen Härchen bedeckt, deren Gruppen in unterbrochenen Reihen wie Schüppchen regelmässig neben einander stehen. Die Oberfläche der Abdominalsegmente erscheint durch feine Erhebungen, welche sich dachziegelförmig decken, uneben. Das dritte, vierte und fünfte Abdominalsegment verschmälern sich beträchtlich, das letztere ist am kürzesten, kürzer als die etwas zugespitzten Furcalglieder. Die innere Borste halbbefiedert, von den glatten Endborsten ist die innere fast so lang als der ganze Körper, die äussere kaum halb so lang. Nizza und Messina.

2) **Th. Mysis** n. sp. (Taf. XVIII. Fig. 12—16.)

Körper gestreckt mit langem Abdomen, ohne die Schwanzborsten circa $1\frac{1}{4}$ mm lang, seine Oberfläche mit unregelmässigen Reihen feiner Spitzen dicht besetzt, chagrinirt. Schnabel scharf abgesetzt, von mittlerer Grösse. Die vordern Antennen neungliedrig, von ihrer fünfgliedrigen obern Hälfte ist das zweite Glied am längsten. Der Nebenast der hintern Antennen dünn und lang. Der Mandibulartaster vierfach gelappt (Fig. 15). Der Maxillartaster mit schmächtigem fingerförmigen Nebenanhang. Die vordern Füsse langgestreckt, äusserer Ast etwas gebeugt, so lang als der innere, an dessen Handhabe beide Glieder wohl zu unterscheiden sind. Die untern Maxillarfüsse von mittlerer Grösse. Die Füsse des fünften Paares bilden grosse Doppelblätter (Fig. 13), welche das Eiersäckchen mehr oder weniger vollständig bedecken. Von diesen ist das basale (innere) länglich oval, nach der Spitze verschmälert und etwas umfangreicher als das am untern Theile breitere Aussenblatt. Beide sind auf der äussern Fläche mit unregelmässigen Reihen feiner Spitzen bedeckt. Die beiden ersten Abdominalsegmente sehr lang, von den zwei folgenden jedes etwa halb so lang, das letzte sehr kurz, ebenso die Furcalglieder, deren äussere Endborste die Länge des Abdomens erreicht und deren innere dieselbe noch um fast $\frac{1}{3}$ übertrifft. Messina.

3) **Th. microphylla** n. sp.

Körper dem von *Th. Mysis* sehr ähnlich, ohne die Schwanzborsten circa $1\frac{1}{4}$ mm lang, das Abdomen gedrungener, namentlich seine beiden vordern Segmente breiter und kürzer. Die Oberfläche eben so wie dort unregelmässig chagrinirt. Der Schnabel schmäler und fast doppelt so lang. Die Antennen neungliedrig, das erste Glied sehr lang, auch das zweite und fünfte umfangreicher als bei *Th. Mysis*. Die untern Maxillarfüsse schmächtiger. Die Aeste des ersten Fusspaares gleich lang wie bei *Th. Mysis*, aber breiter und gedrungener. Das fünfte Fusspaar bedeckt nur die Spitze des Eiersäckchens, äusseres und inneres Blatt so ziemlich von derselben Grösse, kaum bis an das Ende des ersten Abdominalringes reichend, mit langen Borsten besetzt. Die innern Endborsten der Furca sind fast so lang als der ganze Körper, die äussern ungefähr von derselben Länge. Messina

4) **Th. longimana** n. sp. (Taf. XVIII. Fig. 1—11.)

Körper mässig gestreckt, linear, ohne die Schwanzborsten circa 2 mm lang. Panzer gelblich, dick, mit kräftigen Verbindungsrändern, seine Oberfläche mit unregelmässigen Reihen zahnförmiger

Erhebungen versehen. Der Schnabel kurz, nicht von der Stirn abgesetzt. Die beiden ersten Abdominalsegmente mit gemeinschaftlichen Seitenflügeln, ähnlich den Seitenflügeln der Thoracalsegmente, beide durch eine starke Chitinleiste geschieden. Die vordern Antennen neungliedrig mit langgestrecktem Stiel und gedrungener Geissel. Der Seitenast der untern Antennen kurz (Fig. 5). Die Mandibeln langgestreckt, ebenso ihr vierlappiger Taster (Fig. 6). Der Taster der Maxillen von ansehnlicher Entwicklung mit kräftigem, aber kurzem Nebenanhang (Fig. 7). Die untern Maxillarfüsse sehr gross, ihre Handhabe ähnlich der von *Harp. chelifer*, am innern Rande mit kleinen warzenförmigen Höckern bedeckt (Fig. 9). Die Aeste des ersten Fusspaares dünn und sehr lang (Fig. 10), das Basalglied des äussern längern Astes bildet mit seinem Träger einen knieförmigen Vorsprung. Das fünfte Fusspaar (Fig. 11) von ansehnlicher Grösse reicht bis über das Ende der zwei vordern Abdominalsegmente hinaus, die grössern, nach der Spitze zu verschmälerten Basalplatten stossen in der Mittellinie zusammen, die äussern sind verkürzt eiförmig. Das letzte Abdominalsegment sehr kurz, die Furcalglieder etwas länger, die äussere Endborste sehr schmächtig und kurz, die innere kräftig, mehr denn halb so lang als der Körper. Helgoland.

5) **Th. helgolandica** n. sp. (Taf. XVII. Fig. 12—21.)

Körper gedrungen, mit kurzem Abdomen, ohne die Schwanzborsten 0,7^{mm} lang (Fig. 12). Schnabel mittelgross, abgesetzt. Die vordern Antennen neungliedrig, langgestreckt (Fig. 13). Der Nebenast der hintern breit und lang, dreigliedrig (Fig. 14). Basalglied des Mandibulartasters fast quadratisch, der Maxillartaster flächenhaft und umfangreich, vierlappig, mit einem kurzen Nebenanhange. Die Handhabe des grossen untern Maxillarfusses gestreckt, mit gewölbtem Aussenrande und sehr langem schwach gekrümmten Haken. Die Aeste des ersten Fusspaares sehr langgestreckt (Fig. 19), der innere kürzere mit ungegliederter Handhabe. Das fünfte Fusspaar bedeckt nicht ganz die beiden ersten breiten Abdominalsegmente. Der zipfelförmige Fortsatz am Aussenrande der Basalplatte (Fig. 21') lappenförmig verlängert, das äussere Blatt länglich oval (Fig. 21), viel umfangreicher als das kürzere innere der Basalplatte. Die drei letzten Segmente des Abdomens kurz, die Furcalglieder breite Stummel. Die äussere Endborste von der Länge des Abdomens, die innere noch um ein Drittheil länger. Helgoland.

6) **Th. forficula** n. sp. (Taf. XVII. Fig. 7—11.)

Körper gestreckt, linear, circa 0,8^{mm} lang. Abdomen allmählich verschmälert, an den Verbindungsrändern mit ansehnlichen Spitzen besetzt. Die vordern Antennen achtgliedrig (Fig. 7), allmählich zugespitzt, mit zahlreichen langen Haaren versehen. Schnabel scharf abgesetzt, von mittlerer Grösse. Nebenast der hintern Antennen lang und dünn. Die untern Maxillarfüsse kurz gestielt, schmächtig. Die Aeste des ersten Fusspaares (Fig. 10) dünn und langgestreckt. Am Mittelgliede des äussern kürzern Astes entspringt der Dorn fast an der Spitze unterhalb des Verbindungsrandes. Die Handhabe des innern längern Astes einfach, nach aussen zapfenförmig vorspringend, mit zwei feingezähnten Haken. Die Borste am Innenrande des ersten stielförmigen Gliedes rückt auf das erste Drittheil herab. Die Füsse des dritten Paares sind beim Männchen ähnlich wie bei *Canthocamptus* umgeformt, die des fünften Paares mit länglich ovalem Aussenblatte, welches über die beiden ersten Abdominalsegmente hinausreicht, und viel kürzerem Basalblatte. Das letzte Abdominalsegment nur wenig kürzer als das vorletzte, die Furcalglieder dagegen sehr kurz mit kräftigen Endborsten, welche

17*

zangenförmig auseinanderstehen (Fig. 8). Von diesen ist die innere so lang als der Körper, oberhalb des gliedartigen Absatzes kolbig angeschwollen und in ihrem Verlaufe geringelt und mit feinen Spitzen besetzt, die äussere ist halb so lang und liegt der innern fast unmittelbar an. *)

Messina.

---

*) Zu dieser Gattung gehören auch einige von FISCHER (Beiträge zur Kenntniss der Entomostraceen, München 1860) beschriebene *Harpactiden*, die leider von dem Beobachter nicht mit ausreichender Genauigkeit untersucht und abgebildet worden sind. Die Form des ersten Fusspaares genügt indess, um sie als Arten von *Thalestris* wiederzuerkennen. Sie wurden von FISCHER in folgender Weise charakterisirt:

Th. (Harp.) fulva.

Antennis anticis 9 articulatis, articulis secundo et tertio voluminosis, corpore largo, pede maxillari secundo subcheliformi, ad faciem anteriorem articuli secundi serie spinularum armato, ungui terminali longo et curvato, primo pedum pari biramoso, ramo exteriori vel anteriori bi- aut triarticulato (?), articulo primo longo, ad faciem anteriorem spinuloso, ad posteriorem supra piloso et infra partem suam mediam seta plumosa sat longa praedito, ramo interno vel posteriori longissimo, biarticulato, unguibus 2—4 terminalibus curvatis. Madeira. Longit. ⅓—¼ Lin.

Th. (Harp.) aquilina.

Rostro triangulari, curvo, sat longo, antennis anticis 9 articulatis, pede maxillari secundo subcheliformi, articulo primo oculi, ad faciem anteriorem et superiorem spinuloso, articulo secundo cylindrico brevi, ungue terminali curvato et sat forti; ramo externo primi paris pedum biarticulato (rarius articulo secundo evanescente) (?), articulo primo ad faciem posteriorem spinuloso, ad anteriorem 2—3 spinis armato, articulo secundo perbrevi, 2 aut 3 setas spiniformes et 2 spinas (plerumque anteriores) gerente; ramo interno multum longiore ad faciem posteriorem spinulo, et secundo ejus articulo duos ungues sat longos ferente. Madeira. Longit. ½ Lin.

Th. (Harp.) spinosa.

Antennis anticis solum modo 8 articulatis, margine posteriore cephalothoracis spinis 8—10 armato, pede maxillari secundo subcheliformi, sed sat debili; parte basali primi pedum paris robusta, 3 articulata, spinulosa; ramo interno obscure biarticulato, articulo primo longo, ad faciem anteriorem spinulosa, secundo brevissimo, ungues 2 fortes gerente; ramo externo quidquam breviori, biarticulato; articulo secundo brevissimo, ungues 3 et setam unam ferente.

Madeira. Longit. ⅓ Lin.

Wie ungenau FISCHER's Beschreibungen sind, mag man z. B. daran ersehen, dass er bei *H. spinosus* das Basalglied des äussern Astes zur Basis des Fusses zieht und diese aus drei Gliedern bestehen, den äussern Ast selbst aber nur zweigliedrig sein lässt. Wer nicht ein grosses Material von diesen Formen untersucht hat, muss natürlich beim Bestimmen durch solche Angaben verwirrt und getäuscht werden; mir aber mögen sie zur Rechtfertigung genügen, wesshalb ich FISCHER's Arten als ächte Species nicht unbedingt acceptire, sondern anhangsweise zur Vervollständigung des untersuchten Materiales beifüge.

DANA's Gattung **Clytemnestra**, für welche die Uebereinstimmung der vordern Antennen in beiden Geschlechtern und die Grösse der untern Maxillarfüsse als Charaktere angeführt werden, kann auf solche allgemeine Angaben hin unmöglich anerkannt werden. Der Mangel knieförmiger Articulationen an den Antennen des männlichen Geschlechtes scheint mir bei der so unvollständigen Beobachtung aller übrigen Körpertheile eher auf einen Mangel der Untersuchung zurückgeführt werden zu müssen, als unbedingte Annahme zu verdienen. Möglich, dass DANA Jugendformen beobachtete, was auch LUBBOCK in seiner jüngsten Arbeit hervorhebt (Transact. of the Linnean Society 1860. LUBBOCK, On some Oceanic Entomostraca collected by Captain Toynbee. p. 9: »*It is moreover quite possible that the present specimen may have been immature*«). Um so mehr aber fällt es auf, dass der letztere Forscher die Gattung aufnimmt und neue Arten sogar ohne Untersuchung der Mundtheile und Gliedmaassen beschreibt. Demnach scheint LUBBOCK, da er den einzig wichtigen Charakter bezweifelt, unter *Clytemnestra* die marinen *Harpactiden* mit grossen Maxillarfüssen begreifen zu wollen. Diese können aber sehr verschiedenen Gattungen angehören, und man wird erst über die Mundtheile und Extremitäten unterrichtet sein müssen, ehe man über ihre Verwandtschaft ein Urtheil fällen kann. Vorläufig lässt sich daher über DANA's und LUBBOCK's *Clytemnestra*-Arten nichts Näheres sagen und ich kann hier nichts weiter thun, als der Vollständigkeit halber ihre Diagnosen mitzutheilen.

DANA führt im Conspectus crustaceorum etc. für *Clytemnestra* die Charaktere an: »*Frons subrostrata, appendicibus nullis. Antennae anticae flexiles; maris, non subcheliformes. Pedes antici permagni, subcheliformes,*« später in dem Hauptwerke bestimmt er die Gattung in folgender Weise: »*Corpus paulo depressum. Pedes primi portentosae magnitudinis, monodactyli. Antennae anticae maris articulatione non geniculantes flexiles longiores.*«

7. **Th. harpactoides** n. sp. (Taf. XIX. Fig. 2—11.)

Körper schwach ʕ-förmig gekrümmt, langgestreckt, mit nur wenig verschmälertem Abdomen, ohne die Schwanzborsten circa 1mm lang. Die Segmente durch breite Chitinleisten eingefasst. Der Schnabel von mittlerer Grösse und von der Stirn deutlich abgesetzt. Das Abdomen mit Spitzenbesatz. Die Mandibulartaster dreilappig, der obere Theil des gestreckten Basalgliedes winklig abgesetzt, die beiden kurzen Seitenglieder nach hinten gerichtet (Fig. 7). Der Maxillarpalpus schmal mit zwei kurzen, schmächtigen Seitengliedern und ohne (oder nur mit sehr rudimentären) Nebenanhang (Fig. 8). Der Endabschnitt des obern Kieferfusses trägt einen ansehnlichen Haken und einen Borstenbüschel anstatt des Tasters, die zwei lamellenartigen Seitenglieder des Basalabschnittes sind herabgerückt (Fig. 9). Die untern Kieferfüsse kräftig, mit schwachem Stiele, ovaler Handhabe und langem, gekrümmtem Haken (Fig. 10). Die Aeste des vordern Fusspaares (Fig. 4) gleich lang, beide dreigliedrig, das Endglied des äussern Astes zu einem kurzen Träger der zwiefach gezähnten Greifhaken reducirt. Das dritte Fusspaar des Männchens ähnlich wie bei *Canthocamptus* umgebildet. Die Basalglieder des fünften Fusspaares in der Mittellinie verschmolzen (ob auch beim ♀?), die äussern Glieder bilden ovale, am äussern Rande mit Borsten besetzte Blätter, die beim ♂ kaum bis zum Ende des ersten Abdominalsegmentes reichen. Das letzte Abdominalsegment in zwei Hälften gespalten. Die Furcalglieder eben so lang als das vorhergehende Segment. Die innere Endborste etwa von der Grösse des Abdomens.

Leider ist mir nur das ♂ in mehrfachen Exemplaren bekannt geworden.

Helgoland.

11. Harpacticus M. Edw. (M. Edwards, Histoire naturelle des Crustacés.)
Cyclops, Monoculus, Nauplius, Arpacticus.
(Taf. XIX. Fig. 12—20.)

Antennae anticae 8 *vel* 9 *articulatae. Maxillipedes inferiores manu prehensili fortissima armati. Pedes primi paris prehensiles, ramus externus primo arti-*

Clytemnestra scutellata Dana.
Rostro subacuto; cephalothoracis segmento antico lato, postice utrinque dilatato, tribus segmentis sequentibus subito angustioribus margine posteriore valde arcuatis et lateribus postice productis et subacutis; abdomine 6 *articulato, articulis subaequis, decrescentibus; antennis anticis elongatis* 8 (9?) *articulatis, articulo quinto (sexto?) arcuato, sequente oblongo et apice cum appendice instructo (?) reliquis tribus oblongis: setis longis divaricatis, duabus apicalibus fere antennae longitudine; pedibus anticis pergrandibus, articulo secundo subclavato, digito tenui arcuato fere articuli secundi longitudine.*
Long. 1/24 ". Hab. in mari Pacifico, in mari Sinense.

Clytemnestra Atlantica Lubbock. (On some Entomostraca collected by Dr. Sutherland in the Atlantic Ocean. — Transact. Entom. Society vol. IV. Part. II.)
Corpus pyriforme. Cephalothorax acute rostratus 5 *articulatus, segmentis postice rotundatis, non dilatatis marginibus posterioribus fere rectis, segmento postico tamen denticulato. Antennae anticae breves. Abdomen* 4 *articulatum. Styli caudales mediocres, setis quatuor.*
Length 0,9 inch.

Clytemnestra tenuis Lubbock. (On some Oceanic Entomostraca etc.)
Cephalothorax subacute rostratus, segmento antico lato, postice utrinque dilatato, tribus segmentis sequentibus subito angustioribus, margine posteriore arcuatis, et lateribus postice productis et subacutis. Abdomen 6 *articulatum, segmentis subaequis, decrescentibus postice (bilobato). Antennae antice* 7 *articulatae, segmento apicali longo.*
Long. 1/20 ".

culo et secundo elongato, tertio rudimentari, ramus internus brevis biarticulatus. Palpus mandibularum et maxillarum valde compositus.

M. Edwards erkannte zuerst die Nothwendigkeit, die *Cyclops*-Arten O. F. Müller's in mehrere Gattungen zu trennen und stellte mit Recht für den marinen *Cyclops chelifer* ein besonderes Genus auf, welches er durch die handförmigen Maxillarfüsse charakterisirte und *Harpacticus* (ἅρπαξ) nannte. Obwohl dieses Merkmal in einem geringen Grade auch für *Cyclops staphylinus* und *furcatus* Geltung hat, die von M. Edwards unrichtigerweise wegen der zweiästigen untern Antennen mit *Cyclops castor* etc. als *Cyclopsina*-Arten vereinigt wurden, hielten spätere Beobachter doch an dem Charakter der Maxillarfüsse fest. Philippi machte allerdings auf die Verwandtschaft dieser Gliedmaassen mit denen von *Cycl. staphylinus* aufmerksam und vereinigte auch beide in seiner Gattung *Nauplius*, andere Forscher aber, wie Baird, bestimmten »*Arpacticus*« im Gegensatze zu *Canthocamptus* (*Cycl. staphylinus*) ausschliesslich durch die untern Maxillarfüsse (*Foot-jaws small, simple — Foot-jaws forming strong cheliform hands*). Erst Liljeborg zog neue Charaktere hinzu und nahm besondere Rücksicht auf die Bildung des ersten Fusspaares, beschrieb indess eine von *Cycl. chelifer* Müller's ganz verschiedene Form, was nicht nur aus der abweichenden Gestalt der untern Maxillarfüsse, sondern auch aus den ganz anders gebauten Mundtheilen hervorgeht. Auch Dana berücksichtigte die Beschaffenheit des ersten Fusspaares und gab im Gegensatz zu Liljeborg, welcher den innern kürzern Ast als dreigliedrig bezeichnete, für beide Aeste zwei Glieder an. Die Eigenthümlichkeiten des vordern Fusspaares, die wir durch eine weitere Umformung der entsprechenden Gliedmaassen von *Thalestris* ableiten können und theilweise schon bei *Th. harpactoides* vermittelt sahen, beruhen darauf, dass sich ausser dem zweiten auch das erste Glied des äussern Astes bedeutend in die Länge streckt, während das dritte zu einem kaum bemerkbaren Träger der hakenförmigen Greifborsten verkürzt wird (Fig. 18). Hierdurch erlangt der äussere Ast ungefähr die Form des innern Astes von *Tisbe* und überragt den innern, an dessen Handhabe ich keine deutliche Gliederung bemerken kann, fast um das Doppelte seiner Länge. Die vordern Antennen sind acht- oder neungliedrig, der Nebenast der hintern zweigliedrigen, dicken Antennen lang und dünn, zweigliedrig, mit drei oder vier Randborsten. Der Mandibulartaster besteht aus einem umfangreichen, winklig gekrümmten Basalgliede, dessen abgerundete Spitze in mehrere Borsten ausläuft, und zwei dünnen cylindrischen Aesten, von denen der obere grössere auch an der Seite haarförmige Borsten trägt (Fig. 14). Der Maxillartaster bildet drei cylindrische, neben einander entspringende Fortsätze, von denen der untere dem Nebenanhange entspricht (Fig. 15). Am obern Kieferfusse inseriren sich die beiden Lamellen dicht unter dem hakentragenden Endgliede, an der Spitze des Basalabschnittes (Fig. 16). Der untere Maxillarfuss mit dünnem Stiel und kräftiger, gedrungener Handhabe, deren erweiterte Basis ein Quersaum zahnförmiger Fortsätze begrenzt. Der Endhaken dick und stark gekrümmt (Fig. 17). Die Eier treten zu einem einzigen Eiersäckchen aus. Die Gliederung des Körpers ist vollzählig, beim Weibchen sind die beiden ersten Abdominalsegmente mehr oder weniger verschmolzen, aber ihre Grenze durch eine Querleiste bezeichnet.

1) **Harp. chelifer** O. F. Müller.

Cyclops chelifer O. F. Müller, Zool. Dan. Prodr. Nr. 2413. Entomostraca etc. 114. Taf. 19. Fig. 1—3.

Cyclops chelifer Latreille, Bosc, Baird.

Monoculus chelifer Manuel, Gmelin.

Cyclops armatus Tilesius, Mém. de l'acad. imp. St. Pétersbourg.

Cyclops Johnstoni Baird, Trans. Berw. Nat. Club. 1835. Taf. 2. Fig. 4.

Harpacticus chelifer M. Edwards, Hist nat. des Crust.

Nauplius chelifer Philippi, Wiegm. Archiv 1843.

Arpacticus chelifer Baird, Trans. Berw. Nat. Club. 1845. British Entom. Taf. XXIX. Fig. 2, 3.

Harpacticus chelifer Liljeborg, Crustacea ex ordib. etc. Taf. XXII. Fig. 2—11.

(Taf. XIX. Fig. 12—19.)

Körper mit ziemlich breitem Kopfbruststück und langgestrecktem Abdomen, ohne die Schwanzborsten über 1 mm lang. Der Schnabel, an der Stirn scharf abgesetzt, reicht über das Basalglied der vordern Antenne hinaus. Diese ist achtgliedrig, das Basalglied kürzer als das zweite, die Geissel relativ kurz und viergliedrig. Der basale Abschnitt der hintern Antenne breit und gedrungen. Der Stiel des untern Maxillarfusses kaum so lang als der gedrungene handförmige Griff. Der innere Ast des ersten Fusspaares trägt einen einzigen, der äussere dagegen drei fast gleichgrosse, zwiefach gezähnelte Haken. Der innere Lappen des fünften Fusspaares auch beim Weibchen sehr kurz mit drei Borsten versehen (Fig. 12), der äussere, herzförmig, reicht bis über die breite Grenzleiste des ersten umfangreichen Abdominalsegmentes. Das vorletzte Abdominalsegment entbehrt des Spitzenbesatzes. Das letzte ist in zwei den Furcalgliedern ähnliche, jedoch breitere Seitenhälften getheilt. Die Furcalglieder länger als breit, zugespitzt, die innern Endborsten länger als das Kopfbruststück, die äussern kaum halb so lang.

Länge des ganzen Körpers circa 1⅗ mm. Helgoland und die nordischen Meere.

Auch kenne ich einen sehr ähnlichen *Harpacticus* von Nizza. Dieser ist etwas kleiner und zarter, das Basalglied der vordern Antenne länger als das zweite. Ferner sind am Seitenrande des Nebenastes der zweiten Antennen nicht drei, sondern vier Borsten eingelenkt.

2) **Harp. gracilis** n. sp. (Taf. XIX. Fig. 20.)

Körper schlanker, mit minder breitem Kopfbruststück, ohne die Schwanzborsten circa 0,7 mm lang. Der Panzer dünner, namentlich die leistenförmigen Verdickungen der Abdominalsegmente viel schwächer; der Schnabel reicht bis zur Mitte des zweiten Antennengliedes. Die vordern Antennen sind neungliedrig, mit gestreckter fünfgliedriger Geissel. Die Maxillarfüsse mit längerem, nach der Basis erweitertem Stiele und zarterem Bau der Greifhand. Der innere Ast des ersten Fusspaares trägt zwei gleich lange Haken, der äussere vier der Reihe nach stärker werdende Haken und eine gekrümmte zartere Borste. Die Füsse des fünften Paares denen von *Harp. chelifer* ähnlich, jedoch ist das äussere Glied mehr länglichoval. Die vordern zwei Abdominalsegmente kaum verschmolzen, an allen Segmenten Spitzenreihen; das letzte in zwei seitliche Hälften getrennt; die

Furca breiter als lang, die innere Endborste von der Länge des ganzen Körpers, theilweise mit entfernt stehenden Seitenhäkchen besetzt; die äussere kaum halb so lang.

Länge des ganzen Körpers circa 1,4^{mm}. Messina.

3) **Harp. macrodactylus** FISCH. (FISCHER, Beiträge zur Kenntniss etc. 1860. Fig. 61.)

Die vordern Antennen neungliedrig, fast so lang als das Kopfbruststück. Der Stiel der untern Maxillarfüsse ausserordentlich lang. Die ersten Füsse scheinen denen von *Harp. gracilis* ähnlich gebildet zu sein. Die Schwanzringe sind an den Seiten und am untern Hinterrande mit abgebrochenen Stachelreihen versehen.

Länge ⅓ Linie. Madeira.

12. Setella DANA. (DANA, The Crust. of the United States exped. etc. Taf. 84. Fig. 1—5.) (Taf. XXI. Fig. 15 und 16.)

Corpus angustissimum fere lineare, antice attenuatum, sub fronte arcuata appendicem falciformem (rostrum) gerens. Antennae anticae tenues, setis brevibus, articulo quarto appendicem gerentes, antennae posticae ramo secundario carentes. Mandibularum palpus brevis et tenuis. Maxillipedes externi (anteriores) perbreves, uncinati; interni (posteriores) longe porrecti, uncinati. Pedes quinti paris Harpactici modo formati. Seta caudalis longissima.

Die gestreckte, fast lineare Körperform, welcher wir im Allgemeinen in der Familie der *Harpactiden* mehr oder minder ausgebildet begegnen, erreicht in dieser Gattung ihr Extrem. Kleinen borstenförmigen Körpern ähnlich, bewegen sich unsere Geschöpfe rasch und behend weniger in Sprüngen, als in continuirlichen, durch Biegungen der Leibesringe unterstützten Bewegungen. Die Leibesgliederung erscheint durchaus normal, sodass der weibliche Körper bei verschmolzenem Kopfbruststück und vereinigtem ersten und zweiten Abdominalsegment neungliedrig, oder auch bei getrennten vordern Abdominalsegmenten zehngliedrig, der männliche bei verschmolzenem Kopfbruststück, aber getrennten vordern Abdominalringen zehngliedrig ist. Der Schnabel, von einer hoch gewölbten Stirn überragt, tritt meist als einfacher, lanzettförmiger Fortsatz auf, bildet aber keineswegs, wie DANA unter den Charakteren der Gattung hervorhebt, zwei sichelförmige Anhänge. Die Antennen des ersten Paares beweisen den Anschluss zu den *Harpactiden*, deren Typus sie vollständig ausgeprägt entwickeln. Sie sind langgestreckt, dünn, mit kurzen Borsten versehen und tragen in ihrer Mitte einen säbelförmig verlängerten, zarten Cuticularanhang und am Ende kürzere blasse Fäden.

Nach DANA sollen die männlichen Antennen von den weiblichen nicht durch die Entwicklung eines knieförmigen Gelenkes abweichen, doch will es mir scheinen, als hätte DANA die beiden Geschlechter nicht scharf unterscheiden können. Ich habe zwar leider keine Männchen von *Setella* beobachtet, glaube aber einige Abbildungen DANA's auf männliche Formen zurückführen zu können. So halte ich DANA's Abbildung von *Setella gracilis* (Taf. 84. Fig. 3), die er für eine weibliche Form ausgiebt, für ein Männchen, und zwar nicht nur wegen der Bildung der verdickten vordern Antennen, die den Eindruck von zwei geniculirenden Greifantennen machen und sich hierin den männlichen Antennen der übrigen *Harpactiden* anschliessen, sondern auch wegen der eigenthümlichen Form des fünften Fusspaares, an welchem ein Ast nach DANA (das äussere Fusspaar) einen langgestreckten gekrümmten Haken trägt. Die hintern Antennen aber weichen wieder von denen der verwandten Gattungen ab, indem sie des Nebenastes entbehren und aus drei langen cylindrischen Gliedern bestehen, von denen das letzte einige Borsten trägt. Von den Mundtheilen war bisher nur der eine Maxillarfuss (*pedes antici* DANA) näher bekannt, der einen ansehnlichen, mit einem Haken am Ende des zweiten Abschnittes bewaffneten Greiffuss darstellt. Die übrigen Theile sind sehr klein und der Untersuchung nicht so unmittelbar zugängig. Die kurzen, mit spitzen Zähnen versehenen Mandibeln tragen einen sehr schmalen, einfachen Taster. Die Maxillen bilden kleine stummelförmige Höcker, über deren Palpus mir leider keine nähern Angaben vorliegen. Genauer kenne ich die äussern Maxillarfüsse als kurze, zweigliedrige, mit einer Klaue bewaffnete Stummel. Die vier Schwimmfüsse haben dreigliedrige, schmale und sehr langgestreckte stelzenartige Aeste, ähnlich den Füssen von *Amymone*. Das fünfte Fusspaar schliesst sich in seinem allgemeinen Bau dem von *Canthocamptus* und Verwandten an und bedeckt im weiblichen Geschlechte die vordere verschmolzene Partie des Abdomens, die beiden Lamellen dieses Fusses wurden von DANA unrichtiger Weise für besondere Extremitäten gehalten und sollten dem ersten und zweiten Segmente des Abdomens angehören. Nur eine *Setellen*-Art ist mir in Messina bekannt geworden, leider nicht einmal im vollständig geschlechtsreifen Stadium, sondern in der ältesten Jugendform vor der letzten Häutung mit noch nicht getheiltem letzten Abdominalsegment.

Diese Setelle, die ich als **Set. messinensis** bezeichne (Taf. XXI. Fig. 15 und Fig. 16), ist 1 ^{mm} lang, ohne die viel längere mit Stacheln besetzten Schwanzborsten und steht der *Set. aciculus* DANA am nächsten. Ihre vordern Antennen sind siebengliedrig, mit sehr langem zweiten Gliede; das dritte Glied trägt den säbelförmigen Faden, das letzte neben kurzen blassen Fäden eine dünne zugespitzte Lamelle.

III. Die Familie der Peltidien.

Die platten, schildförmigen *Peltidien*, welche in ihrem gesammten Baue den *Harpactiden* am nächsten stehen und sich wie diese zwischen Meerespflanzen aufhalten, wurden am spätesten unter den *Copepoden* bekannt und erst in der jüngsten Zeit etwas sorgfältiger untersucht. BAIRD[1]) ist wohl der erste, welcher eine Form aus dieser Gruppe untersuchte und als *Cyclops depressus* beschrieb. Nächst ihm wurden ähnliche Geschöpfe von PHILIPPI[2]) beobachtet und als *Peltidium purpureum*, *Hersilia apodiformis* und *Thyone* sehr unvollständig bekannt gemacht. Nicht besser und genauer sind die spätern Beschreibungen von *Sterope ovalis*, *armatus*, *interruptus*, *Zaus spinatus* und *Carillus oblongus*, welche wir GOODSIR[3]) verdanken, so dass es fast unmöglich wird, diese Formen wiederzuerkennen. Wahrscheinlich gehört *Cyclops depressus*, für welchen BAIRD später die Gattungsbezeichnung *Alteutha* einführte, mit *Carillus* in dieselbe Gattung. Ebensowenig bin ich im Stande *Sterope* und *Zaus* generisch zu unterscheiden und für *Peltidium* und *Hersilia* eine sichere und ausreichende Diagnose zu finden.

1) Mag. Zool. and Bot. 1837.
2) Archiv für Naturgeschichte 1839 und 1840.
3) On several new species of Crustaceous allied to Saphirina. Ann. and Mag. Nat. Hist. 1845.

Peltidium gehört wahrscheinlich zu der von mir erst kürzlich aufgestellten Gattung *Oniscidium*[1]), während *Thyone* mit *Porcellidium* identisch ist.

Was mich veranlasste, die *Peltidien* als eigne Familie den so nahe verwandten *Harpactiden* gegenüber zu stellen, ist vorzugsweise der breite, abgeplattete, von einem derben, meist porösen Chitinpanzer bedeckte Körper, durch welchen unsere Formen den *Isopoden* ähnlich sehen und gleichsam Asseln im Entomostrakenstyle werden. Der Vorderleib, an welchem Kopf und Brust stets mit einander verschmolzen sind, verschmälert sich ganz allmählich zu dem relativ breiten und gedrungenen Hinterleib, der nicht immer vollzählig gegliedert bleibt und eine platte oder cylindrische, aber breite Furca trägt. Die vordern Antennen sind kurz, höchstens neungliedrig, tragen den langen säbelförmigen Faden und bilden im männlichen Geschlechte rechts und links Fangarme. Ebenso schliessen sich die mit einem kleinen und schmächtigen Nebenaste versehenen Klammerantennen, die Mundtheile, die Schwimmfüsse und das letzte Fusspaar den *Harpactiden* im Allgemeinen an, während im Einzelnen sehr eigenthümliche und interessante Modificationen auftreten. Ein besonderes Herz fehlt. Die Augen bilden einen medianen Pigmentfleck mit zwei seitlichen lichtbrechenden Körpern, wiederholen also nur die einfachste Form in der Augenbildung der nahe verwandten *Harpactiden*. Auch der weibliche Geschlechtsapparat, an dessen Mündungen ein einfaches Eiersäckchen getragen wird, zeigt keine bemerkenswerthe Abweichung, während die Ausführungsgänge des Hodens in der Regel paarig und symmetrisch wie bei den *Cyclopiden* entwickelt sind.

Uebersicht der Gattungen.

<table>
<tr><td colspan="3">Körper unvollzählig gegliedert. Mandibularpalpus zu einem Greiffuss verlängert . . . .</td><td>1. **Porcellidium.**</td></tr>
<tr><td rowspan="4">Körper vollzählig gegliedert. Der Mandibularpalpus keinen Greiffuss bildend.</td><td colspan="2">Beide Aeste des ersten Fusspaares sind Greiffüsse, der fünfte Fuss sehr breit, blattförmig . . . .</td><td>5. **Zaus.**</td></tr>
<tr><td rowspan="3">Nur der äussere Ast des ersten Fusspaares ist Greiffuss, der fünfte Fuss minder breit, gestreckt.</td><td>Der innere Ast dreigliedriger Ruderast. Der untere Maxillarfuss mit langem einfachen Stiele .</td><td>3. **Alteutha.**</td></tr>
<tr><td>Der innere Ast zweigliedriger Ruderast. Die untern Maxillarfüsse mit sehr langem zweigliedrigen Stiele . . . .</td><td>4. **Eupelte.**</td></tr>
<tr><td>Der innere Ast zweigliedrig, kein regelmässiger Ruderfuss. Stiel des untern Maxillarfusses lang und einfach . . . .</td><td>2. **Oniscidium.**</td></tr>
</table>

1. Porcellidium CLS. (*Thyone* PHIL.)

(PHILIPPI, Beobachtungen über die Copepoden des Mittelmeeres. WIEGMANN's Archiv 1840.

CLAUS, Beiträge zur Kenntniss der Entomostraken 1. Heft. 1860.)

(Taf. XXII. Fig. 1—5.)

Corpus ovale, depressum, feminae 6, maris 7 articulatum. Mandibularum palpus appendice pectinata et ramo prehensili triarticulato instructus. Maxillipedes inferiores breves, triarticulati, uncinati. Pedum primi paris ramus externus natatorius, triarticulatus, internus biarticulatus, articulo basali triangulari, apicali uncinato. Furca lamelliformis.

---

1) Beiträge zur Kenntniss der Entomostraken. 1860.

Schon früher glaubte ich in dieser Gattung die sehr unvollkommen beschriebene *Thyone* PHILIPPI's wiederzuerkennen, führte indess eine andere Bezeichnung ein, weil der Name *Thyone* schon längst von OKEN für eine *Holothurien*-Gattung vergeben worden ist. Die Form des Körpers ist gedrungen, oval; die Leibesgliederung unvollzählig und in beiden Geschlechtern verschieden. Während der Körper des Weibchens aus sechs Abschnitten besteht, ist der des Männchens aus sieben Abschnitten zusammengesetzt, die durch abwärtsgebogene, tief eingeschnittene Seitentheile ausgezeichnet sind. In beiden Geschlechtern entspricht der vordere Abschnitt dem Kopf und dem ersten Thoracalabschnitt, die nachfolgenden vier Segmente beim Männchen dem hintern Theil des Thorax, dessen vier Ringe getrennt bleiben, die zwei letzten Abschnitte endlich dem Abdomen, welches mit platten Furcallamellen endet. Beim Weibchen wird die Zahl der deutlich sichtbaren Leibesabschnitte eine geringere, aber nicht in Folge der unterbliebenen Sonderung des fünften Thoracalsegmentes, sondern wie ich nach wiederholter Prüfung beobachtete, weil das vierte Thoracalsegment der Seitenflügel entbehrt, und ähnlich dem fünften Thoracalsegment der *Saphirinen*-Männchen von den benachbarten breitern Ringen verdeckt wird. Der Panzer ist sehr stark und von Poren durchsetzt. An den Seitenrändern erscheint er verdeckt und von einer hellen obern Lage umsäumt, die selbst wieder eine feinstreifige punktirte Structur besitzen kann. Der Schnabel ist eine breite, an der Antennenbasis beginnende Erhebung der Stirn.

Die vordern Antennen sind kurz, wohl meist aus sechs Gliedern zusammengesetzt, beim Männchen verdickt, mit geniculirenden Gelenken und dünnem an der Spitze hakenförmig gekrümmten Endtheil. Die kleinen Antennen bestehen aus vier Gliedern, von denen das zweite den relativ grossen mit Seitenborsten kammförmig besetzten Nebenanhang trägt. Sehr eigenthümlich ist der Mandibulartaster (Fig. 2) gebildet, der sich mit breiter Basis dem kräftigen nach vorn zugespitzten Kautheil anheftet. Sein oberer Abschnitt stellt eine breite ungegliederte am Rande mit Ausläufern und Borsten versehene Platte dar, während sich der untere zu einem dreigliedrigen Greiffusse verlängert, dessen Spitze durch eine längere Borste und durch eine kürzere, kräftige Klaue zum Anklammern geeignet wird. Der Maxillartaster (Fig. 3) ist breit, dreilappig, mit einem lanzettförmigen Nebenanhang und erscheint als die unmittelbare Verlängerung des flächenhaften Kautheiles. Von den Maxillarfüssen, die man schon aus ihrer Stellung als Aeste desselben Gliedmaassenpaares erkennt, besitzt der obere einen mehrgliedrigen mit Greifborsten versehenen Endabschnitt und an der Basis die charakteristischen Seitenglieder, der untere ist dreigliedrig mit klauenförmigem Endtheil. Die Gliedmaassenpaare des Thorax, von denen sich das erste am vordern Leibesabschnitt inserirt, sind mit Ausnahme des letzten zweiästig und jedes durch besondere Charaktere bezeichnet. Der innere Ast des ersten Fusspaares ist Greiffuss und besteht aus zwei Gliedern, von denen das basale fast von der Form eines rechtwinkligen Dreieckes an seiner Spitze das mit hakenförmigen Borsten besetzte Endglied aufnimmt. Der äussere kürzere Ast ist ein dreigliedriger Ruderast. Die Eigenthümlichkeit des zweiten Fusspaares liegt in der Kürze und hohen Insertion des äussern Astes, die des dritten in dem Besitze eines langen gezähnten Dornes an der Spitze des innern Astes, die des vierten in der schmächtigen Form des innern Astes. Das fünfte Fusspaar endlich bildet eine trianguläre mehr oder minder gewölbte Lamelle, welche der Lage nach mit den Seitentheilen der vorhergehenden Thoracalsegmente übereinstimmt und desshalb von mir früher unrichtigerweise als der in einem Gelenke abgesetzte Seitentheil des letzten Thoracalsegmentes gedeutet wurde. Die Befruchtung geschieht mittelst zweier grossen Spermatophoren, die an besondern Oeffnungen des Abdomens befestigt werden. Die Augen sind ähnlich denen von *Caligus* mit breitem, dunkelem Pigmentkörper und zwei seitlichen lichtbrechenden Organen.

1) **P. tenuicauda** Cls. (Beiträge zur Kenntniss der Entomostraken 1. Heft. Fig. 10 etc.)

Körper 1⅛^{mm} lang, breit nach hinten zugespitzt, mit dickem Panzer. Antennen sechsgliedrig, mit sehr kurzem fünften und sechsten Gliede. Das fünfte Fusspaar bildet sehr grosse schildförmig gewölbte Platten, die das Abdomen ganz zwischen sich nehmen und bis zum Ende der Furcalglieder reichen. Diese sind sehr lang, zugespitzt, gestreckt herzförmig. Nizza.

2) **P. dentatum** Cls. (Beiträge zur Kenntniss der Entomostraken 1. Heft. pag. 8.) (Fig. 2 bis 5.)

Körper 1^{mm} lang, nach hinten kaum verschmälert, mit minder starkem Panzer. Antennen viergliedrig (mit verschmolzenem zweiten, dritten und vierten Gliede). Die Platten des fünften Fusspaares minder lang, breit, fast herzförmig, sie bedecken das vordere Abdominalsegment und sind am Seitenrande mit fünf Zähnen versehen. Die Furcalglieder bilden viereckige Platten und sind ungefähr so breit als lang. Nizza.

3) **P. fimbriatum** n. sp. (Fig. 1.)

Körper oval, dem von *P. dentatum* ähnlich, ¾^{mm} lang. Antennen sechsgliedrig, mit sehr kurzem fünften und sechsten Gliede. Das fünfte Fusspaar bildet trianguläre Platten, welche das Abdomen nicht vollständig zwischen sich einschliessen. Das vordere Abdominalsegment verlängert sich in umfangreiche Seitenflügel, deren untere Partie zwischen den Lamellen des fünften Fusspaares frei bleibt. Die Seitenränder derselben sind fein gezähnelt. Die Furcallamellen langgestreckt, mit verbreitertem Ende. Messina.

2. Oniscidium Cls. (*Peltidium* Phil.?) (Beiträge zur Kenntniss der Entomostraken. 1. Heft. pag. 9.)

(Taf. XXII. Fig. 6—9.)

Corpus depressum, porrectum, profunde incisum, feminae 9, maris 10 articulatum, abdomine magnopere attenuato. Palpus mandibularum biramosus, ramo utroque simplici. Maxillipedes inferiores magni, subcheliformes. Pedum primi paris ramus internus biarticulatus, externus longior triarticulatus, uncis compluribus armatus, prehensilis. Pedes postici tenues, setosi.

Körper langgestreckt, nach hinten verschmälert, mit tiefeingeschnittenen in Zacken auslaufenden Leibesringen. Nur die drei letzten, kurzen und schmalen Abdominalsegmente sind einfach cylindrisch und entbehren der seitlichen Fortsätze. Die Gliederung ist vollzählig, Kopf und erstes Thoracalsegment bilden den vordern Abschnitt, an welchem der Schnabel als eine breite und hohe Erhebung der Stirn weit hervorragt. Im weiblichen Geschlechte bilden die beiden ersten Abdominalringe einen gemeinsamen Abschnitt, dessen zwiefach ausgezackte Seitenflügel die ursprüngliche Duplicität andeuten. Der Panzer besteht aus doppelten Lagen, einem untern gelblich glänzenden Chitingerüst, welches in Form von Leisten und rahmenartigen Verdickungen das eigentliche Skelet bildet und einem äussern blassen aber umfangreichen Saume, welcher von zahlreichen Canälchen und Trichtern, in welche sich die untere Lage erhebt, durchsetzt wird. Die Augen sind einfach in der Mittellinie verschmolzen und mit zwei seitlichen lichtbrechenden Körpern versehen. Die vordern Antennen achtgliedrig, sie tragen auf einem cylindrischen Fortsatze des vierten Ringes einen sehr langen blassen Cuticularanhang. Die hintern Antennen bestehen nur aus drei Gliedern, indem das basale vom zweiten nicht gesondert ist, sie besitzen am Ende des langen untern Abschnittes einen gestreckten, übrigens nicht weiter gegliederten Nebenanhang mit zwei Seitenborsten und an der Spitze des sehr verlängerten Endgliedes einen längern und mehrere kürzere Haken. Der Mandibulartaster bildet einen langgestreckten zweigliedrigen Ast mit langen Borsten an der Spitze und erscheint den hintern Antennen ähnlich (Fig. 6). Der Maxillartaster ist zweiästig, aber jeder Ast einfach cylindrisch und ungegliedert, der vordere breitere mit vier, der hintere schmälere mit zwei Borsten besetzt (Fig. 7). Der erste Kieferfuss (Fig. 8) besteht aus einem breiten und gestreckten Basalabschnitt, welchem ein einfacher befiederter Anhang aufsitzt und aus einem dünnen fast eben so langen Endtheil. Dieser wird aus zwei zangenartig nebeneinander eingelenkten Parallelgliedern gebildet, von denen das innere wohl als die obere Anhangslamelle des Basalabschnittes, das äussere dagegen als der Endabschnitt des Maxillarfusses anzusehen ist. Der zweite Maxillarfuss (Fig. 9) stellt einen ausserordentlich umfangreichen Greiffuss dar, dessen langes Basalglied mit verbreiterter Basis beginnt und die länglich ovale Handhabe des kräftigen Hakens aufnimmt. Sehr abweichend von den Schwimmfüssen erscheint das erste Thoracalfusspaar, an dessen umfangreichen gerade nach unten gerichteten Basalabschnitten zwei ungleichartige Aeste aufsitzen. Von diesen sitzt der äussere auf einem Fortsatz des Basaltheiles auf, er ist ein Greiffuss und wie der entsprechende Ast von *Harpacticus* dreigliedrig, aus zwei verlängerten Abschnitten und einem stummelförmigen mit mehreren Haken versehenen Endgliede zusammengesetzt. Der innere dagegen ist zweigliedrig, breit und massig, einem Ruderast ähnlich. Die nachfolgenden Thoracalgliedmaassen sind ächte Schwimmfüsse mit gestreckten, seitwärts nach aussen gerichteten Basalabschnitten und dreigliedrigen innern und äussern Aesten. Nur der rudimentäre fünfte Fuss bildet einen einzigen, zweigliedrigen Ast.

O. armatum Cls. (Beiträge zur Kenntniss der Entomostraken.) (Fig. 6—9.)

Körper mit langen scharf gezackten Seitenflügeln der Cephalothoracal- und der vordern Abdominalsegmente, $1\frac{3}{4}$ mm lang. Die vordern Antennen kurz, achtgliedrig. Die Seitenflügel der beiden Abdominalsegmente fast so lang als das Abdomen. Der letzte Leibesring ziemlich umfangreich und breit, die Furcalglieder ebenso lang, schmal, cylindrisch, fast um das Dreifache ihrer Breite von einander entfernt. Nur die innere Endborste, von kleinen haarförmigen Borsten umstellt, erreicht eine bedeutende Grösse und ist beinahe halb so lang als der Körper.

Nizza und Messina.

3. Alteutha Baird. (*Carillus* Goodsir.) (Baird, Trans. Berw. Nat. Club. 1845. Baird, British Entomostraca p. 216.)

(Taf. XXII. Fig. 10—17.)

Corpus depressum, incisum. Maxillipedes inferiores prehensiles, stylo basali elongato non articulato. Pedum primi paris pars basalis angulo flexus, ramus internus triarticulatus natatorius, externus magnus, triarticulatus, articulo apicali perbrevi, prehensilis. Styli furcales breves, cylindrici.

Von BAIRD wurde diese Gattung höchst unvollständig in folgender Weise charakterisirt: »*Foot jaws small, simple; body flat. Two strong falciform appendages from the fifth segment of the body*«. Da die Angabe für die Beschaffenheit der Mundtheile und der Körperform kein specifisches Merkmal in sich einschliesst, war es zunächst nur der Bau der sichelförmigen Anhänge am fünften Leibessegment (erster Abdominalring BAIRD's), welcher zum Wiedererkennen der Gattung leiten konnte. Allein diese Form der letzten rudimentären Füsse (Fig. 15), denn nichts anderes stellen unsere sichelförmigen Platten vor, treffen wir auch in Arten anderer Gattungen, wie z. B. bei *Porc. fimbriatum* an, sie können also nicht als Gattungsmerkmale aufgeführt werden. Wie unter den *Harpactiden* bei *Tisbe* die Extremität des fünften Thoracalsegmentes von der Mittellinie nach dem Seitenrande reicht und ihre Basallamelle zu einem schmalen und kurzen Gliede, die äussere Lamelle zu einer noch schmälern, fast lanzettförmigen Platte umgestaltet, so beobachten wir auch unter den *Peltidien* ähnliche Umformungen. Die Basalplatte reducirt sich zu einem schmalen und kurzen Gliede, das von BAIRD ganz übersehen wurde, das Endglied aber stellt eben jene sichelförmige, mit seitlichen und endständigen Dornen versehene Platte dar, die BAIRD als Gattungsmerkmal benutzte. Beim Männchen scheinen dieselben breiter und stärker bewaffnet zu sein, als im weiblichen Geschlechte. Es lag mir aber ausser der Bildung des letzten Thoracalfusses zur Wiedererkennung der Gattung noch ein anderer Anhaltspunkt vor und zwar in der Beschaffenheit des ersten Fusspaares, welches von BAIRD abgebildet, aber nicht richtig verstanden und desshalb auch nicht in die Gattungscharaktere mit hineingezogen war. An diesem (Fig. 10*f*) erscheinen nämlich die beiden Basalglieder schmal und langgestreckt, sie legen sich fast rechtwinkelig aneinander, indem das erste in der Richtung von vorn nach hinten, das zweite aber von innen nach aussen verläuft. An dem letztern entspringen die beiden Aeste durch die ganze Länge des Gliedes getrennt, der innere dreigliedrige Ruderast gleich über dem untern Verbindungsrande, der äussere mächtigere Greiffuss unmittelbar an der Spitze, so dass man mit BAIRD in Versuchung kommt, den zweiten Abschnitt der Basis als einen Theil des äusseren Astes anzusehn. Dieser äussere zum Greiffuss umgestaltete Ast besteht wie der entsprechende Gliedmaassentheil von *Harpacticus* aus zwei untern verlängerten Abschnitten und einem dritten kurzen Endglied, welches als Handhabe der Insertion einiger Haken und Klauen dient.

Körper von einem derben, porösen, krustenartigen Panzer bedeckt, mit tiefeingeschnittenen, kaum gekrümmten Seitenflügeln der Segmente. Die Leibesgliederung ist vollzählig, auch im weiblichen Geschlechte sind die beiden vordern Abdominalsegmente deutlich geschieden. Der Schnabel ist kurz, nur wenig über die Stirn hervorragend. Die vordern Antennen bestehen aus acht oder neun Gliedern, beim Männchen enden beide mit klauenförmiger Spitze. Die kleinen Antennen bestehen aus drei Abschnitten, von denen der untere am Verbindungsrande einen dünnen, langgestreckten, mit drei oder vier Seitenborsten versehenen Nebenast trägt. Der Mandibulartaster kräftig, zweigliedrig (Fig. 11). Der Taster (Fig. 12) der Maxillen wird aus drei cylindrischen Parallelgliedern gebildet, von denen das mittlere das längste ist und in einen kräftigen Haken ausläuft. Die obern Maxillarfüsse (Fig. 13) erscheinen langgestreckt, an der Basis ihres untern Abschnittes sitzt ein mit drei Borsten versehener Anhang auf. Die untern Maxillarfüsse (Fig. 14) bilden Greiffüsse von mittlerer Grösse, mit langestrecktem, ungegliedertem Stiele.

1) **A. bopyroides** n. sp. (Fig. 10—17.)

Körper länglich eiförmig, nach hinten stark verschmälert, 1^{mm} lang, einem kleinen *Bopyrus*-Männchen ähnlich. Das zweite und vierte Glied der männlichen Antennen ausserordentlich verlängert, der folgende Endabschnitt besteht aus einer kurzen gedrungenen Handhabe und einer kräftigen gegen die erstere einschlagbaren Klaue. Stirn kaum vorspringend mit medianer Spitze. Panzer derb, porös, mit grossen unregelmässigen Flecken, welche verdünnten Partien entsprechen. Der äussere Ast des ersten Fusspaares reicht ungefähr bis zum fünften Thoracalsegment. Der letzte Thoracalfuss sichelförmig, beim Männchen so lang als das erste Abdominalsegment, am äussern Rande mit vier Dornen bewaffnet. Die Seitenwand des letzten Abdominalsegmentes kaum sichtbar. Die Furcalglieder sind nach dem Ende zugespitzte Platten, mit grosser dornförmiger Randborste und einer ebensolangen der Länge nach getheilten Endborste. Nur der linke Ausführungstheil des Geschlechtsapparates kommt zur Ausbildung. Daher liegt die Spermatophore und die Geschlechtsöffnung an der linken Körperhälfte. Das Weibchen ist unbekannt geblieben.

Helgoland.

2) **A. messinensis** n. sp.

Körper länglich eiförmig, nach hinten verschmälert $^{3}/_{4}$^{mm} lang. Panzer sehr kräftig, incrustirt, mit regelmässigen Poren und starken leistenförmigen Verdickungen versehen, am Verbindungsrande der Segmente gezähnt, in der mittlern Gegend des Cephalothorax und an den beiden ersten Abdominalringen mit blauem Farbstoff inprägnirt. Die Seitenflügel der Thoracalringe minder abgerundet, schärfer gezackt. Stirn wenig vorspringend, gewölbt Die vordern Antennen des Weibchens langgestreckt, neungliedrig, siebentes und achtes Glied sehr kurz. Die Lamelle des fünften Fusspaares schmal, geradgestreckt, so lang als die beiden vordern Abdominalsegmente, mit glattem Aussenrande und zwei kurzen und einem längern Dorne an der Spitze. Die beiden vordern Abdominalsegmente laufen in kurze Seitenfortsätze aus. Das letzte Segment ist kurz, seine Seitenränder werden nicht von den Furcallamellen verdeckt; diese sind stummelförmig, mit kurzen Seitenborsten und mit einer viel kräftigeren Endborste. Das Männchen blieb unbekannt.

Messina.

4. Eupelte Cls. (Beiträge zur Kenntniss der Entomostraken pag. 10.)
(Taf. XXII. Fig. 19—24.)

Corpus depressum, latum. Maxillipedum inferiorum pars basalis magnopere elongata, biarticulata, manu prehensili armata. Pes primi paris eidem Alteuthae haud dissimilis, ramus internus biarticulatus, rami externi triarticulati, articulus medianus elongatus. Pedes postici tenues.

In meinen Beiträgen konnte diese Gattung nur mangelhaft charakterisirt werden, da sie nach einem einzigen und noch dazu unvollständig untersuchten Exemplar von Nizza aufgestellt war. Gegenwärtig bin ich nun im Stande, die frühern Angaben nach zwei in Neapel und Messina beobachteten Arten zu ergänzen. Im Allgemeinen schliesst sich dieselbe am nächsten der Gattung *Alteutha* an, dieselbe Bildung des Panzers und Gliederung des Leibes, der gleiche Bau des fünften Fusspaares, welches ich unrichtiger Weise als die gegliederten Seitenflügel des fünften Segmentes gedeutet hatte. Die formelle Uebereinstimmung ist in der That so gross, dass ich sicherlich, wenn mir damals schon Baird's Beobachtungen bekannt gewesen wären, die *Eupelte gracilis* als eine

Alteutha beschrieben haben würde. Jetzt überzeugt mich jedoch eine genauere Untersuchung der Gliedmaassen und Körpertheile, dass die Gattung aufrecht erhalten werden muss. Zunächst ragt der Schnabel als eine breite, seitlich ausgebuchtete, mit Chitin stärker gestützte Platte weit zwischen den andern Antennen hervor, während er dort kaum anders als ein sanft gewölbter, wenig prominirender Stirnrand bezeichnet werden kann. Ferner werden die untern Maxillarfüsse nicht von einem einfachen, sondern von einem knieförmig gegliederten Stiele getragen, dessen beide Abschnitte ginglymisch verbunden sind. Die Greifhand (Fig. 20) ist kurz, gedrungen und mit einem kräftigen Haken versehen. Endlich erscheinen auch die vordern Thoracalfüsse abweichend, indem der innere Ruderast nicht aus drei, sondern nur aus zwei Gliedern besteht. An dem letzten Thoracalfusse ist das erste Glied fast so lang gestreckt, als das zweite und nicht wie bei *Alteutha* kurz und undeutlich. Die vordern Antennen sind achtgliedrig; auch hier ist beim Männchen der zum Greifen dienende Endtheil ausserordentlich kurz, aber die äusserste Spitze zweigliedrig, nicht zu einer einfachen Klaue verschmolzen (Fig. 21). Der Taster der dreigliedrigen kleinen Antennen ist kürzer und trägt meist nur zwei Seitenborsten. Die Mundtheile stehen denen der erwähnten Gattung sehr nahe, auch hier besitzt der obere Maxillarfuss unmittelbar an der Basis einen mit Borsten besetzten Anhang, und der Taster der Maxillen an der Spitze des längern fussförmigen Astes eine kräftige Hakenborste. Der Palpus der Mandibeln ist einfach, zwei- oder dreigliedrig. Leider glückte mir die genaue Untersuchung der Mandibeln und Maxillen nicht vollständig, und es können mir an ihnen einige Eigenthümlichkeiten entgangen sein. Das letzte verkümmerte Abdominalsegment zerfällt in zwei seitliche Hälften. Beim Männchen gelangt der ausführende Theil des Geschlechtsapparates nur an der linken Hälfte zur vollen Ausbildung.

1) **E. gracilis** Cls. (Beiträge zur Kenntniss der Entomostraken pag. 29.)

Körper breit, mit gedrungenem Abdomen, c. 1 mm lang. Schnabel mit flachconcaven Seitenrändern und nahe geradlinigem Vorderrande. Panzer krustenartig porös mit leistenförmigen Verdickungen. Vordere Antennen achtgliedrig, sie tragen auf dem vierten Gliede einen fadenförmigen Cuticularanhang. Die Verbindungsränder der vordern Segmente mit stumpfen Kerben. Die Füsse des fünften Paares schmal und sehr lang, sie fassen das ganze Abdomen zwischen sich und sind an der Spitze mit einer schwachen Borste und zwei dicken, stumpfen, ungleich grossen Dornen bewaffnet. Die drei vordern Abdominalsegmente, von denen die zwei ersten nicht scharf geschieden sind, laufen in spitze Seitenflügel aus. Die Furcalplatten sind etwas länger als breit, in der Mitte des äussern Randes mit einer kurzen, zwiebelförmigen Randborste, die von zwei sehr kleinen Borsten umstellte Endborste mit zwiebelförmiger Basis und langem Endfaden. Das Männchen blieb unbekannt.

Nizza.

2) **E. bicornis** n. sp. (Fig. 23, 24.)

Körper breit, dem von *E. gracilis* ähnlich, mit grossen Seitenflügeln der Thoracalsegmente, kaum 1 mm lang. Schnabel hoch, in zwei seitliche Hörner auslaufend. Panzer porös und mit kurzen Wimpern bedeckt. Das kurze Abdomen wird ganz von den Füssen des fünften Paares eingeschlossen. Diese sind mit Wimpern und Spitzen bedeckt, breiter und kürzer als bei *E. gracilis* und tragen an der Spitze neben der Borste zwei lange Dornen. Nur das erste Abdominalsegment bildet einen seitlichen Flügel (beim Männchen). Die übrigen sind ausserordentlich kurz und mit langen Wimpern besetzt. Die Furcallamellen oval, die Randborste kräftig und lang, noch länger ist die von zwei kleinen Borsten umstellte Endborste. Nur das Männchen wurde beobachtet.

Neapel.

3) **E. oblonga** n. sp. (Fig. 19—22.)

Körper länglich schmal mit wohl ausgebildeten, bezähnten Seitenflügeln der Thoracalsegmente, circa $^2/_3$ mm lang. Schnabel und Panzer wie bei *E. gracilis*. Der äussere Ast des ersten Fusspaares reicht bei gestrecktem zweiten Abschnitte der Basis fast bis zur Mitte des Abdomens. Das erste Glied des äussern Astes ungewöhnlich kurz. Das fünfte Fusspaar ziemlich gedrungen, am Rande bewimpert und an der Spitze mit zwei längern Borsten und einer kräftigen Kralle versehen. Dasselbe reicht kaum über die Seitenflügel des ersten Abdominalsegmentes hinaus. Die nachfolgenden Abdominalsegmente entbehren der Seitenfortsätze und verschmälern sich stark, die Furcallamellen gedrungen eiförmig, Randborste stark und von mittlerer Länge, ebenso die von zwei kürzern Borsten umstellte Endborste. Das Weibchen blieb unbekannt.

Messina.

5. **Zaus** Goods.

Goodsir, H., On several new species of Crustaceous allied to Saphirina. Ann. of nat. hist. vol. 16. 1845.

Descriptions of some new Crustaceous Animals found in the Firth of Forth. Edinb. new. Phil. Journ. 1842.

(Taf. XXII. Fig. 18, 25, und Taf. XXIII. Fig. 1—18.)

Corpus depressum, latum. Maxillipedum inferiorum pars basalis simplex perbrevis, manus subcheliformis permagna. Pedum primi paris rami ambo prehensiles iisdem Harpactici haud dissimiles. Pedes postici foliacei.

Goodsir beschrieb eine Reihe von *Saphirinen*-ähnlichen *Entomostraken* leider zu allgemein und unvollständig, als dass es möglich wäre, sie nach seinen Untersuchungen mit bestimmten und sichern Unterscheidungsmerkmalen im System aufzuführen. Ich glaube indess einige Formen gefunden zu haben, welche den Goodsir'schen Gattungen *Zaus* und *Sterope* entsprechen, obwohl sie generisch nicht von einander zu trennen sind. Desshalb wird nur eine dieser Bezeichnungen als Gattungsname wieder aufgenommen werden können, und zwar die erstere als die besser untersuchte den Vorzug verdienen.

Es sind flache, mit derbem Panzer ausgestattete *Peltidien* von ovaler, mehr oder minder langgestreckter Körperform und vollzähliger Gliederung. Auch hier haben wir vor allen Dingen auf den Bau des ersten Fusspaares Rücksicht zu nehmen, welches den besten Charakter zur Bestimmung der Gattung liefert. Der breite Basaltheil besteht aus zwei in der ganzen Breite verwachsenen Abschnitten, welche, von ansehnlicher Länge und nach unten gestreckt, die Wirksamkeit der beiden Aeste auf eine grössere Peripherie an der Bauchfläche des Körpers ausdehnen. Beide Aeste (Fig. 6 und Fig. 16) sitzen an der Spitze des zweiten Basalabschnittes unmittelbar neben einander auf, beide sind Greiffüsse und verhalten sich ihrer Grösse und Bildung nach etwa wie die beiden entsprechenden Aeste von *Harpacticus*. Der innere ist der kürzere, mit langgestrecktem Stiele, zwei- oder dreigliedrig, jenachdem die Handhabe der beiden ansehnlichen Greifhaken einfach ist oder aus zwei Gliedern besteht. Der äussere dagegen, fast von doppelter Länge, wird aus einem zweigliedrigen

Stiele und einem mit vier Haken versehenen Endtheile gebildet, welcher wegen seiner Kürze nur undeutlich als das dritte Glied erkannt wird. Die Füsse des fünften Thoracalsegmentes nähern sich denen der meisten *Harpactiden*, sie sind blattförmige Lamellen, welche am Aussenrande mit einem zipfelförmigen, borstentragenden Anhange, am innern und untern Rande mit Borsten versehen sind (Fig. 1 u. 9). Beim Weibchen sind diese basalen Platten ausserordentlich breit und stossen in der Mittellinie fest zusammen, beim Männchen dagegen sind sie schmal, weichen nach dem Rande aus einander und entbehren der untern Borsten. Der Schnabel prominirt als eine quadranguläre, mehr oder minder abgerundete Platte. Die vordern Antennen sind neungliedrig, mit einem zarten Cuticularanhange an der Spitze des vierten Abschnittes. Beim Männchen erscheint der zum Greifen dienende Abschnitt ausserordentlich kurz, auf die äusserste Spitze beschränkt. Der Nebenast der untern zweigliedrigen Antennen ist langgestreckt, mit drei oder vier Seitenborsten und zwei Endborsten besetzt. Der Palpus der Mandibeln (Fig. 13) breit, mit zwei dünnen und langen nach hinten gerichteten Aesten. Der Taster der Maxillen (Fig. 3 und 14) flächenhaft ausgebreitet, aus vier Anhängen gebildet. Der obere Maxillarfuss besitzt unter dem hakenförmigen Endabschnitte zwei oder drei cylindrische Anhänge. Der untere Kieferfuss (Fig. 15) ist ein kräftiger Greiffuss und wird von einem einfachen kurzen Stiele getragen. Im weiblichen Geschlechte stehen die beiden vordern Abdominalsegmente in einer engern Verbindung, sind indess deutlich gesondert. Das letzte Segment zerfällt in beiden Geschlechtern durch eine mediane Trennung in zwei seitliche Hälften. Die Ausführungsgänge des männlichen Geschlechtsapparates paarig mit rechter und linker Spermatophore und paarigen Geschlechtsöffnungen.

1) **Z. spinosus** Cls. (Goods. etc. *Zaus spinatus*?)

(Taf. XXII. Fig. 25; Taf. XXIII. Fig. 1—10.)

Körper breit, ohne die Schwanzborsten circa $^5/_8$ mm lang, mit haarförmigen Cuticularanhängen an den fast horizontalen Seitenflügeln des Kopfbruststückes. Panzer ohne Porencanäle, nicht incrustirt. Schnabel nach vorn zugespitzt, mit zwei Fäden besetzt. Das zweite und dritte Glied der weiblichen Antennen sehr lang. Der Nebenast der untern Antennen trägt drei Seitenborsten. Stiel der untern Kieferfüsse sehr kurz, Handhabe fast quadratisch mit stark gekrümmten Haken. Das zweite Glied des ersten Fusspaares gestreckt. Der innere Ast mit einfacher Handhabe, die Haken sind kurz und tragen einen seitlichen, quergerippten Flügel (Fig. 6). Abdomen gedrungen, die drei ersten Segmente mit unbedeutenden Seitenfortsätzen und haarförmigen Spitzen versehen, im weiblichen Geschlechte sind die beiden vordern Segmente stark erweitert. Furcalglieder breit und kurz, nach aussen gerichtet. Zwei grosse Endborsten stehen an der Spitze der Furca, die äussere ist so lang als das Abdomen, die innere fast doppelt so lang. Helgoland.

2) **Z. ovalis** Goods. (*Sterope ovalis* ♂ = *Sterope armatus* Goods.)

(Taf. XXII. Fig. 18; Taf. XXIII. Fig. 11—18.)

Körper länglich oval, circa $1^1/_2$—$1^3/_4$ mm lang. Panzer sehr kräftig, krustenartig, mit Porencanälen und verdünnten Stellen, mit haarförmigen Anhängen am Cephalothorax. Die Seitenflügel des Thorax fast senkrecht herabgebogen. Der Schnabel breit, abgerundet. Der Nebenast der untern Antennen mit vier Seitenborsten. Das zweite Glied des ersten Fusspaares kurz und gedrungen. Der innere Ast mit zweigliedriger Handhabe und zwei langen Krallen. Von den vier Krallen an dem Ende des äussern Astes sind die zwei obern grossen quer bewimpert. Das Abdomen erscheint gestreckt, das zweite und dritte Segment mit seitlichen Zacken versehen, an den Rändern bewimpert. Das letzte Segment kurz, die Furcalglieder länger als breit, nach dem Ende verschmälert, mit Spitzen besetzt. Die innere Endborste so lang als die vier letzten Abdominalsegmente. Helgoland.

IV. Die Familie der Corycaeiden.

Dana stellte zuerst die Gattungen *Corycaeus*, *Sapphirina*, *Copilia*, *Antaria* und *Miracia* zur Familie der *Corycaeiden* zusammen und charakterisirte dieselben vorzugsweise durch den Besitz grosser Cornealinsen an der Stirnfläche, in ansehnlichem Abstande vom Pigmentkörper des Auges. Er verglich diese lichtbrechenden Stirnlinsen ihrer Bedeutung nach mit Brillengläsern und sah die Erfindung der Sammellinsen gleichsam von der Natur am Körper dieser kleinen Thiere anticipirt. Man wird in der That der eigenthümlichen Bildung und hohen Entwicklung des Auges einen systematischen Werth nicht absprechen können, doch darf man in derselben keineswegs einen unabänderlichen Charakter suchen, denn schon an der mit *Saphirina* nahe verwandten *Saphirinella* (*Saphir. stylifera* Lubb.) vermissen wir die *conspicilla* und sehen den hintern Theil des paarigen Auges vereinfacht und in der Medianlinie verschmolzen. In der Gattung *Antaria* treffen wir zwar die Cornealinsen wenn auch nur in geringer Grösse an der Stirnfläche neben einander, der Pigmenttheil aber hat die Form und Eigenthümlichkeit des hintern Auges verloren und liegt unmittelbar unter der Linse, auch fehlt das mittlere Augenbläschen. Bei solchen Uebergängen und Modificationen des Auges von *Saphirinella* und *Antaria* trage ich kein Bedenken, unter den *Corycaeiden* zwei neue Gattungen aufzunehmen, die sich in der Leibesform, in der zarten Beschaffenheit der Körperbedeckung, namentlich aber in der Bildung der Mundwerkzeuge den übrigen Gattungen anschliessen, in der Bildung des Auges freilich noch mehr als die erstern abweichen. Die Gattung *Pachysoma*, deren Bezeichnung ich dem weiten sackförmigen Magen des Thieres entlehne, besitzt ein sehr kleines medianes Auge mit einem wenig entwickelten Pigmentkörper und drei lichtbrechenden Kugeln, von denen die seitlichen dem paarigen Auge, die mediane dem unpaaren Augenbläschen zu entsprechen scheinen. Bei *Lubbockia* endlich, welche durch die beträchtliche Grösse des untern Maxillarfusses noch mehr als die andern Formen an parasitische *Copepoden* erinnert, habe ich weder Pigment, noch Linse, Krystallkugel und Nerv finden können, hier fällt das Auge, ähnlich wie bei einigen *Calaniden*, ganz aus. Die Dana'sche Gattung *Miracia* gehört nach der Form ihres Leibes, nach dem Bau der Antennen und Mundtheile in die Nähe von *Setella*, oder fällt gar mit dieser Gattung ganz zusammen, jedenfalls ist der Besitz von zwei Cornealinsen an der Stirn — der einzige Augentheil, der von Dana erwähnt und abgebildet wird — nicht ausreichend, ihre Stellung unter den *Corycaeiden* zu begründen. Die Mundtheile (Taf. XXX. Fig. 4—6) haben durchweg eine charakteristische Form, sie sind kurz und gedrungen, ihre Anhänge und Taster sehr reducirt oder ganz ausgefallen, ihre Bewaffnung durch spitze Borsten oder Haken gebildet. Am mächtigsten treten die untern, häufig nach dem Geschlechte abweichenden Kieferfüsse hervor, sie sind langgestreckte, mehrgliedrige Greiffüsse und tragen an der Spitze einen langen und kräftigen Haken. Weit kürzer und gedrungener erscheinen die obern Maxillarfüsse mit zwei oder drei spitzen, stiletförmigen Bor-

19*

sten oder einem kräftigen Haken bewaffnet. Die Maxillen bilden eine einfache, länglich ovale Platte, welche des Tasters entbehrt und am Vorderrande in mehrere stiletförmige Spitzen und Borsten ausläuft. Die Mandibeln endlich sind gekrümmte, am Ende meist zugespitzte Hornplatten, welche mit breiter Basis zum Theil unter der zweilappigen Oberlippe entspringen und meist neben dem conischen Zahngliede einen befiederten oder auch mit Zähnchen versehenen Höcker besitzen. Indess können auch einzelne Mundgliedmaassen ausfallen, wie bei *Saphirinella*, welche nur untere Maxillarfüsse besitzt; eine sehr eigenthümliche Form, *Monstrilla*, welche ich vorläufig am besten unter den *Corycaeiden* anführe, entbehrt sogar der Mandibeln, Maxillen und Maxillarfüsse.

Die vordern Antennen stimmen in beiden Geschlechtern überein, sie sind kurz, meist sechsgliedrig, beim Männchen niemals Greifarme mit genieulirendem Gelenk. Die hintern Antennen dagegen weichen oft in beiden Geschlechtern von einander ab und dienen in allen Fällen als Klammerorgane. Nur bei *Monstrilla* fehlen sie vollständig. Stets entbehren dieselben eines Nebenastes, bei *Antaria* sind sie dreigliedrig, mit handförmig gebeugtem Endgliede, dessen Rand zwei Gruppen längerer Borsten trägt, bei *Pachysoma* und *Lubbockia* viergliedrig, im erstern Falle *Cyclops*-ähnlich mit schmächtigen Greifborsten, im letztern mit kräftigen Hakenborsten an der Spitze. Auch bei den übrigen Gattungen unterscheidet man an den hintern Antennen meist vier Glieder, von denen die beiden letzten in der Regel nicht scharf getrennt hervortreten, eine kürzere und gedrungene Form besitzen und einen Haken tragen, welcher namentlich im männlichen Geschlecht eine sehr beträchtliche Länge erreicht. Von den fünf Fusspaaren des Thorax tritt das letzte niemals, weder als Schwimmfuss, noch als Greiffuss im männlichen Geschlecht auf und bildet entweder einen eingliedrigen, rudimentären Stummel, oder fällt nebst dem zugehörigen Segmente ganz hinweg. In diesem Falle (*Corycaeus*) erleidet auch das vorhergehende vierte Fusspaar eine Reduction, indem dasselbe anstatt eines dreigliedrigen Innenastes einen kurzen einfachen Anhang trägt; die innern Aeste der vorhergehenden Füsse besitzen zwar drei Glieder, bleiben aber auch kurz und verkümmert. Kopf und Brust sind fast eben so häufig verschmolzen als getrennt, die Gliederung des Abdomens ist in manchen Fällen unvollzählig. Ein Herz fehlt. Das Nervensystem zeichnet sich durch Kürze und Gedrungenheit der Centraltheile aus, welche keine Kiefer- und Fussganglien zur Sonderung gelangen lassen. Männliche und weibliche Geschlechtsorgane treten paarig auf, erstere enden jederseits mit einem grossen Spermatophorensack und münden meist unter zwei grossen Klappen an der Bauchfläche des vordern Abdominalsegmentes, letztere dagegen in der Regel in zwei Oeffnungen seitlich oder an der Rückenfläche in der Mitte des vordern Abdominalabschnittes, der mindestens aus zwei Segmenten verschmolzen ist. Die Gattung *Lubbockia* dagegen besitzt die weiblichen Geschlechtsöffnungen auf der Bauchfläche und bildet ein einfaches Eiersäckchen, während alle andern Formen deren zwei bald an den Seiten des Körpers, bald auf der Rückenfläche tragen. Im letztern Falle werden auch die beiden Spermatophoren während der Begattung an die Rückenfläche des vordern Abdominalsegmentes befestigt.

Die Modificationen der allgemeinen Körperform bewegen sich auf weitem Felde. Bei *Pachysoma* erscheint der Körper kuglig birnförmig, bei *Saphirina* und *Saphirinella* oval plattgedrückt, während die übrigen Gattungen eine mehr oder minder gestreckte cylindrische Leibesform, zuweilen bei geringer seitlicher Compression, besitzen.

Uebersicht der Gattungen.

Mundtheile fehlend oder unvollzählig.		Körper langgestreckt, wenig comprimirt, die hintern Antennen und alle Mundtheile fehlen	8. **Monstrilla.**
		Körper flach, *Saphirinen*-ähnlich, die hintern Antennen sind Klammerantennen. Die Mundtheile durch ein Paar Fangfüsse vertreten	2. **Saphirinella.**
Mundtheile vollzählig.		Körper flach. Die paarigen Augen mit Linsen und lichtbrechenden Körpern, der Mittellinie genähert	1. **Saphirina.**
		Körper ein wenig dorsoventral zusammengedrückt, weit, mit breiter geradliniger Stirn und sehr stark verschmälertem Abdomen. Die paarigen Augen mit Linsen und lichtbrechenden Körpern, weit von der Mittellinie entfernt, die Linsen an die Ecken der Stirn gerückt	5. **Copilia.**
		Körper sehr weit, fast birnförmig, nach beiden Polen verschmälert, mit stark zugespitztem Abdomen. Augen einfach median, ohne Linsen. Die Aeste der vier Schwimmfüsse dreigliedrig	6. **Pachysoma.**
	Körper schmal cylindrisch, mehr oder minder seitlich comprimirt.	Stirn abgerundet, mit zwei der Mittellinie genäherten Linsen. Die paarigen Augen liegen weit hinter denselben in der Tiefe des Kopfes und besitzen lichtbrechende Körper. Fünftes Thoracalsegment und Fusspaar verborgen. Die Abdominalsegmente unvollzählig, meist auf zwei reducirt. Die untern Antennen umfangreich, mit Klammerhaken	3. **Corycaeus.**
		Stirn abgerundet. Die Augen klein, einfach, unmittelbar hinter zwei kleinen zusammenstossenden Linsen an der Stirn. Letztes Thoracalsegment frei vortretend mit rudimentären Füsschen. Die untern Antennen dreigliedrig, dick mit verbreitertem handförmigen Endgliede	4. **Antaria.**
		Körper sehr verlängert, mit spitzem Stirnschnabel. Augenlos. Fünftes Thoracalsegment und rudimentärer Fuss vorhanden. Hintere Antennen lang und dünn, viergliedrig mit Greifborsten. Untere Maxillarfüsse sehr lang und kräftig	7. **Lubbockia.**

1. **Saphirina** (*Sapphirina*) Thomps. (Thompson, Zoological researches 1829.)
(Taf. VII. Fig. 5; Taf. VIII. Fig. 2—7; Taf. XXV. Fig. 13.)

Corpus depressum, ovale, abdomen apud feminam interdum subito cephalothorace angustius. Thoracis quintum segmentum apud marem rudimentare. Pedes quinti paris tenues, uniarticulati. Pedes natatorii biramosi, ramis et internis et externis triarticulatis. Antennae anticae 5 aut 6 articulatae, articulo secundo elongato, posticae pediformes unguiculatae. Styli caudales laminati. Mares saepe opalini aut metallini. Oculus impar vesiculiformis. Oculorum lateralium corpus pigmentatum styliforme.

Die glänzenden, in prächtigem Farbenspiele irisirenden Schüppchen, welche farbigen Lichtfunken gleich gar oft in zahlloser Menge unter der Oberfläche des Meeres erscheinen, sind sicherlich gar manchem Seefahrer früherer Jahrhunderte bekannt gewesen. Allein erst in diesem Jahrhundert erhalten wir von ihnen bestimmte Nachrichten, welche freilich nicht weit über ihre allgemeine Form und Natur als Thiere, sowie über das Leuchtvermögen und den prachtvollen Farbenglanz hinausgehen. MEYEN[1], welcher die *Saphirinen* zu den das Meerleuchten erzeugenden Thieren zählt, theilt in geschichtlicher Hinsicht mit, dass ANDERSON auf COOK's letzter Reise an der Nordwestküste Amerika's diese Schüppchen fand und als *Oniscus fulgens* bestimmte. BANKS erhob dieselben zu einer besondern Gattung *Carcinium* und nannte die Species *opalinum*. Auf KRUSENSTERN's Reise wurden die Thiere unter dem Namen der Silberblättchen sehr berühmt und TILESIUS theilte im Atlas zu jener Reise und in GILBERT's Annalen Abbildungen derselben mit. Erst THOMPSON[2] gab eine genauere Untersuchung, führte die höchst zutreffende Bezeichnung »*Sapphirina*«[3] ein, kannte aber nur die breiten, farbenschimmernden Männchen. Ziemlich gleichzeitig mit MEYEN beschrieb O. G. COSTA[4], ohne mit THOMPSON's und den frühern Beobachtungen bekannt zu sein, eine *Saphirina* Neapels als *Edwardsia fulgens*, auch COSTA versuchte ebenso wie MEYEN die innere Organisation zu deuten, gab aber eine nicht minder verfehlte und unglückliche Auslegung. MEYEN hielt die Hornhautlinsen für Grübchen, die Spermatophorentheile der *vasa deferentia* für Leuchtorgane, die Samenleiter für Nervenstränge, die Hoden für Ganglien, das Nervensystem für Gefässstämme. Ein noch vollendeteres Muster einer irrthümlichen Deutung gab COSTA, der ein dreilappiges Gehirn beschrieb, den Darmcanal für die *medulla oblongata*, seine Befestigungsmuskeln für die Nervenäste, die Muskeln für Arterien, Venen und Tracheen, die Fettkugeln für Poren ausgab. Ausser TEMPLETON[5], der eine im Atlantischen Ocean (REYNAUD) und am Cap der guten Hoffnung beobachtete *Saphirina* als *S. fulgens* beschrieb, beschäftigten sich vor Allem DANA und in jüngerer Zeit LUBBOCK und GEGENBAUR mit *Saphirinen*. DANA[6] gab eine genaue Untersuchung des Auges und des innern Baues, für welchen er die Irrthümer MEYEN's aufdeckte, und beschrieb etwa zwanzig neue Arten aus dem Stillen und dem Atlantischen Ocean, LUBBOCK[7] machte ebenfalls eine Anzahl neuer Formen aus diesen Meeren bekannt, während GEGENBAUR[8] die Anatomie einer grossen messinesischen *Saphirina* (*S. fulgens?*), wahrscheinlich der *S. fulgens* TEMPL., veröffentlichte. Meine eigenen Bemerkungen[9] beziehen sich theils auf den Bau des Auges, theils auf die Leibesgliederung, das Nervensystem und den Parasitismus der in Salpen lebenden *Saphirinen*.

Der Körper der *Saphirinen* zeichnet sich durch die starke dorso-ventrale Abplattung aus, die allen mir bekannt gewordenen Arten eigenthümlich ist, wie sehr auch im Einzelnen die Grösse und Form des Körpers abweichen mag. Eine bestimmte unveränderliche Zahl von Segmenten anzugeben, scheint mir gewagt, da zunächst Kopf und Brust bald vereinigt, bald getrennt sind, ferner das letzte Thoracalsegment beim Männchen ganz constant sehr schmal bleibt und von den benach-

1) Ueber das Leuchten des Meeres Nova Acta XVI. 1834.

2) Zoological researches 1829.

3) Ich hielt es für richtig, nicht *Sapphirina*, sondern *Saphirina* zu schreiben, ersehe jedoch aus der Etymologie, leider zu spät, um mich noch überall im Texte corrigiren zu können, dass ich einen Irrthum beging.

4) Cenni zoologici 1834, sowie Fauna del regno die Napoli.

5) TEMPLETON, Descr. of some undescribed Crustacea. Transact. Entom. Soc. 1836.

6) DANA, The crustacea of United States etc.

7) LUBBOCK, Transact. Entom. Soc. 1856; On some Oceanic Entom. Collected by Captain Toynbee Transact. Lin. Soc. vol. XXIII.

8) GEGENBAUR, Organisation von Phyllosoma und Sapphirina. MÜLLER's Archiv 1858.

9) CLAUS, MÜLLER's Archiv 1859, ferner die Beiträge zur Kenntniss der Entomostraken 1860.

barten Leibesringen überdeckt wird, beim Weibchen aber die beiden vordern Abdominalsegmente oft unvollständig verschmelzen und endlich in beiden Geschlechtern der letzte Leibesring verkümmert. So kommt es, dass man *Saphirinen* mit eilf, zehn, neun, nach Abbildungen DANA's sogar mit nur acht deutlich hervortretenden Leibesabschnitten finden kann, ohne dass die Segmentirung eine unvollzählige wird. Ganz constant scheint ein grösserer oder geringerer Dimorphismus des Geschlechtes zu bestehen, indem das Abdomen der Weibchen[1]) schmäler bleibt, ferner das letzte Thoracalsegment in seiner normalen Grösse frei hervorsteht. Dazu kommt die in beiden Geschlechtern verschiedene Lage der Cornealinsen, nach welcher DANA zwei sehr unnatürliche Artengruppen bildete (*conspicilla contigua — c. non conjuncta*), ferner der Farbenschimmer und Metallglanz des männlichen Thieres. Die vordern Antennen sind in der Regel fünfgliedrig und in beiden Geschlechtern gleich, die hintern viergliedrig mit einem Haken oder einer Greifborste an der Spitze versehen, diese scheint beim Männchen länger, beim Weibchen kürzer und wird nebst den zwei obern gedrungenen Endgliedern gegen die beiden langgestreckten Basalglieder gebeugt. Die vier Schwimmfüsse besitzen zwei dreigliedrige Ruderäste, der fünfte rudimentäre Fuss bildet einen cylindrischen mit Borsten besetzten Fussstummel.

Von den Mundwerkzeugen bilden die Mandibeln sichelförmig gekrümmte, scharf zugespitzte Haken, die Maxillen grosse, mit breiter Kaufläche und einigen Zähnen versehene Platten. Die obern Maxillarfüsse sind gedrungene und kräftige Waffen zum Stechen, mit breitem Basalabschnitt, kurzem Endgliede und einem stiletförmigen Haken. Mehr zum Greifen scheinen die längern und gestreckten untern Maxillarfüsse zu dienen, die ebenfalls aus zwei Gliedern bestehen und einen ansehnlichen, im männlichen Geschlecht umfangreichen Haken tragen. Die Furcalglieder sind breite, mit vier kurzen Borsten (zwei seitlichen und zwei apicalen) besetzte Lamellen.

1) **Saph. fulgens** (*S. fulgens* TEMPL. (?) — *Oniscus fulgens* TILES. (?)).

GEGENBAUR, MÜLLER's Archiv 1858.

CLAUS, MÜLLER's Archiv 1859, ferner die Beiträge zur Kenntniss etc. 1860.

(Taf. VII. Fig. 5; Taf. VIII. Fig. 2—4, 7.)

Körper des Männchens länglich oval, azurblau irisirend, nach hinten wenig verschmälert, $3\frac{1}{2}$—5^{mm} lang, Weibchen kleiner und schmächtiger aber langgestreckt mit schmalem Abdomen, blass, ohne Farbenschiller. Antennen fünfgliedrig mit langem zweiten Gliede, bei den grössern Männchen kaum über den Rand des Kopfschildes vorragend, bei den kleinern dagegen mit den letzten Gliedern hervorragend. Es ist möglich, dass die grössern und kleinern Formen, die ich in dieser Species zusammenfasse, zwei verschiedene Arten bilden, denn mit den Verschiedenheiten der vordern Antennen und der Körpergrösse combiniren sich noch andere Abweichungen. Die grössern Männchen haben auch weit gedrungenere Klammerantennen, deren drittes und viertes Glied mit dem Greifhaken sich beträchtlich über die halbe Länge des zweiten langgestreckten Gliedes ausdehnen; dünner und gestreckter sind diese Abschnitte an den kleinern Formen, deren hintere Leibesringe rubinrothe Pigmente in den Kugeln der Hautnerven enthalten. Eine andere Differenz bezieht sich auf die Form der Furcallamellen, welche an den grössern Männchen etwas gedrungener

1) *Cyclops laticauda* TEMPLETON's ist nicht, wie M. EDWARDS glaubt, ein *Cetochilus*, sondern das Weibchen seiner *Saph. fulgens*.

sind und am Ende des innern Randes in einen zahnförmigen Absatz auslaufen; bei den kleinern Formen fällt dieser Zahn fast vollständig aus und die Lamelle erscheint gestreckter und zugespitzt. An den Klammerantennen der Weibchen, welche bezüglich der Grösse und Furcalbildung die gleichen Unterschiede zeigen, erreicht der Endabschnitt (die zwei letzten Glieder) der Klammerantennen kaum die halbe Länge des zweiten Gliedes. Die untern Maxillarfüsse der Männchen besitzen am Anfange des zweiten Gliedes am Innenrande eine warzenförmige Auftreibung und tragen einen sehr grossen gekrümmten Haken, die der Weibchen entbehren jenes Fortsatzes und besitzen eine kurze, kaum gekrümmte Spitze. Aehnliche Unterschiede werden von DANA für die Männchen und Weibchen der *Saph. iris* aus dem Stillen Ocean hervorgehoben, einer Art, die abgesehen von ihrer bedeutenderen Grösse unserer Species sehr nahe zu stehen scheint. Diese Art wurde von DANA in dem Athemraume einer *Salpe* aufgefunden (ob in beiden Geschlechtern?). Auch ich traf in der Athemhöhle von *Salpa africana maxima* häufig ein *Saphirinen*-Weibchen (*Saph. Salpae*), welches unserer Species nahe verwandt ist. Die Augen haben einen ziegelrothen bis braunrothen Pigmentkörper.

Mittelmeer (Nizza, Messina, Neapel) und Atlantischer Ocean.

2) **Saph. pachygaster** n. sp. (Taf. XXV. Fig. 13.)

Körper ziemlich gedrungen, mit breitem Kopfschilde, 3^{mm} lang. Abdomen breit und kurz, das letzte Thoracalsegment wird auch im weiblichen Geschlecht verdeckt. Die vordern Antennen viergliedrig, mit kurzem Basalgliede und sehr langgestrecktem Endgliede, welches dem vierten und fünften Gliede zu entsprechen scheint. Die beiden letzten Glieder der Klammerantennen sind reichlich so lang als das zweite Glied und tragen einen sehr langen und kräftigen Haken. Der innere Ast des vierten Fusspaares dreigliedrig aber schmächtig, wenig länger als die zwei ersten Glieder des äussern Astes. Da das letzte Thoracalsegment rudimentär ist und von den benachbarten verdeckt wird, das erste Abdominalsegment aber vom zweiten scharf geschieden ist, so treten zehn Leibesabschnitte am weiblichen Körper deutlich hervor. Die Cornealinsen werden durch einen kleinen Zwischenraum getrennt. Der Pigmentkörper des Auges ist langgestreckt, indigoblau. Der Magen des allein beobachteten Weibchens erfüllt fast die ganze Höhle des Kopfbruststückes und erweitert sich in einen obern medianen Sack und in drei Paare seitliche Ausstülpungen, von denen das vordere umfangreichste im Kopfe liegt und in mehrfache Lappen zerfällt. Das erste Abdominalsegment mit den Geschlechtsöffnungen ist schmal, die nachfolgenden drei Ringe besitzen breite flügelförmige Seitenfortsätze. Letztes Segment breit und kurz. Die grossen Furcalplatten sind so breit als lang, mit ansehnlichem Hakenfortsatz am Ende des Innenrandes. Messina.

3) **Saph. nigromaculata** n. sp. (Taf. VIII. Fig. 5 und 6.)

Der Körper des Männchens oval, nach hinten verschmälert mit breitem vordern Kopfbruststück, circa 2^{mm} lang, ohne Farbenschimmer. Letztes Abdominalsegment deutlich, aber sehr schmal. Grosse braune Pigmentflecken, mit zarten sternförmigen Fortsätzen, liegen je ein Paar in den Seitenflügeln der Abdominalringe, ferner in dem medianen Theile des Abdomens zum Theil in mehrfacher Zahl. Im Kopf und Thorax sind diese Flecken zahlreicher, aber unregelmässiger und von geringerem Umfang. Die vordern Antennen sechsgliedrig (mit getheiltem dritten Gliede) mit langen Borsten. Die beiden letzten Glieder der Klammerantennen bilden einen schmalen und langgestreckten Endabschnitt, der das zweite Glied an Länge übertrifft und eine kurze, gekrümmte Klaue trägt. Der innere Ast des fünften Fusspaares schmächtig, wenig länger als die beiden ersten Glieder des äussern Astes.

Die Furcallamellen oval, zugespitzt, mit einem sehr kleinen Häkchen am Ende des Innenrandes. Die grossen Cornealinsen fast unmittelbar unter dem Stirnrande gelegen, durch einen kurzen Zwischenraum getrennt. Der Pigmentkörper breit, nach unten nicht zugespitzt, indigoblau. Weibchen unbekannt. Messina.

4) **Saph. auronitens** n. sp.

Körper des Weibchens c. 2mm lang, mit birnförmig verbreitertem Kopfbruststück und stark verschmälertem Abdomen, von zahlreichen braunschwarzen Pigmentflecken von geringer Grösse durchsetzt. Körper des Männchens ungefähr ebenso lang, lanzettförmig, nach hinten verschmälert, in ähnlicher Weise pigmentirt, mit zarten ramificirten Flecken, bei auffallendem Lichte metallisch glänzend, bei durchfallendem Lichte in prächtigem Violett irisirend. Die vordern Antennen fünfgliedrig mit drei kurzen gedrungenen Endgliedern und langem Borstenbesatze. Die Klammerantennen sind ansehnlich entwickelt, ihr verschmälerter Endabschnitt so lang als das zweite Glied, mit kurzer Klaue. Das vierte Fusspaar mit schmächtigem Innenaste. Die hintern Augentheile, der blauschwarze, breite Pigmentkörper und die grosse Krystallkugel rücken weit in den vordern Kopfabschnitt bis dicht hinter die grossen frontalen Cornealinsen. Der Körper des Weibchens aus 11 deutlich hervortetenden Abschnitten zusammengesetzt. Letztes Thoracalsegment etwas schmäler als das vorhergehende, beim Männchen jedoch verkümmert und vollständig von den benachbarten überdeckt; die Furcalplatten sind kurz, eiförmig, breit, mit einem kleinen Häkchen am Ende des innern Randes und vier kurzen Furcalborsten, von denen die zwei endständigen durch einen kurzen Zwischenraum getrennt entspringen. Das letzte Abdominalsegment entbehrt der Seitenflügel, ist beim Weibchen ziemlich breit, beim Männchen schmäler und grösstentheils vom vorhergehenden bedeckt. Auch die beiden ältesten Jugendformen dieser Art kamen zur Beobachtung, die ältere von 1¼mm Länge mit vier Abdominalsegmenten, von denen das vordere noch seitliche Fortsätze trägt, das hintere noch eine Theilung im zweiten Segmente zu durchlaufen hat. Die jüngere Form von 1mm Länge besitzt wie das entsprechende *Cyclops*-Stadium nur drei Abdominalsegmente und zweigliedrige Aeste der Ruderfüsse, aber schon fünfgliedrige Antennen und vollständig gegliederte hintere Klammerantennen. Messina.

2. Saphirinella n. g. = *Saphirina stylifera* Lubb.

(Taf. VII. Fig. 7; Taf. VIII. Fig. 1; Taf. XXV. Fig. 12.)

Corpus depressum eidem Saphirinae simile. Quintum abdominis segmentum non bene distinctum. Pedum quarti paris ramus internus uniarticulatus. Lentes frontales omnino deficientes. Oculus impar inferior vesiculiformis. Oculi superiores uniti. Mandibulae, maxillae, maxillipedes superiores rudimentares aut nulli. Maxillipedes inferiores prehensiles, unco curvato armati. Mares opalini.

Eine mit *Saphirina* nahe verwandte Gattung von ähnlicher Körperform und mit derselben Zahl von Leibessegmenten. Auch die Antennen und Gliedmaassen zur Schwimmbewegung stimmen mit *Saphirina* überein, abweichend aber verhalten sich die Mundwerkzeuge und die Augen, deren Eigenthümlichkeiten die Aufstellung der neuen Gattung rechtfertigen. Schon Lubbock[1]) hat

1) On some Entomostraca. Transact. Entom. Soc. vol. IV. 1856.

eine Form als *Sapphirina stylifera* beschrieben, welche hierher gehört und wahrscheinlich mit der von mir in Messina beobachteten Art identisch ist; leider wurden von jenem Forscher die Mundtheile und Augen ganz unberücksichtigt gelassen, indem er sich damit begnügte, die Form der Caudallamellen und des zarten und langen Greifhakens (*digitus*) an den hintern Antennen als Artunterschiede hervorzuheben.

Von den Mundtheilen treten die untern Greiffüsse durch ihre ansehnliche Entwicklung und Grösse hervor; in weitem Abstande von der Medianlinie eingelenkt bestehen sie aus einem breiten kurzen Basalgliede, einem schmalen, langgestreckten Mittelabschnitt und einem kurzen Endgliede, welches in einen umfangreichen halbkreisförmig gekrümmten stumpfen Greifhaken übergeht. Von den vorausgehenden Mundtheilen findet man in der Medianlinie des Körpers keine Spur, dagegen glaube ich in seitlichen, weit auseinandergerückten Platten und Höckern die morphologischen Reste der Oberlippe, der Mandibeln und Maxillen, endlich der obern Maxillarfüsse wiederzuerkennen, am deutlichsten scheint mir die Bedeutung dieser Rudimente für die Oberlippe und die Maxillen. Die Schwimmfüsse stimmen am nächsten mit denen von *Corycaeus* überein, der innere Ast des vierten Paares reducirt sich ebenso wie dort auf einen einfachen, kurzen Stummel, dagegen fällt das fünfte Fusspaar nicht hinweg, bildet vielmehr ein kurzes, mit zwei Borsten versehenes Rudiment, welches im männlichen Geschlechte wie bei *Saphirina* einem schmalen, von den benachbarten Segmenten umschlossenen und verdeckten Leibesringe angehört. Cornealinsen fehlen, die seitlichen Augen verschmelzen in der Mittellinie zu einem *Cyclops*- oder *Caligus*-ähnlichen Auge mit zwei Krystalllinsen, während das Augenbläschen selbstständig bleibt. Die Männchen zeigen einen Farbenschiller. Leider blieben die Weibchen unbekannt.

1) **Saph. mediterranea.** (*S. stylifera* LUBB.) (Taf. XXV. Fig. 12.)

Körper bis zu 7 mm lang, 3 mm breit, mit schwach bläulichem Farbenschiller. Die vordern Antennen fünfgliedrig, mit grossem (wahrscheinlich zwei Gliedern entsprechenden) zweiten Gliede und langen Borsten. Die hintern Antennen viergliedrig, sehr lang gestreckt, stabförmig, mit sehr dünnem Endgliede und einer zarten, langen, nicht gekrümmten Klammerborste. Kopf und Thorax durch eine Einschnürung abgegrenzt. In den vier vordern Leibesabschnitten liegen blasse, vielfach verästelte und anastomosirende Körper, ferner in der Mittellinie und in den Seitentheilen je eine glänzende Fettkugel. Die hinteren Segmente breit und tief eingeschnitten. Die Furcalplatten bilden lange aneinanderliegende Stiele und tragen an der Spitze vier Dornen, von denen der innere bei weitem der mächtigste ist, der äussere sich auf eine kurze Spitze reducirt. Zwei ähnliche Spitzen stehen am äussern Rande, um ¼ der Furcallänge vom Ende entfernt. Das letzte Abdominalsegment ist rudimentär. Mittelmeer und Atlantischer Ocean.

3. Corycaeus DANA. (Proc. Acad. Nat. Sc. Philad. 1845.)

(Taf. IX. Fig. 1—4; Taf. XXIV. Fig. 1—12; Taf. XXVIII. Fig. 1—5.)

Corpus crassum fere cylindricum, abdomine plerumque biarticulato, valde attenuato. Conspicilla (Lentes frontales) fere unita, maxima. Oculus impar parvulus. Oculi superiores remoti, corpore pigmentato styliformi, plus minusve curvato. Antennae anticae 6 articulatae, posticae uncinatae, unco apicali apud marem multo longiore. Pedum quarti paris ramus internus uniarticulatus. Thoracis segmentum postremum pedes rudimentares gerens, valde angustum quarto detectum.

DANA, der diese Gattung aufstellte, gab als Charaktere an: den weiten und dicken, nicht zusammengedrückten Cephalothorax, die grossen frontalen Linsen der Cornea und das enge, wenig gegliederte Abdomen. Ebenso richtig hob jener Forscher die bedeutende Grösse der Klammerantennen und die griffelförmige Gestalt der Furcalglieder als Merkmale dieser Gattung hervor, täuschte sich aber in dem Mangel der basalen Anhänge des Hinterleibes, wie er das fünfte Fusspaar bezeichnete. Ich selbst[1] habe die rudimentären Füsschen lange Zeit übersehen, ebenso das fünfte Thoracalsegment; beide sind aber vorhanden und zwar letzteres als ein enger und kurzer in den vordern Abschnitt des Hinterleibes übergehender Gürtel, die Füsschen als sehr kleine mit einer langen Borste besetzte Stummel. Allerdings bleibt die Gliederung des Leibes in allen mir bekannten Arten unvollzählig, aber ausschliesslich auf Kosten des verkürzten und in der Gliederung reducirten Abdomens. Eigenthümlich sind dem Thorax seitliche Fortsätze des dritten Segmentes, welche gewöhnlich das vierte schmale Segment ganz umfassen und oft noch über den vordern Theil des Abdomens hinausragen. Der Hinterleib lässt gewöhnlich zwei deutliche Abschnitte erkennen, von denen der vordere ansehnlich aufgetrieben ist und wohl mehreren Segmenten entspricht, in einzelnen Fällen auch durch eine hinter der Geschlechtsmündung verlaufende Contour in zwei Ringe undeutlich geschieden sein kann, oder aber derselbe bildet einen einfachen nicht mehr deutlich in Segmente gesonderten Abschnitt.

Die Stirn ist gewölbt, ohne Schnabel, ziemlich vollständig von den grossen fast zusammenstossenden Linsen der Cornea erfüllt. Die vordern Antennen werden aus 6 mit langen Borsten besetzten Gliedern zusammengesetzt und lassen sich aus den fünfgliedrigen Antennen der *Saphirinen* durch eine Theilung des zweiten lang gestreckten Abschnittes in zwei Glieder ableiten. Die hintern Antennen bilden grosse und mächtige Klammerantennen, welche in beiden Geschlechtern constante Differenzen zeigen. Auffallenderweise scheinen dieselben DANA, der doch eine grosse Reihe von *Corycaeus*-Arten untersuchte und ihre Gruppirung sogar auf die nach dem Geschlechte sich richtenden Unterschiede begründete, entgangen zu sein. Wie die Klammerantennen von *Saphirina* bestehen dieselben auch hier aus einem zweigliedrigen, nur viel kräftigern und längern Basaltheil und einem kurzen, zweigliedrigen, hakentragenden Endabschnitt, welcher gegen den erstern winklig gekrümmt und eingeschlagen wird. Der grösste Theil des Umfanges kommt auf das zweite, breite und langgestreckte Glied, dessen Innenwand in eine scheidende mit ein oder zwei Zähnen versehene Firste ausläuft. Sehr kurz sind die beiden folgenden Glieder, beim Weibchen dicker und kräftiger als beim Männchen, ferner auch mit stärkern Klauen bewaffnet, von denen namentlich eine am Rückentheile des dritten Gliedes hervorragt. Der Endhaken an der Spitze des vierten Gliedes weicht in beiden Geschlechtern, wie schon LEUCKART (Carcinologisches S. 249) richtig bemerkt, bedeutend ab, bei den Weibchen (Taf. XXIV. Fig. 3) bildet er eine kräftige spitze Klaue, die kaum über die Mitte des zweiten Abschnittes hinausragt, bei dem Männchen (Taf. XXVIII. Fig. 2) einen stumpfen gekrümmten Haken, welcher ungefähr bis zur Mitte des Basalgliedes reicht. Die Mundtheile stehen ebenfalls denen von *Saphirina* sehr nahe, namentlich die Mandibeln und Maxillen, für die ich keine Gattungsdifferenzen namhaft machen

1) In dem in der Würzburger nat. Zeitschrift veröffentlichten Auszuge habe ich unrichtiger Weise den gänzlichen Mangel dieses Fusses und Leibessegmentes behauptet.

könnte (Taf. IX. Fig 2 und 3). Die vordern Maxillarfüsse sind kürzer und gedrungener, mit einem befiederten Anhang am Ende des Basalgliedes und rechtwinklig umgeschlagenen Endabschnitt (Taf. IX. Fig. 3 und 4). Die untern Maxillarfüsse bilden ansehnliche Greiffüsse, deren Grösse und Bildung wiederum nach dem Geschlechte differirt, indem sie bei dem Männchen langgestreckter und mächtiger sind als beim Weibchen und einen längern, mehr gekrümmten Haken tragen. Die innern Aeste der Ruderfüsse sind zwar dreigliedrig, aber schmächtig, ungefähr von halber Länge der äussern, am vierten Paare sogar auf einen eingliedrigen Stummel reducirt. Die Furcalglieder sind eng, griffelförmig, mehr oder minder langgestreckt, an der Spitze mit einer längern (im weiblichen Geschlechte oft kürzern) und zwei kurzen dornähnlichen Schwanzborsten besetzt.

Von der innern Organisation haben vorzugsweise die Augen einen Werth als Gattungscharaktere. Ihre Linsen an der Stirnfläche sind gross und gewölbt, der Medianlinie genähert. Weit hinter ihnen bis in den untern Abschnitt des Kopfbruststückes herabgerückt liegen die langgestreckten stabförmigen Pigmentkörper, die meist mit schwacher Krümmung nach ihrer verschmälerten Basis zu convergiren. Der mittlere Augenfleck verhält sich einfacher als bei *Saphirina* und besteht bei *Coryc. germanus* aus einem breiten halb *x*förmigen Pigmentfleck und einer (zwei?) Krystallkugel.

Männliche und weibliche Geschlechtsorgane sind paarig, erstere münden an der Bauchfläche des Abdomens unter zwei grossen, oft dachförmig vorspringenden Klappen, letztere auf der Rückenfläche desselben Abschnittes, an welchem auch die zwei Spermatophoren während der Begattung befestigt werden. Schon DANA sah diese Körper am Abdomen von *Coryc. pellucidus,* hielt sie aber irrthümlich für Ueberreste der Eiersäckchen, während sie LUBBOCK bei *Coryc. Sutherlandii* als Samenschläuche deutete. Die jungen Weibchen vor der letzten Häutung, welche ich von mehreren Arten kenne, zeigen in der Form des Abdomens, der Kürze der Furca und in der Befiederung der Basalborsten an den hintern Antennen Eigenthümlichkeiten, durch die man zu der Aufstellung besonderer Species veranlasst werden könnte. Was diese sonst vollzählig segmentirten Formen aber auf den ersten Blick als noch nicht entwickelte Weibchen erkennen lässt, ist, abgesehen von dem Mangel der Eiersäckchen die Form der Klammerantennen und die Beschaffenheit des vordern Abdominalsegmentes, an welchem die Geschlechtsöffnungen noch nicht ihre spätere Lage und Form erhalten haben. Quer über jede Seite dieses Abschnittes verläuft ein scharf contourirter, mit einer Borste versehener Streifen, das Analogon der männlichen Genitalplatte, an dessen hinterer Partie sich erst die Geschlechtsöffnung auszubilden hat (Taf. XXVIII. Fig. 1).

1) **C. germanus** LEUCK.

LEUCKART, Carcinologisches, Archiv für Naturg. 1859. Taf. VI. Fig. 9.

THORELL, Bidrag Till Kännedomen om Krustaceer 1859. Taf. XII. Fig. 17.

(Taf. IX. Fig. 1—4; Taf. XXIV. Fig. 5 und 6; Taf. XXVIII. Fig. 1—4.)

Körper ziemlich gedrungen, 1—1,1 mm lang. Die vordern Antennen kurz, das vierte Glied nur wenig grösser als das vorhergehende, die Borsten schwach und mittellang. Die Basalborsten der hintern Antenne sehr zart befiedert. Der Fortsatz des dritten Thoracalsegmentes (des zweiten freien Thoracalsegmentes) bildet einen langgestreckten zugespitzten Haken, der oft bis zum ersten Drittheil des vordern Abdominalsegmentes ragt. Der Fortsatz des vierten, letzten Brustsegmentes bleibt kurz. Das vordere Abdominalsegment läuft an seiner Basis in eine mediane zahnartige Spitze aus, ist im männlichen Geschlechte langgestreckt, undeutlich zweigliedrig, im weiblichen kürzer und einfach aber nicht minder aufgetrieben. Das Abdomen des Männchens mit den Furcalborsten erreicht ungefähr die Länge des Kopfes und der Brust. Hier ist die Furca nicht ganz doppelt so lang als das letzte Abdominalsegment und mit diesem zusammen nur wenig länger als der vordere aufgetriebene Abschnitt des Abdomens, im weiblichen Geschlechte dagegen mehr als doppelt so lang wie das letzte Abdominalsegment und mit diesem zusammen um die Hälfte länger als der vordere Abschnitt. Die innere Schwanzborste ist beim Männchen wenigstens so lang als die Furca, beim Weibchen viel kürzer und schwächer, die zwei dornartigen Nebenborsten nur um weniges überragend.

2) **C. furcifer** n. sp. (Taf. XXIV. Fig. 7—12.)

Der Körper schmal und langgestreckt, $1^{3}/_{4}$ mm (♂) bis 2 mm (♀) lang. Das Abdomen mit der stielförmigen Furca und den kurzen Schwanzborsten fast so lang als Kopf und Thorax zusammengenommen. Die vordern Antennen tragen lange Borsten, das vierte Glied ist doppelt so lang als das vorhergehende. Die Basalborste der hintern Antenne unbefiedert. Das dritte Thoracalsegment setzt sich in einen ansehnlich zugespitzten Seitenwinkel fort, die Seitenflügel des letzten Abdominalsegmentes kurz, in ein spitzes Häkchen auslaufend. Abdomen zweigliedrig, mit aufgetriebenem grösseren Vorderabschnitte, die Furcalglieder sehr schmal und lang, beim Männchen mehr als $1\frac{1}{2}$mal, beim Weibchen mehr als zweimal so lang wie das Abdomen. Die innern Furcalborsten in beiden Geschlechtern kurz. Messina.

Von den beschriebenen *Corycaeus*-Arten steht Dana's *C. longistylis* aus dem Sinensischen Meere durch die langen Furcalglieder und kurzen Schwanzborsten der unsrigen nahe. Noch verwandter, vielleicht sogar identisch scheint der von Lubbock sehr unvollständig beschriebene *C. styliferus* aus dem Atlantischen Ocean, dessen Charaktere im Gegensatze zu Dana's Art nach einer weiblichen Form aufgestellt worden sind. An dieser soll aber nach Lubbock die eine Schwanzborste kaum kürzer sein, als die langen Stiele der Furca, womit indess wiederum die Abbildung nicht stimmt.

3) **C. elongatus** n. sp. (Taf. XXIV. Fig. 3 und 4.)

Körper gestreckt 2—2,25 mm lang. Die Antennen ansehnlich verlängert; die vordern mit sehr langen Borsten versehn, das vierte Glied mindestens doppelt so lang als das dritte; die hintern Antennen mit sehr kräftigen unbefiederten Basalborsten. Die Firste des mittlern Abschnittes im weiblichen Geschlecht in zwei Zähne auslaufend, im männlichen ohne Zahnfortsatz, mit einem befiederten Hautsaum besetzt. Das dritte Thoracalsegment läuft in einen breiten und langen Hakenfortsatz aus, das vierte ist gross, fast quadrilateral, jederseits mit einem kurzen gekrümmten Häkchen an der Spitze des untern Randes. Das Abdomen in beiden Geschlechtern deutlich zweigliedrig, der vordere Abschnitt des Männchens sehr gestreckt, mit sehr grossen Genitalklappen. Die Furcalstiele des Männchens ungefähr halb so lang als das Abdomen, die des Weibchens beträchtlich länger mit breiter Basis beginnend. Die innere Borste in beiden Geschlechtern wohl $1\frac{1}{2}$mal so lang als die Furca. Der hintere Theil der Pigmentkörper in der Mittellinie fast zusammenstossend, der vordere seitlich und zum Theil nach hinten weit ausgebogen. Messina.

4) **C. rostratus** n. sp. (Taf. XXVIII. Fig. 5.)

Körper ziemlich gestreckt mit kurzem Abdomen, etwa $^{2}/_{3}$ mm lang. Einzelne Theile des Panzers violett gefärbt. Die vordern Antennen kurz und schmächtig, das zweite und dritte Glied verschmolzen. Die hintern Antennen mit langgestrecktem Basalabschnitt und befiederter Basalborste. Zwischen den Kieferfüssen und dem ersten Fusspaare bildet der Panzer einen weiten schnabelförmigen Fortsatz, in welchen die Basis der beiden Pigmentkörper hineinrückt. Das dritte Thoracalsegment mit sehr breitem und langem Seitenflügel, welcher das kleine vierte Thoracalsegment vollständig bedeckt. Abdomen einfach, nicht deutlich gegliedert, Furca kurz, mit einer mehr als doppelt so langen Schwanzborste. Messina.

5) **C. parvus** n. sp.

Körper von ähnlicher Form als *C. rostratus*, 1^{mm} lang. Die vordern Antennen kurz, mit grossem vierten Gliede und langen Borsten. Die hintern Antennen mit langgestrecktem Basalabschnitt und befiederter Basalborste. Der grosse Zwischenraum zwischen den untern Maxillarfüssen und vordern Schwimmfüssen mit mehrfachen Auftreibungen ohne schnabelförmigen Fortsatz. Die Seitenflügel des dritten Thoracalsegmentes umfangreich, mit langem Dornfortsatz, das vierte Thoracalsegment bedeckend. Die Pigmentkörper rücken bis in die hintern Thoracalsegmente. Das Abdomen kurz, aber ziemlich langgestreckt, nicht scharf in zwei Glieder gesondert, mit kurzer Furca und doppelt so langer Schwanzborste. Messina.

6) **C. ovalis** n. sp.

Körper gedrungen c. $1\frac{1}{4}^{mm}$ lang, mit grossem eiförmigen (von der Rücken- oder Bauchfläche aus betrachtet) Kopfbruststück. Pigmentkörper sehr breit und plump, dunkelbraun, beim Männchen bis in die hintern Thoracalsegmente reichend. Die Klammerantennen und untern Kieferfüsse des Männchens sehr umfangreich mit mächtigen Greifhaken. Die vordern Antennen normal, mit langen Borsten, das vierte Glied etwa um die Hälfte grösser als das dritte. Die Basalborsten der Klammerantennen verhältnissmässig kurz und ohne lange Seitenfiedern. Die Seitenausläufer des dritten Thoracalsegmentes umfangreich, allmählich zugespitzt, die des vierten in Form kleiner breiter Haken entwickelt. Das Abdomen in zwei Abschnitte gesondert, von diesen ist der vordere sehr lang und weit, namentlich im weiblichen Geschlechte, der hintere breit und kurz, beim Männchen länger und gestreckter, in beiden Geschlechtern etwa so lang als die Furca.

Messina.

4. **Antaria** Dana. (*Oncaea* Philippi.) (Taf. XXX. Fig. 1—7.)

Corpus eidem Corycaei simile. Conspicilla parva, fronti affixa. Quintum thoracis segmentum minime detectum, nec minus pedes rudimentares. Abdomen maris 5, feminae 4 articulatum, articulis medianis parvulis. Antennae anticae 6 articulatae, posticae triarticulatae, articulo apicali setigero; prehensili. Pedum rami interni triarticulati. Oculus non bene distinctus, promotus.

Diese Gattung, welche den Uebergang der *Corycaeiden* zu den *Harpactiden* und *Cyclopiden* vermittelt, wurde zuerst von R. Philippi als *Oncaea* (Archiv für Naturg. 1843) beschrieben, aber so unvollständig, dass sie spätere Beobachter nicht wieder erkannten. Ich nehme desshalb auch die Bezeichnung Dana's auf, welcher einige in diese Gattung gehörige Formen zuerst genauer untersuchte. Kopf und Thorax sind getrennt und bilden mit Ausschluss des sehr verschmälerten fünften Segmentes einen ziemlich breiten, seitlich comprimirten Vordertheil des Leibes, der schon dadurch von *Corycaeus* abweicht, dass am dritten Segmente die seitlichen oft flügelartigen Fortsätze fehlen. Das fünfte Segment des Thorax mit dem rudimentären Füsschen, welches sich bei *Corycaeus* ganz zwischen die vorausgehenden Segmente einschiebt und verborgen liegt, tritt hier frei hervor als ein zwar sehr verschmälerter, aber ansehnlich entwickelter Leibesring, der fast in seiner ganzen Breite mit dem Abdomen zusammenhängt. Hier finden wir die Haupteinschnürung des Vorder- und Hinterleibes eher zwischen dem vierten und fünften Thoracalsegment. Das Abdomen zeichnet sich vor allen mir bekannten Formen durch die mächtige Grösse des vordern die Geschlechtsöffnung einschliessenden Abschnittes aus, dem die übrigen Segmente als kurze Ringel folgen. Beim Weibchen liegen die Geschlechtsöffnungen ähnlich wie bei *Corycaeus* auf der Dorsalfläche, an welcher auch zwei Spermatophoren befestigt werden und zwar über der Mitte des vordern Abschnittes, der wohl auch desshalb auf zwei miteinander verschmolzene Segmente zurückzuführen ist, weil ihm nur noch drei kurze Leibesringe folgen. Die männlichen Geschlechtsöffnungen dagegen liegen fast an der Spitze des vordern trommelartig aufgetriebenen Abschnittes unter zwei in spitze Fortsätze ausgezogenen Klappen, dieser entspricht allein dem ersten Abdominalsegmente, denn es folgen noch vier Segmente, nämlich drei sehr kurze Ringel und ein die Furca tragendes umfangreicheres Leibessegment. Ausser der Form und Beschaffenheit des Abdomens zeigen sich Geschlechtsdifferenzen in der Bildung der untern Maxillarfüsse, die wenn sie auch beim Weibchen weit grösser sind als bei *Corycaeus*, doch beim Männchen noch ansehnlicher hervortreten. Das Mittelstück dieser Kieferfüsse ist im männlichen Geschlechte mächtig angeschwollen und besitzt eine gekerbte Firste, gegen welche der grosse Haken eingeschlagen wird.

Die vordern Antennen bestehen ebenso wie die von *Corycaeus* aus sechs Abschnitten, aber in einem ganz anderen Grössenverhältniss. Die drei letzten Glieder sind kurz, mit langen Borsten besetzt und in einem scharf ausgeprägten Gelenke gegen das dritte Glied abgesetzt. Dieses ist sehr langgestreckt, wohl doppelt so lang als die drei letzten Glieder zusammengenommen und folgt auf ein ebenfalls ansehnlich entwickeltes zweites Glied. Die hintern Antennen sind zwar Klammerorgane, aber doch in anderer Weise gebildet, als die von *Corycaeus* und *Saphirina*, indem ein Greifhaken fehlt. Dagegen sind an der Spitze und an der Basis des Endgliedes eine Anzahl schwach gekrümmter Hakenborsten befestigt, welche den Borsten an dem dritten und vierten Antennengliede der *Cyclopiden* entsprechen. Die Mandibeln und Maxillen schliessen sich den *Corycaeen* an, während die obern Maxillarfüsse durch die Bildung des Endabschnittes an manche *Harpactiden* erinnern. Die vier Schwimmfusspaare tragen dreigliedrige Ruderäste. Das rudimentäre Füsschen endlich bildet ein einfaches langgestrecktes Glied mit zwei Borsten an der Spitze und einer Borste an der Basis. Die Furca ist *Cyclops*-artig mit vier Endborsten, von denen die zweitinnere die grösste Länge besitzt und ebenso wie die zweitäussere durch eine Quercontour an der Basis in zwei Stücke zerfällt. Ueber das Auge, dessen kleine Linsen nebeneinander vorn an der Stirn liegen, kann ich leider nichts weiter mittheilen, als dass die Pigmentkörper fast unmittelbar unter den Linsen der Cornea folgen.

1) **A. mediterranea** n. sp. (Taf. XXX. Fig. 1—7.)

Körper birnförmig, langgestreckt 1¼mm (♂) — 1½mm (♀) lang, grünlich gefärbt. Die vordern Antennen nicht ganz so lang als der Kopf, ihr zweites Glied halb so lang als das dritte. Das zweite Glied der Klammerantennen aufgetrieben, dreieckig, so gross als das dritte. Stirn mit kurzem, fast conischen, schräg abgestutzten Schnabelfortsatz. Die innern Aeste der Ruderfüsse schmal, lanzettförmig. Die Handhabe (Mittelstück) des untern Maxillarfusses besitzt am innern Rande zwei befiederte Dornen. Der vordere Abschnitt des Abdomens länger als alle nachfolgenden nebst Furca; das letzte Abdominalsegment des Männchens so lang als die drei vorhergehenden, des Weibchens beträchtlich kürzer, als die zwei vorhergehenden. Furcalglieder wenig länger als das letzte Segment des Abdomens, mit einem äussern Dorn am ersten Drittheil; die äussere Endborste kurz, dornförmig, zuweilen am Ausseurande etwas herabgerückt. Die zweitinnere Endborste drei- bis viermal so lang als die Furca, ebenso wie die benachbarten befiedert. Messina.

Sehr nahe verwandt sind *A. obtusa* DANA aus dem Meere Sulu bei der Insel Panay und *Oncaea pyriformis* LUBB. aus dem Atlantischen Ocean, doch sind die Beschreibungen zu unvollständig und ungenau, um ihre Uebereinstimmung mit der obigen Art prüfen zu können.

5. Copilia DANA. (Proc. of the amer. acad. sc. 1849.)
(Taf. VII. Fig. 1, 3, 4, 6; Taf. XXV. Fig. 14—20.)

Corpus paulo depressum, fronte late quadratum, conspicilla ad angulos gerens. Abdomen valde attenuatum, 5 articulatum. Antennae anticae breves, 6 articulatae sicut in Corycaeo, posticae elongatae, digitiformes, unguiculatae. Pedes iisdem Corycaei similes. Thoracis quintum segmentum bene distinctum. Corpus pigmentatum oculi superioris valde remoti in angulo flexum. Oculus impar magnus, vesiculiformis.

Eine der schönsten *Corycaeiden*-Gattungen, die in vielen Beziehungen zwischen *Corycaeus* und *Saphirina* steht, indem sie mit der erstern den Bau der Schwimmfüsse, die starke Verschmälerung des Abdomens und die Grösse der paarigen Augen gemeinsam hat, der letztern dagegen durch die dorsoventrale Abplattung des Leibes und durch die Form und Grösse des mittleren Auges, sowie durch die Bildung des Klammerantennen und Mundwerkzeuge sich anschliesst. Was zunächst am meisten an der gesammten Körperform in die Augen fällt, ist die grosse Breite der Stirn, die fast viereckige Gestalt des Kopfbruststückes. Die Ecken des Stirnrandes werden von den grossen Linsen der Cornea erfüllt, welche in weitem Zwischenraum von der Medianlinie entfernt liegen. Die Pigmentkörper der Augen rücken weit in den hintern Theil des Kopfes herab und bilden eine fast rechtwinklige Krümmung, durch welche der hintere Theil von dem vordern längsgerichteten quer nach der Mittellinie umbiegt. Die hintern Segmente der Brust verschmälern sich nur wenig, dagegen setzt sich das fünfte scharf von dem vorhergehenden ab und wird ein so schmaler und enger, in seiner ganzen Breite mit dem Abdomen verbundener Leibesring, dass man ihn leicht als erstes Abdominalsegment anzusehen versucht wird.

In der That ist die Deutung dieses Abschnittes als Theil des Abdomens in unserem Falle auch natürlicher und wenn man nach den Gattungen *Copilia* und *Corycaeus* einen Vorder- und Hinterleib für den *Copepoden*-Typus zu unterscheiden hätte, so würde man die Grenze zwischen das vierte Thoracalsegment und den schmalen nachfolgenden Gürtel mit dem rudimentären Füsschen setzen. Auch diese Anhänge fehlen nicht, wie DANA unrichtigerweise angab, sie sind nur sehr verkümmert und rücken, im Zusammenhange mit der Lage der Geschlechtsöffnungen auf die Rückenfläche, durch zwei auf einem Höcker aufsitzende Borsten vertreten. Dieser Leibesring verhält sich seiner Gestalt nach ganz wie die nachfolgenden Abdominalsegmente, von denen das erste die beiden Geschlechtsöffnungen einschliesst, ohne durch einen besondern Umfang vor den benachbarten ausgezeichnet zu sein. Nur der letzte Leibesring besitzt eine bedeutende Länge und scheint zweien Segmenten zu entsprechen, welche mit der letzten Häutung nicht zur Sonderung gelangten. Für diese Deutung spricht ausser dem Umfang des Abschnittes auch die Vierzahl der freien Abdominalsegmente. Die Furcalglieder sind lang, griffelförmig, mit einer einfachen äussern und zwei grössern am Grunde quergetheilten Endborsten, ferner einer äussern und innern Seitenborste. Die Schwimmfüsse schliessen sich am nächsten denen von *Corycaeus* an, auch hier ist der innere Ast des vierten Paares auf ein einfaches Glied reducirt. Die vordern Antennen sind sechsgliedrig, wie die Antennen von *Corycaeus* gebaut, die hintern dagegen sind weit gestreckter und erinnern eher an die Klammerantennen von *Saphirina*. Sie bestehen aus vier gestreckten und schmalen Abschnitten, von denen der letzte einen Haken trägt. Die Grösse dieser Waffe aber differirt ebenso wie die gesammte Form der Antennen nach den beiden Geschlechtern, so dass auch bei *Copilia* Männchen und Weibchen an der Klammerantenne leicht zu unterscheiden sind. Im weiblichen Geschlechte ist dieselbe sehr schwach und dünn, mit wenig hervortretenden Hakenborsten, das letzte Glied nur wenig grösser als das vorhergehende und mit einer kurzen, gekrümmten Klaue bewaffnet. Die männliche Klammerantenne dagegen erscheint kräftiger, gedrungener und trägt ansehnlichere Hakenborsten am Ende des ersten und in der Mitte des zweiten Abschnittes. Ferner ist der dritte Abschnitt sehr verkürzt, nicht halb so lang als der nachfolgende, seine Hakenborsten inseriren sich dicht neben einander, endlich wird die Spitze des Endgliedes nicht durch eine kurze gekrümmte Klaue, sondern durch einen langen kräftigen Haken gebildet. Die Oberlippe ist tief getheilt, zweilappig, die Mandibel bildet eine längliche gekrümmte Platte, die nicht wie bei *Saphirina* mit einer hakenähnlichen Spitze, sondern mit einer scharfen, gezähnten Kante endet. Die Maxillen sind oblonge, mit mehreren Spitzen besetzte Platten, die vordern Maxillarfüsse einfache, nicht deutlich gegliederte Stäbe, welche in mehrere Haken auslaufen; die untern Maxillarfüsse bilden kurze, gedrungene Greiffüsse mit mächtigem Basalabschnitt, kurzem Mittelstück und kräftigen, wenig gebogenen Haken.

Von der innern Organisation verdient als charakteristisch für die Gattung der kurze kuglige Magen hervorgehoben zu werden, der grösstentheils im ersten Thoracalsegment liegt und mit zahlreichen musculösen Fäden und Bändern in allen Richtungen am Panzer befestigt ist. Auf seiner Oberfläche liegen nicht nur Hoden und Ovarien dicht an, sondern im weiblichen Geschlechte breiten sich auch die zahlreichen Ramificationen der Eiergänge auf der Rückenfläche des Magensackes aus.

1) **C. denticulata** n. sp. (Taf. XXV. Fig. 14—20.)

Körper von variabeler Form mit stark verschmälertem Abdomen, 3^{mm} (♂), 4^{mm} (♀) lang. Das zweite und dritte Abdominalsegment am untern Verbindungsrande der Bauchfläche mit acht bis zehn conischen Zähnen besetzt. Die vordern Antennen etwas länger als das Basalglied der Klammerantennen, mit grossem zweiten und vierten Gliede. Die Klammerantennen reichen fast bis an das Ende des vordern Körperabschnittes. Die Rückenfläche des vierten Thoracalsegmentes läuft am untern Rande in einen langen medianen Dornfortsatz aus. Das letzte Abdominalsegment mindestens so lang als die beiden vorhergehenden zusammen genommen, an den ausgebildeten Weibchen beträchtlich länger. Die Furcalstiele sehr dünn und gestreckt, ein- bis einundeinhalbmal so lang als das gesammte Abdomen. Die beiden grössern Endborsten ungefähr den vierten Theil der Furcallänge erreichend.

Messina.

Sehr nahe steht der beschriebenen Species die *C. quadrata* Dan. aus dem stillen Ocean, ferner Leuckart's *C. nicaeensis*. Der etwas grössere Umfang des letzten Abdominalsegmentes und der Furca, welcher an Dana's Art hervortritt, kann nicht als eine specifische Abweichung angesehen werden, da die Grösse dieser Theile auch an den von mir beobachteten Formen variirt. An

LEUCKART's *C. nicaeensis* ist der innere Ast des letzten Schwimmfusses als zweigliedrig abgebildet worden. Ausser der beschriebenen Form lebt im Meere von Messina eine zweite Art, die sich von der erstern durch ihre Grösse (5 mm), die bedeutendere Streckung der vordern Antennen, den kräftigern Bau der Klammerantennen, sowie namentlich durch die Bildung der rudimentären Füsschen unterscheidet. Letztere sind grosse, mit mehreren Borsten besetzte Hakenfortsätze. Da ich indess nur ein einziges Weibchen dieser Form fand, ziehe ich vor, die Aufstellung derselben als besondere Art dem Beobachter eines reichhaltigeren Materiales zu überlassen.

6. Pachysoma n. g. (Taf. IX. Fig. 8; Taf. XXV. Fig. 6—11.)

Corpus pyriforme, cephalothorace fere globoso, abdomine valde attenuato. Quintum thoracis segmentum optime distinctum. Antennae anticae 8 articulatae, posticae 4 articulatae, tenues setosae. Oculus medianus simplex parvulus, conspicillis carens. Pedum thoracicorum rami triarticulati. Maxillipedes inferiores unguiculati, articulo basali amplissimo.

Ich bezeichne mit diesem Namen eine bisher nicht bekannte Gattung, welche nach der Bildung der Mundtheile, des Nervensystems, der Ovarien zu den *Corycaeiden* gehört, in andern Theilen sich den *Cyclopiden* nähert. Der Körper ist kuglig birnförmig, mit weitem aufgetriebenen Vorderleib und sehr engem, schmächtigen Abdomen (Fig. 6). Die grösste Breite erreicht der vom Thorax gesonderte Kopf in seiner hintern Partie, während die nachfolgenden Brustringe rasch schmäler werden. Das letzte Brustsegment, dessen rudimentäres Füsschen auf eine kleine mit zwei Borsten versehene Auftreibung reducirt ist, schliesst sich wiederum dem Abdomen inniger an, als den vorausgehenden Segmenten des Vorderleibes, und ist fast in seiner ganzen Breite mit dem vordern Abschnitt des Hinterleibes verbunden. Auf diesen namentlich im weiblichen Geschlechte stark aufgetriebenen Abschnitt, welcher eine Art rudimentäres Füsschen trägt, folgen im männlichen Geschlechte drei, im weiblichen nur zwei deutlich gesonderte Segmente mit einer *Cyclops*-ähnlichen Furca. Von den Gliedmaassen sind die vordern Antennen denen von *Corycaeus* nicht unähnlich, doch erscheint das dritte und vierte Glied jedes in zwei Abtheilungen gesondert, die hintern Antennen haben die Form der Antennen von *Oithona*, sind viergliedrig, ohne Klammerhaken und am Ende des dritten und vierten Gliedes mit schwachen, gekrümmten Borsten besetzt (Fig. 8). Mandibeln und Maxillen bilden einfache conische Platten, ähnlich denen von *Saphirina* und *Corycaeus* (Fig. 9). Die obern Maxillarfüsse sind sehr kurz und breit und enden mit zwei starken Stechborsten (Fig. 10), die untern plumpen und gedrungenen Maxillarfüsse bestehen aus einem grossen Basalabschnitt, einem kurzen conischen mit einer Klaue bewaffneten Endstück (Fig. 11). Alle vier Schwimmfusspaare tragen dreigliedrige innere und äussere Aeste. Mehr als der Bau der Gliedmaassen verdient die innere Organisation eine besondere Beachtung. Das Nervensystem zeigt die Concentration der *Corycaeiden*, ohne Sonderung in Maxillar- und Brustganglien, aber der ganglionäre Strang zeichnet sich durch seine gestreckte Form und Länge aus. Nach Abgabe der äussern an die vordern Füsse tretenden Nerven bleiben die drei innern Nervenpaare jederseits in einem gemeinsamen Stamme vereint, der sich erst am Ende des ersten Brustsegmentes in seine Theile auflöst. Zahlreiche Nerven verbreiten sich, in kugligen Anschwellungen endend, unter der Haut. Das Auge verhält sich weit einfacher als das von *Corycaeus* und *Saphirina* und bildet einen kleinen medianen, fast pigmentlosen Fleck, welcher vom Gehirn aus seinen Nerven erhält und kleeblattartig in drei Kugeln, zwei seitliche und eine mediane vordere, zerfällt.

Der Darmcanal bildet einen ausserordentlich weiten Sack, welcher den Kopf und das vordere Thoracalsegment grossentheils ausfüllt; die Ovarien verästeln sich in Gängen und Schläuchen zwischen Haut und Darmcanal und münden an der Bauchfläche des Abdomens in zwei Oeffnungen aus, mit welchen seitliche Fortsätze eines grossen Uterus-ähnlichen Sackes in Verbindung zu stehen scheinen.

1) **P. punctata** n. sp. (Taf. XXV. Fig. 6—11.)

Körper durch braunrothe Pigmentflecken punktirt, mit fein chagrinirtem Panzer, 2¾—3 mm lang. Die Stirn setzt sich in einen conischen Schnabel fort. Viertes Thoracalsegment mit seitlichem Hakenfortsatz. Furca mindestens so lang als die beiden letzten Abdominalsegmente, mit sechs befiederten Borsten besetzt. Die grosse äussere Seitenborste der Basis genähert, von den vier Endborsten ist die innere dünn und schmächtig, etwa von der Grösse der Furca, etwas kürzer als die innere, nahe an der Furcalspitze befestigte Seitenborste, die andern drei Endborsten sind umfangreicher, von drei- bis fünffacher Länge der Furca. Messina.

7. Lubbockia n. g. (Taf. XXV. Fig. 1—5.)

Corpus elongatum, angustum. Oculi omnino deficientes. Pedum thoracicorum ramus internus triarticulatus, externo longior. Quintum thoracis segmentum optime distinctum. Pedes postici styliformes, setas duas gerentes. Antennae anticae 6 *articulatae, posticae* 4 *articulatae, setis curvatis armatae prehensiles. Maxillipedes inferiores maximi, rapaces, iisdem Squillae similes. Saccus ovigerus unicus.*

Auch diese Gattung, die ich nach dem um die Kenntniss der *Copepoden* verdienten englischen Forscher zu benennen mir erlaube, bildet eine interessante Zwischenform zwischen der *Corycaeiden* und *Cyclopiden*, unter denen sie durch die gesammte Körperform am meisten an *Oithona* erinnert. Der Körper ist schlank, langgestreckt, mit getrenntem Kopf und Thorax und stark verlängertem, vollzählig gegliederten Hinterleibe. Die Stirn trägt einen pyramidalen, schnabelförmigen Aufsatz, an dessen Basis die sechsgliedrigen Antennen entspringen. Die Klammerantennen sind mit starken, gekrümmten Klammerborsten an der Spitze ausgestattet, welche ebenso wie der gewaltige untere Kieferfuss und die Bildung der Mundtheile auf eine parasitische Lebensweise hindeuten. Von den Mundtheilen sind die Mandibeln kräftig entwickelt und besitzen mehrere Hakenzähne und einen scharfen gezähnelten Vorderrand, während die Maxillen auf einen rudimentären, mit zwei Stechborsten besetzten Stummel zurücksinken, welche mit den tasterartigen Maxillen mancher Schmarotzerkrebse genau übereinstimmen. Die vordern Maxillarfüsse sind langgestreckt, dreigliedrig, mit mehren befiederten Borsten und einem kräftigen, stiletförmigen Haken endend. Die untern Kieferfüsse bilden sehr umfangreiche Fangfüsse, deren verlängerter Griff am innern Rande vier starke Zähne besitzt, gegen welche der ansehnliche Hakentheil eingeschlagen wird. An allen vier Schwimmfüssen sind die innern Aeste dreigliedrig und länger als die äussern. Das rudimentäre Füsschen, welches einem ansehnlich entwickelten Segmente aufsitzt, ist einfach cylindrisch und mit zwei Borsten an der Spitze bewaffnet. Augen fehlen vollständig. Die Eier werden in einem einfachen, umfangreichen Eiersäckchen auf der Bauchfläche getragen.

Ich kenne nur eine einzige Art, welche ich wegen der Grösse der Fangfüsse *squillimanu* benenne.

1) **L. squillimana** n. sp. (Taf. XXV. Fig. 1—5.)

Körper sehr schmal und gestreckt, circa 2mm lang. Stirn pyramidal zugespitzt. An den vordern Antennen ist das erste, dritte und vierte Glied lang, das letzte sehr klein, dem fünften seitlich eingelenkt. Das zweite Glied der Klammerantennen kurz. Der untere Kieferfuss beträchtlich länger als der ganze Kopf. Die zwei Borsten des rudimentären Fusses lanzettförmig, mit gezähnelten Seitenrändern. Das Abdomen kürzer als der Vorderleib, sehr schmal und gestreckt. Furcalglieder an einander liegend, länger als das letzte Leibessegment, mit zwei äussern dornförmigen Randborsten. Von den Endborsten sind äussere und innere sehr zart, die beiden mittlern ansehnlich entwickelt, gefiedert, zwei- bis dreimal so lang als die Furca. Das Männchen blieb unbekannt. Messina.

8. Monstrilla Dana. (Taf. XII. Fig. 15; Taf. XIII. Fig. 9.)

Corpus elongatum, compressum. Antennae posticae atque omnes partes manducatoriae deficientes. Pedes natatorii ramis triarticulatis instructi. Pes posticus uniramosus, biarticulatus. Abdomen feminae tribus segmentis compositum. Oculus ad frontem promotus, magnus.

Der höchst sonderbare *Copepode*, welchen Dana im Meere Sulu entdeckte und als *Monstrilla viridis* beschrieb, wurde in neuerer Zeit wahrscheinlich in derselben Species von Semper[1]) im chinesischen Meere und in einer sehr nahe verwandten Art von mir in Helgoland wiedergefunden. Die auffallendste Eigenthümlichkeit beruht auf dem vollständigen Mangel der hintern Antennen und aller Kauwerkzeuge, sodass die Mundöffnung frei, auch ohne von einer Oberlippe bedeckt zu sein, auf einem kurzen conischen Zapfen sichtbar wird. An diesem Charakter erkenne ich auch Semper's unvollkommen beschriebene Form wieder, die er aus dem Gewimmel »meistens sehr langweiliger« kleiner Krebse allein einer näheren Beobachtung werth hielt. Dana sah sich anfangs durch den Mangel der Mundtheile fast verleitet, die *Monstrilla* für eine Larve zu halten, stellte sie aber wahrscheinlich auf Grund der hohen morphologischen Segmentirung zu den *Ergasilus*-artigen Schmarotzerkrebsen. In der That ist die Leibesgliederung, der Bau der Schwimmfüsse, die Form des Abdomens vollständig die eines ausgewachsenen, geschlechtsreifen *Copepoden*. Allerdings gelang es mir selbst nicht, Geschlechtsorgane zu verfolgen, da die dunkel braunrothe Hautbedeckung dem Studium der innern Organisation ungünstig war, jedoch erkannte ich schon aus dem ganzen Habitus die weibliche Natur. Semper berichtet: »Der Eierstock — das einzig gefangene Exemplar war ein Weibchen — liegt nur mit seinem vordern Ende im Cephalothorax, die Eiertraube ist sehr gross, die Eier sehr klein.« Ein anderes nicht minder auffallendes Merkmal als der Mangel der Mundtheile, über welches sich übrigens weder Dana noch Semper aussprechen, ist die Trennung der untern Hautschicht von der Cuticula im vordern Körperabschnitte. Hier liegt die Haut mit ihren ramificirten Pigmentflecken vom Panzer zurückgezogen als enger röhriger Strang von der Stirn an bis in den hintern Abschnitt des Kopfbruststückes. Ein jüngerer Beobachter der *Monstrilla*, Claparède[2]), dessen Angaben mir erst während der Correctur dieser Arbeit bekannt wurden, fand seine, wahrscheinlich mit der von mir auf Helgoland untersuchten Art identische *Monstrilla* in der Nähe von St. Vaast la Hougue ebenfalls auf offener See und in grosser Zahl. Auch Claparède war über den sonderbaren Organismus auf's Höchste erstaunt und wählte ihn zum Gegenstande sorgfältiger Untersuchun-

1) Reisebericht in Siebold und Kölliker's Zeitschr. Bd. XI. p. 100.

2) Beobachtungen üb. Anat. u. Entwicklungsgesch wirbelloser Thiere. Leipzig, W. Engelmann, 1863, p. 95.

gen. Namentlich lenkt dieser Forscher unsere Aufmerksamkeit auf den völligen Mangel eines Darmcanales, an dessen Stelle die Leibeshöhle zugleich als Verdauungshöhle (?) fungiren soll. Dann beschreibt er blasse, augenlose Exemplare mit dicht dem Panzer anliegender Haut des Kopfbruststückes, die mir indess dem Habitus nach eher die ältesten Jugendstadien als, wie CLAPARÈDE glaubt, Männchen zu sein scheinen.

DANA hat in der gestreckten Leibesform und in der Gestalt des Abdomens eine gewisse Aehnlichkeit der *Monstrillen* mit den *Calaniden* zu erkennen geglaubt und behauptet, dass sie den Kopf einer *Pontella* und den Hinterleib einer *Setella* besässen. Natürlich geht ein solcher Vergleich in unserm Falle weit über das Maass einer natürlichen, ungezwungenen Deutung hinaus. Mit den *Pontelliden* finde ich im Vorderleibe keinen gemeinsamen Zug, zudem besitzen die Antennen eine ganz abweichende Bildung, die sich am meisten denen der *Corycaeiden* nähert. Indess gestehe ich gern zu, dass die Aufnahme der *Monstrilla*[1]) in dieser Familie zweifelhaft ist, so lange wir nicht vollständiger als jetzt über die Natur des merkwürdigen Geschöpfes aufgeklärt sind.

Die vordern Antennen tragen lange Haare und Borsten, ferner breite und blasse Fäden, sie sind aus vier Gliedern zusammengesetzt, von denen die beiden letzten sehr langgestreckt und umfangreich erscheinen. Denken wir uns diese getheilt, so erhalten wir die Gliederzahl und die Form der Antennen von *Corycaeus* etc. Ein unteres Auge oder, wie DANA angiebt, ein *Pontellen*-Auge habe ich nicht gesehen, dagegen ein einfaches oberes Auge mit zwei grossen Linsen[2]). CLAPARÈDE lässt hingegen den Stirnrand mit drei grossen Augen, zwei obern paarigen und einem untern unpaarigen, ausgerüstet sein. Die vier Schwimmfüsse tragen dreigliedrige Aeste, das rudimentäre Füsschen ist zweigliedrig, langgestreckt. Einen sehr eigenthümlichen Anhang, der nach CLAPARÈDE zur Befestigung der Eier dient, trägt der vordere Abschnitt des Hinterleibes. Die Furca besitzt fünf fast gleiche Schwanzborsten, ähnlich wie bei *Diaptomus* und *Pontella*.

1) **M. helgolandica**[3]) n. sp. (Taf. XII. Fig. 15; Taf. XIII. Fig. 9.)

Körper sehr langgestreckt, braunroth pigmentirt, achtgliedrig mit fünfgliedrigem Vorderleibe, $1\frac{2}{3}$ mm lang. Antenne kaum halb so lang als der vordere Leibesabschnitt, viergliedrig. Der vordere Theil des Abdomens so lang als die zwei nachfolgenden Glieder mit der Furca. Die Schwanzborsten nackt, so lang als das Abdomen. Nur in zwei Exemplaren von mir beobachtet.

LUBBOCK's *Monstrilla anglica* hat viel längere Antennen, ist aber so unzureichend untersucht, dass sie unmöglich berücksichtigt werden kann. Helgoland.

1) Bei dieser Gelegenheit bemerke ich, dass nicht STEENSTRUP und LÜTKEN, wie dies CLAPARÈDE irrthümlich angiebt, sondern ZENKER das Verdienst zukommt, die Schmarotzerkrebse als Ordnung der *Crustaceen* zuerst zurückgewiesen zu haben (Archiv für Naturgesch. 1854).

2) Ueber das Nervensystem sagt SEMPER: »Das Gehirn ist eine länglich zellige Masse, welche hinter dem Munde auf der Bauchseite liegt, ganz dicht an der äussern Haut; nach hinten zu läuft es in ziemlich gleicher Breite bis ans erste Hinterleibsglied, von da an verschmälert es sich allmählich und verliert sich im letzten Gliede. Vorn am Gehirn entspringen vier Nerven, zwei grosse, die Fühlernerven, welche sich an eine an der Basis der letztern liegende zellige Masse (Fühlerganglion?) ansetzen, und zwei sehr kleine, von den Fühlernerven sich abzweigende, welche vor dem Munde sich an zwei mir unklar gebliebene Organe setzen. Zwischen den dicken Fühlernerven, dem Gehirn wie ein Knopf aufsitzend, findet sich ein einfaches, nicht facettirtes Auge, das, wie es scheint, nur einen einzigen halbkugligen, fast ganz vom Pigment überdeckten Krystallkörper enthält. Nach hinten zu geht im Thorax noch ein Paar seitlicher Nerven ab, die sich an die Muskeln desselben ansetzen.

3) Der von LUBBOCK beschriebene *Baculus elongatus* (On some Oceanic Entomostraca) scheint mir eine Larve zu sein, die zangenförmigen Antennen deuten fast auf das letzte Stadium von *Penella* hin.

V. Die Familie der Calaniden.

Nachdem DANA mit einer grossen Anzahl mariner *Copepoden* bekannt geworden war, welche in ihrem allgemeinen Bau mit *Calanus*, *Cetochilus* und *Cyclopsine* übereinstimmen, aber durch Eigenthümlichkeiten der Gliedmaassen und speciellere Unterschiede der Körperform generisch selbstständig sind, stellte er dieselben als Familie der *Calaniden* zusammen. In dieser Familie nahm DANA auch die *Pontellen* auf, welche allerdings in vielen Stücken den *Calaniden* nahe stehen, aber doch namentlich wegen der Bildung der Augen eine gesonderte Stellung verdienen. Ich habe zwar für die *Corycaeiden* nachgewiesen, dass wir auf die Differenzen, welche in der Augenbildung möglich sind, keinen allzu hohen systematischen Werth legen dürfen, und auch für das *Pontellen*-Auge giebt es Abstufungen, zu welchen manche *Calaniden* hinführen, allein ich halte dennoch die Trennung der *Pontelliden* von unserer Familie für zweckmässig und gerechtfertigt, denn zu den Abweichungen in dem Bau des Auges kommen die viel kräftigeren männlichen Fangapparate der rechten Antenne und des fünften Fusses, ferner Eigenthümlichkeiten in der Form und Bildung der Kieferfüsse hinzu. Endlich scheinen die Modificationen, welche zur Aufstellung von Gattungen berechtigen, auch für den *Pontellen*-Typus so mannichfaltig und reich, dass schon desshalb die gesonderte Betrachtung der *Pontellen* nothwendig wird. Ferner trenne ich von den *Calaniden* DANA's die Gattung *Oithona* BAIRD (*Scribella* DANA), welche zwar in der Längsstreckung des Körpers und der vordern Antennen zu einigen *Calaniden*-Gattungen, z. B. *Dias* (*Acartia*), eine unverkennbare Annäherung zeigt, in allen wesentlichen Charakteren aber in die nächste Verwandtschaft von *Cyclops* gehört. Somit würden auch die drei Unterfamilien *Calaninae*, *Oithoninae* und *Pontellinae*, in welche DANA seine *Calaniden* gruppirte, nicht haltbar erscheinen. Aber auch die Gattungen, welche nach Entfernung der *Pontella*, *Pontellina* und *Oithona* in der *Calaniden*-Familie zurückbleiben, können keineswegs alle als genügend unterschiedene anerkannt werden. Für *Rhincalanus* fehlen die generischen Merkmale zur Unterscheidung von *Calanus* und *Cetochilus* vollständig, denn die in einen gabelförmig gespaltenen Schnabel verlängerte Stirn kommt auch den letztern zu und würde selbst im andern Falle bei Ausschluss anderer Unterscheidungen kaum den Werth als Artcharakter besitzen. Ebensowenig vermag ich *Catopia* und *Hemicalanus* als scharf charakterisirte Gattungen anzusehen, von denen die erstere mit *Calanopia*, die letztere mit *Undina* sehr nahe übereinstimmt.

Unstreitig nehmen die *Calaniden* zugleich mit den *Pontelliden* die höchste Stufe unter den frei lebenden *Copepoden* ein; sie besitzen einen grossen, schlanken, leicht beweglichen Körper, geeignet zu einer leichten und raschen Locomotion, lange und vielgliedrige vordere Antennen, grosse zweiästige hintere Antennen, die mehr zum Rudern und zur Unterstützung der Bewegung, als zum Anlegen und Festhalten des Körpers an fremden Gegenständen zu dienen scheinen. Ihre Mundtheile zeichnen sich durch die umfangreiche Entwicklung der Taster aus, die mehr oder minder fussähnlich die Bewegung befördern und durch Strudelung Nahrungsstoffe nach der Mundöffnung führen. Die Kautheile der Kiefer deuten auf eine freie, selbstständige Ernährung, ebenso die umfangreichen Kieferfüsse mit ihren zahlreichen Borsten und Anhängen. Die Schwimmfüsse, deren innerer Ast an Umfang in der Regel hinter dem äussern zurückbleibt, tragen sehr lange, meist befiederte Seitenborsten zur Vergrösserung der Ruderfläche und werden häufig in ihrer Wirkung von dem gleichgebildeten fünften Fusspaare unterstützt, welches aber auch in mannichfachen Modificationen reducirt zu einem einfachen oder mehrgliedrigen Stummel herabsinkt, ja in manchen Fällen vollständig ausfallen kann. Von besonderem Interesse aber sind die mannichfaltigen Umbildungen, welche die vordern Antennen und die Füsse des fünften Paares im männlichen Geschlechte erleiden, durch welche diese Gliedmaassen Hülfsorgane der Begattung werden. Während wir bei den *Cyclopiden*, *Harpactiden* und *Peltidien* stets beide Antennen zu kräftigen Fangarmen umgeformt sehen, an den hintern Füssen dagegen jegliche Geschlechtsdifferenzen vermissen, finden wir hier in der Regel die rechte Antenne und den entsprechenden Fuss des fünften Paares im männlichen Geschlechte zu Greif- und Fangorganen umgestaltet. Niemals sind beide Antennen Fangarme, dagegen kann auch die der linken Seite eine Veränderung erleiden, welche sie zum Festhalten des Weibchens geeignet macht, während die rechte ihre normale Form behält, oder es fallen die Unterschiede an beiden Antennen im männlichen und weiblichen Geschlechte fast vollständig hinweg. In nicht engern Grenzen der Variabilität bewegen sich die Füsse des fünften Paares, welche in einzelnen Fällen in beiden Geschlechtern kaum von einander verschieden sind (*Cetochilus*), aber auch an beiden Seiten beim Männchen zu den Leistungen des Geschlechtslebens Umbildungen erleiden können (*Euchaeta*). Endlich gilt für das Abdomen der *Calaniden* als gemeinsamer Charakter die Kürze und Breite der Furca, nicht minder die ziemlich gleiche Länge und Befiederung der vier Endborsten und der äussern, nahe an die Spitze gerückten Seitenborste.

Dem äussern Bau entspricht die hohe innere Organisation. Es sind nicht mehr Bewegungen des Darmes, welche den Kreislauf des Blutes reguliren, sondern rhythmische Contractionen eines Herzens, welches unter der Rückenfläche meist an der Grenze des ersten und zweiten Brustsegmentes liegt. In diesen musculösen Sack tritt das farblose, der körperlichen Elemente entbehrende Blut durch eine hintere und zwei seitliche Oeffnungen ein und strömt durch eine vordere Oeffnung in der Richtung nach dem Gehirn aus. Die vordere arteriöse Oeffnung mündet indess in der Regel in einen weiten medianen Schlauch, der das Blut mehr oder minder weit nach vorn leitet und bei *Calanella* eine enge, sehr lange Röhre, eine Art Aorta bildet, die im vordern Theile des Kopfes oberhalb der Leberschläuche in zwei seitliche, nach der Stirn verlaufende Gefässe übergeht. Das Nervensystem ist ansehnlich entwickelt, zeigt aber nicht die Concentration seiner Centraltheile, wie wir sie bei den *Corycaeiden* finden, sondern eine grosse Streckung des Bauchstranges, an welchem zwei Maxillarganglien und drei bis fünf Fussganglien mehr oder minder gedrängt auf einander folgen. Von den Sinnesorganen sind die blassen Fäden und Schläuche der vordern Antennen fast an jedem Gliede vorhanden und namentlich im männlichen Geschlechte sehr gross und umfangreich. Die Augen entbehren der Linsen des Chitinpanzers und bleiben stets einfache mediane, erreichen aber in einzelnen Fällen durch die beträchtliche Zahl der eingelagerten Krystallkugeln und die freie Beweglichkeit eine dem *Daphnien*-Auge vergleichbare Höhe der Entwicklung. Der weibliche Geschlechtsapparat ist stets paarig und mündet am vordern Abschnitt des Hinterleibes in zwei ventralen, der Medianlinie genäherten Geschlechtsöffnungen, aus welchen die Eier zu einem einfachen, unpaaren Eiersäckchen austreten. Der männliche Geschlechtsapparat dagegen ist in allen mir bekannten Fällen unpaar, indem das *vas deferens* nur an der rechten oder an der linken Seite zur Ausbildung kommt und die andere Hälfte des ausführenden Abschnittes ausfällt.

Uebersicht der Gattungen.

I. Die vordern Antennen in beiden Geschlechtern gleichartig gegliedert, oder kaum merklich verschieden, im männlichen mit grossen, oft quastenförmigen Cuticularanhängen.

- 1) Das fünfte Fusspaar ein zweiästiger Ruderfuss, den vorhergehenden gleich, im männlichen Geschlecht nicht zum Fangfuss umgestaltet. Die vordere Antenne fünfundzwanzíggliedrig . . . . 1. **Cetochilus.**
- 2) Das fünfte Fusspaar verkümmert, jederseits einen mehrgliedrigen Ast bildend, in beiden Geschlechtern vorhanden und nur wenig verschieden. Die vordern Antennen fünfundzwanzig- oder vierundzwanzíggliedrig . . . 2. **Calanus.**
- 3) Das fünfte Fusspaar fehlt im weiblichen Geschlechte, im männlichen ist es dagegen wohl entwickelt zum Fangfuss umgestaltet. Die vordern Antennen vierundzwanzig- oder dreiundzwanzíggliedrig.
  - α. Fünfter Fuss des Männchens gestreckt, viergliedrig, an beiden Seiten nicht sehr verschieden. Der sechsgliedrige Endabschnitt der untern Maxillarfüsse sehr lang und kräftig, weit länger als der Mittelabschnitt. Vordere Antennen dreiundzwanzíggliedrig, mit sehr langem Basalgliede. Körper sehr lang gezogen und schmal . . . . 3. **Calanella.**
  - β. Fünfter Fuss des Männchens ähnlich wie bei (α), der Endabschnitt der untern Maxillarfüsse viergliedrig. Vordere Antennen vierundzwanzíggliedrig. Körper mit fast kugligem Vorderleib . . . . 9. **Phaënna.**
  - γ. Fünftes Fusspaar des Männchens sehr umfangreich, zweiästig, halb so lang als das ganze Thier. Maxille mit reducirtem Taster von sehr eigenthümlicher Form. Endabschnitt der untern Maxillarfüsse fünfgliedrig, weit kürzer als der Mittelabschnitt. Letzterer gegen das Basalglied knieförmig gebogen und halb umgeschlagen. Vordere Antenne dreiundzwanzíggliedrig, mit langen haarförmigen Borsten. Jedes Furcalglied trägt im weiblichen Geschlecht eine sehr lange Borste . . . . 7. **Euchaeta.**
  - δ. Die Füsse des fünften Paares langgestreckte, zweiästige Fangfüsse. Die vordern Antennen nicht sehr von *Euchaeta* verschieden, aber vierundzwanzíggliedrig, beim Männchen dreiundzwanzíggliedrig, die rechte des Männchens mit verschmolzenem neunzehnten und zwanzigsten Gliede, wie bei *Phaënna*, und einer Art Gelenk zwischen dem achtzehnten und neunzehnten Gliede. Nebenast der untern Antenne viel länger als der Hauptast. Die untern Maxillarfüsse weit schmächtiger als bei *Euchaeta* und nicht im obern Gelenke des Basalgliedes knieförmig umgeschlagen . . . 8. **Undina.**
- 4) Das fünfte Fusspaar ein den vorhergehenden ähnlicher zweiästiger Schwimmfuss, beim Männchen der äussere Ast jederseits mit einem Fanghaken versehen. Die vordern Antennen fünfundzwanzíggliedrig, fast sägeförmig gezackt, die linke des Männchens mit verschmolzenem neunzehnten, zwanzigsten, einundzwanzigsten Gliede und einer Art Gelenk zwischen dem achtzehnten und neunzehnten Gliede. Die obern Maxillarfüsse viel grösser als die untern, ähnlich wie bei *Candace*. Eine sehr lange Borste am linken Furcalgliede . . . . 5. **Heterochaeta.**

- II. Die vordern Antennen in beiden Geschlechtern ungleichartig, im männlichen die rechte oder linke mit scharf ausgeprägtem geniculirendem Gelenke und umgeformten Abschnitten.
  - 1) Die vordern Antennen knotig verdickt, zwanziggliedrig. Die untern Maxillarfüsse mit langem borstentragenden Fortsatz am Basalabschnitte, ähnlich denen der *Pontelliden* . . . . 11. **Dias.**
  - 2) Die vordern Antennen regelmässig, ohne knotige Verdikkungen, dreiundzwanzig-, vierundzwanzig- oder fünfundzwanziggliedrig. Die untern Maxillarfüsse ohne diesen langen Zahnfortsatz der *Pontelliden.*
    - α. Die Füsse des fünften Paares einästig, mehrgliedrig, beim Männchen jederseits Fangorgane.
      - Die vordern Antennen vierundzwanziggliedrig, innerer Ast des ersten Fusspaares einfach, der nachfolgenden zweigliedrig . . . . 12. **Temora.**
      - Die vordern Antennen dreiundzwanziggliedrig, Basaltheil der Mandibeln sehr verlängert, an der Spitze nur mit zwei Zähnen bewaffnet. Die obern Maxillarfüsse sehr gross, die untern rudimentär. Die innern Aeste der Schwimmfüsse zweigliedrig . . . 10. **Candace.**
      - Die vordern Antennen fünfundzwanziggliedrig, im männlichen Geschlechte rechts oder links mit geniculirendem Gelenke. Der innere Ast des ersten Fusspaares zweigliedrig, der nachfolgenden dreigliedrig. Neben den Maxillarfüssen eine seitliche knopfförmige Pigmentkugel rechts oder links . . . . . 13. **Pleuromma.**
    - β. Die Füsse des dritten Paares zweiästig, beim Männchen der äussere Ast Fangfuss.
      - Die vordern Antennen fünfundzwanziggliedrig, die linke des Männchens mit geniculirendem Gelenke. Augenlos.
        - Körper halb flach, die äussern Aeste beider Füsse im männl. Geschlechte mit Fanghaken. Mandibeln lang und dünn, nur mit zwei Zähnen bewaffnet . . . . 4. **Hemicalanus.**
        - Körper mehr cylindrisch, wenig comprimirt. Nur an der rechten Seite des fünften Fusspaares im männl. Geschlechte ein Fanghaken. Vorderrand der Mandibeln breit, mit zahlreichen Zähnen bewaffnet . 6. **Leuckartia.**
      - Die rechte männliche Antenne mit geniculirendem Gelenke. Augen wohl entwickelt.
        - Antennen fünfundzwanziggliedrig, Abdomen des Weibchens viergliedrig (dreigl. ?). Das fünfte Fusspaar des Männchens mit nacktem, rudimentären innern Aste. Der rechte Fuss mit grossem Greifhaken 15. **Diaptomus.**
        - Antennen vierundzwanziggliedrig. Abdomen des Weibchens dreigliedrig. Das fünfte Fusspaar des Männchens mit borstentragendem dreigliedrigen Innenaste. Der rechte Fuss mit mächtiger Greifzange . . . . 14. **Ichthyophorba.**

1. Cetochilus Roussel de Vauzème. (Annales des scienc. nat. II. ser. 1834.)

(Taf. IV. Fig. 15; Taf. V. Fig. 12; Taf. VII. Fig. 11; Taf. XXVI. Fig. 1—9.)

Quintum thoracis segmentum bene distinctum. Antennae anticae articulis 25 compositae, longissimae, maris appendicibus crassis instructae, non geniculantes. Antennularum rami fere subae-

qui, ramus secundarius articulis quatuor medianis brevibus. Maxillipedes inferiores elongati, superioribus multo majores. Pedes postici antecedentibus similes, biramosi, natatorii, maris nunquam prehensiles. Abdomen maris quinque, feminae quatuor segmentis compositum. Oculi simplices, parvi.

Die Gattung *Cetochilus* wurde von ROUSSEL DE VAUZÈME nach einer Form aufgestellt, welche in ungeheuren Schaaren die Südsee bevölkert und den Walfischen[1] zur Nahrung dient. Später entdeckte GOODSIR[2] einen nordischen *Copepoden*, den er als eine zweite Art derselben Gattung betrachtete und *C. septentrionalis* nannte. Offenbar beruhte in beiden Fällen das Hauptmerkmal auf der Form des fünften Fusspaares, welches einen zweiästigen dem vorausgehenden Paare ähnlichen Ruderfuss darstellt. DANA (Conspect. Crust.) scheint demselben indess keine generische Bedeutung beigelegt zu haben und liess *Cetochilus* in der von LEACH gegründeten Gattung *Calanus* (*Temora*) aufgehen, später (Crust. of the Unites States Exped etc.) erkannte er allerdings wenigstens die Selbstständigkeit des von GOODSIR beschriebenen *C. septentrionalis* als Repräsentant einer besondern Gattung an, für die er als neuen, aber keineswegs richtigen Unterscheidungscharakter die fünf- bis siebenfache Gliederzahl des Kopfbruststückes anführte. Ich selbst kenne drei verschiedene Arten, eine von Helgoland und zwei von Messina, welche in ihrem allgemeinen Bau mit dem durch BAIRD sorgfältiger beschriebenen *C. septentrionalis* übereinstimmen. Auf die Untersuchung dieser Arten stützt sich der nachfolgende Versuch, die Gattung schärfer, als es bisher möglich war, zu charakterisiren und von den Verwandten abzugrenzen.

Schon die gesammte Körperform erhält einen eigenthümlichen Charakter durch den schmalen langgestreckten Cephalothorax, dem sich ein kurzes und enges, aber vollzählig gegliedertes Abdomen anschliesst. Die Stirnfläche ist abgerundet und setzt sich, nach der Bauchfläche ein wenig herabgekrümmt, in einen wohlentwickelten Schnabel mit sehr langen und dünnen Zacken fort. Kopf und Thorax sind verschmolzen oder durch eine Quercontour geschieden, im erstern Falle unterscheiden wir vier, im letztern fünf freie Thoracalsegmente, da das fünfte Segment stets als ein selbstständiger Leibesabschnitt hervortritt. Die vordern Antennen zeichnen sich durch ihre bedeutende Länge aus und reichen mehr oder minder weit über das Ende des Abdomens hinaus (Taf. XXVI. Fig. 1); sie bestehen aus 25 Gliedern, von denen das 23ste an der Spitze und das 24ste in der Mitte des untern Randes eine sehr lange fast säbelförmige Borste trägt. Im männlichen Geschlechte sind die beiden ersten Antennenglieder verschmolzen, die blassen Fäden zu ansehnlichen, herabhängenden, bogenförmg gekrümmten Schläuchen erweitert, die Borsten am 23sten und 24sten Gliede dagegen verkürzt. Die Erweiterung des Mittelabschnittes und die Entwicklung eines knieförmigen Gelenkes zwischen Mittel- und Endabschnitt, welche die männliche Antenne zu einem Greiforgane tauglich macht, fällt hier vollständig aus (Fig. 2). Die hintern Antennen (Fig. 3) tragen ziemlich gleichlange, ansehnlich entwickelte Aeste, von denen sich der Hauptast durch die stielförmige Verlängerung des untern Gliedes auszeichnet, der Nebenast aus 7 Gliedern (vier kurzen Mittelgliedern) besteht. Die Mandibeln (Fig. 4) tragen einen kräftigen, aber gedrungenen Taster, dessen viergliedriger Nebenast aus kurzen und weiten Ringen gebildet ist; für den etwas längern Hauptast tritt

1) Daher die Bezeichnung *Cetochilus* von κῆτος Walfisch und χιλός Futter

2) New Phil. Journal, October 1843. taf. VI.

eine ringförmige Erweiterung des untern Gliedes als bezeichnendes Merkmal entgegen. Der Kautheil, dessen bezähnter Vorderrand in dem Raume zwischen Ober- und Unterlippe liegt, ist gestreckt, der untere Zahnfortsatz fast stiletartig verlängert und zweispitzig, dann folgen drei breite mehrhöckrige Zahnplatten, vier conische Doppelzähne und endlich der befiederte Borstenanhang. Die Unterlippe ist breit, aber wenig vorstehend und in zwei seitliche Lappen tief gespalten. Die Maxillen (Fig. 5) sind in allen Theilen vollständig ausgebildet und sehr langgestreckt; ebenso normal erscheinen die obern und untern Maxillarfüsse, von denen die letztern (Fig. 7) einen fünfgliedrigen Endabschnitt tragen und an Grösse bedeutend hervorragen. Alle fünf Thoracalgliedmaassen zeigen sich als vortrefflich entwickelte Ruderfüsse, sie tragen dreigliedrige Ruderäste, von denen die inneren sehr kurz und schmal sind, die äussern dagegen eine bedeutende Breite und Streckung besitzen. Die Dornen am Aussenrande der äussern Aeste sind breit, fast lanzettförmig, neben ihnen zieht sich der untere Verbindungsrand des Gliedes in einen zahnartigen Fortsatz aus. Die fünften Fusspaare des Männchens (Fig. 9) sind ebenfalls zweiästige Ruderfüsse, wie die des Weibchens (Fig. 8) mit dreigliedrigen Aesten, indess tritt an dem äussern Aste der einen Seite die Tendenz zur Umbildung als Greiforgan sehr deutlich hervor, indem seine beiden Basalglieder beträchtlich verlängert sind, das kurze stummelförmige Endglied aber eine Greifborste trägt. Das Abdomen des Männchens (Fig. 6) ist fünfgliedrig, mit sehr kurzem Vorder- und langgestrecktem zweiten Segmente, das weibliche dagegen nur viergliedrig (Fig. 1). Die Augen sind klein, einfach, *Cyclops*-artig mit schmalem Pigmentkörper und mit zwei seitlichen Krystallkugeln. Der Magen setzt sich oberhalb des Oesophagus in einen unpaaren Leberschlauch fort, der fast bis an die Spitze der Stirn reicht und hier durch Verbindungsfäden befestigt ist. Der Ausführungsgang des Hodens mehrfach gewunden, mit langer Spermatophorentasche und linksseitiger Ausmündung. Die Ovarialdrüse bildet einen auffallend verlängerten Sack, der in das dritte Thoracalsegment hineinreicht, während die Eiergänge sich häufig in der Mittellinie oberhalb des Darmes bis an die Stirn fortsetzen, im Thorax aber eine mehr seitliche Lage einhalten. Ihre Mündungen liegen unter einer vorspringenden medianen Kappe des ersten Abdominalsegmentes und stehen mit zwei seitlichen mit Sperma gefüllten Säcken in Verbindung.

1) **C. helgolandicus** n. sp. (Taf. XXVI. Fig. 2—9.)

Körper circa 4mm lang (mit der Schwanzborste). Kopf und Thorax durch eine Quercontour geschieden. Antennen so lang als der Körper. Die Borsten des 23sten und 24sten Gliedes beim Weibchen sehr stark und gross, mit kurzen Seitenborsten und sehr langen, zarten Haaren besetzt, beim Männchen weit schmächtiger und kürzer. Das Basalglied des fünften Fusspaares mit gezähneltem Innenrande. Die Dornen am Aussenrande der Schwimmfüsse lanzettförmig, zugespitzt. Die zweitinnere Endborste der Furca ist so lang als das Abdomen.

Helgoland.

2) **C. longiremis** n. sp. (Taf. XXVI. Fig. 1.)

Körper circa 4,5mm lang (mit den Schwanzborsten). Kopf und Thorax verschmolzen, ohne Quercontour. Antennen weit länger als der Körper, mit sehr kräftigen, peitschenförmig entwickelten Borsten des 23sten und 24sten Gliedes. Diese Borsten sind quer geringelt und mit sehr langen Haaren besetzt. Die Dornen am Aussenrande der Schwimmfüsse an der Spitze mehr oder minder stark gekrümmt. Das vordere Abdominalsegment mit stark prominirender Bauchfläche. Das Abdomen in einem stumpfen Winkel nach hinten gerichtet. Die zweitinnere Endborste der Furca ragt weit aus den benachbarten hervor und ist 1½—2mal so lang als das Abdomen. Messina.

3) **C. minor** n. sp.

Körper 2—2,5mm lang (mit den Schwanzborsten). Die Antennen sind nicht länger als der Körper, aber mit zwei sehr langen langbehaarten und quergeringelten Borsten des 23sten und 24sten Gliedes versehen. Kopf und Thorax vereinigt, ohne Quercontour. Stirn kurz, weit vorn in den zweizackigen Schnabel übergehend. Im Uebrigen der vorigen Art ähnlich. Messina.

2. Calanus Leach.

(Taf. XXVI. Fig. 10—16; Taf. XXVII. Fig. 1—8.)

Quintum thoracis segmentum minime distinctum, cum quarto conjunctum. Antennae anticae articulis 25 compositae, interdum duobus articulis conjunctis 24 articulatae, maris appendicibus crassis instructae, non geniculantes. Antennae posticae nec minus partes manducatoriae Cetochili similes. Pedes postici uniramosi, breves, rudimentarii, maris vix dissimiles. Abdomen maris quinque, feminae quatuor (vel tribus) segmentis formatum. Oculi simplices, parvi.

Leach[1]) hat zuerst den Namen *Calanus* zur Bezeichnung einer besondern Gattung eingeführt, die allerdings keineswegs den oben hervorgehobenen Merkmalen entspricht. Leach gebrauchte denselben für den schon im vorigen Jahrhundert von Gunner beschriebenen *Monoculus Finmarchicus*[2]), dessen generische Verschiedenheit von *Cyclops* er erkannt hatte. Da indessen Baird[3]) und Liljeborg[4]) für dieselbe Thierform die Gattungsbezeichnung *Temora* angenommen haben, ferner von Dana und Lubbock der Name *Calanus* zwar beibehalten, aber in einem viel weitern Umfange, für ganz andere Formen gebraucht worden ist, so scheint es zweckmässig, um neue Verirrungen der Nomenclatur zu vermeiden, die Bezeichnung *Temora* für den *Cyclops Finmarchicus* und dessen Verwandte aufzunehmen, den Namen *Calanus* aber in einem andern, schärfer umschriebenen Sinne für jene Formen zu gebrauchen, welche Dana mit *Temora* in seiner Gattung *Calanus* vereinigte.

Im Allgemeinen schliesst sich diese Gattung an *Cetochilus* sehr nahe an, wir treffen einen ähnlichen Bau der Antennen und Mundtheile und vermissen im männlichen Geschlechte die Verwendung der rechten Antenne und der hintern Füsse zu Greif- und Fangorganen. Was beide aber wesentlich unterscheidet, ist der Bau des fünften Fusspaares und die Beschaffenheit des entsprechenden Thoracalsegmentes. Dieses letztere erscheint keineswegs als ein freier, selbstständiger Leibesring, sondern bleibt mit dem vorhergehenden Segmente zu einem gemeinsamen Abschnitte verschmolzen. Daher folgen auf den vordern halbovalen und langgestreckten Abschnitt des Kopfbruststückes nicht wie dort vier, sondern nur drei gesonderte Thoracalsegmente und falls Kopf und Brust durch eine Contour geschieden sein sollten, bleibt die Brust immer nur auf vier

1) Leach. Dict. Sc. Nat. XIV. art. Entomost.
2) Cyclops Finmarchicus und longicornis O. F. Müller.
3) Baird, Brit. Entomostr. pag. 228.
4) Liljeborg l. c. pag. 177.

freie Ringe beschränkt. Der Mangel eines selbstständigen und freien fünften Thoracalsegmentes steht aber im Zusammenhange mit der Verkümmerung und schwachen Leistung des entsprechenden Fusspaares, welches auf einen einästigen, weniggliedrigen Stummel beschränkt ist.

Die vordern Antennen besitzen ganz denselben Bau als die von *Cetochilus*; ihr zweites Glied tritt wie dort durch seine Länge hervor und besitzt am obern Rande drei Borstengruppen in kurzen Intervallen, das dritte Glied trägt wiederum die lange Borste, dagegen scheint die hervorragende Entwicklung der zwei Borsten am 23sten und 24sten Gliede zu verschwinden, im männlichen Geschlechte fehlt die Geniculation an der rechten Seite. An den hintern Antennen verkürzt sich der Hauptast, die Länge des siebengliedrigen Nebenastes variirt. An den untern Maxillarfüssen bleibt häufig das letzte Glied des fünfgliedrigen Endabschnittes kurz und undeutlich. Auch die innere Organisation stimmt mit *Cetochilus* wesentlich überein, indess rückt die Ovarialdrüse nicht so tief in die mittlern Thoracalsegmente herab. Der Magen ist ausserordentlich weit, die weiblichen Geschlechtsöffnungen entfernen sich mehr von der Mittellinie, ihre mediane Ueberdeckung tritt zurück, dagegen wird jederseits neben der Geschlechtsöffnung ein Porus bemerkbar, welcher die Einfuhr des Sperma's in die birnförmigen Samenbehälter vermittelt.

1) **C. mastigophorus** n. sp. (Taf. XXVII. Fig. 5—8.)

Körper ziemlich breit, über 2^{mm} lang (mit Einschluss der Schwanzborsten). Die vordern Antennen langgestreckt, fast bis zur Furca reichend, das achte mit dem neunten Glied verschmolzen, daher nur 24 gesonderte Antennenglieder, das vorletzte Glied lang, schief abgestutzt mit ansehnlicher Borste, das Endglied kurz, dem vorgehenden schief aufgesetzt, mit sehr langer geisselartiger Endborste. Kopf und Thorax verschmolzen. An der Spitze des Abdomens, zu beiden Seiten des ersten Fusspaares und am Mittelabschnitt der hintern Maxillarfüsse finden sich braunrothe Pigmente. Der Nebenast der hintern Antennen beträchtlich grösser als der Hauptast. Der Kautheil der Maxillen sehr kräftig entwickelt. Der Innenast des ersten Schwimmfusses breit und zweigliedrig, der Innenast der drei nachfolgenden schmal, dreigliedrig, mit langgestrecktem und sehr kurzem ersten Gliede; die äussern Aeste viel breiter und umfangreicher, am zweiten, dritten und vierten Paare mit einem breiten, messerförmigen, aber seitlich gezähnten Dorne bewaffnet. Das zweite Glied des Basalabschnittes tritt am zweiten und dritten Fusspaare mächtig hervor und läuft in eine Reihe umfangreicher conischer Höcker aus. Die hintern Füsse dreigliedrig und schmächtig, mit gemeinschaftlichem Basalabschnitte, am Endglied mit zwei kurzen Spitzen bewaffnet. Das Abdomen so lang als die drei freien Segmente des Thorax; vorderes Segment sehr umfangreich, die vier Endborsten der Furca mit Ausnahme der zweitinnern von gleicher Grösse, ungefähr so lang als das Abdomen, die zweitinnere Borste noch um ein Drittel länger. Messina.

2) **C. parvus** n. sp. (Taf. XXVI. Fig. 10—14; Taf. XXVII. Fig. 1—4.)

Körper schmal und gestreckt, circa $1\frac{1}{3}^{mm}$ lang (mit den Schwanzborsten). Die vordern Antennen mit 25 freien Gliedern, bis über die Basis des Abdomens reichend. An dem 23sten Gliede eine, an dem 24sten zwei lange Borsten, das 25ste Glied ungefähr so lang als das vorausgehende, seine Endborsten kürzer als die Borsten des 23sten und 24sten Gliedes. Beide Aeste der hintern Antenne von ziemlich gleicher Länge. Färbung des Körpers gelblich. Kopf und Brust lassen mehr oder minder scharf eine Quercontour auf ihrer Grenze nachweisen. Schwimmfüsse schwach bewaffnet, der innere Ast des vordern zweigliedrig, der nachfolgende dreigliedrig, ziemlich breit mit kurzem ersten Gliede. Fünftes Fusspaar beim Weibchen kurz und zweigliedrig (3?) mit langer Endborste, beim Männchen das der linken Seite doppelt so lang und viergliedrig. Letztes Abdominalsegment fast so lang als die beiden vorhergehenden zusammen. Helgoland.

3) **C. pygmaeus** n. sp.

Körper langgestreckt, $^7/_8$ mm lang (mit den Schwanzborsten), der zuletzt besprochenen Art sehr ähnlich. Antennen von derselben Form und Grösse, das letzte Glied jedoch weit schmäler als das vorhergehende. Kopf und Thorax verschmolzen, die drei freien Thoracalsegmente so breit als das Kopfbruststück. Abdomen enger und gestreckter als bei *C. parvus*. Die Schwimmfüsse mit stärkerer Bewaffnung und mehr parallelen Seitenrändern der Ruderäste. Das letzte Fusspaar kurz, dreigliedrig, mit einer schwachen Borste an der Spitze. Messina.

4) **C. plumulosus** n. sp. (Taf. XXVI. Fig. 15—16.)

Körper sehr schmal und gestreckt 1$^1/_5$ mm lang (ohne die Schwanzborsten). Die vordern Antennen sehr lang, aber nur vierundzwanziggliedrig, indem die beiden ersten Glieder zu einem umfangreichen Abschnitte verschmolzen sind. Dieser trägt eine kräftige, zweiseitig befiederte, gelb pigmentirte Borste. Letztes Antennenglied fast doppelt so lang als das vorletzte (Fig. 16). Nebenast der hintern Antennen kürzer als der Hauptast. Der Endabschnitt des untern Maxillarfusses erscheint viergliedrig, da das verkümmerte Endglied kaum als solches hervortritt. Die hintern Füsse dreigliedrig, das letzte Glied winklig herabgebogen, sehr langgestreckt und undeutlich in mehrere Abschnitte geschieden. Das Abdomen besteht im weiblichen Geschlechte nur aus drei Segmenten, von denen das vordere aufgetriebene das grösste ist und trägt vier nach der Spitze zu befiederte, gelb pigmentirte Schwanzborsten, welche durch ihre langen und dichtgestellten Seitenstrahlen das Ansehn von zarten Federn gewinnen. Das Männchen blieb unbekannt.

Messina.

Von den zahlreichen DANA'schen *Calanus*-Arten gehören die in die Rubrik »die apicalen Borsten der Antennen länger als die subapicalen, die *styli caudales* sehr lang« gebrachten Formen als *C. turbinatus, stylifer, curtus, scutellatus;* wahrscheinlich alle zu *Temora*, *C. pavo* nähert sich der Gattung *Hemicalanus* oder bildet eine besondere Gattung, eine Reihe anderer, wie z. B. *setuligerus, pellucidus* etc. mit fünf- bis sechsgliedrigem Cephalothorax scheinen *Cetochilus*-Arten zu sein, *C. elongatus, attenuatus* gehören zu *Calanella*. Es lässt sich bei der Unkenntniss der Mundtheile und der Beschaffenheit des fünften Fusses schwer entscheiden, welche Formen den oben dargestellten Charakteren der Gattung *Calanus* entsprechen. Von LUBBOCK's Arten ist *C. latus* das Weibchen einer *Undina*, *brevicornis* ein *Cetochilus*, leider sind indess die Beschreibungen dieses Forschers so unvollständig und auf unwesentliche Merkmale gerichtet, dass es rein unmöglich ist, die Arten unterzubringen und als gesicherte anzuerkennen.

3. Calanella n. g.

(Taf. V. Fig. 16, Taf. VII. Fig. 8—10; Taf. IX. Fig. 5, 10, 11; Taf. XXVIII. Fig. 6—11.)

Corpus longe porrectum. Capitis pars anterior tenuis, valde elongata, fronte triangulari, prominente. Quintum thoracis segmentum haud distinctum, cum quarto conjunctum. Antennae anticae articulis 23 compositae (articulo primo cum secundo conjuncto, octavo cum nono) maris articulatione carentes, appendicibus crassis instructae. Antennarum posticarum ramus secundarius brevis,

8 articulatus. Mandibularum palpus magnopere elongatus, ramo primario perbrevi. Maxillipedes inferiores longissimae, validissimae. Pedes rudimentares feminae deficientes, maris uniramosi utrinque prehensiles. Oculi simplices, parvi. Abdomen breve, maris (quinto segmento cum furca conjuncto) 4 articulatum.

Diese Gattung wurde bisher mit *Calanus* zusammengeworfen, mit der sie indess unmöglich vereinigt bleiben kann. Der schmale, langgezogene Vordertheil des Kopfes, die eigenthümliche Bildung der Antennen und Mundtheile, der Mangel der rudimentären Füsschen im weiblichen Geschlechte sind ausreichende Merkmale zur Begründung einer selbstständigen Gattung. In dieselbe scheinen ausser der von mir zu beschreibenden Art DANA's *Calanus gracilis, elongatus (juv. ?), attenuatus*, ferner LUBBOCK's *Calanus Danai*[1]) und *mirabilis* zu gehören. Der gesammte Vorderleib ist ausserordentlich langgestreckt, in seinen hintern Segmenten beträchtlich weiter als in der vordern Partie des Kopfes, die zwischen den beiden Antennenpaaren zu einem langen und schmalen Abschnitte ausgedehnt erscheint. Zwischen den vordern Antennen ragt die conische, trianguläre Stirn weit hervor und trägt als Schnabel eine lange und schmale, fast parallel an die Bauchfläche herabgelegte Platte, welche an der Spitze gabelförmig in zwei dünne Zacken ausläuft. Die vordern Antennen besitzen eine ganz ähnliche Form und Gliederung als bei *Cetochilus*, die Gliederzahl sinkt aber von 25 auf 23 herab, indem das erste und zweite Glied zu einem sehr langen Abschnitte verschmelzen und ebenso das achte und neunte Glied vereinigt bleiben. Die hintern Antennen sind kräftig und tragen einen ansehnlich entwickelten Hauptast. Der Nebenast bleibt kurz und besteht aus acht Gliedern, von denen das zweite am umfangreichsten ist, die folgenden kurz und dicht gedrängt, nach der Spitze zu sich verschmälernd. In ihnen erkennt man die vier kurzen Mittelglieder und das an der Spitze abgeschnürte Endglied wieder.

Nicht minder interessant erscheint die Bildung des Mandibularpalpus, der sich ebenfalls zu einer beträchtlichen Länge auszieht, aber nicht durch die Streckung des Hauptastes, sondern des Nebenastes. Der letztere sitzt vielmehr als ein kleiner zweigliedriger Anhang dem zweiten langgestreckten Abschnitt des Stammes auf, welcher an seiner Spitze mit der ganzen Breite in den viergliedrigen Nebenast übergeht. Der Kautheil der Mandibel liegt im Schnabelaufsatze von der Oberlippe verdeckt und trägt eine charakteristische Bewaffnung; ein unterer durch eine breite Lücke abgesetzter Zahnfortsatz wird an derselben vermisst, dagegen besetzen die untere Hälfte des Vorderrandes zwei sehr grosse und breite Zahnplatten, welche sich hakenartig verlängern; auf diese folgen eine Anzahl conischer, spitzer Zähne und endlich am obern Rande ein längerer zugespitzter Zahn.

Die Maxillen zeichnen sich durch ihre Grösse und durch die gestreckte Form ihres Endabschnittes aus, dessen lappenförmiger Nebenast kurz und verkümmert ist. Die obern Maxillarfüsse erscheinen normal, beim Weibchen umfangreicher und mit längern Borsten ausgestattet. Auch die untern sind beim Weibchen umfangreicher als beim Männchen, mit sehr langem und kräftigem Endabschnitte, an dem vorzugsweise das zweite, dann auch das dritte und vierte Glied durch ihre ansehnliche Grösse hervortreten. Die Schwimmfüsse liegen durch einen weiten Zwischenraum von

1) LUBBOCK, On some Oceanic Entomostraca Collected By Captain TOYNBEE. Transact. of the. Linn. Soc. vol XXIII.

den Kieferfüssen entfernt, ihre innern Aeste sind zwar schmächtiger als die äussern, indess mit Ausnahme des zweigliedrigen Innenastes vom ersten Paare aus drei Gliedern zusammengesetzt. Das fünfte Fusspaar fällt beim Weibchen ganz aus, beim Männchen besteht dasselbe aus einem einfachen, langgestreckten, viergliedrigen Aste, der auf der linken Seite stärker entwickelt ist und mit einer Greifborste endet. Das Abdomen umschliesst beim Männchen fünf, beim Weibchen drei Segmente, von denen indess das letzte häufig mit der Furca continuirlich verschmilzt. Beim Männchen scheint diese Verschmelzung sogar normal zu sein, beim Weibchen seltener einzutreten. Daher ist der Hinterleib des Männchens meist viergliedrig, der des Weibchens drei- und seltener zweigliedrig.

Nach dem gesammten innern Bau nimmt die Gattung eine der höchsten Stufen ein, das Auge ist zwar einfach nach Art von *Cetochilus* und *Calanus* gebildet und nur mit zwei lichtbrechenden Körpern versehen, Darm und Circulationsapparat aber am höchsten entwickelt. Das Herz verlängert sich in eine vordere Aorta, die sich oberhalb der Leberschläuche in zwei seitliche, nach der Stirn verlaufende Arterien spaltet. Der Darmcanal ist ein relativ enges Rohr, besitzt aber zwei umfangreiche Leberschläuche, die sich an ihrer Basis wiederum in mehrfache Säckchen ausstülpen. Der Hoden liegt mehr nach links gedrängt zur Seite des Herzens neben einer grossen von Bindegewebe umschlossenen Fettkugel, ebenso mündet das wenig geschlängelte *vas deferens* (Taf. V. Fig. 16) linksseitig in einer weiten Oeffnung an dem Basalgliede des Abdomens. Die weiblichen Geschlechtsöffnungen finden sich auf der Mitte des vordern aufgetriebenen Abdominalsegmentes, verdeckt von einer schildförmigen Platte, sie stehen durch einen gebogenen Quergang in Verbindung und führen jederseits in ein langgestrecktes, birnförmiges Samensäckchen.

1) **C. mediterranea** n. sp. (Taf. XXVIII. Fig. 6—11.)

Körper 4—4,5 mm lang (ohne die Schwanzborsten), in der grössten Dicke kaum 1 mm breit. Alle Borsten zwiefach befiedert. Stirn in Gestalt eines gewölbten conischen Höckers vorspringend. Die vordern Antennen 6—7 mm lang, dreiundzwanziggliedrig, mit sehr langgestrecktem Endgliede (♀). Die Borsten des drittletzten und vorletzten Gliedes ausserordentlich lang, wie bei *Cetochilus*, beim Männchen kürzer. Beim Weibchen sind die Endborsten an der Spitze des letzten Antennengliedes mit sehr langen und orangegelbgefärbten Seitenstrahlen befiedert. Der Stamm des Mandibularpalpus ist beim Männchen weit kräftiger und gedrungener als beim Weibchen. Abdomen kurz. Die Furcalglieder breit und gedrungen, die innere Endborste sehr schmächtig, die äussere Seitenborste dagegen umfangreich, zu der Gruppe der Endborsten tretend, länger als das Abdomen. An einer Seite, meist an der linken, ragt die zweitinnere Endborste weit hervor und erlangt ungefähr die Länge des gesammten Körpers. Messina und Nizza.

4. Hemicalanus[1]) n. g. (Taf. XXVIII. Fig. 12; Taf. XXIX. Fig. 1—7.)

Corpus pellucidum, paulo depressum. Oculi omnino deficientes. Antennae 25-articulatae, maris sinistra parte geniculantes. Antennae posticae elongatae, ramus secundarius

1) Der Name *Hemicalanus* ist zwar schon von DANA verwendet worden, allein für eine Gattung, die sehr unzureichend charakterisirt wurde und nicht wieder zu erkennen ist. DANA's Gattung soll mit *Calanus* im Wesentlichen übereinstimmen, dagegen durch die genicalirenden männlichen Antennen und Greiffüsse des fünften Paares, ferner durch die Kürze des Nebenastes der hintern Antennen, welcher der vier kurzen Mediaglieder entbehrt, abweichen. Auch LUBBOCK scheint mir die Nothwendigkeit, DANA's *Hemicalanus* eingehen zu lassen, richtig

5 aut 6 articulatus, articulis medianis interdum haud distincte separatis. Mandibulae fere styliformes, duobus dentibus instructae. Maxillipedes anticae elongatae, posticae longiores, validae. Pedes quinti paris biramosi, feminae antecedentibus aequales, maris similes, ramo exteriore utraque parte uncinato. Abdomen breve, maris segmentis quinque, feminae quatuor compositum.

Die obige Gattung, die mir von fünf verschiedenen Arten bekannt geworden ist, gehört durch die zarten Leibesumrisse, die pellucide durchsichtige Beschaffenheit des Körpers und durch eine Reihe von Organisationseigenthümlichkeiten zu den schönsten und interessantesten aller *Calaniden*. Die gesammte Leibesform ist äusserst schlank, ähnlich wie bei *Calanella*, mit vorzugsweise entwickeltem Vorderleibe, aber breiter und etwas flacher als jene; auch hier tritt das Abdomen als ein schmaler und schmächtiger, aber vollzählig gegliederter Abschnitt auf, der im weiblichen Geschlechte vier, seltener drei, im männlichen fünf Segmente umfasst. Das letzte, die Furca tragende Abdominalsegment ist in der Regel breit, oft fächerartig nach den Seiten vorstehend, jedes Furcalglied mit fünf, seltener mit sechs ansehnlichen Schwanzborsten besetzt. In den mir bekannt gewordenen Formen besitzt der Vorderleib nur vier Abschnitte, da Kopf und erstes Brustsegment, ferner die beiden letzten Brustsegmente unter einander verschmolzen sind. Die Stirn ragt zwischen den vordern Antennen als ein kuglig gewölbter oder langgestreckt pyramidaler Abschnitt hervor, der meist einen knopfförmigen, zweizinkigen Schnabel trägt.

Die Augen und deren Nerven fehlen vollständig, dagegen zeigen sich die beiden Nervenstämme, welche das frontale Sinnesorgan versorgen, wohl entwickelt. Man sieht dieselben sehr scharf an der vordern Fläche des Gehirnes entspringen, ohne zwischen ihnen eine Spur eines Augennerven, eines Pigmentkörpers und lichtbrechender Kugeln zu finden (Fig. 1).

Die vordern Antennen tragen sehr lange und dünne Borsten und Fäden und besitzen selbst eine beträchtliche Länge, indem sie sich meist bis zur Spitze des Abdomens erstrecken. Sie bestehen aus fünfundzwanzig, seltener vierundzwanzig Gliedern, von denen das erste die unmittelbar folgenden zwar an Umfang übertrifft, aber hinter dem entsprechenden Gliede von *Calanella* bedeutend zurückbleibt. Die Antennen des Männchens weichen von denen des Weibchens zunächst durch die grosse Menge von langen blassen Schläuchen ab, welche vorzugsweise auf der untern Hälfte in dichter Häufung entspringen und die zackige Form des obern Antennenrandes bedingen. Ferner besitzt die Antenne der linken Seite ein geniculirendes Gelenk zwischen dem neunzehnten und zwanzigsten Gliede, ohne eine merkliche Auftreibung der vorausgehenden Ringe des mittlern Abschnittes darzubieten. Die untern Antennen (Fig. 12) zeigen sich kräftig entwickelt, ihr Hauptast streckt sich meist zu einer bedeutenden Länge und trägt an der Spitze sehr lange, meist befiederte Borsten, der Nebenast bleibt in der Regel weit kürzer und besitzt in der Grösse des langgestreckten Basalabschnittes welcher den zwei untern Gliedern der Antennen von *Calanus* und *Cetochilus* entspricht, und in der unvollkommenen Sonderung und unregelmässigen Form der vier kurzen medianen Glieder charakteristische Merkmale. Nicht minder interessant erscheint die Form und Bildung der Mandibeln (Fig. 6), deren Kautheil sich zu einer langen und schmalen, fast stiletähnlichen Platte verlängert und in zwei

---

erkannt zu haben, indem er bemerkt: »*I am inclined to doubt whether it be advisable to retain Dana's genus Hemicalanus.*« Jedenfalls hat DANA verschiedene, sehr ungenügend untersuchte Formen, die zum Theil zu *Diaptomus*, zum Theil zu *Undina* gehören, als *Hemicalanus* zusammengeworfen.

starke und spitze Zähne ausläuft. Der Mandibulartaster besitzt dagegen einen kräftigen und gestreckten Stamm und zwei wohlentwickelte Aeste. Eine Unterlippe zu sehen gelang mir nicht, wohl aber eine breite, tief ausgebuchtete Oberlippe, unter welcher die Mandibeln zum Theil verdeckt liegen. Auch die Maxillen verdienen wegen ihrer eigenthümlichen Form eine nähere Berücksichtigung. Anstatt des kurzen, lappenförmigen Nebenastes, den wir bei *Calanus* etc. finden, treffen wir hier einen langgestreckten, stabförmigen Fortsatz, dessen Spitze zwei ausserordentlich lange, meist federförmig befiederte Borsten trägt (Fig. 7). Die obern Kieferfüsse lassen sich aus denen der verwandten *Calaniden* durch eine Streckung der untern Abschnitte bei gleichzeitiger Reduction der cylindrischen Fortsätze auf kurze, wenig vorspringende Höcker leicht ableiten, und bieten Zwischenformen, mit deren Hülfe die Modificationen der Kieferfüsse von *Cyclops*, *Heterochaeta*, *Candace* etc. verständlich werden. Die untern Kieferfüsse treten ebenfalls durch ihren kräftigen und langgestreckten Bau hervor, das Endglied ist kurz und schmal, häufig aber der obere Theil des mittlern Abschnittes als besonderes Glied gesondert. Die Schwimmfüsse tragen breite dreigliedrige Ruderäste, von denen die inneren schmächtiger sind und nur etwa die halbe Länge der äussern erreichen. Auch das fünfte Fusspaar schliesst sich in seiner Form den vorausgehenden vollständig an, weicht aber im männlichen Geschlechte durch einige Differenzen ab, welche auf die Bedeutung dieser Extremität als Greiforgan hinweisen. An beiden Seiten entbehren die äussern Aeste der Ruderborsten und tragen an der Spitze eine aus dem apicalen Dorn hervorgegangene Klaue. Etwas weiter noch zeigt sich der rechte Fuss deformirt, indem das vorletzte Glied des äussern Astes eine Ausbuchtung erhält, und sich am letzten Gliede der Dorn des Aussenrandes bedeutend vergrössert und nach innen dreht (Fig. 5).

Von den innern Organen vermittelt das Nervensystem durch die gedrungene Form der untern Schlundganglien die Verbindung mit den *Corycaeiden*. Der Magen bildet eine sackförmige Erweiterung des Darmes im Kopfabschnitte, entbehrt der seitlichen Lebersäckchen und verlängert sich sehr weit nach vorn, häufig bis in den Stirnvorsprung hinein, wo die Spitze des Magenzipfels durch eine mit einer Fettkugel erfüllte Bindegewebsmasse mittelst strahlenförmiger Ausläufer befestigt wird. Sehr deutlich sieht man den Oesophagus durch seitliche Muskelpaare befestigt und bewegt. Der Hoden liegt rechtsseitig in der Gegend der Maxillarfüsse und führt durch einen einfachen kaum geschlängelten Samenleiter nach der Geschlechtsöffnung, welche an der rechten Seite des ersten Abdominalsegmentes wie auf einem kurzen zapfenförmigen Vorsprunge mündet. Die weiblichen Geschlechtsmündungen erinnern durch ihre Form und Lage an *Calanella* und stehen ebenso mit zwei seitlichen Samenbehältern in Verbindung.

1) **H. plumosus** n. sp. (Taf. XXVIII. Fig. 12; Taf. XXIX. Fig. 4–7.)

Vorderleib circa 4^{mm}, Hinterleib $^{3}/_{4}$^{mm}, Schwanzborsten $^{3}/_{4}$^{mm} lang. Stirn kurz, pyramidal abgerundet. Die vordern Antennen von der Länge des Körpers (ohne die Schwanzborsten), mit kräftiger, breiter Basis und sehr dünnem obern Abschnitte. Die untern Antennen dick und kräftig, der Nebenast etwa ein Drittheil so lang als der Stamm mit dem Hauptaste. Die obern Kieferfüsse tragen auf den zwei letzten Höckern zwei sehr starke und lange Haken. An den untern Kieferfüssen sind die Greifborsten der vier letzten Glieder mit Doppelreihen von Widerhaken versehen. Die apicalen Dornen der äussern Schwimmfussäste lang und kräftig, auf der einen Seite sehr fein gezähnelt, auf der andern befiedert. Die Borsten der Schwimmfüsse und der Furca, ebenso die zwei langen Borsten an der Spitze der Maxillarlappen sind federartig befiedert und am äussersten Ende mit breiten Seitenfasern dicht besetzt. Die untere Borste am äussern Aste des fünften Fusspaares ist mehr als doppelt so lang wie die zwei benachbarten. Die äussere Schwanzborste entspringt unter der Mitte des breiten Furcalgliedes und ist ansehnlich entwickelt, die vier Endborsten dagegen sind über die Hälfte grösser und unter sich ziemlich gleich lang. Messina.

2) **H. mucronatus** n. sp. (Taf. XXIX. Fig. 2.)

Körper circa 3^{mm} lang (ohne die Schwanzborsten), etwas schmaler und gestreckter als bei der vorher besprochenen Art. Stirn sehr lang und pyramidal zugespitzt, mit einem dolchförmigen, erhobenen Schnabel bewaffnet. Die vordern Antennen so lang als der Körper, von der Mitte aus sehr dünn und verschmälert. Die hintern Antennen und Schwimmfüsse denen der vorigen Art sehr ähnlich, die Haken der obern Kieferfüsse weit schwächer, die Greifborsten der untern Kieferfüsse entbehren der Widerhaken. Die Schwanzborsten federartig befiedert, die äussere Seitenborste halb so lang als die beiden mittleren Endborsten, welche am weitesten hervorragen und circa 1^{mm} lang sind. Das Endglied des Abdomens seitlich stark verbreitert. Messina.

3) **H. filigerus** n. sp.

Körper circa 4^{mm} lang (ohne die Schwanzborsten). Stirn sehr breit, kurz und abgerundet, Schnabel knopfförmig mit zwei langen und dünnen seitlichen Zinken. Die vordern Antennen fast 1½mal so lang als der Körper, nach der Spitze zu allmählich verschmälert, mit einzelnen sehr langen gelblichen Fadenborsten. Die hintern Antennen kräftig, denen der früher besprochenen Arten ähnlich. Die vordern Kieferfüsse mit sehr gestrecktem Basalabschnitte, ihre Höcker wenig hervortretend, mit einem Paare kurzer Borsten besetzt. Die Hakenborsten der untern Kieferfüsse tragen in dichter Häufung zarte und kurze Seitenspitzen. Das letzte Abdominalsegment nur wenig verbreitert. Die Schwanzborsten mit langen aber minder dicht gestellten Seitenfiedern von sehr ungleicher Länge. Die drei innern Endborsten ragen weit hervor, am meisten jederseits die mittlere, welche die Körperlänge merklich übertrifft. Messina.

4) **H. longicornis** n. sp. (Taf. XXIX. Fig. 1.)

Körper circa 2^{mm} lang (ohne die Schwanzborsten). Stirn schmal und kurz, mit grossem knopfförmigen, zwei Zinken tragenden Schnabel. Die vordern Antennen sehr lang und dünn, 2—2½mal so lang als der gesammte Körper, mit kurzem, rothbraun pigmentirtem Endgliede. Die hintere Antenne sehr dünn und langgestreckt, ihr Nebenast ausserordentlich kurz und schmächtig. Die beiden Aeste der Maxillen gleich lang. Die Borsten auf den Höckern der vordern Maxillarfüsse mit einigen grossen Seitenfasern besetzt, kürzer als die Borsten der kurzen Endglieder. Das letzte Abdominalsegment kaum erweitert. Die Schwanzborsten befiedert, von ziemlich gleicher Länge, etwas länger als das Abdomen, nur die zweitinnere Endborste ragt merklich hervor. Messina.

5) **H. longicaudatus** n. sp. (Taf. XXIX. Fig. 3.)

Körper ziemlich breit, circa $3\frac{1}{2}$—4^{mm}, mit den Schwanzborsten 5^{mm} lang. Stirn ansehnlich gewölbt, mit knopfförmigem runden, zweizinkigen Schnabel. Die vordern Antennen dünn und langgestreckt, so gross als der gesammte Körper mit den Schwanzborsten. Die hintern Antennen kräftig, der Nebenast fast so lang als der Hauptast, mit einer sehr starken medianen

23*

Borste und nur zwei deutlich geschiedenen medianen Ringen. Die Hakenborsten der obern und untern Maxillarfüsse tragen zwei Reihen sehr zierlich geknöpfter Seitenspitzen. Die untern Maxillarfüsse sind ausserordentlich langgestreckt und ragen über die Spitze der Stirn hinaus, die drei letzten Glieder des Endabschnittes sind kurz und nicht als scharf gesonderte Ringe zu erkennen Die apicalen Dornen der äussern Schwimmfussäste mit sägeförmig gezähntem Seitenrande. Das Abdomen verschmälert sich nach der Spitze zu und besteht nur aus drei Segmenten (♀), zeichnet sich aber trotzdem vor den andern Arten durch seine bedeutende Streckung aus. Die Furcalglieder sind schmal und gestreckt, ungefähr doppelt so lang als das letzte Abdominalsegment. Die äussere Seitenborste entspringt vor der Mitte des äussern Randes, auch die innere Seitenborste ist kräftig entwickelt, am weitesten ragen die innere und zweitinnere Endborste hervor, dieselben sind etwas länger als der gesammte Hinterleib. Messina.

5. Heterochaeta n. g. (Taf. XXXII. Fig. 8—16.)

Corpus postice attenuatum, abdomen elongatum maris 5, feminae 4 articulatum. Antennae anticae 25 articulatae, serratae; maris sinistra vix deformata, articulatione fere geniculans. Oculi corpus pigmentatum omnino deficiens. Antennae posticae sicut in Calano formatae. Maxillarum ramus anterior obsoletus. Maxillipedes antici sive externi crassi, validis aculeis armati, maxillipedibus posticis sive internis tenuibus multo longiores. Pedes quinti paris biramosi, antecedentibus breviores; maris ramus exterior utraque parte uncinatus. Furcae stylus sinister seta longissima instructus.

Wir haben in dieser Gattung, die ich nach einem zwar nicht hier ausschliesslich auftretenden aber doch vorzugsweise zur Ausbildung gelangten Merkmale der einseitigen Entwicklung einer umfangreichen Schwanzborste benannt habe, Formen vor uns, die sich in vielen Stücken an *Hemicalanus* anschliessen und gleichzeitig den Uebergang zu *Candace* und *Leuckartia* vermitteln. Der Körper ist minder flach und pellucid, das Abdomen weit länger und gestreckter als dort, im weiblichen Geschlecht aus vier, im männlichen aus fünf Segmenten zusammengesetzt. Kopf und Thorax scheiden sich durch eine Quercontour, und das letzte Segment der Brust erscheint unvollständig mit dem vorausgehenden verschmolzen. Der Schnabel bildet einen knopfförmigen, zweizinkigen Wulst mit einem obern spitzen Fortsatz.

Die vordern Antennen erreichen etwa die Länge des Körpers und zeichnen sich durch die zackige Form des obern Randes aus, an welchem wenigstens vom zweiten bis zum zwölften Gliede jedes Glied eine Doppelzacke zur Insertion der Borsten bildet. Vom dreizehnten an werden die Glieder bedeutend länger, nur das letzte (fünfundzwanzigste) Glied bleibt kurz, etwa auf den dritten Theil des vorhergehenden reducirt. Im männlichen Geschlecht bildet sich die linke Antenne kaum merklich zu der Greifantenne um, indem zwischen dem achtzehnten und neunzehnten Gliede eine ginglymische Verbindung zur Entwicklung kommt, und die nachfolgenden drei Glieder zu einem gemeinsamen langen Abschnitte verschmelzen. Auch das achte und neunte Glied der linken Antenne verschmelzen mit einander. Die blassen Fäden sind sehr zart und dünn, eben nicht reicher vorhanden als im weiblichen Geschlechte. Die untern Antennen schliessen sich an die von *Calanus* und *Cetochilus* an und tragen einen siebengliedrigen Nebenast mit deutlich gesonderten Mediangliedern. Der Kautheil der Mandibeln beginnt mit einem breiten und gedrungenen Abschnitte, auf dem der normale, nicht sehr gestreckte Taster entspringt, und läuft in eine verschmälerte Platte aus, deren Vorderrand mit mehreren stiletförmigen Zähnen und einem grossen gebogenen Haken endet. Ganz abnorm und von speciellem Werthe zur Gattungsbestimmung erscheint die Maxille, welche eine auf den ersten Blick dem Nebenaste der hintern Antenne ähnliche Gliedmaasse darstellt, bei genauerer Betrachtung aber findet man den basalen, allerdings schwachen Kieferfortsatz, ferner den kurzen dorsalen Fächer und auch am innern Rande die Spuren des ausserordentlich verkümmerten Hauptastes, während der Nebenast ähnlich dem von *Hemicalanus* die lappenförmige Bildung mit einer gestreckten cylindrischen Form vertauscht hat. Die Kieferfüsse haben anstatt einer obern und untern eine äussere und innere Lage. Der innere Kieferfuss, der dem untern von *Calanus* etc. entspricht, schliesst sich auch in seinem Baue diesem vollständig an und ist relativ dünn und schmächtig. Als eine besondere Auszeichnung mag eine sehr umfangreiche Borste in der Mitte des Basalgliedes angesehen werden. Der äussere Kieferfuss dagegen erlangt eine viel bedeutendere Länge und Breite und trägt eine Anzahl kräftiger Greifhaken. Um den Bau desselben richtig zu verstehen, hat man sich die beiden untern Glieder, die gewöhnlich kurz und scheinbar zu einem einzigen Abschnitte zusammengedrängt sind, stark in die Länge ausgedehnt zu denken, sodass die vier mit Haken bewaffneten Fortsätze weit aus einander rücken. Nach oben folgt das kurze Zahnglied mit dem grossen langgestreckten Fortsatze, der die kräftigste Bewaffnung trägt, dann der kleinere (sechste), mit einer Greifborste versehene Fortsatz und endlich der kurzgeringelte Endabschnitt, welcher hier indess wie bei *Cyclops* auf ein mit mehreren kurzen und zarten Borsten versehenes Rudiment beschränkt ist. Indem ferner die drei untern Fortsätze fast vollständig verschwinden und mit Ausnahme des untersten durch einfache Borsten bezeichnet sind, tritt die Analogie mit dem äussern Kieferfusse von *Cyclops* noch deutlicher in die Augen. Auch die Schwimmfüsse erhalten eine eigenthümliche und charakteristische Form durch die Kürze der Seitendornen, besonders aber durch die ausserordentliche Breite und Grösse des letzten Gliedes vom äussern Aste. Die apicalen Dornen sind ebenfalls kurz, beim Männchen mehr oder minder klauenförmig, die innern Aeste bedeutend kürzer und schmäler als die äussern. Das fünfte Fusspaar trägt ebenfalls doppelte Ruderäste, zeigt indess in beiden Geschlechtern einige Abweichungen von den vorhergehenden Füssen. Beim Weibchen trägt das zweite Glied des äussern Astes am Ende des innern Randes, beim Männchen die Spitze des Endgliedes einen ansehnlichen Haken. Im letztern Falle kommt noch eine Differenz der rechten und linken Seite hinzu, indem der äussere Ast an der einen Seite drei Glieder und einen schwächeren Haken, auf der rechten nur zwei Glieder mit einem sehr starken Haken trägt, welcher, wie es scheint, gegen einen fingerförmigen Ausläufer an der Basis des zweiten Gliedes bewegt wird.

Was den Bau der innern Organe anbetrifft, so wurde zunächst ein mit Pigment versehenes Auge vermisst, dagegen an der Stelle desselben auf dem Gehirn ein zweilappiger Körper beobachtet, der möglicherweise dem Auge entspricht. Leider habe ich die genauere Untersuchung desselben versäumt. Am Darmcanale fehlen seitliche Leberanhänge. Die beiden Geschlechtsöffnungen liegen unter einer sehr breiten und umfangreichen schildförmigen Klappe. Der Samenbehälter bildet einen geräumigen Sack mit zwei untern Seitenschläuchen, die oft vollständig mit Samenkörpern gefüllt sind (Fig. 9).

1) **H. spinifrons** n. sp. (Fig. 8 und 9, 14 und 16.)

Körper 3mm lang (ohne die Schwanzborsten). Die vordern Antennen beträchtlich länger als der Körper. Schnabel bauchig vorspringend, mit einem apicalen Dorn bewaffnet. An den äussern Maxillarfüssen ist der untere Haken des zweiten Abschnittes kaum gekrümmt, der obere Anhang desselben trägt zwei sehr grosse gekrümmte Haken und eine sehr kleine Borste. Das Basalglied des innern Maxillarfusses ist auch an der Spitze des innern Randes mit einem kräftigen Dorn bewaffnet, das fünfte Glied des Endabschnittes sehr undeutlich gesondert. Das erste Abdominalsegment des Weibchens an der Bauchfläche kuglig aufgetrieben. Die grosse linke Schwanzborste ungefähr doppelt so lang als der ganze Körper.

Messina.

2) **H. papilligera** n. sp. (Taf. XXXII. Fig. 10—13, 15.)

Körper 2mm lang (ohne die Schwanzborsten). Die vordern Antennen kürzer als der Körper. Schnabel in Form einer Papille vorspringend, des apicalen Dornes entbehrend. Die Maxillen gestreckter als bei *H. spinifrons.* An den äussern Maxillarfüssen (Fig. 12) ist der Haken an der Basis des zweiten Abschnittes gekrümmt (α'), der obere Anhang desselben (β') trägt zwei grössere und einen kleinern Haken. Am Basalgliede des untern Maxillarfusses fehlt der obere Dorn (Fig. 13), das fünfte Glied des Endabschnittes tritt deutlich gesondert hervor. Die grosse linke Schwanzborste etwa so lang als der Körper.

Messina.

6. Leuckartia n. g. (Taf. XXXII. Fig. 1—7.)

Corpus Heterochaetae formam praebens, elongatum. Antennae anticae serratae 25 *articulatae; maris sinistra articulatione geniculans, quinque articulis* (14—18) *antecedentibus paulo dilatatis. Oculus omnino deficiens. Antennae posticae nec minus partes manducatoriae iisdem Calani haud dissimiles. Pes quinti paris biramosus, maris dexter valido unco duobus articulis rami externi formato instructus. Furcae stylo utrique seta longissima affixa.*

In ihrer gesammten Leibesform schliesst sich unsere Gattung unmittelbar an *Heterochaeta* an, ebenso in dem Bau der Schwimmfüsse, der vordern und hintern Antennen, andererseits aber führt sie durch die Bildung der Mundtheile zu *Calanus* zurück, durch die weiter vorgeschrittene Umformung der linken männlichen Antenne und des fünften Fusspaares zu der engern Gruppe von *Diaptomus* und Verwandten. Der gesammte Körper ist langgestreckt, Kopf und Thorax durch eine Quercontour geschieden, das Abdomen im männlichen Geschlechte aus fünf, im weiblichen aus vier Segmenten zusammengesetzt. Die vordern Antennen besitzen einen stark gezackten obern Rand und stehen denen von *Heterochaeta* sehr nahe, doch erscheint das zehnte, eilfte und zwölfte Glied als zusammengehöriger Abschnitt schärfer markirt und beim Männchen nicht nur die knieförmige Articulation hinter dem achtzehnten Gliede bestimmter ausgeprägt, sondern auch die fünf vorausgehenden Glieder ein wenig erweitert und von einem gemeinsamen kräftigen Längsmuskel durchsetzt. Die Mandibeln besitzen einen breiten, mit sieben conischen Zähnen (darunter zwei bis drei mehr spitzigen) versehenen Vorderrand, der Nebenast des Palpus ist kurz und gedrungen. Auch die Maxillen zeichnen sich durch ihre breite und gedrungene Form aus, ferner durch die Grösse des lappenförmigen Nebenastes. Die untern schlanken Maxillarfüsse übertreffen die obern um mehr als das Doppelte ihrer Länge. An allen Schwimmfüssen sind die innern Aeste schmächtig und kurz, die des fünften Paares wiederholen im weiblichen Geschlechte vollkommen den Bau der vorausgehenden, im männlichen aber bieten sie einige interessante Abweichungen. Auf der linken Seite bleiben beide Aeste dreigliedrig, der äussere aber verliert die Borsten und ist schwach nach innen gekrümmt, vielleicht um gegen einen starken gezähnelten Ausläufer der Basis bewegt zu werden. Der linke Fuss zeigt sich bedeutender verändert, indem der innere Ast eine einfache breite Ruderplatte bildet, der äussere dagegen durch Umformung seiner beiden untern Glieder zu einem fingerförmig gekrümmten Haken zum Greiforgane tauglich wird.

Bezüglich der innern Organisation ist zunächst der vollständige Mangel des Auges hervorzuheben. Der Magen entbehrt seitlicher Leberschläuche. Das Ovarium verlängert sich bis tief herab in die letzten Thoracalsegmente, während die mit Eiern gefüllten Ausführungsgänge jederseits eine grosse ꝣ-förmige Biegung durch den ganzen Vorderleib beschreiben. Auch hier liegen die beiden weiblichen Geschlechtsöffnungen unter einem allerdings sehr kurzen Schilde; beim Männchen mündet das *vas deferens* auf einer hervorragenden Papille des vordern Abdominalsegmentes und schliesst eine sehr lange schlauchförmige Spermatophore ein.

1) **L. flavicornis** n. sp. (Taf. XXXII. Fig. 1—7.)

Körper $1^3/_4$—2^{mm} lang. Abdomen sehr schlank, fast so lang als der Vorderleib. Die vordern Antennen an ihrer Basis gelb pigmentirt, etwas kürzer als der Körper. Schnabel sehr wenig vortretend, mit zwei gekrümmten Zinken versehen. Letztes Abdominalsegment sehr kurz, dagegen die Furca langgestreckt, drei- bis viermal so lang und an jedem Gliede mit einer starken und umfangreichen Endborste besetzt, welche die Länge des Vorderleibes erreicht und nicht weit von der Spitze nach aussen umbiegt. Der Panzer des Vorderleibes zart, mit getäfelter Sculptur.

Messina.

7. Euchaeta Phil. (Archiv für Naturgesch. Jahrg. 9. 1843. Bd. 1.)

(Taf. V. Fig. 12*a*; Taf. IX. Fig. 6, 7, 9, 12; Taf. XXX. Fig. 8—17.)

Antennae anticae 23 *articulatae, in apice tuberculo perbrevi* (*articulo* 24.) *instructae, longisetosae, maris minime geniculantes, appendicibus crassis ornatae. Frons triangularis, rostro transversim emarginato, bidentato* (*non furcato*). *Oculus simplex minutus. Maxillae magnopere deformatae, ramis duobus fere coalitis. Maxillipedes superiores validi, parte mediana biarticulata, maris breves, obsoleti. Maxillipedes inferiores multo longiores, duplo geniculati et sub corpore projecti. Pedes quinti paris feminae omnino deficientes, maris valde elongati, utraque parte deformati. Abdomen maris* 5 *segmentatum, quinto segmento minimo, feminae* 4 *segmentis compositum.*

Die Gattung *Euchaeta* wurde von R. Philippi nach einer im Meere von Messina vorkommenden, schon von Prestandrea[1] beschriebenen Form aufgestellt, aber sehr mangelhaft charakterisirt. Erst Dana gab eine bessere, auf weit gründlicherer Untersuchung beruhende Beschreibung nach vier Arten des Atlantischen und Stillen Oceans. Obwohl die beiden langen Furcalborsten, die überdies nur dem Weibchen angehören, kein ausschliessliches Eigenthum unserer Gattung sind, so dürfte doch der Name *Euchaeta*, welcher eben jenem Merkmale entlehnt wurde, festgehalten werden. Kopf und Thorax scheinen in der Regel verschmolzen und die Zahl der freien Thoracal-

---

1) Prestandrea, Su di alcuni nuovi Crustacei dei mari di Messina. Effemer. scient. e letter. per la Sicilia. Vol. 6. 1833.

segmente bei gleichzeitiger Vereinigung der beiden letzten Ringe auf drei beschränkt zu sein. Nur von *Euchaeta pubescens* hebt DANA einen fünfgliedrigen Cephalothorax hervor, die *E. Sutherlandii* LUBBOCK's, für welche von ihrem Beobachter ebenfalls fünf Segmente des Kopfbruststückes hervorgehoben werden, ist nichts anderes als die letzte männliche Entwicklungsform der *E. atlantica*, die überdies wahrscheinlich mit der messinesischen Art und der *E. communis* DANA's zusammenfällt. Auch unter den messinesischen *Euchaeten* traf ich sehr häufig ganz ähnliche Formen an, die ich anfangs wegen des eigenthümlichen fünften Fusspaares nicht unterzubringen wusste, bald aber an der Anlage der Geschlechtsorgane als junge Männchen erkannte; auch an diesen beobachten wir eine zarte Quercontour an der Grenze von Kopf und Brust, die wie in so vielen andern Fällen kein Art-Criterium abgiebt. Das Abdomen besteht beim Weibchen aus vier Segmenten und scheint auf den ersten Blick auch beim Männchen viergliedrig, bei genauerer Betrachtung aber findet man noch ein fünftes sehr kurzes, scharf zu erkennendes Endsegment.

Aeusserst charakteristisch ist die Form und der Borstenbesatz der dreiundzwanziggliedrigen vordern Antennen. Sehr deutlich unterscheidet man sechs Abschnitte, theils durch schärfere Einschnürungen, theils durch sehr lange Borsten bezeichnet, deren Grenzen durch das dritte, achte, dreizehnte, siebzehnte, zwanzigste und das Endglied gebildet werden. Das letzte Glied setzt sich zwischen zwei langen Seitenborsten in einen kurzen, mit einer sehr langen Borste besetzten Höcker fort, der entschieden dem apicalen Gliede (fünfundzwanzigsten) entspricht; die Gliederzahl würde allerdings dann immer erst vierundzwanzig betragen, allein auch das achte Glied scheint zwei mit einander verschmolzenen Ringen gleichgesetzt werden zu müssen. Im männlichen Geschlechte tragen die Antennen grosse schlauchförmige Anhänge, entbehren jeder Spur eines geniculirenden Gelenkes und besitzen nur auf dem dritten, fünften und letzten Gliede durch Länge hervorragende Borsten. Die untern Antennen sind denen von *Calanus* ähnlich, mit ziemlich gleich langen Aesten, jedoch erscheinen die medianen Ringe des Nebenastes sehr kurz und in starker Krümmung gebogen. Der Mandibularpalpus ist gedrungen, der Kautheil kräftig, mit breitem, in sechs Zähne auslaufenden Vorderrande (Fig. 11). Die Maxillen bilden einen sehr eigenthümlich gestalteten Anhang, der unstreitig zu den wichtigsten Gattungscharakteren zu zählen ist. Der Kautheil ist kräftig entwickelt, der Hauptast ganz über denselben herübergebogen und mit mehreren krallenähnlichen Borsten bewaffnet, der Nebenast kurz und fächerförmig. Beim Männchen vermisse ich den Kautheil vollständig und finde das Endglied und die Borsten des Hauptastes verkümmert. Die obern Maxillarfüsse reduciren sich im männlichen Geschlechte auf einen schwachen, ganz rudimentären Anhang, im weiblichen dagegen erlangen sie eine sehr bedeutende Grösse, tragen kräftige Greifborsten auf den lappenförmigen Fortsätzen des Innenrandes und zeichnen sich durch die Gliederung des zweiten Abschnittes in zwei Ringe aus. Die untern Maxillarfüsse strecken sich zu einer sehr bedeutenden Länge und schlagen ihren mittleren und oberen Abschnitt nach aussen um. Diese eigenthümliche Haltung wird durch das arthrodische Gelenk zwischen dem untern und mittlern Abschnitt bewirkt, in welchem neben der ginglymischen Bewegung zugleich eine Drehung um die Längsachse stattfindet. Der äussere Abschnitt ist kurz, meist nach unten geschlagen, fünf- bis sechsgliedrig, indem die obere Spitze des Mittelabschnittes als sechstes undeutliches Glied hinzutritt. Im männlichen Geschlechte erscheint der untere Maxillarfuss schwächer und entbehrt der Borsten am mittlern und untern Abschnitte. An den Schwimmfüssen bleiben die innern Aeste der beiden vordern Paare einfach, ferner der äussere Ast des ersten Paares im weiblichen Geschlechte zweigliedrig. Das fünfte Fusspaar erlangt beim Männchen eine besondere Grösse und Umgestaltung. Beide Füsse verlängern sich ausserordentlich, ihre Innenäste verkümmern an der linken Seite zu einem papillenförmigen, an der rechten zu einem gestreckten, stabförmigen Anhang. Der äussere Ast bleibt an der rechten Seite zweigliedrig, das Endglied zu einem sehr langen, zugespitzten und schwach gebogenen Stabe ausgezogen, an der linken gestaltet er sich complicirter und dient zum Ankleben der Spermatophore, die an ihrer kolbig verdickten Spitze zwischen dem gezähnten Ausläufer des zweiten und dem handförmig gebogenen dritten Gliede gefasst wird. An den ältesten männlichen Jugendstadien, die LUBBOCK irrthümlich für eine besondere Species hielt, bilden die Füsse des fünften Paares breite, dreigliedrige, zugespitzte Platten, an denen schon der innere Ast an der linken als sehr kleiner, an der rechten als ansehnlicher Zapfen hervortritt. An diesen mit einem viergliedrigen Abdomen versehenen Stadien fehlen noch die männlichen Geschlechtseigenthümlichkeiten, die wir für die vordern Antennen, die Maxillen, beide Maxillarfüsse und die Furca besprochen haben, wir finden vielmehr eine vollständige Uebereinstimmung mit dem Weibchen und man glaubt anfangs jugendliche Weibchen mit fünf Fusspaaren zu beobachten, bis die Untersuchung des Geschlechtsapparates entscheidet. Auch DANA hat sich ebenso täuschen lassen und die Weibchen als mit fünf Fusspaaren versehen nach diesen männlichen Jugendformen beschrieben. In der That aber fällt das fünfte Fusspaar im weiblichen Geschlechte vollständig hinweg, und auch in den ältesten Entwicklungsstadien, die an der Form des Abdomens von den männlichen zu unterscheiden sind, trägt der Vorderleib nur vier Schwimmfusspaare. Ebenso wie LUBBOCK's *E. Sutherlandii* scheint mir DANA's *E. pubescens* nach einem unvollkommen entwickelten Männchen aufgestellt und beschrieben zu sein.

Von den innern Organen, soweit dieselben eine generische Bedeutung haben, erwähne ich das kleine mit *Cetochilus* und *Calanus* übereinstimmende Auge, welches der obern Gehirnfläche fast unmittelbar aufsitzt. Die letzten Ganglien des Bauchstranges erscheinen verschmolzen und enden schon im Segmente des zweiten Fusspaares. Der Magen verlängert sich als langer medianer Schlauch bis in den Vordertheil des Kopfes. Hoden und Ovarium laufen an ihrem untern Ende in zwei seitliche Bläschen aus. Die Spermatophore besitzt eine bedeutende Länge, die Spitze ihres dünnen und gestreckten Halses verdickt sich kolbig. Die weiblichen Geschlechtsöffnungen liegen sehr verdeckt auf der Mitte des wulstig aufgetriebenen ersten Abdominalsegmentes, dessen rechte Seite häufig einen zapfenförmigen Ausläufer bildet.

1) **E. Prestandreae** PHIL.

E. communis DANA, *atlantica*[1] LUBB. (?)

(Taf. XXX. Fig. 8—17.)

Körper circa 3¾mm lang (ohne Schwanzborsten). Die Oberfläche mit sehr feinen, conischen Spitzen überzogen. Unterer Schnabelfortsatz gross und schwach gekrümmt, oberer Zahn stumpf und kurz. Die vordern Antennen etwas länger als der Vorderleib, sanft gebogen. Die Seitenregion der Schwimmfüsse und Kiefer, ebenso der mittlere Abschnitt der untern Maxillarfüsse röthlich pig-

1) Wenn LUBBOCK nur drei Segmente am Abdomen des Weibchens seiner *atlantica* zählt, so vermuthe ich fast, dass er das letzte Segment übersehen hat, welches auch an der messinesischen Art leicht unbeachtet bleibt.

mentirt, Eier blau. Das vierte Abdominalsegment des Weibchens kurz, das fünfte des Männchens noch weit kürzer. Die Schwanzborsten ungefähr so lang als das Abdomen, die grössern des Männchens nur wenig hervorragend, die des Weibchens um das Drei- bis Vierfache verlängert.

Messina.

8. Undina DANA (Proc. Amer. Acad. Sc. 1849). (Taf. XXXI. Fig. 8—18.)

Antennae anticae feminae 24 *articulatae, annulo apicali brevi, longisetosae, iisdem Euchaetae haud dissimiles, maris dextra parte annulis* 19, 20 *conjunctis, non geniculantes, appendicibus crassis instructae, annulo apicali obsoleto, tuberculi formam praebente. Antennae posticae ramus primarius perbrevis. Rostrum transversim paulo emarginatum, dente superiori obsoleto. Oculus simplex. Maxillarum pars manducatoria calida, ramus primarius magnopere productus, lobi formam praebens. Maxillipedes superiores crassi, parte mediana perbrevi biarticulata, maris obsoleti. Maxillipedes inferiores elongati, tenues, duplo geniculati. Pedes quinti paris feminae omnino deficientes, maris grandes, dextra parte subcheliformes. Abdomen maris* 5 *segmentatum, quinto segmento obsoleto, feminae* 4 *segmentis compositum.*

Auch diese Gattung wurde von DANA aufgestellt, aber leider keineswegs genügend charakterisirt; die Untersuchung seiner Arten war zu ungenau und unvollständig, als dass eine nur einigermassen befriedigende Ableitung von Gattungsmerkmalen möglich gewesen wäre.

LUBBOCK[1]) fügte später noch eine Anzahl neuer Arten hinzu, welche, abgesehen von der ausschliesslichen Beobachtung männlicher Individuen, nicht minder ungenügend untersucht und beschrieben wurden und generisch sicherlich nicht in derselben Gattung vereinigt werden können. LUBBOCK ist über die Formdifferenzen beider Geschlechter sowenig ins Klare gekommen, dass er das Weibchen seiner *Undina pulchra* als *Calanus latus* beschreiben konnte. Mir selbst kam leider nur eine einzige Art von Messina in beiden Geschlechtern zur Beobachtung, welche mit LUBBOCK's *U. pulchra* wenn nicht identisch, so doch sehr nahe verwandt ist. Nach dieser habe ich die wesentlichsten Eigenthümlichkeiten der Gattung zu bestimmen versucht.

Am nächsten steht unsere Gattung nicht nur in der gesammten Form des Körpers, sondern auch in dem Bau der Gliedmaassen der beschriebenen *Euchaeta*, mit der sie nebst *Phaënna, Candace* und einigen noch nicht genügend gekannten Gattungen einer engern Gruppe der *Calaniden* zugehört. Vorderleib und Hinterleib stimmen in ihrer Gliederung mit *Euchaeta* überein, ebenso wie dort fehlt im weiblichen Geschlechte das fünfte Fusspaar, während es im männlichen zu einem umfangreichen, langgestreckten Fangorgane umgebildet ist. Auch die Stirn hat eine ähnliche Form, jedoch erscheint der obere Zahn des Schnabels auf einen sehr kurzen Höcker reducirt, unter welchem das frontale Sinnesorgan endet. Die vordern Antennen besitzen genau den *Euchaeten*-Typus, denselben Umfang des zweiten Gliedes, die nämlichen langen Borsten am dritten, siebenten, achten, dreizehnten, siebenzehnten, zwanzigsten, dreiundzwanzigsten und vierundzwanzigsten Gliede, welches im männlichen Geschlechte auf einen sehr rudimentären Höcker reducirt ist, im weiblichen dagegen als ein kurzes, aber deutliches Glied hervortritt. Auch hier scheint mir das achte Glied zwei mit einander verschmolzenen Ringen zu entsprechen. Nach DANA sollen die männlichen Antennen des geniculirenden Gelenkes entbehren und mit denen von *Calanus* übereinstimmen; indess ist dem nicht

1) LUBBOCK, On some Entomostr. etc. pag. 15—21. Ferner On some Oceanic. Entomostr. etc. pag. 179.

genau so: vielmehr machen sich an der rechten Antenne, welche ebenso wie die linke schlauchförmige Anhänge trägt, die ersten Spuren einer Veränderung und Umformung zum geniculirenden Arme bemerkbar. Das neunzehnte und zwanzigste Glied verschmelzen nämlich zu einem gemeinsamen, langgestreckten Abschnitte, vor welchem weder eine schärfere ginglymische Gelenkverbindung, noch eine Auftreibung der fünf vorausgehenden Glieder zur Entwicklung kommt. Die hintern Antennen tragen einen langgestreckten und kräftigen siebengliedrigen Nebenast, während ihr Hauptast beim Männchen weit kürzer bleibt, beim Weibchen auf einen sehr schmächtigen Anhang zurücksinkt. Die Mandibeln sind kurz und stämmig, vorn abgestutzt und mit breiten und dicken mehrzackigen Zahnplatten bewaffnet. Ihr Palpus erscheint gedrungen, mit ziemlich gleichlangen Aesten. Eine für die Erkennung der Gattung wichtige Form besitzen die Maxillen, deren langgestreckter Taster nach vorn über den mächtigen Kautheil herübergebogen ist und die Form einer zweiten Kieferlade erhält (Fig. 11). Im männlichen Geschlechte reduciren sich auch hier die nämlichen Theile, wie bei *Euchaeta*, nämlich der Kaufortsatz und der Hauptast des Tasters, so dass nur der Nebenast desselben und der dorsale Fächer ansehnlich entwickelt bleiben; die vordern Maxillarfüsse erscheinen kräftig und gedrungen mit kurzgeringelter, nach vorn gebogener Spitze. Ihr Basalabschnitt ist umfangreich und zeichnet sich durch den ausgeschweiften Aussenrand aus, der Mittelabschnitt dagegen bleibt ausserordentlich kurz, aber deutlich in zwei Ringe gesondert (Fig. 12). Im männlichen Geschlechte wird diese Gliedmaasse ausserordentlich rudimentär und verkümmert zu einem schwachen hornförmig gekrümmten Anhang, an dessen Vorderrande die Fortsätze mit ihren Borsten stumpfe Höcker bleiben. Die untern Kieferfüsse übertreffen die obern an Länge bedeutend und ähneln in Bau und Haltung denen von *Euchaeta*, hinter denen sie aber an Umfang und kräftiger Entwicklung merklich zurückbleiben (Fig. 13). Von den Schwimmfüssen bleibt der äussere Ast des ersten Paares zweigliedrig, der innere desselben einfach, der innere Ast des zweiten Paares zweigliedrig. Die Füsse des fünften Paares treten nur beim Weibchen, hier aber in eigenthümlicher Entwicklung auf. Die Basalglieder beider Füsse verschmelzen in der Medianlinie; der linke Fuss bleibt kurz, mit verkümmerten warzenförmigen Innenaste, der rechte dagegen verlängert sich bedeutend und erhält durch Umbildung beider Aeste die Form und Bewegung einer Scheere, oder besser Zange, mit langgestreckten gezähnelten Armen. An der Furca entwickeln sich nur die vier Endborsten zu einem beträchtlichen Umfang. Die innern Organe schliessen sich im Wesentlichen an die Gattung *Euchaeta* an.

1) **U. messinensis** n. sp.

U. pulchra Lubb. (?) *Calanus latus* Lubb. (?)

(Taf. XXXI. Fig. 8—18.)

Körper circa 4½—5 mm lang (ohne Schwanzborsten), röthlich pigmentirt. Die vordern Antennen etwas kürzer als der Körper, im weiblichen Geschlechte trägt das erste Glied eine, das zweite ungefähr drei dicht befiederte Borsten. Ueber die Rückenfläche des Vordertheiles läuft eine schwache mediane Längsfirste. Die apicalen Dornen an den äussern Aesten der drei letzten Schwimmfusspaare sehr breit und stark, am Aussenrande sägeförmig gezackt. Die hintern Füsse des Männchens stimmen mit denen von *U. pulchra* überein, doch sind die Arme der Zacken schlanker und am Ende eingebogen, der innere einfache Arm besitzt drei, der äussere zweigliedrige am ersten Gliede vier Zähne, von denen die beiden mittleren zapfenförmig und gekrümmt sind. Das zweite Glied ist dicht gezähnelt. Vordersegment des weiblichen Abdomens durch einen seitlichen zapfenförmigen Auswuchs unsymmetrisch. Das fünfte Abdominalsegment des Männchens sehr kurz, kaum sichtbar, in der Medianlinie unter der Afterklappe zweilappig. Die Schwanzborsten der breiten und gedrungenen Furca ungefähr von der Länge des Abdomens, die zweitinnere merklich hervorragend. Messina.

9. Phaënna n. g. (Taf. XXXI. Fig. 1—7.)

Corpus crassum, globosum. Rostrum bifurcatum. Antennae anticae 24 articulatae, maris dextra parte annulis 19, 20 conjunctis non geniculantes, appendicibus crassis instructae. Antennae posticae ramus primarius brevis. Mandibulae magnopere elongatae, dentibus parvulis armatae. Maxillarum pars manducatoria valde porrecta, palpum longitudine fere superans. Maxillipedes anteriores valido unco instructi. Maxillipedum inferiorum pars apicalis 4 articulis composita (articulo quinto obsoleto). Pedes quinti paris feminae omnino deficientes (?), maris utraque parte uniramosi, prehensiles, dextra uncinati. Abdomen maris 5, feminae 4 segmentis compositum.

Die vorliegende Gattung schliesst sich am nächsten an *Undina* an und hat mit dieser zunächst die Gliederung des Leibes gemeinsam, der aber ein minder gestrecktes, mehr kuglig erweitertes Kopfbruststück besitzt. Auch weicht die Form des Schnabels ab, welcher kurz und gablig getheilt, in zwei dicke kräftige Zinken ausläuft. Die vordern Antennen sind vierundzwanziggliedrig in beiden Geschlechtern, indem auch beim Männchen das kurze Spitzenglied deutlich abgesondert auftritt. Auch hier verschmelzen an der rechten Antenne das neunzehnte und zwanzigste Glied zu einem gemeinsamen Abschnitte, die einzige wesentliche Umformung, welche die mit dicken Schläuchen besetzten männlichen Fühlhörner vor den weiblichen aufzuweisen haben. An den hintern Antennen bleibt der Hauptast kurz, indess immerhin weit ansehnlicher entwickelt als bei der weiblichen *Undina*.

Wesentlicher als die Antennen differiren die Mundtheile, deren Eigenthümlichkeiten die Aufstellung einer besondern Gattung nothwendig machten. Wir treffen hier anstatt der dicken und stämmigen mit breiten Zahnplatten besetzten Mandibeln, sehr stark verlängerte Oberkiefer an, mit kurzer und schwacher Zahnbewaffnung. Die Mandibeln bilden ausserordentlich gestreckte, schwache und schmale Platten, an deren Vorderrand die Zähne schmale, zum Theil nicht scharf gesonderte Kerben bleiben. Ebenso eigenthümlich gestalten sich die Maxillen und zwar im männlichen wie im weiblichen Geschlechte durch die ansehnliche Streckung des Kautheiles, der sich zu einer langen, mit kräftigen Zahnborsten besetzten Platte verlängert. Die obern Kieferfüsse schliessen sich denen von *Undina* am nächsten an, doch tragen sie am dritten Abschnitte auf dem grossen (fünften) Zahnfortsatze einen sehr kräftigen, stark gebogenen Haken; im männlichen Geschlechte werden sie ebenfalls rudimentär. Weit mehr weichen die untern Kieferfüsse ab, die zwar eine langgestreckte Form und ansehnliche Grösse besitzen, aber nicht im untern Gelenke nach aussen gedreht erscheinen. Ferner verhält sich ihr viergliedriger Endabschnitt von *Undina* ganz verschieden, indem das letzte Glied vollständig verkümmert, das zweite Glied aber eine bedeutende Länge erhält. An den Schwimmfüssen bestehen alle äussern Aeste aus drei Gliedern, die innern dagegen verhalten sich wie bei *Undina*, am ersten Paare bleibt derselbe einfach, am zweiten zweigliedrig. Die Füsse des fünften Paares verlieren die innern Aeste und bestehen rechts wie links aus fünf Gliedern, von denen die beiden untern dem basalen Abschnitte entsprechen. Der linke Fuss wird länger und kräftiger und besitzt ein kurzes, mit Borsten besetztes, beinahe handförmiges Endglied, der rechte endet mit einem ziemlich schwachen, kaum gebogenen Greifhaken.

1) **Ph. spinifera** n. sp. (Taf. XXXI. Fig. 1—7.)

Körper mit kugligem Kopfbruststück, scharlachroth pigmentirt, kaum 2mm lang, (ohne die Schwanzborsten). An den vordern Antennen bleibt das neunte, zehnte und eilfte Glied, obwohl deutlich gesondert, so doch in einem innigern Zusammenhang. Das letzte Glied nicht halb so lang als das vorhergehende. Das basale Glied trägt im weiblichen Geschlechte eine befiederte Borste. Die grossen Hakenborsten der untern Kieferfüsse mit kurzen Spitzen besetzt. Die innern Aeste der drei hintern Schwimmfusspaare tragen mehrfache Gruppen langer und spitzer Stacheln. Die apicalen Dornen der äussern Aeste sind mit einem aussen, feingesägten Randsaume versehen. Die Seitendornen ebenfalls gesäumt, blattförmig. In der Mitte des zweiten Thoracalsegmentes eine grosse Fettkugel. Das letzte Abdominalsegment kürzer als das vorhergehende. Furcalglieder kurz und breit. Die Schwanzborsten ungefähr so lang als das Abdomen, die zweitinnere um das Doppelte hervorragend. Messina.

10. Candace Dana. (Amer. Journ. Sci, Ser. 2da 1. 228. 1846.)
(Taf. XXVII. Fig. 9—18; Taf. XXXIII. Fig. 1—5.)

Antennae anticae ante medium angulo flexae, 23 vel 24 articulatae, dextra maris geniculante, articulis medianis paulo dilatatis. Antennae posticae crassae, palpi mandibularum formam praebentes, ramo secundario articulis medianis carente, in apice 6 setas gerente. Rostrum rotundatum. Mandibulae angulo flexae, fere styliformes, duobus magnis dentibus armatae, palpo magnopere dilatato. Maxillae stylum bisetosum gerentes, parte manducatoria triangulari. Maxillipedes antici validissimi, uncis longis instructi, postici (interni) tenues, parvuli, fere obsoleti. Pedes postici feminae uniramosi, triarticulati, maris dispares, dextro prehensili. Abdomen maris 5 annulatum, feminae 3 annulis compositum.

Wir haben in *Candace* eine scharf umschriebene, leicht zu erkennende Gattung, welche mit die schönsten mir bekannten marinen Formen enthält. Schon die gesammte Leibesform besitzt in dem viereckigen Vordertheil des Kopfes, dem bauchig aufgetriebenen Thorax und in den tief abgesetzten Segmenten des Abdomens Merkmale, welche die Unterscheidung von andern *Copepoden* erleichtern. Kopf und Brust scheinen meist verschmolzen, die beiden letzten Segmente der Brust aber mehr oder minder bestimmt getrennt zu sein. Das Abdomen besitzt im männlichen Geschlechte fünf, im weiblichen aber nur drei wohlgesonderte Leibesringe. Der Schnabel bildet einen conischen, abgerundeten Zapfen an der ventralen Fläche. Die vordern Antennen bieten grössere Abweichungen, als wir sie von den besprochenen Gattungen her gewohnt sind, ohne indess ihren gemeinsamen, ziemlich bestimmten Habitus aufzugeben. Dieselben sind vierundzwanzig- oder dreiundzwanziggliedrig, je nachdem der breitere, basale Abschnitt aus sieben oder nur sechs Gliedern zusammengesetzt wird. Von hier an verdünnt sich die Antenne merklich, eine winklige Biegung beschreibend, es folgen zwei Paare kurzer und enger Glieder, denen sich längere und gestreckte Glieder anschliessen. Unter den drei Endgliedern erscheint das letzte am längsten. Im männlichen Geschlechte bemerken wir an der rechten Seite eine tiefgreifende Umformung zum geniculirenden Fangarme, indem auch der mittlere Abschnitt vom zwölften oder dreizehnten Gliede an bis zum geniculirenden Gelenke eine geringe Verlängerung und Auftreibung seiner Ringe ausbildet und von einem gemeinsamen Längsmuskel durchzogen wird. Die hintern Antennen erhalten durch die Verschmelzung des Hauptastes mit dem Stamme zu einem gedrungenen, keulenförmigen Abschnitt eine sehr auffallende Form, die noch durch die Bildung des Nebenastes gesteigert wird. Dieser stellt einen stielförmigen, mit einem kurzen Basalgliede eingelenkten Anhang dar, dessen Spitze mit fünf bis sechs Borsten besetzt wird. Die Mandibel beginnt mit breiter Basis, auf welcher der kurze, unten eingeschnürte Palpus aufsitzt und verlängert sich zu einem kräftigen und knieförmig gekrümmten Stabe, dessen Spitze mit zweispitzigen hakenförmigen Zähnen endet (Fig. 9). Nicht minder charakteristisch zeigt sich die Maxille gebaut. Ihr Kautheil ist kurz, triangulär, an der Spitze mit einem grossen Hakenzahne bewaffnet, der Mitteltheil erlangt einen bedeutenden Umfang und verliert der Hauptast; an seiner Seite ragt ein langgestreckter Stab, mit scheerenartig gegenüberstehenden Borsten besetzt hervor (Fig. 12). Die obern Kieferfüsse sind weit stärker und länger als die untern und tragen ähnlich denen von *Heterochaeta* sehr kräftige Haken (Fig. 13), die untern bleiben schmächtig und kurz, mit viergliedrigem Endabschnitt. An den Schwimmfüssen, die an dem hintern Brustsegmente sehr umfangreich werden, bestehen die kurzen und schmalen innern Aeste aus zwei Gliedern, der Aussenrand der äussern Aeste ist fein gezähnt, ebenso der apicale Dorn. Das fünfte Paar erinnert im weiblichen Geschlechte an *Calanus* und ist einästig, dreigliedrig, im männlichen dagegen erhält dasselbe eine Umformung, welche wie die erste geniculirende Antenne zu der engen Gruppe der *Diaptomiden* überführt. Der linke Fuss wird aus vier ziemlich langen Gliedern zusammengesetzt, von denen das letzte breit bleibt, die Dornen und Zacken sich erhält, der Schwimmborsten aber entbehrt. Der rechte Fuss variirt in den einzelnen Arten, indem er bald in eine lange Hakenborste endet, bald sich ähnlich wie die entsprechende Gliedmaasse von *Leuckartia* verhält. In diesem Falle krümmen sich die schaufelförmigen Endglieder gegen eine ebenfalls concav gelegene Platte, welche dem innern Aste entspricht und strenggenommen ein breites Schwimmfussglied ist. Die Augen sind *Calanus*-artig, aber ausser den zwei seitlichen, lichtbrechenden Kugeln mit einer ventralen vordern versehen. Auch die äussere Seitenborste der Furca erreicht eine ansehnliche Grösse, so dass fünf mächtige Schwanzborsten von nahezu gleicher Grösse vorhanden sind.

1) **C. longimana.** (Taf. XXVII. Fig. 17; Taf. XXXIII. Fig. 4).

Körper circa 3mm lang (ohne Schwanzborsten), blassgrün. A n t e n n e n v i e r u n d z w a n z i g g l i e d r i g (mit siebengliedrigem Basalabschnitt), so lang als der Körper. Die rechte des Männchens mit verschmolzenem 17ten und 18ten, ferner 19ten und 20sten Gliede, 22gliedrig. Das geniculirende Gelenk zwischen den beiden Abschnitten. Die Glieder 13, 14, 15, 16 merklich verdickt. Das letzte Glied des fünften Fusses beim Weibchen sehr lang und dünn, in drei Zähne auslaufend. Der rechte Fuss des Männchens mit einer innern Platte und äussern schaufelförmig ausgehöhlten Haken. Die Platte mit innerm, sichelförmigen Fortsatz. Die Zahnborste am Lobus der Maxillen kurz und gekrümmt. Die obern M a x i l l a r f ü s s e sehr lang und kräftig bewaffnet. Der obere Theil des langgestreckten basalen Abschnittes trägt zwei ansehnliche Haken, der mittlere Abschnitt so lang als der obere Theil des erstern, unten in der Mitte und oben mit drei noch grössern Haken versehen, auf welche die zwei bei weitem umfangreichsten Haken des Endabschnittes folgen.

Messina.

2) **C. melanopus** n. sp. (Taf. XXXIII. Fig. 1, 2, 3.)

Körper circa 2⅓ mm lang (ohne Schwanzborsten), mit schwarzbraun pigmentirtem Rücken und schwarzen äussern Aesten der Ruderfüsse, die vordern Antennen 23gliedrig (mit sechsgliedrigem basalen Abschnitt), in deutlichem Winkel gebogen, kürzer als der Körper. Die drei Endglieder derselben braun pigmentirt. Im männlichen Geschlechte beginnt die Pigmentirung der rechten und linken Antenne am 11ten Gliede. Die rechte Antenne des Männchens mit kaum erweitertem 12ten, 13ten, 14ten, 15ten und verschmolzenem 16ten und 17ten, ferner 18ten und 19ten Gliede, daher nur 21gliedrig. Das geniculirende Gelenk zwischen den beiden je aus zwei Gliedern verschmolzenen Abschnitten. Das dritte Glied des fünften Fusses beim Weibchen ziemlich gestreckt, mit zwei Zähnen und ebensoviel Borsten endend, beim Männchen ähnlich wie bei *C. longimana*, ohne Sichelfortsatz. An den obern kräftigen Maxillarfüssen sind die beiden Haken des untern langgestreckten Abschnittes schwach, das äusserste Ende dieses Abschnittes mit dem obern Haken als besonderes Glied abgesetzt. Die Haken des mittleren Abschnittes stark und ebenso wie die nachfolgenden braunpigmentirt und feingekerbt. Das Basalglied des weiblichen Abdomens mit zwei kurzen seitlichen Höckern. Die Furcalborsten etwa so lang als das Abdomen. Messina.

3) **C. bispinosa** n. sp. (Taf. XXXIII. Fig. 5 und Taf. XXVII. Fig. 9—16.)

Körper kaum 2 mm lang (ohne Schwanzborsten), blassgrün, mit schwarzpigmentirtem Innenrande und Schwimmborsten der Ruderfüsse. Der Winkel des letzten Brustsegmentes zugespitzt. Die vordern Antennen 23gliedrig (mit sechsgliedrigem Basalabschnitt) in deutlichem Winkel gekrümmt, wenig länger als der Vorderleib, die rechte des Männchens (Fig. 5), mit verschmolzenem 7ten und 8ten, ferner 16ten und 17ten, 18ten und 19ten Gliede, daher zwanziggliedrig. Am 19ten Gliede ein zahnförmiger, abgerundeter Ausläufer. Die obern Kieferfüsse mit abgesetztem obern Gliede des basalen Abschnittes und kurzem schwachen Mittelstück. Die Haken des erstern sehr verkümmert, borstenähnlich; am Mittelstücke ist der untere Haken schwach, der mittlere sehr dick und umfangreich (Fig. 13). Die Endglieder des fünften Fusspaares laufen in eine apicale Klaue aus; beim Männchen trägt der rechte Fuss einen langen befiederten Haken und entbehrt der innern Platte (Fig. 16), das Basalglied des weiblichen Abdomens mit zwei grossen seitlichen Dornen bewaffnet. Die fünf Furcalborsten etwa so lang als das Abdomen. Messina.

11. Dias Lilj. (Lilj. loc. cit. pag. 181.) = *Acartia* Dana.

(Taf. III. Fig. 1, 2 und Taf. XXXIII. Fig. 6—14.)

Antennae anticae 20 articulatae, longisetosae, nodulosae, maris dextra geniculante. Antennarum posticarum ramus secundarius perbrevis, simplex. Labrum maximum, setiferum trilobum. Oculus magnus, nonnullis lentibus instructus, mobilis. Maxillipedes iisdem Pontellidum haud dissimiles, anteriores validi, setas ciliatas, unciformes gerentes, posteriores processu basali setifero armati, tenues, apicem versus aculeati. Pedes natatorii elongati, ramo interno biarticulato. Pes quinti paris uniramosus, maris dexter prehensilis. Abdomen maris 5, feminae 3 annulatum.

Ich zweifle nicht daran, dass Dana's *Acartia* mit Liljeborg's *Dias* identisch ist, denn wenn auch Dana's Beschreibung auf einer keineswegs vollständigen Untersuchung aller Körpertheile beruht, so wird man doch schon durch die Charakterisirung der Antennen und Maxillarfüsse auf die viel gründlicher untersuchte Gattung Liljeborg's geleitet, an deren Uebereinstimmung die beigefügten Abbildungen keinen Zweifel zurücklassen. Immerhin aber ist mir wahrscheinlich, dass DANA unter *Acartia* Formen zusammengefasst hat, die in mehrere Gattungen zu sondern sind. Auch LUBBOCK hat eine hierher gehörige Form beobachtet und als *Calanus Euchaeta*[1] beschrieben; so unvollständig auch seine Angaben geblieben, der in der Untersuchung jener zahlreichen Gattungen Geübte wird dieselbe auf *Dias* zurückführen.

Der gesammte Körper ist äusserst schmal und schlank, die Stirn kurz und gewölbt, von dem grossen kugligen Auge erfüllt. Der Schnabel kaum vorspringend, in zwei äusserst zarte Fäden auslaufend; Kopf und Thorax getrennt, letzterer bei verschmolzenem vierten und fünften Segmente viergliedrig. Das Abdomen besteht beim Männchen aus fünf, beim Weibchen aus drei Segmenten.

Die vordern Antennen zeichnen sich durch einen sehr eigenthümlichen Bau aus, den ich bei keiner anderen *Calaniden*-Gattung wieder angetroffen habe. Ihre einzelnen Ringe nämlich erscheinen meist kurz, mehr oder minder knotig verdickt, häufig schief abgestutzt, einige mit langen Borsten besetzt. Die Zahl der Glieder ist im Allgemeinen schwierig zu bestimmen, da man an mehreren Stellen über die Einfachheit eines Gliedes zweifelhaft bleibt; wenn ich die Zahl auf 20 zurückgeführt habe, so muss ich auf die Abbildung verweisen (Fig. 9), aus der man sich an dem Grössenverhältniss der einzelnen Glieder orientirt. Im männlichen Geschlechte verhalten sich beide Antennen etwas abweichend, indem man an der linken 21 Glieder nachweist (Fig. 7), an der rechten 19 gliedrigen aber eine wesentlichere Umformung zu einem geniculirenden Greifarme antrifft. DANA sowohl wie LILJEBORG haben dieselbe übersehen, obwohl ausser dem schärfer ausgeprägten Gelenke zwischen dem 14ten und 15ten Ringe auch noch die Glieder 9, 10, 11, 12 und 13 merklich erweitert und mit einem gemeinsamen Muskel versehen sind (Fig. 8). Ich möchte aber aus dem Herabrücken des umgebildeten Abschnittes folgern, dass die Verminderung der Ringe aus unterbliebenen Theilungen von Gliedern des untern Abschnittes zu erklären ist. Die untern Antennen strecken sich bedeutend durch Verlängerung ihres Stammes und Hauptastes, und erhalten eine an *Oithona* erinnernde Form, ihr Nebenast bleibt kurz und einfach, ähnlich wie bei *Candace* und manchen *Pontelliden*. Auffallend breit und umfangreich gestaltet sich die behaarte Oberlippe, an deren Seitenfläche zwei lappenförmige Anhänge auftreten (Vergl. LILJ. Taf. XXIV. Fig. 11 und 12). Die Mandibeln mit ihrem Taster bieten wenig Auffallendes, um so mehr aber die Maxillen und Kieferfüsse. Erstere erhalten durch die Verlängerung des basalen Abschnittes, durch die Grösse des rückenständigen Fächers und das Hinaufrücken des Kautheils bei gleichzeitiger Reduction des vordern Astes eine sehr eigenthümliche Form (Fig. 12). Die Kieferfüsse schliessen sich in ihrer Bildung unmittelbar an die der *Pontelliden* an, was auch DANA unter den Charakteren seiner *Acartia* hervorhebt »*Maxillipedes et pedes antici* (*Maxillipedes inferiores*) *fere ac in Pontella*«. Die vordern sind gedrungenen Baues und tragen sehr lange, mit Seitenspitzen besetzte und gebogene Hakenborsten; die untern sind dünn und verkürzt, etwa so lang als die vordern, ihr Basalabschnitt treibt einen kräftigen ladenartigen Fortsatz, welcher in sehr lange, mit Spitzen besetzte Borsten endet; der Endabschnitt bleibt undeutlich viergliedrig, mit kurzen und schwachen Borsten bewaffnet. An den vier Schwimmfusspaaren, die sich durch die Längsstreckung ihrer schmalen Ruder-

---

1) Vergl. die hintern Antennen, das erste Fusspaar, das letzte Fusspaar beider Geschlechter und die gesammte Form des Leibes (Ann. Mag. of Nat. Hist. 1857. Taf. X.).

äste auszeichnen, sind die innern kürzern Aeste zweigliedrig, der fünfte Fuss erscheint im weiblichen Geschlechte sehr rudimentär und endet mit einer ansehnlichen, an ihrer Basis verdickten Hakenborste, neben der sich noch eine kurze und schwache Borste findet. Beim Männchen bleibt derselbe zwar auch auf einen einzigen Ast beschränkt, entwickelt sich aber zu einem kräftigen viergliedrigen Anhang, welcher an der rechten Seite durch Umbildung der beiden Endglieder zu einem Fangfusse wird. Die Furcalborsten gelangen zur Ausbildung, die beiden seitlichen bleiben schwach, die vier Endborsten dagegen entwickeln sich weit umfangreicher.

Von den innern Organen nimmt das zusammengesetzte Auge vor allem die Aufmerksamkeit in Anspruch, welches in einem hellen Raume des vordern gewölbten Stirntheiles liegt und vergleichbar dem *Daphnien*-Auge in rotirenden und oft zitternden Bewegungen nach oben und unten, minder auffallend nach rechts und links gedreht wird. Dasselbe besteht aus einem grossen, kugligen Pigmentkörper, dessen hinteren Theil der starke Augennerv in einer ʔ förmigen Biegung umschlingt. Durch vordere und hinteren Muskelpaare beweglich, liegen in ihm eine Anzahl von lichtbrechenden Kugeln, soviel ich unterscheiden konnte, zwei grössere und vier kleinere seitliche und eine (oder zwei?) mittelgrosse vordere Kugel. Der Darm entbehrt der Leberschläuche und mündet am Ende des vorletzten Abdominalsegmentes. Das Ovarium ragt bis an das dritte Thoracalsegment herab, die beiden Geschlechtsöffnungen liegen frei, ohne von einer schildförmigen Klappe bedeckt zu werden. Die einzige mir bekannte Art, die ich in Helgoland und in Messina beobachtete, scheint mit LILJEBORG's *Dias longiremis* identisch zu sein.

D. longiremis LILJ. (*Calanus Euchaeta* LUBB.) (Taf. XXXIII. Fig. 6—14.)

Körper langgestreckt und schmal, circa $1\frac{1}{4}$ mm, mit den Schwanzborsten über $1\frac{1}{2}$ mm lang. Stirn abgerundet mit wenig vorspringendem Schnabel. Die Antennen von der Länge des Vorderleibes, die linke des Männchens 21-, die rechte 19gliedrig. Das erste Brustsegment sehr lang. Die apicalen Dornen der drei hintern Schwimmfüsse lang und am äussern Rande gezähnelt. Die Schwanzborsten ungefähr von der Grösse des Hinterleibes, die zweitinnere merklich länger.

Nordsee und Mittelmeer.

12. Temora BAIRD. (The British Entom. 1850. p. 227. Taf. XXVIII.)

Monoculus GUNNER, FABRICIUS, GMELIN, MANUEL; *Cyclops* MÜLLER, LATREILLE, LAMARCK, BOSC, LEACH; *Calanus* LEACH, TEMPLETON, DANA, LUBBOCK. (Taf. XXXIV. Fig. 1—13.)

Antennae anticae 24 articulatae, maris dextra geniculante, articulis medianis dilatatis. Antennae posticae et partes manducatoriae iisdem Calani haud dissimiles. Pedum primi paris ramus internus uniarticulatus, secundi, tertii, quarti paris biarticulatus. Pedes postici uniramosi, feminae ac in Calano, maris prehensiles, dextra parte subcheliformes. Oculus compositus. Abdomen maris 5, feminae 3 articulis, compositum.

Die vorliegende Gattung, welche ein Verbindungsglied zwischen *Calanus* und den *Diaptomiden* (*Cyclopsine, Ichthyophorba*) bildet, schliesst Formen in sich, welche zuerst unter den marinen *Calaniden* zur Beobachtung gelangten und schon GUNNER und O. F. MÜLLER bekannt waren. Während sie von jenen Forschern zu *Monoculus* und *Cyclops* gezählt wurden, trennte sie zuerst LEACH unter dem Gattungsnamen *Calanus* (Dict. Sc. Nat. XIV. art. Entomost.). Es war allerdings ein ungerechtfertigtes[1]) Verfahren BAIRD's, die Bezeichnung *Calanus* zu unterdrücken und mit *Temora* zu vertauschen, da ihm indess LILJEBORG gefolgt ist und andererseits von DANA zahlreiche Formen als *Calanus*-Arten beschrieben wurden, die generisch mit den als *Temora* bezeichneten nicht vereinigt werden können, so behalte ich, um nicht neue Veränderungen einzuführen und um einmal vorhandene Namen zu benutzen, BAIRD's *Temora* bei (Vergl. das über *Calanus* Gesagte). Von den DANA'schen Formen gehören, soweit ich bei der ungenügenden Untersuchung des Autor's aus dem gesammten Habitus der Abbildungen schliessen kann, *Calanus turbinatus, stylifer, curtus, scutellatus* in den Kreis unserer Gattung; ebenso LUBBOCK's *Diaptomus dubius.*

Nach den beiden mir bekannt gewordenen Arten zu urtheilen, erscheint der Kopf vom ersten Thoracalsegment getrennt, wie auch LILJEBORG richtig hervorhebt, während BAIRD's Gattungscharakter »*Head consolidated with first segment of thorax*« auf einem Irrthum beruht, der übrigens in der Abbildung von *T. Finmarchica* (Taf. XXXIII. Fig. 1) nicht begangen wird. Die Zahl der freien Thoracalsegmente reducirt sich allerdings auf vier, aber nicht durch Verschmelzung von Kopf und erstem Brustsegment, sondern durch die Vereinigung der beiden letzten Brustringe. Das Abdomen besteht beim Weibchen aus drei, beim Männchen aus fünf Segmenten. Die Stirn ist abgerundet, der Schnabel auf die beiden gabelförmigen Zinken reducirt, welche der Stirn unmittelbar aufsitzen. Die 24gliedrigen Antennen sind ansehnlich gestreckt, relativ dünn, ihre zwei vordern Glieder sehr lang, die übrigen ziemlich gleichmässig und mit kurzen Borsten besetzt. Die rechte des Männchens ist zu einem vollständig entwickelten Greifarme umgebildet, die Glieder 13 bis 18 sind etwas erweitert und von einem kräftigen Längsmuskel durchsetzt, dann folgt das geniculirende Gelenk, zwei längere, aus verschmolzenen Gliedern gebildete Abschnitte und das apicale Glied. Die zweiten Antennen zeichnen sich durch ihren kräftigen Träger und das langgestreckte Endglied des Stammes aus, stimmen aber im Allgemeinen ebenso wie die Mundtheile in ihrem Gesammtbaue mit der Gattung *Calanus* überein. An der kräftigen Lade der Mandibeln treten sieben spitzhöckrige Zähne auf, von denen die beiden untern die grössten und durch eine tiefe Lücke getrennt sind. Bemerkenswerth erscheint die Form der obern Maxillarfüsse (Fig. 8). Der innere Ast des vordern Schwimmfusspaares bleibt eingliedrig, der nachfolgenden zweigliedrig (Fig. 10). Die Füsse des fünften Paares verhalten sich im weiblichen Geschlechte ähnlich wie bei *Calanus* und *Pleuromma,* sie sind einästig und dreigliedrig, beim Männchen werden sie Greiffüsse, mit vorherrschender Ausbildung des rechten Fusses. Dieser bildet eine kräftige Zange, deren beweglicher Arm zweiglie-

---

1) Allerdings ist LEACH's Charakterisirung der Gattung *Calanus* nach *C. Finmarchicus* sehr ungenau und unrichtig, das gab aber BAIRD wohl noch keineswegs das Recht, ohne Weiteres die Bezeichnung umzustossen und eine neue Gattung zu gründen. Wir werden sehen, dass BAIRD's Beschreibung richtiger als die erstere, aber immerhin noch schlecht genug ist, um mit demselben Rechte dem Nachfolger auch die Beseitigung des Namens *Temora* möglich zu machen. Zudem kannte BAIRD nur das Weibchen von *Finmarchica.* LUBBOCK (On some new Entomostr. pag. 617) hat vollkommen Recht, wenn er BAIRD's Charakterisirung von *Temora* auf eine grosse Menge von Entomostraken anwendbar findet und auf die Priorität von LEACH's und DANA's *Calanus* hinweist. Allein auch von letzterem wurde die Gattung *Calanus* mit Rücksicht auf die von ihr umfassten Formen schlecht umschrieben, sonst hätte er nicht als Charaktere angeben können: „*Ant.* 1. p. *maris non geniculantes, pedes postici maris non prehensiles*", die auf *C. turbinatus, stylifer* etc. gar nicht passen. Nur so konnte LUBBOCK zu dem Irrthume verleitet werden, das Männchen von *Temora* mit *Diaptomus* zu identificiren.

drig ist. Die Furcalglieder sind lange Stiele mit *Cyclops*-ähnlicher Anordnung der Schwanzborsten. Von innern Organen fällt der weite Magensack mit seinen seitlichen Leberschläuchen auf. Das Auge scheint ausser den zwei grossen seitlichen lichtbrechenden Kugeln noch mehrere kleinere zu besitzen. Die männliche Geschlechtsöffnung liegt linksseitig, die beiden weiblichen in der Mittellinie nebeneinander unter einer kurzen Klappe.

1) **T. Finmarchica** GUNNER. (Act. Hafn. X. 175, f. 20—23. 1765.)
(Taf. XXXIV. Fig. 1—11.)

Monoculus Finmarchicus GUNNER; *Cyclops Finmarchicus, longicornis* O. F. MÜLLER; *Monoculus longicornis* FABRICIUS, GMELIN etc.; *Calanus Finmarchianus* LEACH, DESMAREST etc.

Körper braun pigmentirt, 1½ mm lang (ohne Schwanzborsten). Vorderleib stark aufgetrieben, mit stark convexer Rückenfläche (in seitlicher Lage). Die vordern Antennen etwas länger als der Vorderleib. Der Winkel des letzten Brustsegmentes abgerundet. Die hintern Füsse des Weibchens kurz, die Furcalglieder sehr lang und schmal, fast so lang als das Abdomen, am Innenrande mit kurzen Haaren besetzt. Die Schwanzendborsten kürzer als die Furca, die äussere Seitenborste nahe an der Spitze eingelenkt und sehr klein. Nordsee.

2) **T. armata** n. sp. (Taf. XXXIV. Fig. 12—13.)

Körper bräunlich pigmentirt, 1¾—2 mm lang (ohne Schwanzborsten). Vorderleib aufgetrieben, mit minder stark gewölbter Rückenfläche. Die vordern Antennen fast so lang als der gesammte Leib. Der Winkel des letzten Brustsegmentes läuft jederseits in einen starken nach vorn gerichteten Haken aus. Die hintern Füsse des Weibchens lang gestreckt über das vordere Abdominalsegment hinausreichend. Die Furcalglieder wie bei der andern Art, doch sind die Schwanzborsten länger (Fig. 12). Die äussere Randborste entspringt weit von der Spitze, fast in der Mitte des Furcalgliedes und ist mächtig entwickelt und befiedert. Messina.

Die nordische *T. velox* LILJEBORG's scheint der letztern nahe verwandt zu sein, doch hat sie nach L's. Abbildung viel kürzere Antennen.

13. Pleuromma n. g. (*Diaptomus abdominalis* LUBBOCK.)[1]

(Taf. V. Fig. 1—11, 13—14, vgl. die Erklär. d. Abbild.; Taf. VI. Fig. 1—10.)

Caput cum thorace conjunctum; quintum thoracis segmentum minime separatum. Antennae anticae 25 articulatae, maris dextra interdum sinistra geniculante. Antennae posticae et partes manducatoriae iisdem Diaptomi haud dissimiles. Pedum primi paris ramus internus biarticulatus, secundi, tertii, quarti paris triarticulatus. Pedes postici uniramosi, maris utraque parte prehensiles. Penes maxillipedum posticorum basin tuber nigrescens corpore pigmentato et lente praeditus. Abdomen maris 5, feminae 3 articulatus.

Die Gattung nähert sich durch die Zahl der Antennenringe und die kräftige Entwickelung der Mundtheile dem Genus *Diaptomus = Cyclopsine*, ohne indess mit demselben vereinigt werden zu können. Die Abweichung in der Form der geniculirenden Antenne des Männchens und

1) On some new Entomostr. p. 22. Taf. X. Fig. 1—8.

in dem Verhalten des Kopfbruststückes mag zur Begründung der generischen Verschiedenheit nicht verwendet werden, wohl aber die verschiedene Bildung des hintern Fusspaares, die Lage der weiblichen Geschlechtsmündungen und der Besitz eines eigenthümlichen knopfförmigen Körpers neben der Basis eines Maxillarfusses. Dazu kommen denn ferner wesentliche Differenzen in der Form und Gruppirung der Antennenglieder, in der Bezahnung der Mandibeln, der Gestalt der untern Maxillarfüsse und der Schwimmfüsse, so dass die Aufstellung einer neuen Gattung unbestreitbar nothwendig ist. Kopf und Thorax zeigen sich in den mir bekannten Arten miteinander verschmolzen, ebenso die beiden letzten Brustringe vereinigt, so dass der Vorderleib nur vier freie Abschnitte umfasst. Die Abdominalsegmente sind im weiblichen Geschlechte auf drei reducirt, im männlichen dagegen vollzählig. An dem Furcalgliede finden sich fünf kräftige Schwanzborsten von mittlerer Länge, indem ausser den vier Endborsten auch die äussere Randborste eine ansehnliche Grösse erlangt. Der Schnabel springt wenig vor und trägt zwei schwache Zinken. Die vordern Antennen sind fünfundzwanziggliedrig mit langem Basalgliede und kurzem Endgliede. Der obere Rand der untern Glieder erscheint gezackt, das 7te, 8te, 9te und 10te Glied undeutlich gesondert. Im männlichen Geschlechte trägt die Antenne dicke, schlauchförmige Anhänge und ist an einer Seite zu einem Greifarme, auffallenderweise aber in der grössern Species an der rechten, in der kleinern dagegen an der linken Seite umgeformt. Uebrigens bleibt die Erweiterung der mittlern von einem gemeinsamen Längsmuskel durchzogenen Glieder ziemlich gering. Die hintern Antennen sind von ansehnlicher Grösse und tragen einen langen siebengliedrigen Nebenast. Die Mandibeln laufen an ihrem verbreiterten Vorderrande in acht spitzige Zähne aus. Ihr Taster ist kräftig und breit, ebenso die Maxillen und die obern Kieferfüsse. Die untern Kieferfüsse sind mindestens doppelt so lang, als die obern, mit gestrecktem Endabschnitt, dessen letztes Glied ausserordentlich verkümmert. Durch diese Beschaffenheit des Endabschnittes, dessen Glieder ungefähr doppelt so lang als breit sind, unterscheiden sich diese Kiefertheile von den entsprechenden Gliedmaassen der Gattung *Cyclopsine*, die einen breitern und kurzgegliederten Endabschnitt mit wohlausgebildetem apicalen Gliede besitzen. Auch die Schwimmfüsse zeigen, wenn auch die Gliederzahl der beiden Aeste mit jener Gattung übereinstimmt, doch einen ganz andern Habitus. Wie bei *Leuckartia* und *Heterochaeta* bilden die äussern Aeste sehr breite mit kurzen, kräftigen Randdornen bewaffnete Platten, deren Endglieder wohl den dreifachen Umfang der mittleren erreichen, die innern Aeste dagegen bleiben schmal und kurz. Das Basalglied vom Innenaste des zweiten Schwimmfusspaares läuft im männlichen Geschlechte in einen rückwärtsgekrümmten Haken aus. Ferner besteht das hintere Fusspaar nur aus einem einzigen Ast, während bei *Cyclopsine* auch der zweite Ast zur Entwicklung gelangt; im männlichen Geschlechte biegen sich beide Aeste, deren Basalglieder in der Mittellinie zusammenhängen, nach einer Seite um und stellen einen sehr eigenthümlichen Greifapparat dar. Rechts wie links folgen auf den gemeinsamen Basalabschnitt vier Glieder, welche der Schwimmborsten vollständig entbehren. Von diesen sind an der einen Seite die beiden letzten Glieder sehr dick und gross, an der andern nur das letzte. Dasselbe endet mit einem spitzen Dorne, welchem ein Haken des vorhergehenden Gliedes gegenübersteht.

Das mediane Auge besitzt einen ansehnlichen, gestreckten Augennerven und drei lichtbrechende Kugeln. Wahrscheinlich bildet der seitliche pigmentirte Knopf in der Gegend des hintern Maxillarfusses ein zweites Organ zur Perception von Lichteindrücken; ich würde dies mit Bestimmtheit behaupten, wenn es mir gelungen wäre, das Vorhandensein und den Ursprung eines Augennerven über allen Zweifel zu erheben. Indess macht die kuglige pigmentirte Erhebung mit ihren eingelagerten Linsen ganz den Eindruck eines Auges und erinnert an die unpaare frontale Augenkugel der *Pontellen*. Auch dürfte die abnorme Lage einen Theil des Auffallenden verlieren, wenn man an die paarigen und unpaaren Augenkugeln denkt, welche sich an den Kiefern und zwischen den Beinen der *Euphausiden* finden. Die letzteren Augen sind allerdings complicirter gebaut und werden, wie ich mich an einer Messinesischen *Euphausia* überzeugt, unter einer Linse des Chitinpanzers von besondern Muskeln bewegt, die medianen liegen unmittelbar dem Ganglion auf, so dass ihre Bedeutung als Sehorgane nicht bestritten werden kann. Ein nicht minder grosses Interesse als der seitliche Pigmentknopf bietet das vordere Abdominalsegment des Weibchens wegen der Lage der Geschlechtsöffnungen und ihrer Verbindung mit einem grossen Samenbehälter. Die Geschlechtsmündungen nämlich rücken sehr weit bis an den obern Rand des ersten Segmentes hinauf und führen durch einen engen langen Gang in die grosse in der Regel mit Sperma gefüllte Kapsel, welche einen grossen Theil des Segmentes ausfüllt. Die Kapsel hat aber noch eine zweite mediane Oeffnung, die unmittelbar nach aussen führt und meist mit einem schwarzpigmentirten Pfropfe verklebt ist.

1) **Pl. abdominale** Lubb.

Diaptomus abdominalis Lubb. (On some new Entomostr. p. 22. Pl. X f. 1—8.)

(Taf. V. Fig. 1—6, 13—14, vgl. die Erklär. d. Abbild. und Taf. VI.)

Körper circa 3^{mm} lang (ohne Schwanzborsten). Die rechte männliche Antenne ist zum Fangarm umgebildet, mit sehr langgestreckten Gliedern des Mittelabschnittes. Das erste und zweite Glied der weiblichen Antenne mit je einem rückwärtsgekrümmten Haken am obern Rande. Letzter Fuss des Weibchens viergliedrig, ziemlich gross, mehrere Borsten tragend. Der schwarzpigmentirte Knopf linksseitig. Das Abdomen des Männchens trägt Höcker mit feinen Haarbüscheln an den vier untern Segmenten. Das letzte Abdominalsegment sehr breit, mit ungleichmässigen Furcalgliedern. Die äussere Borste des linken Furcalgliedes verdreht. Das erste Glied des weiblichen Abdomens breit, mit biscuitförmig getheiltem Samenbehälter. *Receptaculum seminis* sehr breit, in der Mitte biscuitförmig eingeschnürt.

Mittelmeer (Messina) und Atlantischer Ocean.

2) **Pl. gracile** n. sp. (Taf. V. Fig. 7—11.)

Körper sehr gestreckt, circa $1^3/_4$—2^{mm} lang (ohne Schwanzborsten). Die linke männliche Antenne ist zum Fangarme umgebildet, ihr Mittelabschnitt mit weit kürzern Gliedern als bei der erstern Art. Die Antenne des Weibchens entbehrt der beiden Haken und besitzt ein sehr kurzes Endglied. Der letzte Fuss des Weibchens bildet einen schmalen, undeutlich gegliederten Stab und endet mit drei kurzen Zinken. Der schwarzpigmentirte Knopf meist rechtsseitig. Das Abdomen des Männchens regelmässig, das des Weibchens schmal und gestreckt; erstes Segment desselben lang mit einfachem, ovalem Samenbehälter. Die Furcalborsten weit länger als in der erstern Species und minder gleichmässig. *Receptaculum seminis* eine langgestreckte Kapsel. Messina.

14. Ichthyophorba Lilj. (De Crustaceis ex ordinibus etc. p. 185. Taf. XXI, XXVI.)
Calanopia Dana, *Catopia* (?) Dana.
(Taf. III Fig. 3 und 4; Taf. XXXV. Fig. 1—14.)

Caput a thorace 5 articulato plus minusve separatum. Antennae anticae 24 articulatae, dextra maris geniculans. Maxillipedes superiores sicut in Pontella. Pedes omnes biramosi, ramis triarticulatis; pes posticus maris dexter prehensilis, ramo interno natatorio. Abdomen maris 4 aut 5, feminae 3 articulatum. Oculus mediocris, trilobus, mobilis.

Dana beschrieb unter der Gattung *Pontella* zwei *Calanus*-ähnliche (*Pontellae calanoideae*)[1] Formen als *elliptica* und *brachiata*, für die er in seinem Hauptwerke eine eigene Gattung (*Calanopia* gründete. Wahrscheinlich bestimmte ihn zu dieser Veränderung die Beschaffenheit der Augen, für die er als Charakter hervorhob, »*inferior eyes are quite small*«. In der That aber fehlt die den *Pontellen* eigenthümliche untere Augenkugel vollständig. Liljeborg[1]) machte ungefähr gleichzeitig als *Ichthyophorba hamata* eine nordische Form bekannt, die zweifelsohne in ganz dieselbe Gattung gehört und da sich die Beschreibung des letztern Forschers auf eine ungleich gründlichere und bessere Untersuchung stützt, so nehme ich keinen Anstand, auch die von ihm eingeführte Gattungsbezeichnung der Dana'schen vorzuziehen.

Wie Dana nicht unrichtig angedeutet hat, vertritt unsere Gattung eine Zwischenstufe der *Calaniden* und *Pontelliden*, welchen letztern sie sich unter den *Diaptomiden* am meisten in der Bildung der obern Maxillarfüsse und der hintern Füsse des Männchens anschliesst. Auch das Auge zeigt eine beträchtliche Grösse und besitzt ausser den seitlichen Theilen des Pigmentkörpers und lichtbrechenden Kugeln, einen vordern unpaaren Theil mit einer Kugel, der wahrscheinlich dem untern Auge der *Pontelliden* (und *Corycaeiden*) entspricht (vergl. *Monops*).

Kopf und Brust sind in der Regel scharf und deutlich getrennt, ebenso die beiden letzten Segmente des Thorax, so dass der Vorderleib wohl in der Regel aus sechs Abschnitten sich zusammensetzt. Das Abdomen reducirt sich im männlichen Geschlechte häufig auf vier, im weiblichen constant auf drei Leibesringe, denen die Furcaläste mit ihren fünf Schwanzborsten folgen. Die vordern Antennen bestehen aus 24 Gliedern, im männlichen Geschlechte ist es die rechte, welche den geniculirenden Arm darstellt, die Glieder (13—18) des Mittelabschnittes sind meist ziemlich aufgetrieben und werden von einem ansehnlichen Längsmuskel durchsetzt, dann folgt durch das geniculirende Gelenk mit dem 18ten gestreckten Gliede verbunden, ein langer, aus mehreren (19, 20, 21) Gliedern gebildeter Abschnitt und die drei letzten Glieder. Die hintern Antennen ähnlich denen von *Calanus* mit grossem siebengliedrigen Nebenaste. An dem Vorderrande der Mandibeln finden sich acht Zähne, der obere ist bei weitem am grössten und durch einen beträchtlichen Ausschnitt von den nachfolgenden kleinern zweispitzigen Zähnen abgesetzt. Die Maxillen erscheinen als breite, kräftige Platten von normaler Bildung mit einer sehr starken Lade versehen. Die obern Maxillarfüsse erinnern durch die langen mit seitlichen Spitzen besetzten Greifborsten an *Pontella*. Die untern sind länger und *Calaniden*-ähnlich, an ihrem fünfgliedrigen Endabschnitt erreicht das untere Glied eine beträchtlichere Länge, während das letzte schmächtig bleibt. Die innern Aeste der vier Schwimmfüsse, wenngleich kürzer als die äussern, setzen sich wie diese aus drei Gliedern

1) Vergl. Conspect. Crustaceorum etc. pag. 27.

zusammen; auch die Füsse des fünften Brustsegmentes sind Schwimmfüsse von derselben Gliederung als die vorhergehenden, aber in beiden Geschlechtern durch gewisse Eigenthümlichkeiten ausgezeichnet. Beim Weibchen läuft der äussere Ast am Innenrande seines Mittelgliedes in einen kräftigen, dornförmigen Fortsatz aus, wie schon LILJEBORG richtig hervorgehoben hat; im männlichen Geschlechte entbehrt der äussere Ast des linken Fusses der Schwimmborsten, während er am rechten Fusse seine beiden Endglieder zu einer mächtigen Greifzange umbildet (Fig. 9, 10, 13). Die weiblichen Geschlechtsöffnungen liegen nahe der Mittellinie unter einem schildförmigen Vorsprung.

1) **I. denticornis** n. sp. (Fig. 1, 3—9.)

Körper $1\frac{3}{4}$ mm lang (ohne Schwanzborsten), bräunlich pigmentirt. Die vordern Antennen so lang als der Körper, am obern Rande des ersten, zweiten und fünften Gliedes in einen gekrümmten Zahn auslaufend. Die rechte des Männchens stark erweitert, das 16te Glied mit einem hakenförmigen Fortsatz. Die beiden Zinken des Schnabels kurz und kräftig. Der Vorderleib namentlich des Weibchens breit, die Winkel des letzten Thoracalsegmentes mit starken Hakenfortsätzen. Das vordere Abdominalsegment des Weibchens mit rechtsseitiger Papille zur Befestigung der Spermatophoren, mit zwei Dornen bewaffnet, von denen der eine der Genitalklappe angehört (Fig. 1 und 4). Die Zange des männlichen Fangfusses sehr kräftig (Fig. 9 *rc*), gezähnelt, der Aussenast des linken dreigliedrig (Fig. 9 *li*). Die äussere Randborste des Männchens wird durch einen kurzen Dorn vertreten. Helgoland.

2) **I. angustata** n. sp.

I. hamata LILJEB. (?) *Diaptomus Bateanus* LUBB. (?)

(Fig. 2, 10, 11, 12.)

Körper schlank, kaum $1\frac{1}{4}$ mm lang (ohne Schwanzborsten), der vorigen Art ähnlich, aber dünner und schmächtiger. Die vordern Antennen von der Länge des Körpers ohne die Zähne des ersten, zweiten und fünften Ringes. Die männliche Antenne minder stark aufgetrieben, des hakenförmigen Fortsatzes am 16ten Gliede entbehrend. Der seitliche Winkel des letzten Brustsegmentes in ein kleines Häkchen auslaufend. Die Zange des männlichen Fangfusses minder kräftig (Fig. 10), der Aussenast des linken Fusses zweigliedrig. Die Furca gestreckter, ungefähr doppelt so lang als das letzte Abdominalsegment. Helgoland.

3) **I. violacea** n. sp. (Fig. 13, 14.)

Körper schlank, circa 2 mm lang (ohne Schwanzborsten), violett schimmernd, mit rothen Pigmentflecken. Die vordern Antennen sehr lang, $1\frac{1}{2}$ Mal so lang als der Körper, nach der Spitze zu stark verdünnt. Die Glieder des mittleren Abschnittes (13—18) minder aufgetrieben, aber sehr verlängert. Nebenast der hintern Antenne merklich grösser als der Hauptast. Der untere Kieferfuss auffallend dünn und schmächtig. Die Winkel des letzten Thoracalsegmentes abgerundet, ohne Hakenfortsatz. Der bewegliche Arm an der Zange des männlichen Greiffusses sehr lang, *S*förmig gekrümmt (Fig. 13), der äussere Ast des linken Fusses zweigliedrig, eigenthümlich umgeformt (Fig. 14). Abdomen des Männchens fünfgliedrig, mit zwei kurzen Endsegmenten. Die fünf Schwanzborsten von nahezu gleicher Grösse, kürzer als das Abdomen. Messina.

LILJEBORG's *I. hamata* ist wahrscheinlich mit der kleinern von mir in Helgoland beobachteten *angustata* identisch, doch zeigen die Abbildungen jenes Forschers einige bedeutende

Abweichungen, z. B. in der Form der rechten Antenne des Männchens und in dem Bau des obern Maxillarfusses, die aber möglicherweise auf einer mangelhaften Zeichnung beruhen. Vor allem müssen die Hakenborsten an den untern zwei Zahnfortsätzen des obern Kieferfusses weit kleiner und schmächtiger sein als die des obern Abschnittes. DANA's *Calanopia brachiata* aus dem stillen Ocean nähert sich sehr der grössern Art, die ich als *denticornis* bezeichnet habe, doch bietet die Form der beiden hintern Brustsegmente und der männlichen Greifzange genügende Unterschiede.

15. Diaptomus WESTW. (PARTINGTON's Cyclop. nat. hist. 1836.)
Monoculus, Cyclops, Cyclopsina.

(Taf. XXXV. Fig. 15 und 16.)

Caput a thorace disjunctum. Antennae anticae 25 *articulatae, maris dextra articulatione geniculante. Antennae posticae et partes manducatoriae iisdem Calani affines. Quintum thoracis segmentum bene distinctum. Pedum primi paris ramus internus biarticulatus, secundi — quarti paris triarticulatus. Pedes postremi biramosi, feminae prehensiles, ramo interno rudimentari aut nullo, maris inter se dissimiles, dextro prehensili, uncum validum gerente. Abdomen maris* 5, *feminae* 3 *aut* 4 *annulos praebens. Oculus mediocris, mobilis.*

Unter den von O. F. MÜLLER als *Cyclops*-Arten beschriebenen Süsswasserformen wurden von JURINE *Cyclops coeruleus, rubens* und *lacinulatus* als eine Species unter der Bezeichnung *Monoculus Castor* vereinigt. WESTWOOD erkannte zuerst ihre generische Verschiedenheit von *Cyclops quadricornis* und stellte für dieselben die Gattung *Diaptomus* auf, die später von MILNE EDWARDS *Cyclopsina* genannt wurde. Die von jenen Forschern gegebenen Charaktere waren indess viel zu allgemein, nicht minder die Gattungsdiagnosen, welche später von DANA und BAIRD aufgestellt wurden, so dass LUBBOCK eine *Undina* und *Pleuromma* als *Diaptomus*-Arten beschreiben konnte. Erst LILJEBORG umschrieb die Gattung schärfer, wenngleich auch er in der Bildung der Mundtheile Merkmale hervorhob, welche der Familie der *Calaniden* gemeinsam sind.

Die Gattung nimmt unter den Süsswasserformen eine ähnliche Stellung ein, als unter den marinen *Copepoden Ichthyophorba, Pleuromma* und *Temora*, von denen sie sich, wenn auch in der gesammten Körperform und in der Verwendung der rechten Antenne und des hinteren Fusses eine Uebereinstimmung herrscht, durch bestimmte Charaktere entfernt. Kopf und Thorax grenzen sich scharf ab, das letzte Thoracalsegment ist mehr oder minder deutlich als selbstständiger Leibesring geschieden, das Abdomen weit enger als der Vorderleib, aber immerhin, namentlich beim Weibchen noch von ansehnlicher Stärke, enthält dasselbe im männlichen Geschlechte fünf, im weiblichen drei oder vier Segmente. Die vordern Antennen bestehen aus 25 Gliedern und sind mit kräftigen, mittellangen Borsten besetzt; im männlichen Geschlechte erweitert sich der Mittelabschnitt der rechten Antenne vom 13ten bis 18ten Gliede sehr bedeutend, dann folgt das geniculirende Gelenk, zwei längere aus mehreren Ringen verschmolzene Abschnitte und endlich die beiden letzten Glieder (nicht drei, wie ich unrichtigerweise früher im Archiv für Naturgesch. 1858. Taf. I. Fig. 1 angegeben habe). Die hintern Antennen zeigen einen kräftigen Bau, ihr siebengliedriger Nebenast ist etwas dünner und gestreckter als der Hauptast mit vier relativ grossen, scharf abgesetzten Mediangliedern. Die Mundtheile ähnlich denen von *Pleuromma*, jedoch mit charakteristischen Eigenthümlichkeiten. Ebenso wie dort läuft der breite Vorderrand der Mandibeln in acht zum Theil zweispitzige Zähne aus, die Gruppirung derselben ist indess eine abweichende, indem der Ausschnitt zwischen dem obern Zahne und den sieben nachfolgenden Zähnen fast die Hälfte des ganzen Randes einnimmt. An den untern Kieferfüssen erscheint der Endabschnitt gedrungen, seine fünf Glieder ziemlich kurz und gleichmässig. Die Schwimmfüsse besitzen dreigliedrige Aeste mit Ausnahme des ersten Fusspaares, dessen Innenast sich auf zwei Glieder beschränkt. Die Aeste selbst nähern sich denen der *Cyclopiden*, innere und äussere sind nahezu gleich lang und gestreckt, die Kanten mehr parallel, ihre Ruderflächen minder umfangreich. Der fünfte Fuss entwickelt zwar in der Regel beide Aeste, wenngleich der innere schmal und rudimentär bleibt, bildet sich aber in beiden Geschlechtern zum Greiffusse um, im weiblichen rechts und links gleichmässig, im männlichen dagegen ungleichmässig, rechts mit einem kräftigen Haken endend. Die Augen erlangen eine mittlere Grösse und werden durch Muskeln bewegt. Die weiblichen Geschlechtsöffnungen liegen unter einem kleinen dachförmigen Schilde, in der Medianlinie dicht zusammengerückt.

1) **D. Castor** Jur. (Hist. des monocles 1820. p. 50).
Cyclops rubens (♂), *lacinulatus* (♀) O. F. Müller.
Cyclopsina Castor M. Edwards.
Diaptomus Castor Demarest (Cons. géner. 1825), Westwood, Baird, Liljeborg.
Cyclopsine Castor Claus (Archiv für Naturgesch. 1858).
(Fig. 15 und 16.

Körper röthlich pigmentirt, 3 bis $3\frac{1}{2}^{mm}$ lang. Einzelne Segmente, namentlich auf der Bauchfläche mit blautingirtem Panzer. Die vordern Antennen von gedrungener Gliederung, fast so lang als der Körper. Das fünfte Fusspaar mit innern und äussern Aesten. Beim Weibchen sind die innern sehr dünn, kurz, zweigliedrig und tragen Borsten an dem äussern Ende, die äussern sind Greiffüsse mit sehr starkem Basalglied; ihr kurzes Mittelglied zieht sich in einem kräftigen Haken aus, das dritte Glied bleibt rudimentär und trägt eine Borste (Vergl. Claus Zur Anatomie etc. Taf. I. Fig. 14). Im männlichen Geschlechte erhält sich der innere Ast jederseits als dünner, mehrgliedriger, nackter Anhang, der äussere bildet an der rechten Seite einen umfangreichen Hakenfuss (Taf. I. Fig. 13), an der linken bleibt er klein, zweigliedrig, und endet scheerenartig mit einem kurzen Fortsatz und einem beweglichen Häkchen. Die Winkel des letzten Brustsegmentes laufen in doppelte Höcker aus. Das vordere Abdominalsegment des Weibchens mit zwei seitlichen hakenförmigen Auftreibungen. Die äussere Randborste der Furcalglieder entspringt ungefähr ein Drittel der Furcallänge von der Spitze entfernt und kommt den vier Endborsten, die etwa dreimal so lang als die Furca sind, an Umfang gleich.

Verschieden von dieser Art scheinen die von Fischer[1]) bei Peterhof und im Tambowischen Gouvernement beobachteten *Diaptomiden*, die er als *Cyclopsina coerulea* und *lacinulata* anführt. Indess reichen weder seine Beschreibungen noch die denselben beigefügten Abbildungen aus, um Sicherheit über die Artverschiedenheit zu erhalten und eine genügende Diagnose abzuleiten. An der um ein Drittel kleinern *lacinulata*, die Fischer wie mir scheint mit Unrecht, mit O. F. Müller's *C. lacinulatus* für identisch hält, ragen die Winkel des letzten Brustsegmentes weit mehr nach aussen hervor und bleiben einfach, die vordern Antennen sind so lang als der Vor-

1) Bulletin de la Société Impériale des Naturalistes de Moscou 1853. Fischer l. c. pag. 1. Taf. II.

derleib, die hintern Füsse aber entbehren des Nebenastes und sind abweichend gebaut (Vgl. FISCHER Taf. II. Fig. 7, 8 u. 12). Die *C. coerulea* wird mit MÜLLER's *Cyclops coeruleus* für identisch erklärt, der vielleicht auch eine besondere Art repräsentirt, hier sollen die Antennen sechsundzwanziggliedrig sein und die Länge des ganzen Körpers erreichen, während sich die Bildung des fünften Fusspaares wiederum mehr an *Diapt. Castor* anschliesst. Ueber *Cyclopsina borealis* muss ich auf MIDDENDORF's Branchiopoda p. 12 u. 13, Fig. 40—46 verweisen, die mir selbst nicht zugängig waren.

VI. Die Familie der Pontelliden.

M. EDWARDS unterschied die *Monocles* und *Pontiens* nach der Form und Bildung des Auges, welches entweder einfach, durch mediane Verschmelzung zweier seitlichen Hälften entstanden, oder aus zwei wohl geschiedenen seitlichen Theilen zusammengesetzt sein sollte. Die Unhaltbarkeit dieser Gruppirung, die nicht weiter durch andere Charaktere unterstützt werden konnte, ergiebt sich schon daraus, dass M. EDWARDS unter den *Pontiens* ausser *Pontia* und *Saphirina* Formen wie *Hersilia, Peltidium* und *Cetochilus* aufnahm, deren Sehorgane von dem einfachen *Cyclops*-Auge kaum merklich abweichen, jedenfalls mit dem Auge der *Pontia* und *Saphirina* nicht zusammengestellt werden können. DANA[1]) nahm die *Pontellen* als eine Unterfamilie seiner *Calaniden* auf und erkannte ihre Charaktere in dem häufigen Vorkommen eines zweiten untern Auges und in der geniculirenden Articulation der rechten männlichen Antenne. In dieser Unterfamilie unterschied er wiederum drei Gruppen von Gattungen, von denen die erste mit *Diaptomus, Hemicalanus, Candace* des untern Auges entbehrt, also die einzige Auszeichnung in der Bildung der rechten Antennen erhält. Da nun aber die geniculirende Articulation, wie ich nachgewiesen habe, durch allmähliche Uebergänge vorbereitet wird und in der zweiten DANA'schen Unterfamilie der *Calaniden* in derselben Ausbildung auftritt, so werden wir die *Pontellen*-Familie im Sinne DANA's unmöglich als eine Einheit festhalten können. Ebensowenig wird aber auch die dritte Gruppe mit der Gattung *Catopia*, die durch den Mangel des obern Auges bei Anwesenheit eines untern Auges charakterisirt wurde, mit den *Pontellen* vereinigt bleiben können. Die Abbildung von *Catopia* beweist vielmehr mit Bestimmtheit, dass wir es mit einem Auge etwa wie bei *Dias* zu thun haben, welches mit seinem lichtbrechenden Körper stark nach vorn herabgezogen ist. Aus diesem Grunde erscheint die Gattung unhaltbar, zumal die einzige von DANA unterschiedene Species *C. furcata* keineswegs in der Weise beschrieben worden ist, dass wir auf sichere Anhaltspunkte im Bau der Mundtheile und Gliedmaassen hin ihre Verwandtschaft bestimmen könnten. So bleibt denn nur die zweite Gruppe der *Pontellen* übrig, mit den Gattungen *Acartia* und *Pontella*, die sich durch obere und untere Augen auszeichnen sollen. Bei *Acartia* vermisst man aber in der Abbildung (vgl. Taf. 79. Fig. 2—5) jegliche Spur eines untern *Pontellen*-ähnlichen Auges, dagegen finde

---

1) Siehe DANA l. c. S. 1045.

ich in der Bildung der Antennen und in der gesammten Form des Körpers eine unverkennbare Uebereinstimmung von *Ac. laxa* und *Ac. tonsa* mit der LILJEBORG'schen Gattung *Dias*, welche nach meinen Beobachtungen in der That des untern Auges entbehrt, mit *Pontella* zwar verwandt ist, aber doch natürlicher sich den *Calaniden* anschliesst. Die Gattung *Pontella* theilt DANA wieder in drei Untergenera ein, *Calanopia*, *Pontellina* und *Pontella*. Erstere soll in der Lage der vordern Antennen mit *Calanus* übereinstimmen, drei Borsten an der Spitze des vordern Antennenastes (des zweiten Paares) tragen und ein sehr kleines unteres Auge besitzen. Nach zahlreichen Anhaltspunkten der DANA'schen Abbildungen überzeuge ich mich aber, dass *Calanopia* mit *Ichthyophorba* LILJ. identisch ist, welche von LILJEBORG sehr gründlich untersucht wurde. Nach meinen eigenen Beobachtungen nähert sich diese Gattung allerdings im gesammten Habitus den *Pontellen*, das untere sehr kleine Auge aber bleibt als dritter vorderer Abschnitt mit den beiden seitlichen in der Mittellinie verbunden, und es scheint mir natürlicher, dieselbe unter den *Calaniden* an *Diaptomus* anzureihen. Von der ganzen Unterfamilie bleiben uns also nur *Pontella* und *Pontellina* übrig, deren Unterschiede von DANA auf die Gestalt und Bildung des Kopfbruststückes, wie mir scheint auf sehr unwesentliche Merkmale, begründet werden. Der Kopf der Gattung *Pontellina* entbehrt der Bewaffnung, der von *Pontella* läuft jederseits in einen spitzen Dorn aus; Unterschiede, auf die wir nur dann einen Werth legen könnten, wenn neben ihnen Gegensätze in der Bildung des Auges, in dem Bau der Mundtheile und Gliedmaassen etc. angeführt worden wären. Ich bin jedoch überzeugt, dass die von DANA abgebildeten *Pontellen* und *Pontellinen* mehreren Gattungen angehören, für deren Charakterisirung leider die nöthigen Anhaltspunkte fehlen. Ein Versuch, unter den *Pontellen* Gattungen zu unterscheiden, ist nach DANA von LUBBOCK[1]) gemacht worden. Mit Rücksicht auf die Zahl und Lage der Augen, sowie einer bemerkenswerthen Structur des neunten und zehnten Gliedes der rechten männlichen Antenne stellte LUBBOCK »nach vieler Ueberlegung« die Gattung *Labidocera* mit folgenden Charakteren auf: *Rostrum furcatum; antenna antica maris dextra geniculans, tumida, articulis quarto et quinto magna serrata lamella instructis. Oculi superiores duo, magni distantes. Oculi inferiores nulli. Cephalothorax 7 articulatus. Maxillipedes externi, grandes, setis longis setulosis. Pes posticus maris dexter crassus, prehensilis.* Mir scheint indess diese Gattung aus folgenden Gründen sehr zweifelhaft. Der Mangel der untern Augen wird nicht durch directe Beobachtung bewiesen, sondern in sehr zweideutiger Weise daraus geschlossen, dass DARWIN bei der Untersuchung eines frischen Thieres dieses Auge beobachtet haben müsste, wenn es existirte. Da LUBBOCK dieser negativen Angabe gegenüber durch eigne Untersuchung von Formen, die in Weingeist aufbewahrt waren, zwischen den vordern Antennen eine runde Projection fand, analog der, welche in den verwandten Gattungen das untere Auge einschliesst, so möchte ich hierin eher einen Beweis für das Vorhandensein dieses Auges erkennen, dessen Pigment im Weingeist verändert oder zerstört sein konnte. Die Eigenthümlichkeiten in der Form der männlichen Antenne aber sind höchstens auf Speciesunterschiede zurückzuführen, zumal

---

1) Vergl. in Ann. and Mag. of nat. hist. 1853. III: Description of a new genus of Calanidae, ebenda XIII u. XVII: On two new species of Calanidae, with Observations on the Spermatic Tubes of Pontella, Diaptomus etc. und Jahrg. 1857. XXXIX: Description of eight new species of Entomostraca found at Weymouth.

sie sich auch in modificirter Weise bei *Pontella* (*Anomalocera*) *Patersonii* und andern *Pontellen* finden. Schwerlich dürfte vor einer nochmaligen wiederholten Prüfung jener Formen die Gattung *Labidocera*, die noch obendrein auf geringe Modificationen der männlichen Antennen und des fünften Fusspaares hin von LUBBOCK in die drei Untergenera *Labidocera* (*Darwinii*), *Ivella* (*Patagoniensis*), *Iva* (*magna*) aufgelöst wurde, Anerkennung erhalten. Ich gestehe gern die Möglichkeit zu, dass LUBBOCK in der That eine von *Pontella* verschiedene Gattung untersuchte, aber er hätte den Gesammtbau und namentlich die Gliedmaassen und Mundtheile berücksichtigen müssen, um seinen Unterscheidungen eine nachhaltige Begründung zu geben. In ähnlicher Weise verhält es sich mit der LUBBOCK'schen Gattung *Monops* (*grandis*), die wie *Catopia* DANA der obern Augen entbehren, in dem Körperbaue und in der Antennenbildung aber mehr als irgend eine andere Form mit *Labidocera* und dann auch wieder mit *Anomalocera* übereinstimmen soll. Wenn LUBBOCK selbst eingesteht: »*It may be doubted, however, whether these are really of generic value; for instance, Monops grandis and Anomalocera Patersonii, both of which i have very carefully examined, have been placed in different genera, because the former has no superior eyes, and the latter has four; in all other respects, at least as far as regards their external anatomy, the agree very closely. The same may be said of Labidocera Darwinii and Pontella Bairdii*«, so werden wir, glaube ich mit Recht, *Labidocera* sowohl als *Monops* so lange als Gattungen unberücksichtigt lassen müssen, bis wir durch erneute detaillirte Untersuchungen der Augen, Gliedmaassen und Mundtheile über ihr Verhältniss aufgeklärt worden sind.

Uebersicht der Gattungen.

Unteres Auge gestielt, die obern Augen mit grossen Linsen des Chitinpanzers versehen.	Obere Augen seitlich am Rande des Kopfschildes, jedes mit zwei Linsen versehen. Der Nebenast der hintern Antennen schwach. Endabschnitt der untern Maxillarfüsse sechsgliedrig	1. **Irenaeus.**
	Obere Augen in der Medianlinie verschmolzen unter zwei grossen zusammenstossenden Linsen. Nebenast der hintern Antennen breit und kräftig. Endabschnitt der untern Maxillarfüsse viergliedrig	2. **Pontella.**
	Obere Augen seitlich, jedes mit einer Linse versehen. Schnabelbasis linsenartig verdickt. Endabschnitt der untern Maxillarfüsse sechsgliedrig	3. **Pontellina.**
Unteres Auge einfach, nicht hervortretend. Oberes Auge ohne Linsen des Chitinskeletes . . .		4. **Calanops.**

1. Irenaeus GOODS.

Anomalocera TEMPL. (Transact. Ent. Soc. Vol. 2. P. 1. 1837. ii. 35, t. 5, fig. 1—3).
Irenaeus GOODS. (Edinb. New Phil. Journ. 1843).

(Taf. XXXVI. Fig. 1—6.)

Caput thorace disjunctum. Antennae posticae ramus secundarius brevis. Pars apicalis maxillipedum inferiorum 6 *articulata, elongata. Oculus inferior pedunculatus. Oculi superiores laterales, utraque parte binis lentibus instructi.*

Es steht mir zur nähern Begründung der Gattungscharaktere unzweifelhaft dieselbe Form aus der Nordsee und dem Mittelmeere zu Gebote, welche TEMPLETON als *Anomalocera Patersonii* beschrieb und BAIRD sowie LUBBOCK unter demselben Namen, GOODSIR als *Irenaeus splendidus* untersuchten. Da die ursprüngliche Bezeichnung der Gattung (ἀνωμαλος und κερας), von dem ungleichen Baue der beiden männlichen Antennen entlehnt, keinen specifischen Charakter ausdrückt, sondern auf alle *Pontelliden* anwendbar ist, halte ich es für zweckmässig, dieselbe aufzugeben und den von GOODSIR eingeführten Gattungsnamen *Irenaeus* aufzunehmen. Ohne die frühern Beschreibungen im Einzelnen zu besprechen, nehme ich auf einen der letzteren Autoren, auf BAIRD, genauere Rücksicht, welcher unsere Gattung am genauesten kannte und in seinem oft citirten Werke über die britischen *Entomostraken* folgendermaassen charakterisirte: »*Head distinguishable from body, furnished with a beak, which is divided at apex into two sharp points, and at the base terminates on either side in a sharp hooked spine. Thorax divided into six, abdomen into four segments. Antennules not two branched. Foot jaws strongly developed. Eye in male pedunculated.*«

Da die Trennung des Kopfes vom Thorax ebenso wie der gabelförmige Schnabel ein fast durchgreifendes Merkmal der *Pontelliden* ist, die beiden dornförmigen Ausläufer an den Seiten des Kopfes, auf welche DANA die Unterscheidung von *Pontella*, *Pontellina* gegenüber, gründet, gar zahlreichen generisch verschiedenen Formen eigenthümlich sind, so muss das besondere Gewicht auf die zweite Hälfte der Diagnose fallen. In dieser aber ist die Gliederung des Thorax in sechs, und des Abdomens in vier Segmente unrichtig, ferner sind die hintern Antennen mit zwei Aesten versehen, die kräftige Entwicklung der Mundtheile endlich und die gestielten Augen des Männchens wieder allgemeine, fast der ganzen Gruppe zukommende Charaktere. So bleibt denn von BAIRD's Gattungsangaben sehr wenig Brauchbares übrig.

Erst LUBBOCK[1]) leitete aus dem gröbern Baue der Augen, welcher den frühern Beobachtern wie BAIRD, GOODSIR, TEMPLETON entgangen war, einen zuverlässigen Gattungscharakter ab, wenn er für *Anomalocera* die Merkmale anführte: »*Antenna antica maris geniculans tumida. Oculi superiores quatuor. Oculus inferior unicus. Pes posticus maris dexter prehensilis.*« Jedenfalls reichen aber auch diese zur Gattungsbestimmung nicht aus.

Kopf und Thorax sind von einander getrennt, der erstere in eine vordere und hintere Hälfte durch eine Quercontour des Panzers undeutlich abgesetzt. In dieser Weise zerfällt der Kopf in einen vordern, die beiden Antennen umfassenden Theil und in einen hintern Abschnitt mit den Mundtheilen, der selbstständige Thorax aber in seine fünf Segmente. Das Abdomen des Männchens ist fünfgliedrig, das des Weibchens dreigliedrig. Die rechte vordere Antenne des Männchens mit aufgetriebenem (vom dreizehnten bis sechszehnten Gliede) Mittelabschnitte. Die hintern Antennen mit kräftigem Hauptstamme und dünnem, schwachen Nebenaste. Die innern Aeste der Ruderfüsse kurz und zweigliedrig, mit Ausnahme des dreigliedrigen ersten Paares, der erweiterte Basaltheil der untern Kieferfüsse mit drei Fortsätzen am Innenrande und kräftigen befiederten Borsten. Der langgestreckte Endabschnitt sechsgliedrig. Beide Füsse des fünften Paares sind im männlichen Geschlechte Fangfüsse. Unteres Auge gestielt. Die beiden obern Augen nach den Seitentheilen gerückt, jedes mit zwei Linsen und zwei lichtbrechenden Kugeln versehen.

---

1) Annals of nat. hist. 2 Ser. Vol. 12. 1853. 159—165. On two new species of Calanidae, with Observations on Sperm. Tubes of Pontella.

1) **I. Patersonii** TEMPL.

Anomalocera Patersonii TEMPLETON (Trans. Ent. Soc. 1837).
Pontia Patersonii BAIRD und M. EDWARDS.
Irenaeus splendidus GOODSIR (Edinb. New Phil. Journal 1843).
Pontia Patersonii KRÖYER (Naturh. Tidsk. 1849).
Anomalocera Patersonii BAIRD (The British Entomostraca).
Anomalocera Patersonii LUBBOCK (Ann. and mag of nat. hist. 1853).
Pontella Eugeniae LEUCKART (Archiv für Naturgesch. 1859. Taf. VI).
Pontella CLAUS (MÜLLER's Archiv 1859).
(Taf. II. Fig. 1; Taf. XXXVII. Fig. 1—6.)

Körper langgestreckt, mit hakenförmiger Seitenbewaffnung des Vorderkopfes, grün mit blauen Flecken, circa 4—5 mm lang (Fig. 1). Die vordern Antennen sind vierundzwanziggliedrig, halb so lang als der Körper; an der rechten männlichen Antenne ist die Zahl der scharf abgeschnürten Ringe eine geringere in Folge der Verschmelzung des siebzehnten, achtzehnten, neunzehnten, sowie des zwanzigsten und einundzwanzigsten Gliedes. Der Mittelabschnitt vom dreizehnten bis sechszehnten Ringe mächtig aufgetrieben. Das dreizehnte Glied trägt einen stabförmigen Anhang, dessen Spitze mit einem Häkchen endet. Das sechszehnte Glied und die beiden langen zusammengesetzten folgenden Abschnitte erscheinen am Innenrande bezahnt (Fig. 2). Der Hauptstamm der untern Antennen dreigliedrig, der schmale dreigliedrige Nebenast beginnt mit einem kurzen Basalgliede. Der Kautheil der Mandibeln mit einem ansehnlichen gebogenen Hakenfortsatz und fünf doppelspitzigen Zähnen. Der äusserste dieser Zähne ist am schwächsten und wird von starken Wimpern und einem borstenförmigen Ausläufer überragt. Das Basalglied des Mandibulartasters rhombisch, sehr umfangreich, mit gedrungenem viergliedrigen Nebenaste und zweigliedrigem, lange befiederte Borsten tragenden Hauptaste. Der Kautheil (Fig. 3, α) der Maxille ist breit, der untere Nebenanhang (β) umfangreich, zu einer Art obern Lade umgebildet, der obere Nebenanhang (γ) kurz und rudimentär, der lappenförmige Taster (δ) nach hinten umgelegt. Die obern Maxillarfüsse sehr gross, gedrungen, die untern langgestreckt siebengliedrig (Fig. 4). Die ersten Fusspaare kurz mit dreigliedrigen Aesten, die übrigen umfangreicher, aber mit zweigliedrigem Innenaste. Die fünften Thoracalgliedmaassen des Weibchens (Fig. 5) stehen durch einen gemeinsamen Basalabschnitt, dem sich jederseits ein besonderes zweites Glied anschliesst, in Verbindung. Der innere Ast ist kurz, einfach, zangenförmig; der äussere langgestreckt, zweigliedrig, mit kurzem in drei Dornen auslaufenden Endgliede. Die entsprechenden ungleichartigen Füsse des Männchens (Fig. 6) entspringen in der Mittellinie zusammenstossend und bestehen aus vier Abschnitten, von denen die beiden letzten an der einen Seite einen dicken handförmigen Griff bilden. An der andern Seite erscheint dieser Theil sehr verlängert, aber auch mit einschlagbarem Endgliede als Greiffuss eingerichtet. Am männlichen Körper setzt sich das letzte Thoracalsegment an der rechten Hälfte in einen hakenförmigen kräftigen Ausläufer, das erste Abdominalsegment an der gleichen Seite in einen conischen etwas gekrümmten Auswuchs fort. Auch das Weibchen besitzt, an der rechten Hälfte des ersten Abdominalsegmentes eine conisch verlängerte Papille. Die Furcalglieder sind am Innenrande bewimpert, aber bei Männchen und Weibchen ungleich; im erstern Fall sehr schmal und fast so lang als die drei hintern Leibesringe; im letztern breit und kurz, um die Hälfte länger als der letzte Leibesring und häufig ungleichmässig. Fünf ansehnliche, befiederte Endborsten besetzen die Furcalspitze, von denen die zweitinnere die grösste ist, jedoch kaum die Länge des Abdomens erreicht, die übrigen von ziemlich gleicher Grösse in einer ovalen Fläche zusammen liegen. Der Schnabel gabelförmig getheilt, ohne linsenförmige Verdickung seiner Basis. Das untere Auge des Männchens bildet einen dunkel braun und blau pigmentirten beweglichen Stiel mit kugelförmig erweitertem Endtheile, in welchem ein gelblich glänzender Zapfen der Vorderfläche als Linse hineinragt. Die zwei obern Linsenpaare sind relativ klein.

Atlantischer Ocean. Nordsee. Mittelmeer (Nizza).

Mit *Irenaeus* nahe verwandt scheint der von Lubbock beschriebene *Monops grandis*, für den Lubbock den gänzlichen Mangel der obern Augen hervorhebt, aber in dem Baue des Körpers und der Extremitäten eine so grosse Uebereinstimmung mit *Anomalocera Patersonii* fand, dass er ihn fast in dieselbe Gattung gestellt hätte. Die Diagnose von *Monops*: »*Rostrum furcatum. Antenna maris anterior dextra geniculans, tumida. Oculi superiores nulli. Oculus inferior unicus. Pes posticus maris dexter prehensilis*«, sowie die der Species *grandis*: »*Antenna maris dextra duabus magnis dentatis lamellis instructa. Spina prehensili magna. Pede postico maris sinistro parvo, non ad apicem tumido, non papilloso, ramo interiore nullo*« möchte wohl nur dann ausreichen, wenn der Mangel der obern Augen erwiesen wäre, wozu die Untersuchung von Spiritusexemplaren nicht ausreicht.

2. Pontella Dana.

Pontia M. Edwards, Hist. nat. des crust.

Pontella Dana, Proced. amer. sc. 1849; Conspectus crust. etc.

(Taf. III. Fig. 5—7; Taf. XXXVI. Fig. 1—10; Taf. XXXVII. Fig. 7.)

Caput thorace disjunctum. Thoracis quintum segmentum quarto conjunctum. Antennae posticae ramus secundarius magnus. Pars apicalis maxillipedum inferiorum 4 *articulata. Oculus inferior pedunculatus. Oculi superiores conjuncti, duabus lentibus instructi.*

Die von Dana gegebenen Gattungscharaktere erscheinen so allgemein und unbestimmt, dass sie kaum zur Familienbegrenzung der *Pontelliden* ausreichen, ja sogar die *Calaniden*-Gattung *Calanopia* = *Ichthyophorba* Lilj. in sich einschliessen. Der Besitz von obern und untern Augen, der gablige Schnabel, die rechte geniculirende männliche Antenne, der vier- bis siebengliedrige Cephalothorax, die grossen Maxillarfüsse, das Alles sind Merkmale, mit denen sich zur Bestimmung einer Gattung auch gar nichts anfangen lässt. Später, in seinem grösseren Werke, zog Dana zwar einen neuen bestimmten Charakter hinzu, den der Seitenbewaffnung des Kopfes, und unterschied auf diesen gestützt die Untergattungen *Pontella* und *Pontellina*, hätte aber wohl keine künstlichere und einseitigere Trennung als diese einführen können. Nun sind aber auch die von Dana beschriebenen Arten so unvollständig auf ihren Körperbau, auf die Mundtheile und die Augenbildung untersucht worden, dass die systematische Verwerthung und Gruppirung jenes Materials vor der Hand unmöglich erscheint. Da auch Lubbock sehr unbefriedigende, kaum brauchbare Beschreibungen seiner *Pontellen*-Species giebt und ich selbst im Mittelmeere und der Nordsee nur wenige

Formen beobachtet habe, so kann ich bei Besprechung der *Pontelliden*-Gattungen nicht im Entferntesten an eine erschöpfende Behandlung denken, sondern höchstens den Weg bezeichnen, auf welchem spätere Beobachter bei der Untersuchung eines reicheren Materiales zur Aufhellung dieses Gebietes weiterbauen mögen. Leider wird es auch hier wiederum nothwendig, aus einer einzigen genauer untersuchten Species die Charaktere der Gattung abzuleiten, wozu allerdings die Beschreibungen LUBBOCK's und DANA's unterstützende Anhaltspunkte liefern.

Kopfbruststück aus sechs Abschnitten zusammengesetzt, von denen der erste undeutlich gesonderte dem Vorderkopfe, der letzte dem verschmolzenen vierten und fünften Thoracalsegmente entspricht. Abdomen des Männchens fünfgliedrig, des Weibchens (zwei-?) dreigliedrig. Die grossen Antennen haben dreiundzwanzig oder vierundzwanzig Glieder, jenachdem der sechste und siebente Ring verschmolzen oder getrennt sind. Die rechte Antenne des Männchens besitzt einen mässig erweiterten Mittelabschnitt, der das dreizehnte bis sechszehnte Glied in sich einschliesst. Der siebzehnte, achtzehnte und neunzehnte Ring sind zu einem langgestreckten Abschnitte verschmolzen, dessen bezahnter Innenrand in eine kürzere oder längere Lamelle ausläuft. Ebenso ist der dem zwanzigsten und einundzwanzigsten Ringe entsprechende Abschnitt am Innenrande bezahnt. Die hintere langgestreckte Antenne trägt einen breiten, ansehnlich entwickelten Nebenast. Der erweiterte Basaltheil der untern Kieferfüsse läuft ebenfalls in drei mit befiederten Borsten besetzte Fortsätze aus, der langgestreckte Endabschnitt aber ist nur viergliedrig. Die innern Aeste aller Ruderfüsse zweigliedrig. Nur der rechte Fuss des fünften Paares ist im männlichen Geschlechte ein Fangfuss. Unteres Auge gestielt. Die beiden obern Augen sind in der Mittellinie zu einem beweglichen, mit zahlreichen lichtbrechenden Kugeln versehenen Auge verschmolzen, über welchem zwei grosse in der Mittellinie zusammenstossende Linsen liegen.

1) **P. helgolandica** n. sp.
Pontella Wollastoni LUBB.?
(Taf. III. Fig. 5—7; Taf. XXXVI. Fig. 1—10; Taf. XXXVII. Fig. 7.)

Körper gestreckt, mit hakenförmiger Seitenbewaffnung des undeutlich abgesetzten Vorderkopfes, circa 3 mm lang. Antennen nur um weniges kürzer, die rechte des Männchens mit hakenförmigem Ausläufer am siebzehnten Gliede (Fig. 1). Auf den kräftigen Hakenfortsatz am Kautheile der Mandibeln folgen vier Zähne mit einfachen Spitzen und eine Anzahl von Wimpern. Am Taster ist der Nebenast viergliedrig und mit sechs langen Borsten versehen, der Hauptast zweigliedrig auf einem längern Fortsatze des Basalgliedes aufsitzend. An der Maxille ist der lappenförmige Taster sehr umfangreich (Fig. 5*g*), der untere Nebenanhang (*w'*) gestreckt, nicht zur Unterstützung des Kautheils verwandt. Die obern Maxillarfüsse minder gedrungen (Fig. 6), die untern fünfgliedrig (Fig. 7). Der rechte Fuss des fünften Paares bildet im männlichen Geschlechte eine umfangreiche Greifzange. Er besteht aus vier Abschnitten, von denen der dritte, zu dem handförmigen Griffe umgebildet, in einen sehr langen fingerförmigen Fortsatz und eine kurze Papille ausläuft. Dem fingerförmigen Fortsatz gegenüber lenkt sich der vierte Abschnitt ein, welcher einen beweglichen, gegen den erstern einschlagbaren Cylinder mit einem kräftigen Haken an der Spitze bildet (Fig. 9). Der linke Fuss besteht aus einem zweigliedrigen Basaltheile und einem zweigliedrigen breiten Ruderaste, an dessen Seite als Fortsatz des zweiten Basalgliedes eine trianguläre Platte herabläuft, deren Spitze mit zwei stumpfen Ausläufern endet (Fig. 8). Der gabelige Schnabel breit und massig, die obern Linsen sehr umfangreich. Die seitlichen Winkel des letzten Thoracalabschnittes gleichmässig, mit kurzen Häkchen versehen. Das Abdomen schmächtig, seine beiden letzten Segmente im männlichen Geschlechte kurz. Die Furca langgestreckt, beim Männchen fast so lang als die drei letzten Leibesringe. Von den fünf Schwanzborsten entspringt die äussere hoch, etwa um ein Viertheil der Furcallänge von der Spitze entfernt. Die zweitinnere am längsten, beinahe dreimal so lang als die Furca. Abdomen des Weibchens dreigliedrig, die beiden Linsen des obern Auges und das untere Auge schmächtiger. Der fünfte Fuss trägt auf zweigliedriger Basis zwei zugespitzte lanzettförmige Platten (Taf. XXXVII. Fig. 7). Helgoland.

Sehr nahe verwandt scheint mir die

2) **P. setosa** Lubb. (On some Entomostraca. Trans. Ent. Soc. vol. IV. Taf. XI. Fig. 1—7.)

An der vordern Antenne wird man diese Art auf den ersten Blick von der erstern unterscheiden können, dieselben sind gedrungen und kürzer als das Kopfbruststück. Auch hier haben wir sechs Abschnitte des Kopfbruststückes, von denen der vordere der Seitenbewaffnung entbehrt, der hintere den beiden letzten Thoracalsegmenten entspricht, wir haben fünfgliedrige untere Kiefer, zweigliedrige innere Aeste aller Schwimmfüsse und zwei grosse obere Linsen. Für das fünfte Fusspaar des Männchens ist die Abbildung sehr verworren und unvollständig, zumal die Erklärung fehlt, an dem weiblichen aber sieht man, dass die Basalglieder in der Medianlinie verschmolzen sind und dem zweiten freien Basalgliede ein innerer papillenartiger Fortsatz (vielleicht Stummel des innern Astes) und eine einfache, langgestreckte Platte aufsitzt, die mit mehreren Spitzen endet und dem äussern Aste entsprechen möchte. Dann würde in der Bildung der fünften weiblichen Thoracalfüsse eine Aehnlichkeit mit *Irenaeus Patersonii* bestehen.

Atlantischer Ocean. N. L. 8° 30′ W. L. 23°
2° 22′ 19°

3) **P. Bairdii**[1]) Lubb. (On two new species of Calanidae.)

Antenna antica maris dextra duabus dentatis lamellis instructa, apic. long. $^1/_{66}$. *Spina prehensili parva, rigido crini simili. Ramo interno pedis postici maris sinistri papilloso. Pede postico feminae long.* $^1/_{40}$.

Atlantischer Ocean.

1) Ich kann nicht den Versuch machen, die bisher beschriebenen *Pontelliden*-Arten, die leider grossentheils ungenügend untersucht und beschrieben sind, auf ihre Gattungen zurückzuführen und mit zutreffenden scharfen Charakteren zu versehen. Dazu sind neue Untersuchungen eines reichen Materiales unumgänglich nothwendig. Zudem steht mir gar manche wichtige Schrift nicht zu Gebote, so fehlen mir vor Allem Kröyer's Aufsätze der Naturh. Tidskrift, welche auch Beschreibungen mehrerer *Pontelliden* (Tom. II. 1849), der *Pontia Patersonii*, *P. Edwardsii* und *P. Nerii*, enthalten. Lubbock's Abbildungen und Beschreibungen sind leider nicht brauchbar und mit höchst ungeschickten Diagnosen versehen, was sicherlich Jeder anerkennen wird, der sich später mit dem ergiebigen Gebiete der *Pontellen* beschäftigen sollte. Auch M. Edwards' *P. Savignyi*, *P. Atlantica*, *P. Raynaudii* möchten schwer wieder zu erkennen sein. Sehr interessant würden die Beobachtungen von Ouchakoff (Bulletin de la Soc. Imp. de Moscou 1855) über das Vorkommen einer *Pontia* in den stagnirenden süssen Gewässern von Wacarino sein, wenn sich entscheiden liesse, dass jene Form eine *Pontellide* sei, allein aus jener Beschreibung vermuthet man eher eine *Cyclopsine*.

3. Pontellina[1] (non *Pontellina Danae*).

Caput thorace disjunctum, saepe duobus uncis lateralibus armatum. Oculus inferior pedunculatus, lente rostrali praeditus. Oculi superiores laterales, utraque parte lentem unicam gerentes. Pars apicalis maxillipedum inferiorum 6 articulata.

Kopfbruststück aus sieben Abschnitten zusammengesetzt. Abdomen des ♂ fünfgliedrig, des ♀ dreigliedrig. Antennen vierundzwanziggliedrig. Die männlichen an der rechten Seite mit geniculirendem Gelenke und aufgetriebenem Mittelabschnitte. Vorderkopf seitlich (meist?) bewaffnet. Der vordere Kautheil der Mandibeln mächtig erweitert, mit grossen Hakenzähnen bewaffnet. Das Basalglied des Mandibularpalpus mit verlängerter Spitze, welcher der zweigliedrige Hauptast aufsitzt. Der Nebenanhang der Maxillen eine obere Lade bildend. Der auf das Basalglied folgende Abschnitt der untern Maxillarfüsse langgestreckt, sechsgliedrig, mit sehr kurzem rudimentären Endgliede.

Die Schwimmfüsse des vordern Paares mit dreigliedrigem Innenaste. Die innern Aeste der übrigen Füsse zweigliedrig. Der rechte Fuss des fünften Paares im männlichen Geschlechte endet mit einer umfangreichen Greifzange; im weiblichen Geschlechte sind diese Füsse zweiästig, mit kurzem, einfachen Innenaste. Die obern Augen sind getrennt und auf die Seitenflächen des Kopfes gerückt. Jedes besteht aus einem zweilappigen Pigmentkörper und einer grossen kugligen Linse. Die glänzende, kuglig verdickte Basis des Schnabels ist die Linse für das untere gestielte Auge.

1) **P. gigantea** n. sp. (Taf. XXXVII. Fig. 8, 9 u. 12.)

Körper gestreckt und massig, circa $6\frac{1}{2}$mm lang. Vorderkopf seitlich bewaffnet, Kopfbruststück mit convexer Rückenfläche und röthlich-braunen Pigmentflecken auf der Mitte des hintern Kopf- und ersten Brustabschnittes und am obern Rande des zweiten und dritten Thoracalsegmentes. Das letzte Thoracalsegment läuft rechts und links in grosse Seitenfortsätze aus, von denen der linke am umfangreichsten ist. Das Abdomen mit rothen Pigmentkugeln versehen. Das erste Segment setzt sich rechts unterhalb der Geschlechtsöffnung in einem gezackten langen Ausläufer fort, das zweite erweitert sich zu einem linksseitigen, den letzten Leibesring und die Furcalglieder bedeckenden Auswuchs. Der letzte Leibesring sehr kurz, die gedrungenen Furcalglieder tragen fünf befiederte Schwanzborsten, von denen die zweitinnere, die längste, ungefähr die Länge des Abdomens hat. Die vordern Antennen vierundzwanziggliedrig, fast so lang als das Kopfbruststück. Der Nebenast der hintern Antennen schmal, mit kurzem Basalgliede, langgestrecktem Mittelabschnitte und zweigliedriger Spitze; derselbe reicht nicht vollständig bis zum Ende des Mittelabschnittes vom Hauptstamme. Sechs starke Hakenzähne und zwei kürzere spitze Zähne am Vorderrande der Mandibel. Der letzte Thoracalfuss des Weibchens mit zwei freien Basalgliedern und zwei einfachen, in Haken auslaufenden Aesten, von denen der äussere sich verschmälert und doppelt so lang als der innere ist. Nur das Weibchen wurde beobachtet. Messina.

[1] Da die seitliche Bewaffnung des Kopfes, auf welche DANA ausschliesslich seine Gattung *Pontellina* gründete, auch bei *Irenaeus* vorkommt und als einseitiges Merkmal unmöglich irgend welche Bedeutung besitzt, kann jene Gattung im Sinne DANA's nicht aufrecht erhalten werden. Es ist aber wünschenswerth, die schon so verwickelte Nomenclatur möglichst zu beschränken, daher behalte ich die ältere Bezeichnung bei.

2) **P. mediterranea** n. sp.

(Taf. II. Fig. 8—10; Taf. III. Fig. 8; Taf. XXXVI. Fig. 11 u. 12.)

Körper circa 4ᵐᵐ lang, mit sehr verlängertem Schnabel, grünlichblau, rothgelb gefleckt, an der Basis der Antennen blau. Vorderkopf seitlich bewaffnet. Die Winkel des letzten Thoracalsegmentes sehr kurz und stumpf. Die vordern Antennen vierundzwanziggliedrig, etwa so lang als das Kopfbruststück, die rechte des Männchens vom dreizehnten bis funfzehnten Gliede mächtig aufgetrieben, das dreizehnte Glied mit griffelförmig an der Spitze gekrümmtem Anhange. Das sechszehnte Glied mit zahnförmigen Kerben am Innenrande, ebenso die zwei nachfolgenden relativ kurzen Abschnitte, zwischen welche die knieförmige Articulation fällt (Fig. 11). Der Nebenast der hintern Antenne fast so breit als der Hauptstamm, ebenfalls mit zweigliedriger Spitze, etwas gestreckter als bei *P. gigantea*. Der fünfte Fuss des Männchens an der rechten Seite aus vier Abschnitten gebildet (Fig. 12), von denen die beiden letzten die Greifzange zusammensetzen. Der vierte, letzte, bildet einen langen geradgestreckten Haken, dessen schaufelförmige Spitze auf eine ansehnliche Papille des Griffes passt. Der auf die Papille folgende Theil des Innenrandes ist mit acht grössern und zahlreichen kleinen navicellenähnlichen Höckern besetzt. Der linke Fuss besteht aus drei Abschnitten, von denen der kurze Endtheil mehrere Haken trägt. Die Furcalglieder des ♂ sind fast so lang als die drei letzten Abdominalsegmente, am Innenrande stark befiedert mit handförmig verbreitertem Ende. Von den fünf befiederten Endborsten lenkt sich die äussere ziemlich hoch ein, die zweitinnere ist doppelt so lang als die übrigen, grösser als das Abdomen. Die innere Nebenborste fast rechtwinklig gekrümmt. Das untere Auge dunkelblau und röthlichbraun, die obern braun pigmentirt. Messina.

4. Calanops n. g.

(Taf. II. Fig. 11; Taf. XXXVI. Fig. 13—16; Taf. XXXVII. Fig. 10.)

Caput thorace disjunctum, corpus fere globosum. Oculus inferior parvus minime pedunculatus. Oculi superiores parvuli, lentibus cornealibus carentes. Antennae posticae elongatae. Pars apicalis maxillipedum inferiorum 4 *articulata.*

Körper gedrungen, mehr oder minder kuglig. Kopf und Brust aus sieben Abschnitten gebildet. Abdomen beim ♂ fünfgliedrig, beim ♀ dreigliedrig. Die vordern Antennen unvollzählig gegliedert, im männlichen Geschlechte an der rechten Seite mit aufgetriebenem Mittelabschnitte und genieulirendem Gelenke. Die untern Antennen ausserordentlich verlängert. Kaufläche der Mandibeln mit schlanken Hakenzähnen und conischen Höckerzähnen. Die obere Lade der Maxille sehr kräftig (unterer Nebenast), weit über der untern vorstehend. Der Basaltheil der untern Maxillarfüsse ungewöhnlich breit und lang, mit drei ansehnlichen Fortsätzen, der hierauf folgende Abschnitt viergliedrig mit langgestrecktem, wohl zwei verschmolzenen Gliedern gleichwerthigen untern Gliede und kurzen Borsten. Die innern Aeste der Schwimmfüsse sind mit Ausnahme des ersten Paares zweigliedrig; dieses hat einen dreigliedrigen Innenast. Der rechte Fuss des fünften Paares im männlichen Geschlechte mit aufgetriebener Greifzange, im weiblichen sind diese Füsse rechts und links zweiästig, mit kurzem einfachen Innenaste versehen. Die Augen sehr klein, das untere, weder vorspringend noch gestielt, bildet einen Pigmentkörper auf der ventralen Fläche des Gehirnes. Die

27*

obern Augen liegen an den Seiten des Gehirnes, schliessen jedes im Pigmente zwei lichtbrechende Kugeln ein. Linsen fehlen.

1) **C. messinensis** n. sp.

(Taf. II. Fig. 11; Taf. XXXVI. Fig. 13—16; Taf. XXXVII. Fig. 10.)

Körper rundlich, 2mm lang, ohne Kopfbewaffnung, mit sehr langgestrecktem Schnabel. Die Antennen einundzwanziggliedrig, mit sehr verlängertem zweiten Gliede, ungefähr bis an das Ende des Abdomens reichend. Die beiden Endglieder röthlich pigmentirt. Die männliche rechte Antenne mit einem dünnen griffelförmigen Anhange am dreizehnten Gliede, funfzehntes und sechszehntes Glied sind verschmolzen, der folgende Abschnitt sehr verlängert mit bezahntem Innenrande, der dem zwanzigsten Gliede entsprechende Abschnitt oberhalb des geniculirenden Gelenkes trägt einen kammförmigen Besatz ansehnlicher Spitzen. Der Kautheil der Mandibeln mit breiter Basis und kurzem, winklig abgesetzten Endabschnitt (Fig. 15). Die Kaufläche wird von vier Hakenzähnen, zahlreichen Wimpern und zwei Gruppen von je drei dicken conischen Höckern bewaffnet (Fig. 14). An den obern Maxillarfüssen sind die Borsten der drei ersten cylindrischen Anhänge des Basalabschnittes ungewöhnlich kurz. Der linke Fuss des fünften Paares ist im männlichen Geschlechte aus drei Abschnitten gebildet und dem von *Pontellina mediterranea* ähnlich, der rechte trägt eine grosse Scheerenzange, ähnlich der von *Pontella helgolandica*. Das letzte Abdominalsegment sehr kurz, die Furcalglieder beim Männchen von der Grösse der letzten Leibesringe mit fünf schräg auf einander folgenden befiederten Schwanzborsten. Diese sind ziemlich gleich lang, etwas kürzer als das Abdomen. Augenpigment schwärzlich.

Messina.

Erklärung der Abbildungen.

In allen Figuren werden durch die Buchstaben folgende Körpertheile bezeichnet:

a. Vordere Antennen.
ao. Aorta.
b. Hintere Antennen.
c. Mandibeln.
c'. Taster der Mandibeln oder drittes Extremitätenpaar des Kopfes.
d. Maxillen.
d'. Maxillartaster oder viertes Extremitätenpaar des Kopfes.
e. Maxillarfuss oder fünftes Extremitätenpaar des Kopfes.
e^o, e^a. Oberer oder äusserer Kieferfuss.
e^u, e^i. Unterer oder innerer Kieferfuss.
f. Erster Schwimmfuss.
g. Zweiter Schwimmfuss.
h. Dritter Schwimmfuss.
i. Vierter Schwimmfuss.
k. Fünfter Schwimmfuss oder rudimentärer Fuss.
l. Genitalhöcker über der Geschlechtsöffnung.
lo. Lobus oder Lade der Maxille.
n. Nerv.
ov. Ovarium.
ov, d. Eiergang.
po. Porus zur Befestigung der Spermatophore.
p. Kammförmiger Anhang
w. Unterer fingerförmiger Fortsatz
w'. Oberer „ „ } des Maxillartasters.
x. Fächer oder Nebenast
y. Hauptast
t. Hoden.

t'. Anhangsdrüse.
r. *Receptaculum seminis.*
s. Spermatophorensack des *vas deferens.*
so. Oeffnung desselben.
vd. *Vas deferens.*
vu. Weibliche Geschlechtsmündung.

A. Auge.
Af. Afteröffnung.
B. Schalendrüse.
C. Herz.
D. Enddarm.
E. Eiersäckchen.
F. Fettkugeln.
G. Gehirn.
H. Harnzellen.
K. Kittdrüse.
L. Leber.
Li. Linse der Cornea.
M. Magen.
Mu. Muskeln.
O. Oberlippe.
Os. Mundöffnung.
Oe. Oesophagus.
P. Pigment.
R. Schnabel.
S. Spermatophore.
T. Specifische Cuticularanhänge der vordern Antenne.
U. Unterlippe.

Taf. I.

Fig. 1. Die eben ausgeschlüpfte Larve von *Cyclops serrulatus*.

Fig. 2. Dieselbe in einem weiter vorgeschrittenen Alter. Hinter den drei vordern Fusspaaren sieht man das vierte, den Maxillen entsprechende Gliedmaassenpaar, auch die Lage der Kieferfüsse und der vordern Schwimmfusspaare ist durch Quercontouren und Auftreibungen des Panzers bezeichnet. Am dritten Fusspaar tritt schon der Kieferfortsatz hervor, etwas höher werden die Schleifen der sogenannten Schalendrüse sichtbar. Der Enddarm hat sich gestreckt und birgt in seinem vordern Theile einen Kothballen. Das Leibesende ist gablig getheilt.

Fig. 3. Die Larve von *Cyclops tenuicornis* in einem jüngern Stadium, das vierte Fusspaar wird durch ein einfaches Borstenpaar vertreten, die Schleifen der Schalendrüse rücken bis über die Mitte des Körpers herab.

Fig. 4. Die Larve eines marinen *Copepoden* wahrscheinlich von *Ichthyophorba* in seitlicher Lage. Der unterhalb der Augen scharf abgesetzte Schnabel erinnert ebenso wie die mächtig entwickelte Mundkappe an die *Daphniden*, deren Aehnlichkeit durch die schalenförmig abgesetzten Seitentheile des Panzers und die Gestalt des mächtigen, mit Krallen bewaffneten Hinterleibes vergrössert wird. Am dritten Fusspaar tritt der Mandibularfortsatz in kräftiger Entwicklung hervor, auch das vierte Extremitätenpaar mit seinen Quermuskeln ist angelegt.

Fig. 4'. Die vordere Extremität.

Fig. 5. Die *Nauplius*-Larve von *Diaptomus Castor* im vorgeschrittenern Alter mit 7 Extremitätenpaaren. Der Mandibularfortsatz liegt verdeckt. (*Cyclops claviger* O. F. Müller.)

Fig. 6. Der hintere Körpertheil der ältesten *Nauplius*-Larve eines *Cyclops* von der Bauchfläche aus gesehen. Man sieht die Maxillen (*d*), die Anlage der Maxillarfüsse (*e*) und die beiden vordern Schwimmfusspaare (*f*. *g*).

Fig. 7. Aelteste *Nauplius*-Larve eines marinen *Calaniden* mit 7 Schwimmfusspaaren und entwickelter Furca. Vom Nervensystem ist die Gehirnanschwellung sichtbar. Die spätern Kieferfüsse treten schon jetzt als langgestreckte Aeste des fünften Extremitätenpaares hervor. Vergrösserung circa 400fach.

Taf. II.

Fig. 1. Der vordere Theil des Kopfes von *Irenaeus Pattersonii* von der Rückenfläche. Das unpaare gestielte Auge der Bauchfläche schimmert durch den Panzer hindurch.

Fig. 2. Die obern Augen einer Helgoländer nicht näher untersuchten *Pontellide*.

Fig. 3. Auge einer *Thalestris* von der Rückenfläche aus gesehen.

Fig. 4. Auge eines männlichen *Harpactiden*.

Fig. 5. Auge eines *Dactylopus* in seitlicher und dorsaler Sicht.
Fig. 6. Auge von *Thalestris* in seitlicher Lage.
Fig. 7. Auge einer andern *Thalestris* in seitlicher Lage.
Fig. 8. Unteres Auge nebst der linsenförmigen Anschwellung des Schnabels von *Pontellina mediterranea.*
Fig. 9. Die obern Augen derselben Art von der Rückenfläche.
Fig. 10. Eins derselben mit dem hinzutretenden Nerven und der hintern Anschwellung.
Fig. 11. Gehirn und Sehorgan von *Calanops messinensis.*
Fig. 12. *Cirrhipedien*-Larve.
Fig. 13. Larve eines marinen *Copepoden* von Helgoland.
Fig. 14. Larve eines andern marinen *Copepoden* von Helgoland.
Fig. 15. Die Maxillen und Maxillarfüsse der erstern.
Fig. 16. Auge von *Cyclops coronatus* mit muskul. Befestigung.
Fig. 17. Auge mit Cornealinsen von *Cyclops tenuicornis.*

Taf. III.

Fig. 1. Gehirn und Auge von *Dias* in seitlicher Lage.
Fig. 2. Das Auge desselben von oben betrachtet.
Fig. 3, 4. Auge von *Temora.*
Fig. 5. Auge und Gehirn von *Pontella helgolandica* in seitl. Lage.
Fig. 6. Das obere Augenpaar mit nach unten herabbewegtem Pigmentkörper.
Fig. 7. Dasselbe mit nach oben gedrehtem Pigmentkörper.
Fig. 8. Auge von *Pontellina mediterranea* in seitlicher Lage.
Fig. 9. *Cyclops*-Larve in vorgeschrittenem *Nauplius*-Alter.
Fig. 10. Zweites *Cyclops*-Stadium mit drei Schwimmfusspaaren von der Rückenfläche gesehen.
Fig. 11. Erstes *Cyclops*-Stadium mit zwei Schwimmfusspaaren in seitlicher Lage.

Taf. IV.

Fig. 1. Männchen von *Cyclops canthocarpoides.*
Fig. 2. Weibchen derselben Art in entsprechendem Grössenverhältniss.
Fig. 3. Jüngeres Stadium, das letzte Leibessegment hat sich noch zweimal zu gliedern.
Fig. 4. Zweites *Cyclops*-Stadium mit drei Schwimmfusspaaren derselben Art.
Fig. 5. Der vordere Abschnitt des Abdomens eines weiblichen *Cyclops tenuicornis.* Man sieht die Genitalplatte (*l*) über der Geschlechtsöffnung, die Kittdrüse mit ihrem Seitengang und Porus zur Befestigung der Spermatophore.
Fig. 6. Ovarium eines *Cyclops* unter circa 400facher Vergrösserung.
Fig. 6'. Mehrere Keimbläschen mit gemeinsamer Protoplasmaumlagerung.
Fig. 7. Ei mit Keimbläschen vor der Ausbildung der Dottermembran.
Fig. 8. Hoden mit Nebendrüse und *vas deferens* in seitlicher Lage.
Fig. 9. Männlicher Geschlechtsapparat eines *Cyclops* von der Rückenfläche aus.
Fig. 10. Der Antennennerv mit Ganglien und Nervenröhren für die Borsten des Basalgliedes.
Fig. 11. Das 12te Antennenglied von *Cyclops brevicornis* ♀.
Fig. 12. Männliche Antenne von *Cyclops serrulatus.*
Fig. 13. Antenne von *Cyclops brevicornis.*
Fig. 14. Matricalzellen des Panzers von *Cetochilus.*

Taf. V.

Fig. 1—11. *Pleuromma.*
Fig. 1. Die unteren Antennen von *Pleuromma abdominale.*
Fig. 2. Die untern Maxillarfüsse derselben Art.
Fig. 3. Vordertheil der Oberlippe von der untern Fläche aus betrachtet. Man sieht Längs- und Quermuskeln, die Mundöffnung mit ihrem Ringmuskel und den Oesophagus. Die gefensterte Zeichnung entspricht einem Chitinrahmen.
Fig. 4. Der gesammte Mundaufsatz von der vordern Fläche aus. Die beiden kahnförmigen Hälften der Unterlippe lassen die zur Mundöffnung führenden Zahnreihen erkennen.
Fig. 5. Der Mundaufsatz in seitlicher Lage.
Fig. 6. Die weibliche Geschlechtsöffnung mit dem nach dem *receptaculum seminis* führenden Gang.
Fig. 7. Die Bauchhälfte des ersten Abdominalsegmentes eines weiblichen *Pleuromma gracile.* Man sieht das *receptaculum seminis* mit Samen gefüllt, den von ihm nach der Geschlechtsöffnung ausführenden Gang und einen schwarzen Pfropf.
Fig. 8. Spermatophore derselben Art.
Fig. 9. Seitlicher Augenknopf mit Linse.
Fig. 10. Herz mit seinen drei venösen Ostien und der Aorta.
Fig. 11. Dasselbe in seitlicher Lage.
Fig. 12*a*. Hoden von *Euchaeta.*
Fig. 12*b*. Untere Spitze des Ovariums von *Cetochilus longiremis* mit Keimbläschen und Protoplasmaumhüllung.
Fig. 13. Darm, männlicher Geschlechtsapparat und Herz von *Pleuromma abdominale* in natürlicher Lage von der Seite aus betrachtet.
Fig. 14. Männlicher Geschlechtsapparat von der Rückenfläche aus.
Fig. 15. Samenkörper derselben Art.
Fig. 16. Herz und männlicher Geschlechtsapparat von *Calanella.*

Taf. VI.

Fig. 1. Männchen von *Pleuromma abdominale.*
Fig. 2. Abdomen des Weibchens von der Bauchfläche.
Fig. 3. Dasselbe in seitlicher Lage.
Fig. 4. Mandibel mit Taster.
Fig. 5. Maxille.
Fig. 6. Oberer Maxillarfuss.
Fig. 7. Fünfter Fuss des Weibchens.
Fig. 8. Vordere Antenne des Weibchens.
Fig. 9. Rechte Antenne des Männchens.
Fig. 10. Die Greiffüsse des fünften Paares.

Taf. VII.

Fig. 1. Nervensystem von *Copilia*, α Antennennerv, β Augennerv.
Fig. 2. Hautnerv eines *Corycaeiden.*
Fig. 3. Medianes Auge und vorderer Gehirntheil von *Copilia* von der Bauchfläche aus.
Fig. 4. Zweilappige Speicheldrüse unterhalb der Oberlippe, von der Seite betrachtet.
Fig. 5. Darm und Hoden von *Saphirina fulgens.*

Fig. 6. Seitliches Auge mit Muskeln und Augennerv (c) von *Copilia.*
Fig. 7. Augen und vorderer Gehirntheil von *Saphirinella*, α Antennennerv.
Fig. 8. Junges *Calanella*-Weibchen in seitlicher Lage.
Fig. 9. Augen und Gehirn von *Calanella.* Man sieht die Antennennerven (α), die Augennerven und die sich abgrenzenden Nerven der Stirn. *ot.* Otholithenartige Bildung.
Fig. 10. Nerven des ersten Fusspaares derselben Art.
Fig. 11. Die Ganglien des dritten und vierten Brustsegmentes von *Cetochilus* nebst den von ihnen ausgehenden Fussnerven (α) und Zweigen (β) der Bauchmuskeln. *n* Nervenstrang des Abdomens.

Taf. VIII.

Fig. 1. *Vas deferens* und Spermatophorenkapsel von *Saphirinella mediterranea.*
Fig. 2. Weibchen von *Saphirina fulgens* mit einer Gregarine im Magen.
Fig. 3. Auge und Gehirn von *Saphirina fulgens* ♂.
Fig. 4. Dasselbe von *Saphirina fulgens* ♂ (Grössere Varietät oder Art).
Fig. 5. *Saphirina nigromaculata* ♂.
Fig. 6. Dessen Augen und Hoden (*t*).
Fig. 7. Endtheil des *vas deferens* und Spermatophorensack von *Saphirina fulgens.*

Taf. IX.

Fig. 1. Männchen von *Corycaeus germanus*, circa 300fach vergrössert. Man sieht das Nervensystem, das unpaare Auge, den Augennerv, die Drüsen der Oberlippe und den männlichen Geschlechtsapparat.
Fig. 2. Mandibel desselben.
Fig. 3. Maxille (*d*) und oberer Maxillarfuss.
Fig. 4. Oberer Maxillarfuss isolirt.
Fig. 5. Abdomen von *Calanella* ♀. Unter dem Genitalschilde des ersten Segmentes werden die beiden Geschlechtsöffnungen, zu den Seiten die *receptacula seminis* bemerkbar.
Fig. 6. Vorderes Abdominalsegment von *Euchaeta* ♀.
Fig. 7. Dasselbe in einem andern Zustande.
Fig. 8. Abdomen von *Pachysoma* ♀.
Fig. 9. Zange des männlichen Greiffusses von *Euchaeta* zum Festhalten der Spermatophore.
Fig. 10. Nervenstrang von *Calanella.*
Fig. 11. *Calanella* ♂ unter schwacher Vergrösserung. Man sieht die grosse Fettkugel, das Herz mit der sich theilenden Aorta, den Darm und den Hoden.
Fig. 12. Männliche Antenne von *Euchaeta* mit dem sich an den Borsten und zarten Schläuchen verzweigenden Nerven.

Taf. X.

Fig. 1. *Cyclops coronatus* Cls. ♀ von der Rückenfläche aus betrachtet. Man sieht die beiden Antennen der linken Seite, das Auge mit seinen Krystallkörpern, den Darmcanal, die Antennen und Rückenmuskeln, endlich die beiden dunkelfarbigen Eiersäckchen, die in gleicher Richtung mit dem Abdomen zum Theil auf der Bauchfläche desselben getragen werden.

Fig. 2. Mandibel mit dem mehrborstigen Taster
Fig. 3. Maxille mit dem zweiästigen Tasterstummel
Fig. 4. Die beiden Maxillarfüsse
} von *Cyclops.*

Fig. 5. Die männliche Antenne von *Cyclops spinulosus* n. sp.
Fig. 5'. Das rudimentäre Füsschen derselben Art.

Fig. 6. Die vordere Antenne
Fig. 7. Das rudimentäre Füsschen
Fig. 8. Das letzte Abdominalsegment nebst Furca
} von *Cyclops minutus* n. sp.

Fig. 9. *Cyclopina gracilis* n. sp. vom Rücken aus betrachtet, ♀ mit Eiersäckchen.

Fig. 10. Die vordern Antennen
Fig. 11. Die untern Antennen
Fig. 12. Die Mandibeln mit ihrem Palpus
Fig. 13. Die Maxillen nebst Taster
Fig. 14. Die obern oder äussern Maxillarfüsse
Fig. 15. Die untern oder innern Maxillarfüsse
} derselben Art.

Fig. 16. Antenne eines *Harpactiden*-ähnlichen Schmarotzerkrebses.

Taf. XI.

Fig. 1. *Cyclops elongatus* n. sp. ♀, vom Rücken aus gesehen.
Fig. 2. Rudimentäres Füsschen derselben Art.
Fig. 3. *Cyclops serrulatus.*
Fig. 4—9. *Oithona spinirostris.*
Fig. 4'. Ei in der Furchung bei mittlerer Einstellung.
Fig. 5. Mandibularpalpus.
Fig. 6. Maxille.

Fig. 7. Oberer äusserer
Fig. 8. Unterer innerer
} Maxillarfuss.

Fig. 9. Die zweite Antenne.
Fig. 10. Abdomen des Männchens von *Oithona helgolandica.*

Fig. 11. Männliche Antenne
Fig. 12. Die hintere Antenne
} derselben Art.

Fig. 13. Furca mit den Schwanzborsten von *Cyclops spinulosus.*

Taf. XII.

Fig. 1—3. Männchen von *Canthocamptus minutus.*
Fig. 1. Der ganze Körper vom Rücken aus betrachtet unter 300facher Vergr.
Fig. 2. Die vordere Antenne.
Fig. 3. Der rudimentäre Fuss.
Fig. 4—14. *Canthocamptus staphylinus.*
Fig. 4. Männchen unter circa 350facher Vergrösserung in seitlicher Lage. Man sieht den männlichen Geschlechtsapparat in vollständiger Ausbildung, den Hoden, den Samenleiter mit seinen mehrfachen, fast die ganze Länge des Körpers erfüllenden Windungen, die Spermatophore in drei verschiedenen Stadien der Entwicklung.
Fig. 5. Die hintere Antenne.
Fig. 6. Schwimmfuss des ersten Paares.
Fig. 7. Schwimmfuss des dritten Paares (♂).

Fig. 8. Mandibel mit ihrem Palpus.
Fig. 9. Maxille.
Fig. 10. Oberer Maxillarfuss.
Fig. 11. Unterer Maxillarfuss.
Fig. 12. Letzter Fuss des Weibchens.
Fig. 13. Die vordere Partie eines weiblichen Abdomens.
Fig. 14. Dieselbe mit einer Spermatophore und dem letzten Thoracalsegmente.
Fig. 15. *Monstrilla helgolandica.*

Taf. XIII.

Fig. 1. *Canthocamptus minutus* ♀, in seitlicher Lage etwa 350fach vergrössert.
Fig. 2. *Canthocamptus staphylinus* mit Eiersäckchen und Spermatophore unter circa 220facher Vergrösserung.
Fig. 3. Jugendzustand von *C. staphylinus* mit drei Fusspaaren.
Fig. 4. Letzte *Nauplius*-Form desselben.
Fig. 5—8. *Canthocamptus rostratus.*
Fig. 5. Männliche Antenne.
Fig. 6. Innerer Ast des ersten Fusspaares mit seiner Biegung.
Fig. 7. Die beiden Aeste desselben.
Fig. 8. Schnabel.
Fig. 9. Letztes Thoracalsegment und vorderer Abdominalabschnitt von *Monstrilla helgolandica.*

Taf. XIV.

Fig. 1—13. *Euterpe gracilis.*
Fig. 1. Weibchen in seitlicher Ansicht.
Fig. 2. Die obern Antennen.
Fig. 3. Die untern Antennen.
Fig. 4. Die Mandibeln mit ihrem Taster.
Fig. 5. Die Maxillen mit ihrem Taster.
Fig. 6. Innerer und äusserer Maxillarfuss, letzterer nach innen umgeschlagen.
Fig. 7. Aeusserer Maxillarfuss.
Fig. 8. Erster } Fuss des Weibchens.
Fig. 9. Letzter } Fuss des Weibchens.
Fig. 10. Männchen in seitlicher Lage unter stärkerer Vergrösserung als Fig. 1.
Fig. 11. Dessen untere Antenne.
Fig. 12. Erster Fuss desselben.
Fig. 13. Letzter Brust- und erster Bauchring des Männchen mit aufliegendem fünften Fusspaar.
Fig. 14—24. *Longipedia coronata.*
Fig. 14. Weibchen mit Eiersäckchen in seitlicher Lage.
Fig. 15. Vordere Antenne des Weibchens.
Fig. 16. Hintere Antenne.
Fig. 17. Mandibel mit Taster.
Fig. 18. Maxille mit Taster.
Fig. 19. Oberer Maxillarfuss.
Fig. 20. Unterer Maxillarfuss.

Fig. 21. Erster } Schwimmfuss.
Fig. 22. Zweiter } Schwimmfuss.
Fig. 23. Dritter } Schwimmfuss.
Fig. 24. Letzter Fuss des Weibchens mit dem Greifhaken.

Taf. XV.

Fig. 1—6. *Tisbe ensiformis.*
Fig. 1. Weibchen vom Rücken aus gesehen, das unpaare Eiersäckchen wird in seinem mittlern Theil vom Abdomen bedeckt.
Fig. 2. Hintere Antenne.
Fig. 3. Mandibel mit Taster.
Fig. 4. Die Gruppe der Mundtheile.
Fig. 5. Erstes Fusspaar; der lange zweigliedrige Ast ist der innere.
Fig. 6. Die beiden vordern Abdominalsegmente des Weibchens von der Bauchfläche aus betrachtet.
Fig. 7—10. Die Messinesische Varietät oder Art (?).
Fig. 7. Die Antenne mit viel längerm Anhang.
Fig. 8. Der fünfte Fuss und die Genitalklappe des Männchens.
Fig. 9. Fünfter Fuss des Weibchens.
Fig. 10. Auge.
Fig. 11. Marine Vorticelline } von Messina als Parasit von *Tisbe*.
Fig. 12. Acinetenartiges Thier } von Messina als Parasit von *Tisbe*.
Fig. 13—20. *Cleta serrata.*
Fig. 13. Ein Weibchen dieser Thierform in seitlicher Lage.
Fig. 14. Mandibel.
Fig. 15. Maxille.
Fig. 16. Oberer Maxillarfuss.
Fig. 17. Unterer Maxillarfuss.
Fig. 18. Fuss des ersten Thoracalsegmentes.
Fig. 19. Fuss eines der drei nachfolgenden Segmente.
Fig. 20. Letzter Fuss.
Fig. 21—25. *Cleta lamellifera.*
Fig. 21. Die männliche Antenne.
Fig. 22. Fuss des ersten Thoracalsegmentes.
Fig. 23. Unterer Kieferfuss.
Fig. 24. Furcalplatte.
Fig. 25. Körper des Männchens in seitlicher Lage.

Taf. XVI.

Fig. 1—13. *Dactylopus Strömii.*
Fig. 1. Weibchen desselben in seitlicher Lage.
Fig. 2. Larve.
Fig. 3. Untere Antennen mit ihrem dünnen gestreckten dreigliedrigen Nebenaste
Fig. 4. Oberlippe.
Fig. 5. Mandibel, α Stamm des Tasters, β vorderer, γ hinterer Ast.
Fig. 6. Maxille.
Fig. 7. Oberer Kieferfuss.

Fig. 8. Unterer Kieferfuss.
Fig. 9. Fuss des ersten Brustsegmentes.
Fig. 10. Letzter Fuss des Weibchens.
Fig. 11. Spermatophore.
Fig. 12. Männliche Antenne.
Fig. 13. Letzter Fuss des Männchens.
Fig. 14—15. *Dactylopus minutus.*
Fig. 14. Furca } desselben.
Fig. 15. Antenne } desselben.
Fig. 16. Obere Hälfte der Antenne von *Dactylopus porrectus* unter sehr starker Vergrösserung.
Fig. 17—23. *Dactylopus tenuicornis.*
Fig. 17. Die obere weibliche Antenne.
Fig. 18. Mandibularpalpus.
Fig. 19. Maxille mit Palpus.
Fig. 20. Oberer Maxillarfuss.
Fig. 21. Unterer Maxillarfuss.
Fig. 22. Fuss des ersten Brustsegmentes.
Fig. 23. Letzter Fuss des Weibchens.
Fig. 24—28. *Dactylopus tisboides.*
Fig. 24. Vordere Antenne.
Fig. 25. Innerer Ast des ersten Fusspaares.
Fig. 26. Mandibel mit Palpus.
Fig. 27. Unterer Maxillarfuss.
Fig. 28. Letzter Fuss des Weibchens.

Taf. XVII.

Fig. 1—2. *Dactylopus nicaeenses.*
Fig. 1. Obere Antenne.
Fig. 2. Fuss des ersten Brustsegmentes.
Fig. 3. *Dactylopus pygmaeus.* Antennen des ersten Paares.
Fig. 4—6. *Dactylopus longirostris.*
Fig. 4. Vordere Antenne.
Fig. 5. Unterer Maxillarfuss.
Fig. 6. Fuss des ersten Brustsegmentes.
Fig. 7—11. *Thalestris forficula.*
Fig. 7. Die vordere achtgliedrige Antenne.
Fig. 8. Furca mit den panzerförmig gebogenen Endborsten.
Fig. 9. Männliche Antenne.
Fig. 10. Fuss des ersten Thoracalsegmentes.
Fig. 11. Untere Partie des vordern Bauchsegmentes. Porus, Canal und *receptaculum seminis.*
Fig. 12—21. *Thalestris helgolandica.*
Fig. 12. Weibchen von der Seite gesehen.
Fig. 13. Vordere Antenne.
Fig. 14. Hintere Antene.
Fig. 15. Mandibel mit Taster.
Fig. 16. Maxille.
Fig. 17. Vorderer Maxillarfuss.

Fig. 18. Hinterer Maxillarfuss.
Fig. 19. Fuss des ersten Brustsegmentes.
Fig. 20. Furca.
Fig. 21. Aeusseres Glied } des letzten Fusses.
Fig. 21'. Basalglied mit seinem äussern umgebogenen Zipfel } des letzten Fusses.

Taf. XVIII.

Fig. 1—11. *Thalestris longimana.*
Fig. 1. Weibchen in seitlicher Lage.
Fig. 2. Dasselbe von der Rückenfläche aus gesehen.
Fig. 3. Furca mit den Endborsten und letztes Abdominalsegment.
Fig. 4. Obere Antenne.
Fig. 5. Untere Antenne.
Fig. 6. Mandibel mit Taster.
Fig. 7. Maxille.
Fig. 8. Vorderer Maxillarfuss.
Fig. 9. Unterer Maxillarfuss.
Fig. 10. Fuss des ersten Brustsegmentes.
Fig. 11. Hinterer Fuss des Weibchens.
Fig. 12—16. *Thalestris Mysis.*
Fig. 12. Weibchen mit Eiersack von der concaven Fussplatte bedeckt.
Fig. 13. Fuss des fünften Paares isolirt.
Fig. 14. Fuss des ersten Brustsegmentes.
Fig. 15. Mandibel mit Palpus.
Fig. 16. Spermatophore.
Fig. 17—23. *Thalestris robusta.* (Violett bis braungefärbte Art).
Fig. 17. Mandibel mit Palpus.
Fig. 18. Maxille.
Fig. 19. Oberer Maxillarfuss.
Fig. 20. Unterer Maxillarfuss.
Fig. 21. Fuss des ersten Brustringes.
Fig. 22. Letzter Fuss des Weibchens.
Fig. 23. Dessen kleinere äussere Platte.

Taf. XIX.

Fig. 1. *Thalestris robusta.* Vordere Antenne.
Fig. 2—11. *Thalestris harpactoides.*
Fig. 2. Weibchen von der Seite gesehen.
Fig. 3. Dritter Fuss des Männchens.
Fig. 4. Fuss des ersten Brustringes.
Fig. 5. Männliche Antenne des ersten Paares.
Fig. 6. Untere Antenne.
Fig. 7. Mandibel mit Palpus.
Fig. 8. Maxillartaster.
Fig. 9. Vorderer Maxillarfuss.
Fig. 10. Unterer Maxillarfuss.

Fig. 11. Hinteres Fusspaar des Männchens.
Fig. 12—19. *Harpacticus chelifer.*
Fig. 12. Vordere Antenne.
Fig. 13. Hintere Antenne.
Fig. 14. Mandibulartaster.
Fig. 15. Maxille.
Fig. 16. Vorderer Maxillarfuss.
Fig. 17. Hinterer Maxillarfuss.
Fig. 18. Fuss des ersten Brustringes.
Fig. 19. Hinterer Fuss des Männchens.
Fig. 20. *Harpacticus gracilis.* Die vordere Antenne.

Taf. XX.

Fig. 1—9. *Amymone sphaerica.* (Form von Helgoland).
Fig. 1. Weibchen circa 350fach vergrössert in seitlicher Lage.
Fig. 2. Mandibel.
Fig. 3. Maxille.
Fig. 4. Oberer Maxillarfuss.
Fig. 5. Unterer Maxillarfuss.
Fig. 6. Fuss des ersten Brustsegmentes.
Fig. 7. Fünfter Fuss des Weibchens.
Fig. 8. Männchen derselben Art (der hintere Fuss ist nicht gezeichnet).
Fig. 9. Männchen derselben Art von Neapel unter schwächerer Vergrösserung.
Fig. 10 u. 11. *Amymone harpactoides.*
Fig. 10. Weibchen in seitlicher Lage mit ausgestrecktem Abdomen.
Fig. 11. Unterer Maxillarfuss desselben.
Fig. 12. Letzter Fuss von *Amymone neapolitana.*
Fig. 13 u. 14. *Amymone longimana.*

Taf. XXI.

Fig. 1—9. *Westwoodia nobilis.*
Fig. 1. Männchen in seitlicher Ansicht.
Fig. 2. Männliche Antenne.
Fig. 3. Untere Antenne.
Fig. 4. Mandibel mit Palpus.
Fig. 5. Maxille, die Lade endet mit einer Klaue.
Fig. 6. Oberer Maxillarfuss mit einem spitzen Haken.
Fig. 7. Unterer Maxillarfuss.
Fig. 8. Fuss des ersten Brustringes.
Fig. 8'. Fuss des zweiten Brustringes.
Fig. 9. Furcalglied mit Schwanzborsten.
Fig. 10—14. *Westwoodia minuta.*
Fig. 10. Männchen von der Seite gesehen.
Fig. 11. Männliche Antenne.
Fig. 12. Erster Fuss.
Fig. 13. Zweiter Fuss.

Fig. 14. Letzter Fuss.
Fig. 15. *Setella messinensis.* Weibchen in seitlicher Ansicht.
Fig. 16. Deren beide Kieferfüsse.

Taf. XXII.

Fig. 1—5. *Porcellidium.*
Fig. 1. *Porcellidium fimbriatum* ♀ vom Rücken aus gesehen, circa 200fach vergrössert.
Fig. 2. Oberkiefer mit Taster
Fig. 3. Maxillen mit Taster
Fig. 4. Die beiden männlichen Antennen mit dem Stirnrande
Fig. 5. Ein Stück des Panzers vom Cephalothorax
} von *Porc. dentatum.*
α Oberer Chitinsaum, β untere incrustirte Lage.
Fig. 6—9. *Oniscidium armatum.*
Fig. 6. Mandibulartaster.
Fig. 7. Maxillen nebst Taster.
Fig. 8. Oberer Maxillarfuss.
Fig. 9. Unterer Maxillarfuss.
Fig. 10—17. *Alteutha bopyroides.*
Fig. 10. Männchen von der Bauchfläche aus gesehen, circa 180fach vergrössert.
Fig. 11. Mandibeln nebst Taster.
Fig. 12. Maxillen nebst Taster.
Fig. 13. Oberer Maxillarfuss.
Fig. 14. Unterer Maxillarfuss.
Fig. 15. Letzter Thoracalfuss.
Fig. 16. Seitentheil des ersten Abdominalsegmentes. ♂.
Fig. 17. Ein Stück Panzer vom Cephalothorax unter circa 400facher Vergrösserung.
Fig. 18. *Zaus ovalis.* Panzerstück unter 400facher Vergrösserung.
Fig. 19—24. *Eupelte.*
Fig. 19. Schnabel
Fig. 20. Unterer Maxillarfuss
Fig. 21. Erstes Fusspaar
Fig. 22. Letztes Fusspaar.
} von *Eup. oblonga.*
Fig. 23. Schnabel von *Eup. bicornis.*
Fig. 24. β Antennenspitze derselben Art, α von *Alt. bopyroides.*
Fig. 25. *Zaus spinosus* ♀ von der Bauchfläche aus gesehen, circa 350mal vergrössert.

Taf. XXIII.

Fig. 1—10. *Zaus spinosus.*
Fig. 1. ♂ und ♀ in der Begattung oder richtiger vor der Begattung. Das Männchen trägt beide Spermatophoren in dem Endtheil des Geschlechtsapparates, das Weibchen aber ist noch jungfräulich und steht vor der letzten Häutung, nach deren Ablauf es erst befruchtet wird, circa 200fach vergrössert.
Fig. 2. Mandibeln mit Taster.
Fig. 3. Maxillen mit Taster.
Fig. 4. Oberer Maxillarfuss.
Fig. 5. Unterer Maxillarfuss ohne den kurzen Träger.

Fig. 6. Erstes Fusspaar.
Fig. 7. Endtheil des äussern Astes dieser Extremität.
Fig. 8. Eine Klaue mit quergeripptem hautartigem Randsaume.
Fig. 9. Fünftes Fusspaar ♀.
Fig. 10. Die beiden vordern Abdominalsegmente mit den zwei ♀ Geschlechtsöffnungen.
Fig. 11—18. *Zaus ovalis.*
Fig. 11. ♂ dieser Art fast 200fach vergrössert, mit umgelegtem Schnabel.
Fig. 12. ♀ etwa 90—100fach vergrössert, mit aufgerichtetem Schnabel.
Fig. 13. Mandibeln ♀.
Fig. 14. Maxille ♀.
Fig. 15. Unterer Maxillarfuss ♂.
Fig. 16. Erstes Fusspaar ♂.
Fig. 17. Vordere Antenne ♀.
Fig. 18. Auge ♂.

Taf. XXIV.

Fig. 1. Weibchen eines *Corycaeus* von Messina, noch nicht vollständig geschlechtsreif.
Fig. 2. Abdomen eines sehr ähnlichen jungen *Corycaeus*-Weibchens mit längerer Furca.
Fig. 3. *Corycaeus elongatus*, Weibchen mit Kittdrüse und angeklebten Spermatophoren.
Fig. 4. Abdomen des Männchens mit abstehenden Genitalklappen.
Fig. 5. Klammerantennen von *Corycaeus germanus* ♀.
Fig. 6. Unterer Kieferfuss derselben weiblichen Form.
Fig. 7. *Corycaeus furcifer* ♂ von der Rückenfläche gesehen.
Fig. 8. Abdomen desselben mit den beiden Spermatophorentaschen und den Genitalklappen stärker vergrössert.
Fig. 9. Vordere Antenne.
Fig. 10. Klammerantennen des Männchens.
Fig. 11. Klammerantennen des Weibchens.
Fig. 12. Dessen unterer Kieferfuss.

Taf. XXV.

Fig. 1. *Lubbockia* ♀ von der Bauchfläche betrachtet. Das Eiersäckchen verdeckt das Abdomen.
Fig. 2. Abdomen desselben.
Fig. 3. Klammerantenne.
Fig. 4. Mandibel und Maxille (*d*).
Fig. 5. Vorderer Maxillarfuss.
Fig. 6. *Pachysoma punctata* ♂. Das erste Abdominalsegment besitzt rudimentäre Fusshöcker. Man sieht den weiten Magensack und die Samenleiter nebst Spermatophorentaschen.
Fig. 7. Vorderer Theil des Gehirnes, Augennerv und Stirnnerven.
Fig. 8. Die Klammerantenne.
Fig. 9. Mandibel (*c*) und Maxille (*d*).
Fig. 10. Oberer Theil des vordern Kieferfusses.
Fig. 11. Unterer Maxillarfuss.
Fig. 12. *Saphirinella mediterranea*, Männchen unter schwacher Vergrösserung.
Fig. 12'. Fettkugel in Bindesubstanz.

Fig. 13. *Saphirina pachygaster*, noch nicht vollständig entwickeltes Weibchen.
Fig. 14. *Copilia denticulata* unter schwacher Vergrösserung.
Fig. 15. Linker Oberkiefer (*c*), rechter Unterkiefer (*d*) und Kieferfuss (*e*) unter der tief ausgeschnittenen Oberlippe.
Fig. 16. Maxille.
Fig. 17. Oberer Kieferfuss.
Fig. 18. Unterer Kieferfuss.
Fig. 19. Klammerantenne des Weibchens.
Fig. 20. Klammerantenne des Männchens.

Taf. XXVI.

Fig. 1. *Cetochilus longiremis* ♀ unter schwacher Lupenvergrösserung.
Fig. 2. Die männliche Antenne von *Cetochilus helgolandicus.*
Fig. 3. Hintere Antenne desselben.
Fig. 4. Mandibel mit Taster.
Fig. 5. Maxille.
Fig. 6. Die letzten Brustringe und der Hinterleib des Männchens.
Fig. 7. Unterer Maxillarfuss.
Fig. 8. Fünftes Fusspaar des Weibchens.
Fig. 9. Fünftes Fusspaar des Männchens.
Fig. 10—12. *Calanus parvus.*
Fig. 10. Die hintere Antenne.
Fig. 11. Die Maxille.
Fig. 12. Der untere Maxillarfuss.
Fig. 13. Ein Schwimmfuss.
Fig. 14. Die beiden Geschlechtsöffnungen mit seitlichen Poren zum Einführen der Spermatozoen in die *receptacula*. S. Spermatophore.
Fig. 15. *Calanus plumulosus* ♀ fünfter Fuss.
Fig. 16. Die vordere Antenne derselben Art.

Taf. XXVII.

Fig. 1. Die vordere Antenne von *Calanus parvus.*
Fig. 2. *Monostomum* aus der Leibeshöhle desselben (frei).
Fig. 3. Fünftes Fusspaar des Weibchens.
Fig. 4. Fünftes Fusspaar des Männchens.
Fig. 5. *Calanus mastigophorus* ♀ in seitlicher Lage mit einer grossen ventralen Fettkugel, stark vergrössert.
Fig. 6. Abdomen desselben von der Bauchfläche gesehen.
Fig. 7. Die beiden *receptacula* mit ihrem Verbindungscanal. Die Geschlechtsöffnungen sind sichtbar, ebenso die Poren mit dem Ende zweier Spermatophoren (?).
Fig. 8. Fünftes Fusspaar desselben *Calanus* ♀.
Fig. 9—18. *Candace.*
Fig. 9. Mandibel von *C. bispinosa.*
Fig. 10. Taster desselben.
Fig. 11. Hintere Antenne.
Fig. 12. Maxille.

Fig. 13 Oberer Maxillarfuss.
Fig. 14. Unterer und innerer Maxillarfuss.
Fig. 15. Das fünfte Fusspaar des Weibchens.
Fig. 16. Das fünfte Fusspaar des Männchens.
Fig. 17. Fünftes Fusspaar des Männchens von *C. longimana.*
Fig. 18. Abdomen eines Weibchens.

Taf. XXVIII.

Fig. 1—4. *Corycaeus germanus.*
Fig. 1. Antenne des ersten Paares.
Fig. 2. Hintere Antenne des Männchens.
Fig. 3. Unterer Maxillarfuss des Männchens.
Fig. 4. Drittes und viertes Fusspaar.
Fig. 5. Weibchen von *Corycaeus rostratus* in seitlicher Lage.
Fig. 6—11. *Calanella mediterranea.*
Fig. 6. Zweite Antenne.
Fig. 7. Mundaufsatz mit der Mandibel zwischen Ober- und Unterlippe.
Fig. 8. Maxille.
Fig. 9. Unterer Maxillarfuss.
Fig. 10. Der linke fünfte Fuss des Männchens.
Fig. 11. Der rechte fünfte Fuss des Männchens.
Fig. 12. Zweite Antenne von *Hemicalanus plumosus.*

Taf. XXIX.

Fig. 1. *Hemicalanus longicornis* von der Bauchfläche aus.
Fig. 2. Stirn, Schnabel (*R*) und Magensack von *H. mucronatus.*
Fig. 3. Schwanzende von *H. longicaudatus.*
Fig. 4. Männlicher Geschlechtsapparat von *H. plumosus.*
Fig. 5. Fünftes männliches Fusspaar derselben Art.
Fig. 6. Mandibel nebst Taster.
Fig. 7. Maxille.

Taf. XXX.

Fig. 1—7. *Antaria mediterranea.*
Fig. 1. Körper des Weibchens in seitlicher Lage.
Fig. 2. Oberlippe.
Fig. 3. Untere Antennen.
Fig. 4. Mandibel.
Fig. 5. Maxille.
Fig. 6. Die beiden Maxillarfüsse.
Fig. 7. Letztes Brustsegment und Abdomen des Männchens.
Fig. 8—17. *Euchaeta Praestandreae.*
Fig. 8. Das Weibchen mit einem Eiersäckchen.
Fig. 9. Das Männchen eine Spermatophore tragend.
Fig. 10. Zweite Antenne.
Fig. 11. Mandibel.

Fig. 12. Maxille.
Fig. 13. Oberer Maxillarfuss. (α) Basalabschnitt, (β) mediane Glieder, (γ) Zahnabschnitt, (δ ε Endabschnitt.
Fig. 14. Unterer Maxillarfuss.
Fig. 15. Rechter Fuss des Männchens.
Fig. 16. Linker Fuss des Männchens.
Fig. 17. Höcker des Panzers sehr stark vergrössert.

Taf. XXXI.

Fig. 1—7. *Phaënna spinifera.*
Fig. 1. Das Weibchen von der Rückenfläche betrachtet, schwach vergrössert.
Fig. 2. Abdomen des Männchens.
Fig. 3. Die untere Antenne.
Fig. 4. Mandibel ohne Taster.
Fig. 5. Maxille.
Fig. 6. Der untere Maxillarfuss.
Fig. 7. Die Füsse des fünften Paares.
Fig. 8—18. *Undina messinensis.*
Fig. 8. Männchen von der Rückenfläche aus.
Fig. 9. Abdomen des Weibchens.
Fig. 10. Antenne des zweiten Paares.
Fig. 11. Maxille.
Fig. 12. Oberer Maxillarfuss.
Fig. 13. Unterer Maxillarfuss.
Fig. 14. Weibliche Geschlechtsöffnung in seitlicher Lage.
Fig. 15. Dieselbe von der vordern Fläche.
Fig. 16. Fünftes Fusspaar des Männchens.
Fig. 17. Frontales Sinnesorgan mit Nerven und Ganglien.
Fig. 18. Fünftes Fusspaar eines jungen *Euchaeta*-Männchens.

Taf. XXXII.

Fig. 1. *Leuckartia flavicornis.* Männchen in seitlicher Lage. Man sieht den Greifarm der linken Seite.
Fig. 2. Maxille.
Fig. 3. Oberer Maxillarfuss.
Fig. 4. Unterer Maxillarfuss.
Fig. 5. Fünfter Fuss des Weibchens.
Fig. 6. Fünftes Fusspaar des Männchens.
Fig. 7. *Leuckartia*-Weibchen.
Fig. 8. Abdomen von *Heterochaeta spinifrons* ♀.
Fig. 9. Samenbehälter überdeckt von dem Genitalschilde.
Fig. 10. Endtheil der linken männlichen Antenne von *H. papilligera.*
Fig. 11. Maxille.
Fig. 12. Aeusserer Maxillarfuss.
Fig. 13. Unterer innerer Kieferfuss.
Fig. 14. Das Basalglied desselben von *H. spinifrons.*

Fig. 15. Fünfter Fuss des Männchens von *H. papilligera.*
Fig. 16. Schnabel von *H. spinifrons.*

Taf. XXXIII.

Fig. 1. *Candace melanopus* ♀ in der Rückenansicht unter schwacher Vergrösserung.
Fig. 2. Abdomen des Männchens.
Fig. 3. Abdomen des Weibchens.
Fig. 4. Weibliche Antenne von *Candace longimana.*
Fig. 5. Männliche Antenne von *Candace bispinosa.*
Fig. 6. *Dias longiremis* ♀ in seitlicher Lage sehr stark, circa 350 fach vergrössert.
Fig. 7. Linke Antenne des Männchens.
Fig. 8. Rechte Antenne desselben
Fig. 9. Antenne des Weibchens.
Fig. 10. Antenne des zweiten Paares.
Fig. 11. Maxillartaster.
Fig. 12. Maxille.
Fig. 13. Unterer Maxillarfuss.
Fig. 14. Das fünfte Fusspaar des Männchens, (α) rechter, (β) linker Fuss.

Taf. XXXIV.

Fig. 1. *Temora finmarchica* ♂ stark vergrössert von der Rückenfläche.
Fig. 2. Das Weibchen desselben in seitlicher Lage.
Fig. 3. Genitalöffnung von der vordern Fläche.
Fig. 4. Auge, Gehirn und Magen mit den seitlichen Lebersäckchen.
Fig. 5. Die hintere Antenne.
Fig. 6. Mandibularbezahnung.
Fig. 6′. Mandibulartaster.
Fig. 7. Maxille.
Fig. 8. Vorderer Maxillarfuss.
Fig. 9. Maxillarfuss.
Fig. 10. Schwimmfuss.
Fig. 11. Fünftes Fusspaar des Männchens.
Fig. 12. Furca und Schwanzborsten von *Temora armata.*
Fig. 13. Bewaffnung des untern Thoracalsegmentes derselben Art.

Taf. XXXV.

Fig. 1. *Ichthyophorba denticornis* ♀ von der Rückenfläche gesehen.
Fig. 2. Rechte männliche Antenne von *Icht. angustata.*
Fig. 3. Rechte männliche Antenne von *Icht. denticornis.*
Fig. 4. Vorderer Abdominalabschnitt des Weibchens mit den Geschlechtsöffnungen.
Fig. 5. Antenne des zweiten Paares.
Fig. 6. Mandibel mit Taster.
Fig. 7. Maxille.
Fig. 8. Unterer Maxillarfuss.
Fig. 9. Fünftes Fusspaar des Männchens, (α) Fuss der rechten Seite.
Fig. 10. Dasselbe von *Icht. angustata.*
Fig. 11. Oberer Maxillarfuss derselben Art.

Fig. 12. Abdomen des Männchens stark vergrössert.
Fig. 13. Zange des rechten fünften Fusses von *Icht. violacea* ♂.
Fig. 14. Ende des äussern Astes vom linken Fusse.
Fig. 15. Mandibularzähne von *Diaptomus Castor*.
Fig. 16. Weibliche Geschlechtsöffnungen desselben.

Taf. XXXVI.

Fig. 1—10. *Pontella helgolandica*.
Fig. 1. Männliche Antenne der rechten Seite.
Fig. 2. Männliche Antenne der linken Seite.
Fig. 3. Antenne des zweiten Paares.
Fig. 4. Mandibel.
Fig. 4'. Mandibulartaster.
Fig. 5. Maxille.
Fig. 6. Vorderer Maxillarfuss.
Fig. 7. Unterer Maxillarfuss.
Fig. 8. Linker Fuss des Männchens.
Fig. 9. Rechter Fuss des Männchens.
Fig. 10. Abdomen des Männchens.
Fig. 11. *Pontellina mediterranea*. Obere Hälfte der rechten männlichen Antenne.
Fig. 12. Fünftes Fusspaar des Männchens.
Fig. 13—16. *Calanops messinensis*.
Fig. 13. Obere Hälfte der rechten männlichen Antenne.
Fig. 14. Mandibularbezahnung.
Fig. 15. Mandibel.
Fig. 16. Unterer Maxillarfuss.

Taf. XXXVII.

Fig. 1—6. *Irenaeus Patersonii* ♂.
Fig. 1. Männchen von der Bauchfläche gesehen.
Fig. 2. Rechte männliche Antenne.
Fig. 3. Maxille.
Fig. 4. Unterer Maxillarfuss.
Fig. 5. Fünftes Fusspaar des Männchens.
Fig. 6. Fünfter Fuss des Weibchens.
Fig. 7. *Pontella helgolandica* ♀. Fünfter Fuss.
Fig. 8. *Pontellina gigantea* ♀.
Fig. 9. Der fünfte Fuss des Weibchens.
Fig. 10. *Calanops messinensis* ♂. Fünftes Fusspaar.
Fig. 11. Vordere Antenne von *Pontellina gigantea* ♀.
Fig. 12. Mandibularbezahnung derselben.

Druckfehler.

Seite 5, letzte Zeile lies so statt 50.
Seite 6, Zeile 12 v. u. lies *Cls.* statt *Cis.*
Seite 190 hinter *C. longimana* folgt n. sp.

Druck von Breitkopf und Härtel in Leipzig.

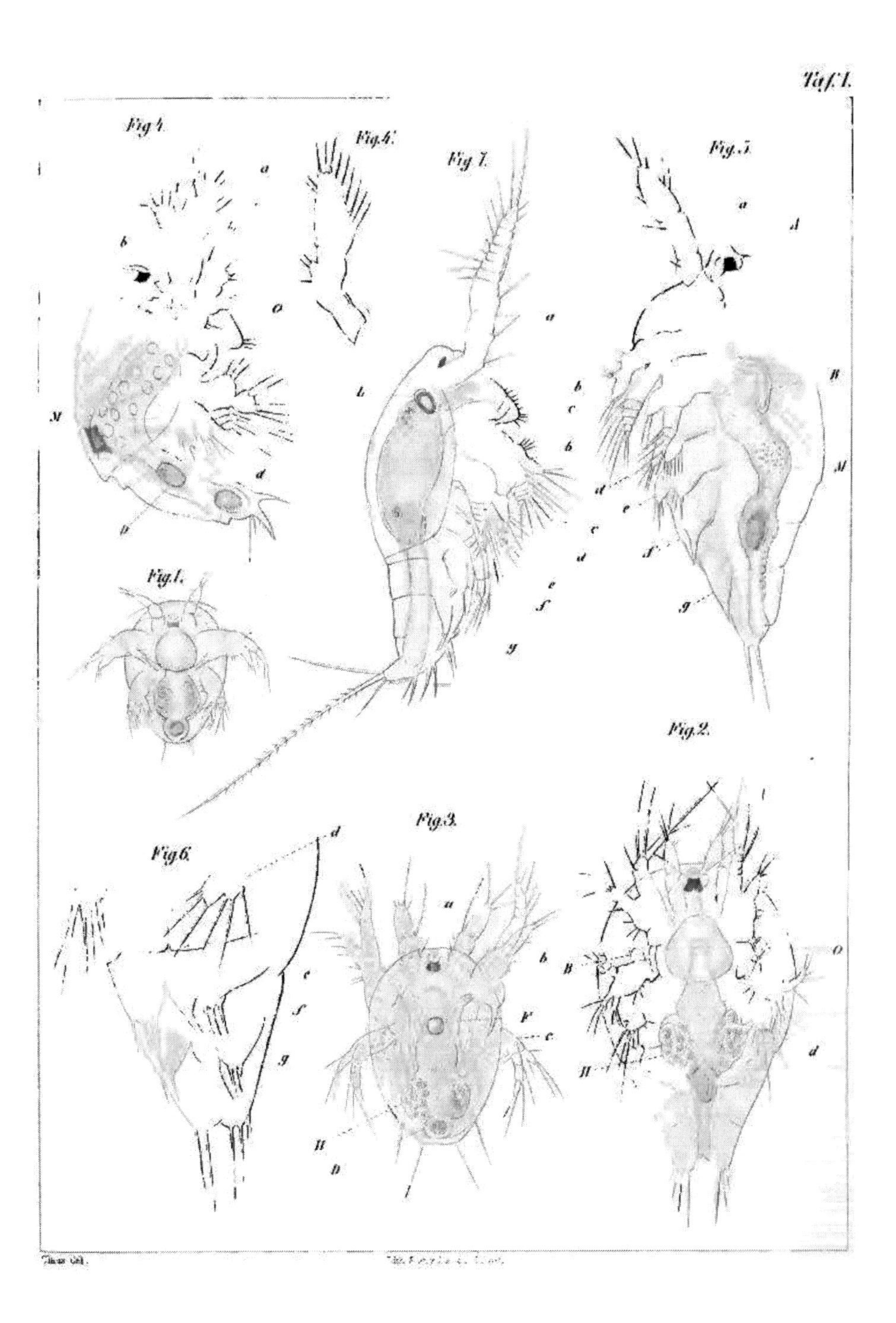
Taf. I.
Fig. 4.
Fig. 4'.
Fig. 7.
Fig. 5.
Fig. 1.
Fig. 2.
Fig. 3.
Fig. 6.

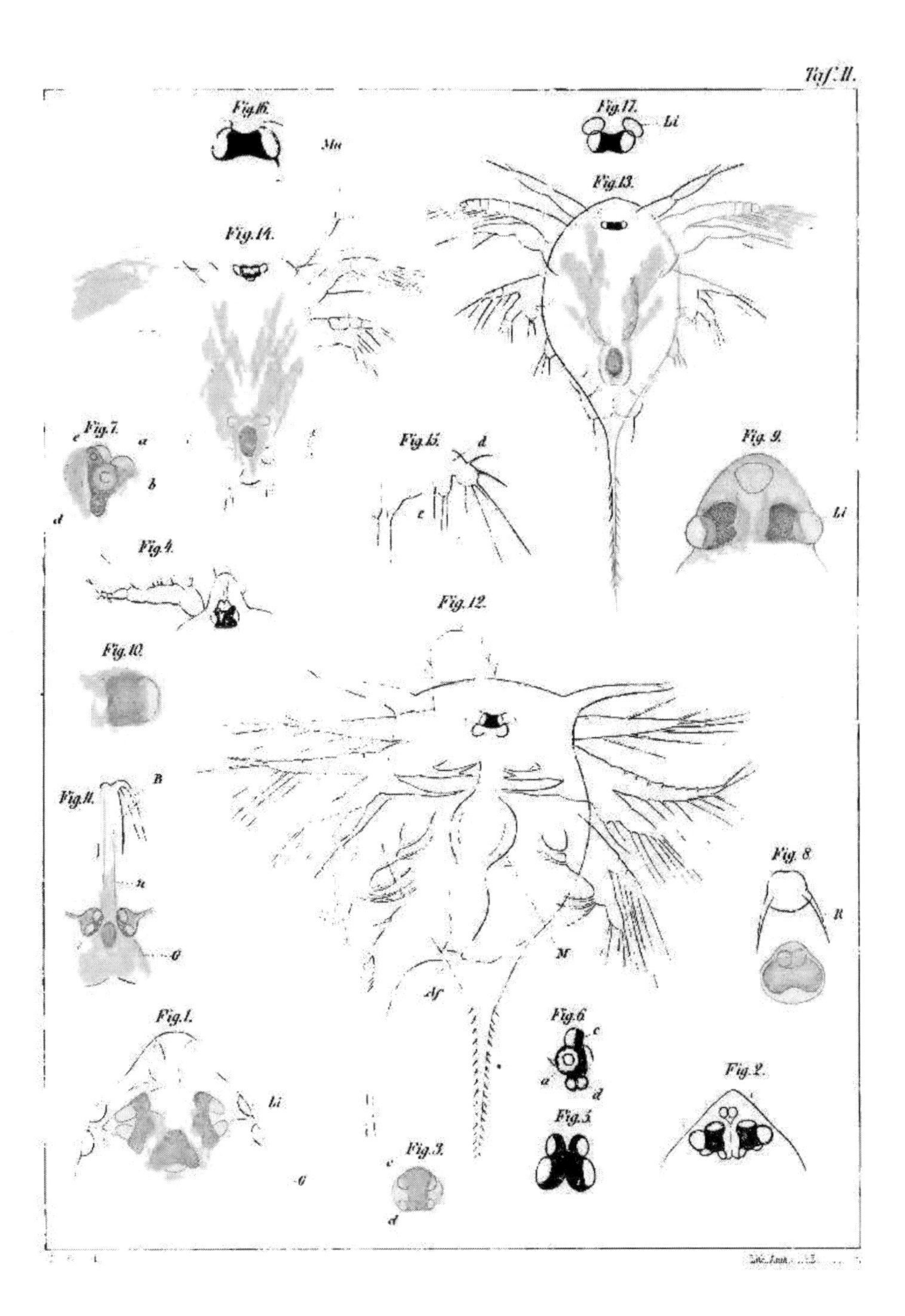
Taf. II.
Fig. 16.
Mu
Fig. 17.
Li
Fig. 13.
Fig. 14.
Fig. 7.
e
a
b
d
Fig. 15.
d
e
Fig. 9.
Li
Fig. 4.
Fig. 12.
Fig. 10.
B
Fig. 11.
n
G
Fig. 8
R
M
Af
Fig. 1.
Li
G
Fig. 6
c
a
d
Fig. 2.
Fig. 5.
Fig. 3.
c
d

Taf. III.

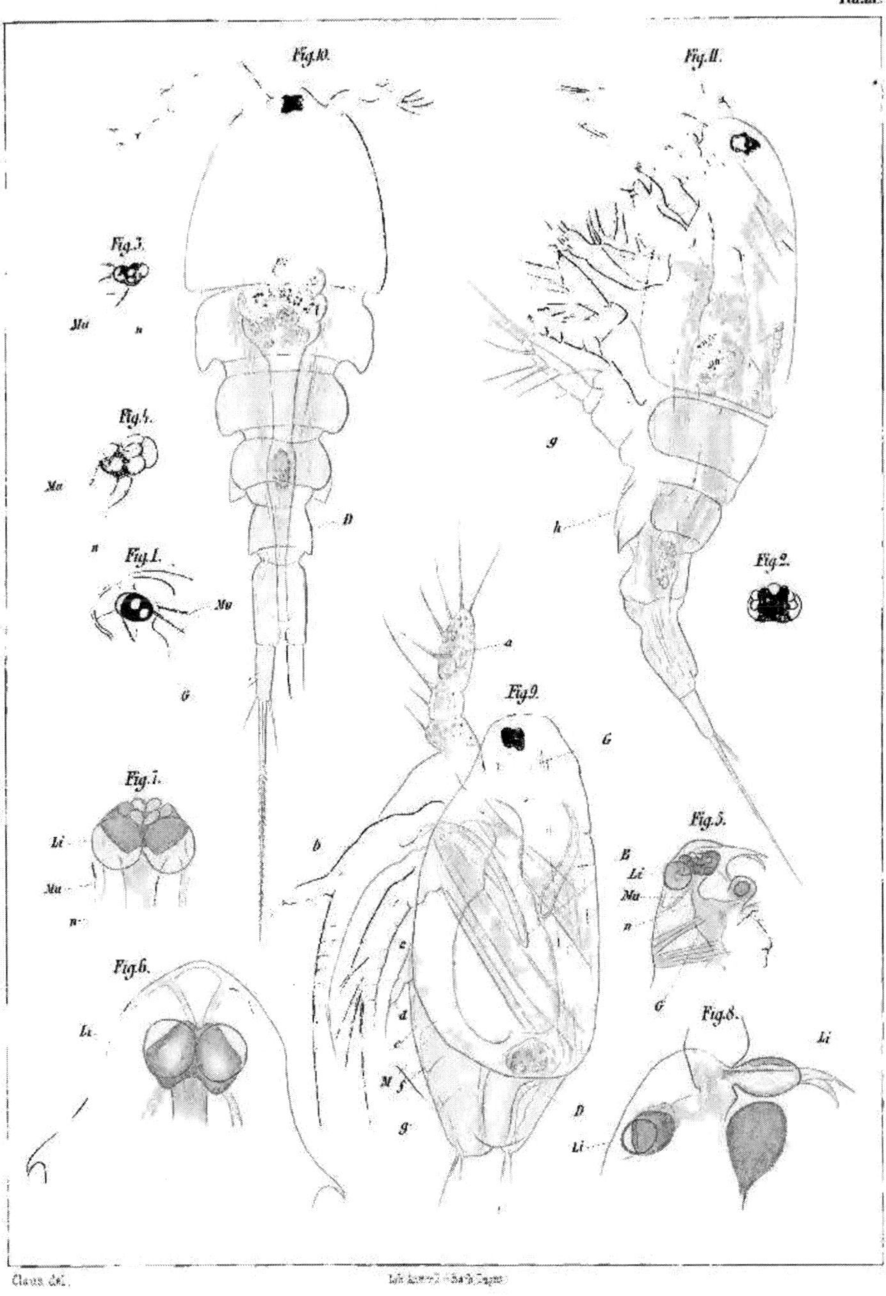

Claus del.

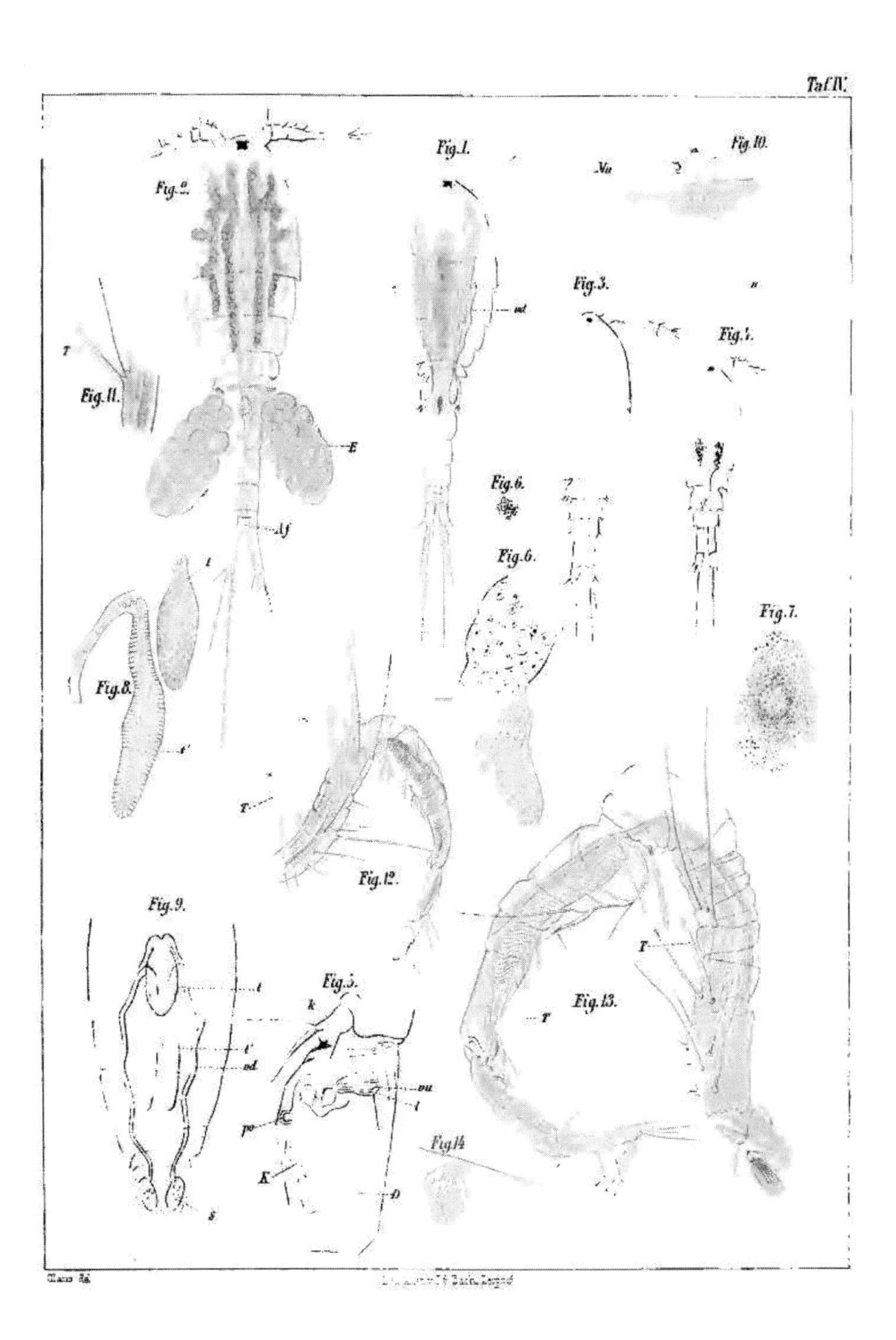
Fig. 1.
Fig. 2.
Fig. 3.
Fig. 5.
Fig. 6.
Fig. 6.
Fig. 7.
Fig. 8.
Fig. 9.
Fig. 10.
Fig. 11.
Fig. 12.
Fig. 13.
Fig. 14
E
od
T
po
K
D
ou
s

Claus del.

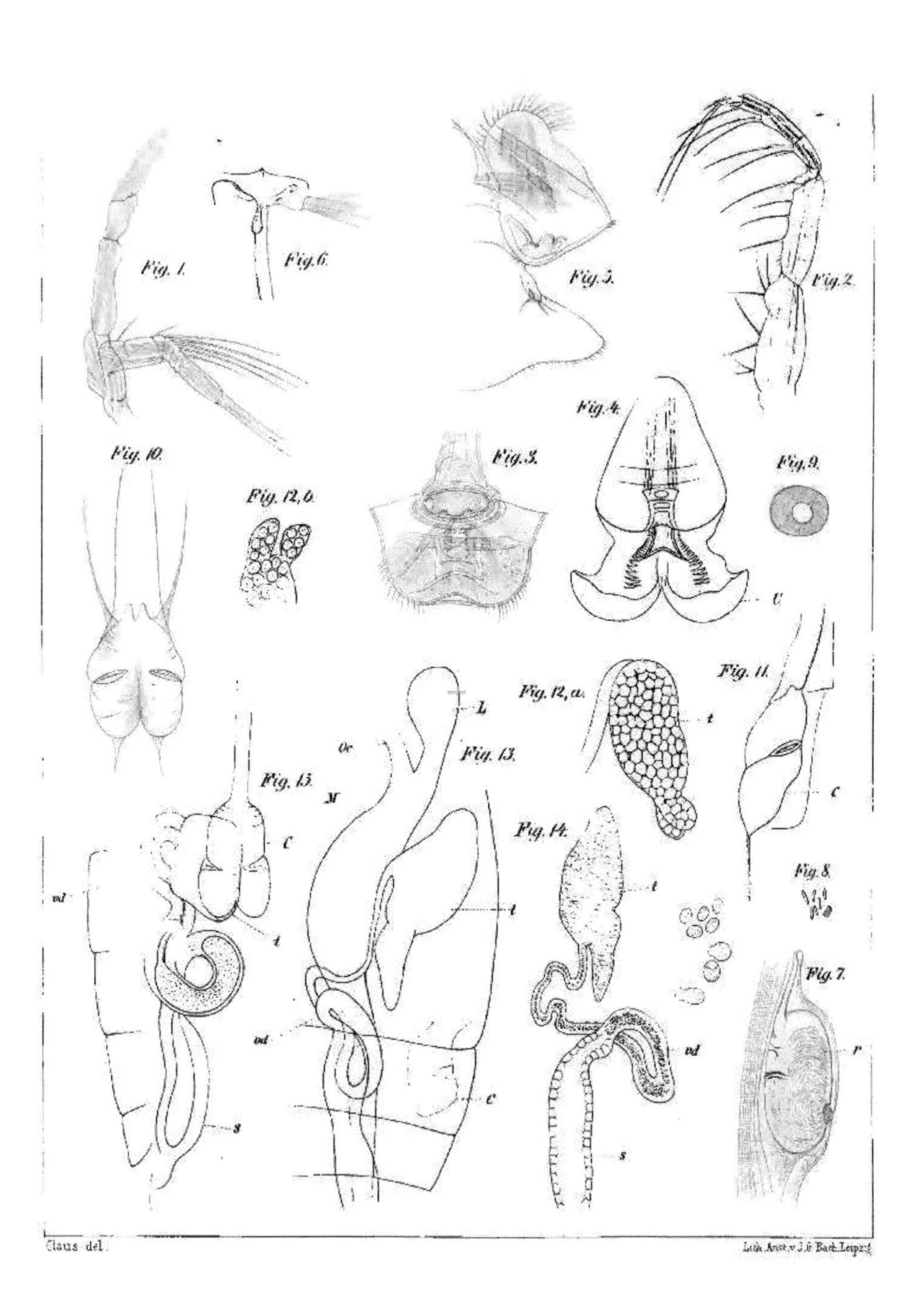
Fig. 1.
Fig. 6.
Fig. 5.
Fig. 2.
Fig. 4.
Fig. 10.
Fig. 12, b.
Fig. 3.
Fig. 9.
U
Fig. 12, a.
t
Fig. 11.
L
Oe
Fig. 13.
M
Fig. 15.
C
Fig. 14.
t
vd
t
t
Fig. 8.
Fig. 7.
vd
vd
r
c
s
s
Claus del.
Lith. Anst. v. J. G. Bach, Leipzig

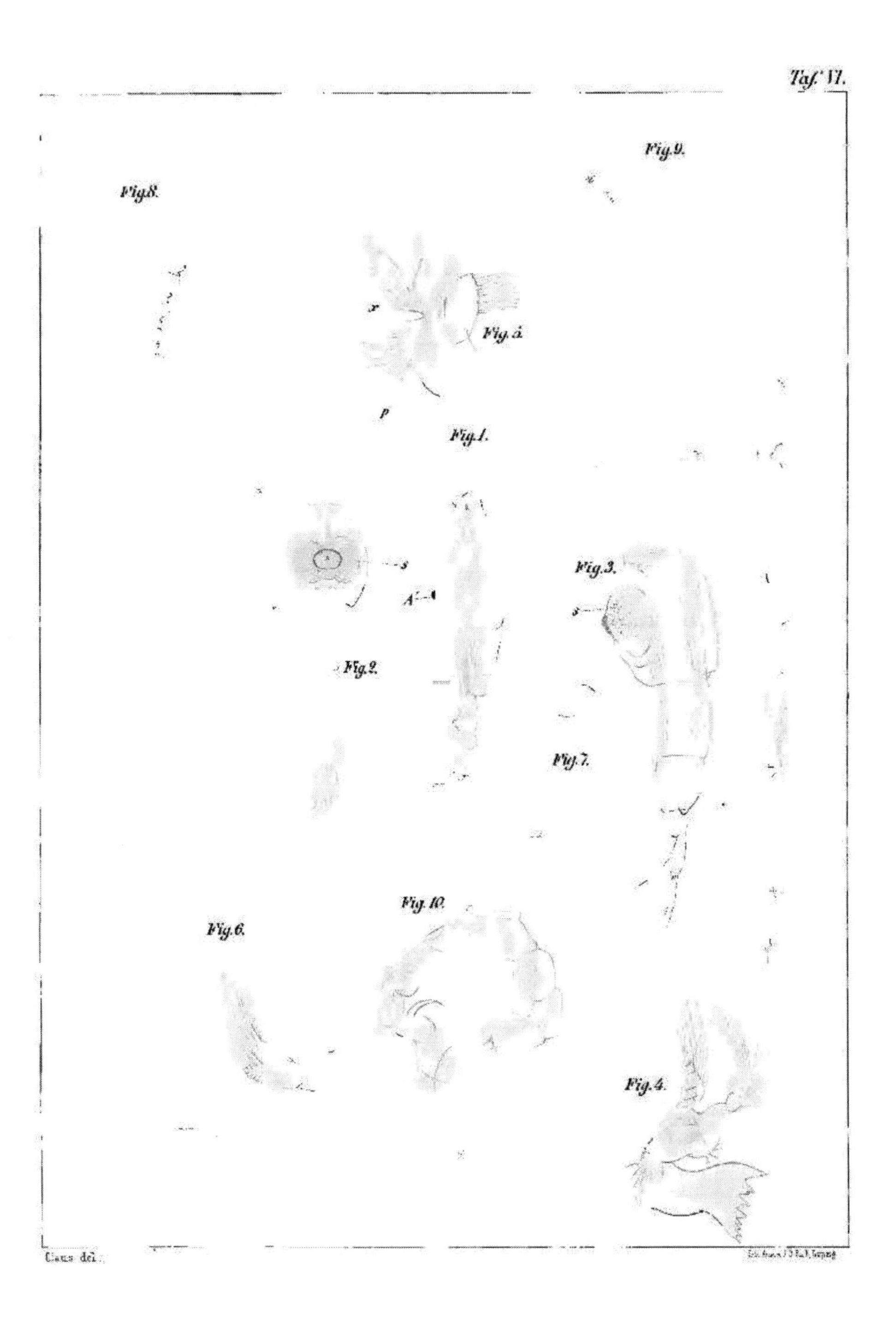
Taf. VI.
Fig. 9.
Fig. 8.
x
Fig. 5.
p
Fig. 1.
s
A
Fig. 3.
s
Fig. 2.
Fig. 7.
Fig. 10.
Fig. 6.
Fig. 4.
Claus del.

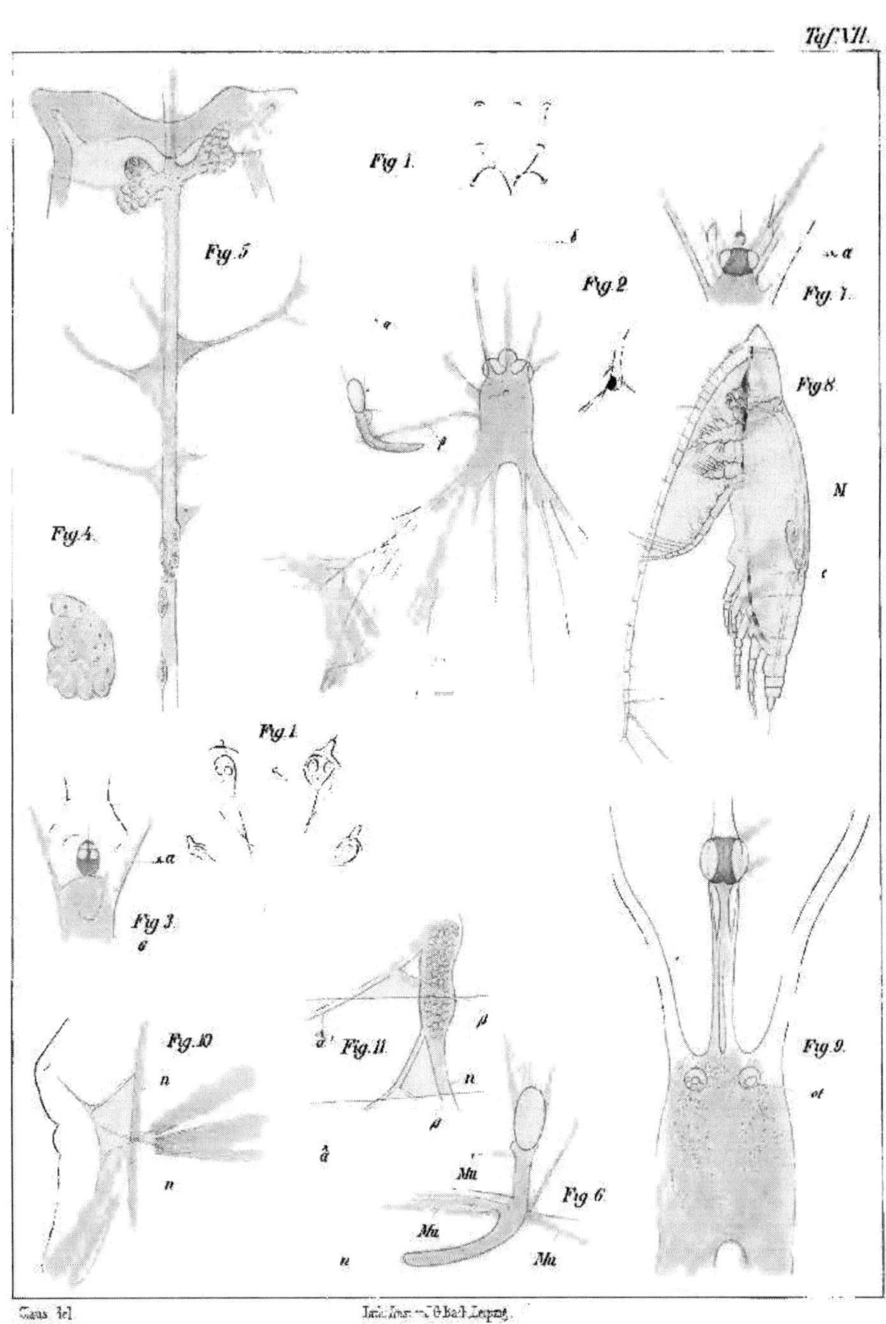

Claus del.

Lith. Anst. v. J. G. Bach, Leipzig.

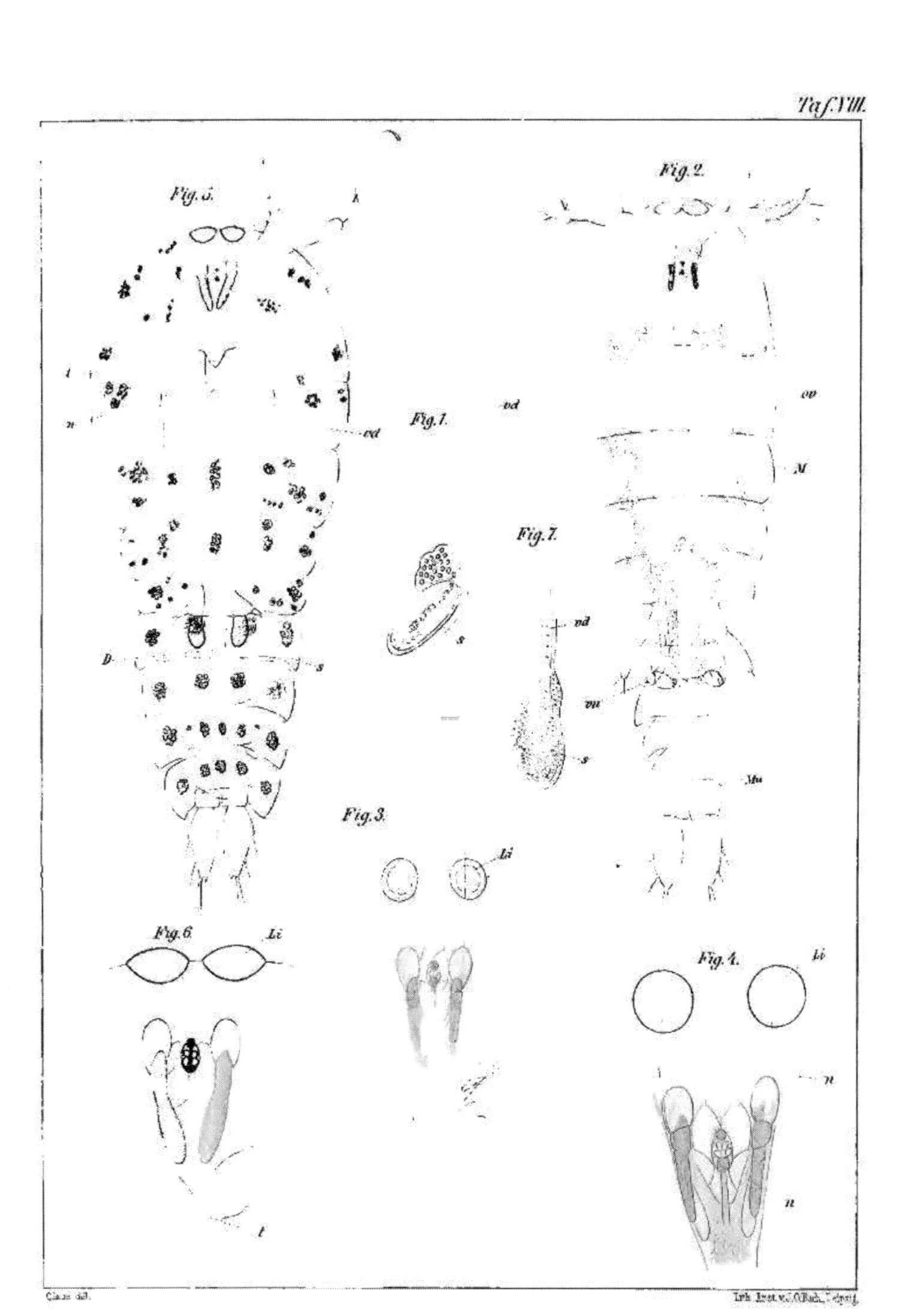
Fig. 1.
Fig. 2.
Fig. 3.
Fig. 4.
Fig. 5.
Fig. 6.
Fig. 7.
vd
ov
M
s
D
vm
Mu
Li
n
t
Claus del.
Lith. Inst. v. J. G. Bach, Leipzig.

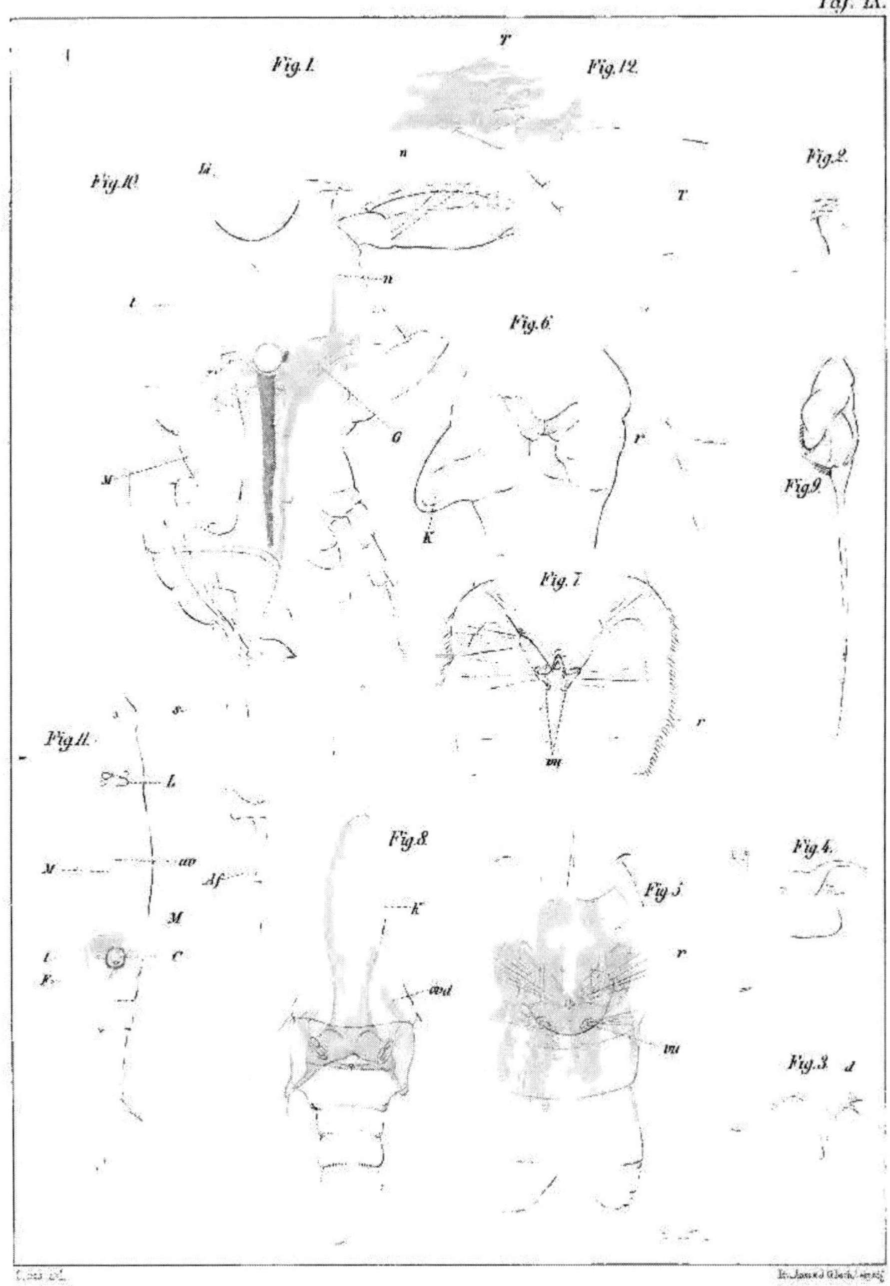
Fig. 1.
Fig. 12.
Fig. 2.
Fig. 10.
Fig. 6.
Fig. 9.
Fig. 7.
Fig. 11.
Fig. 8.
Fig. 5.
Fig. 4.
Fig. 3.

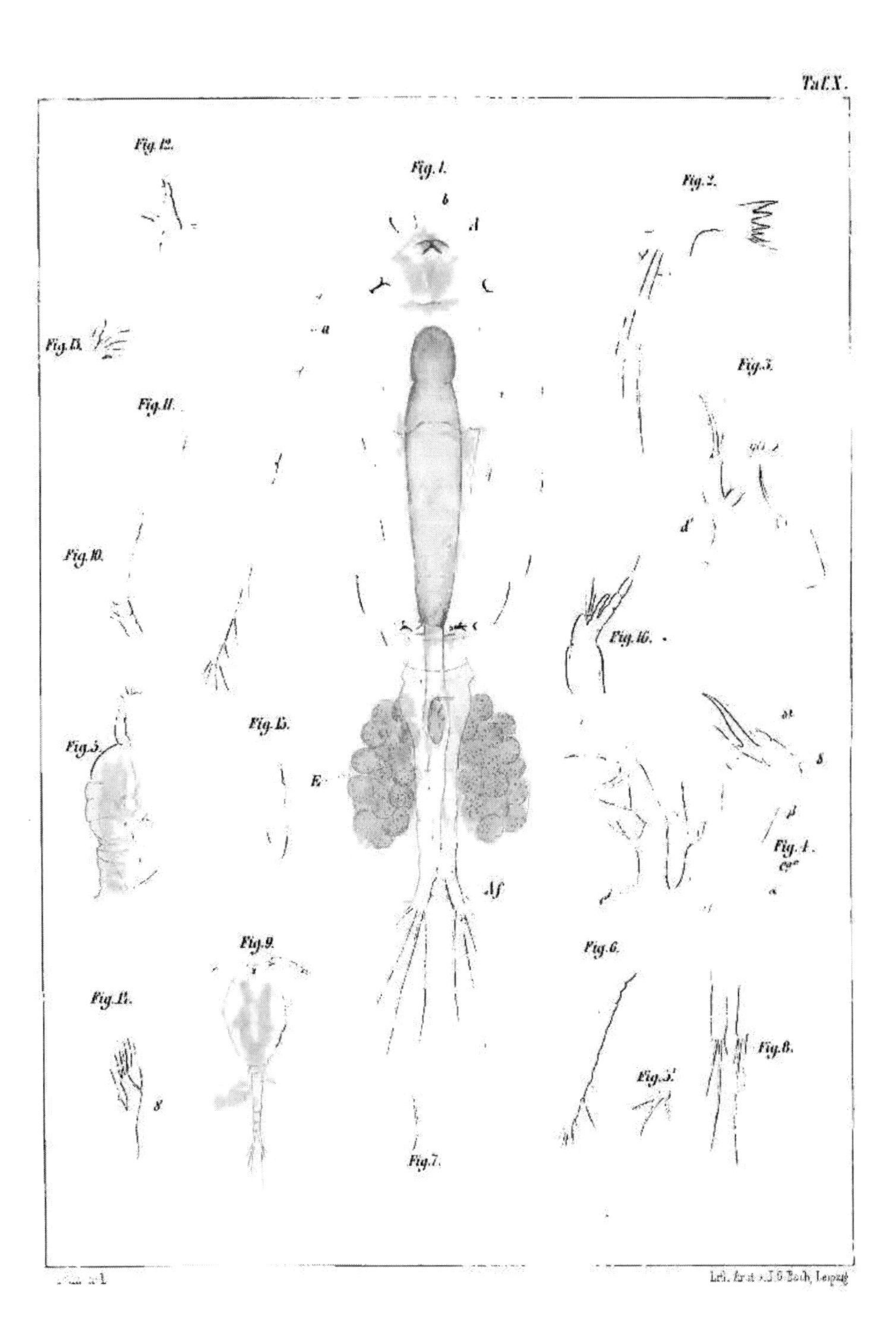

Lith. Anst. v. J. G. Bach, Leipzig

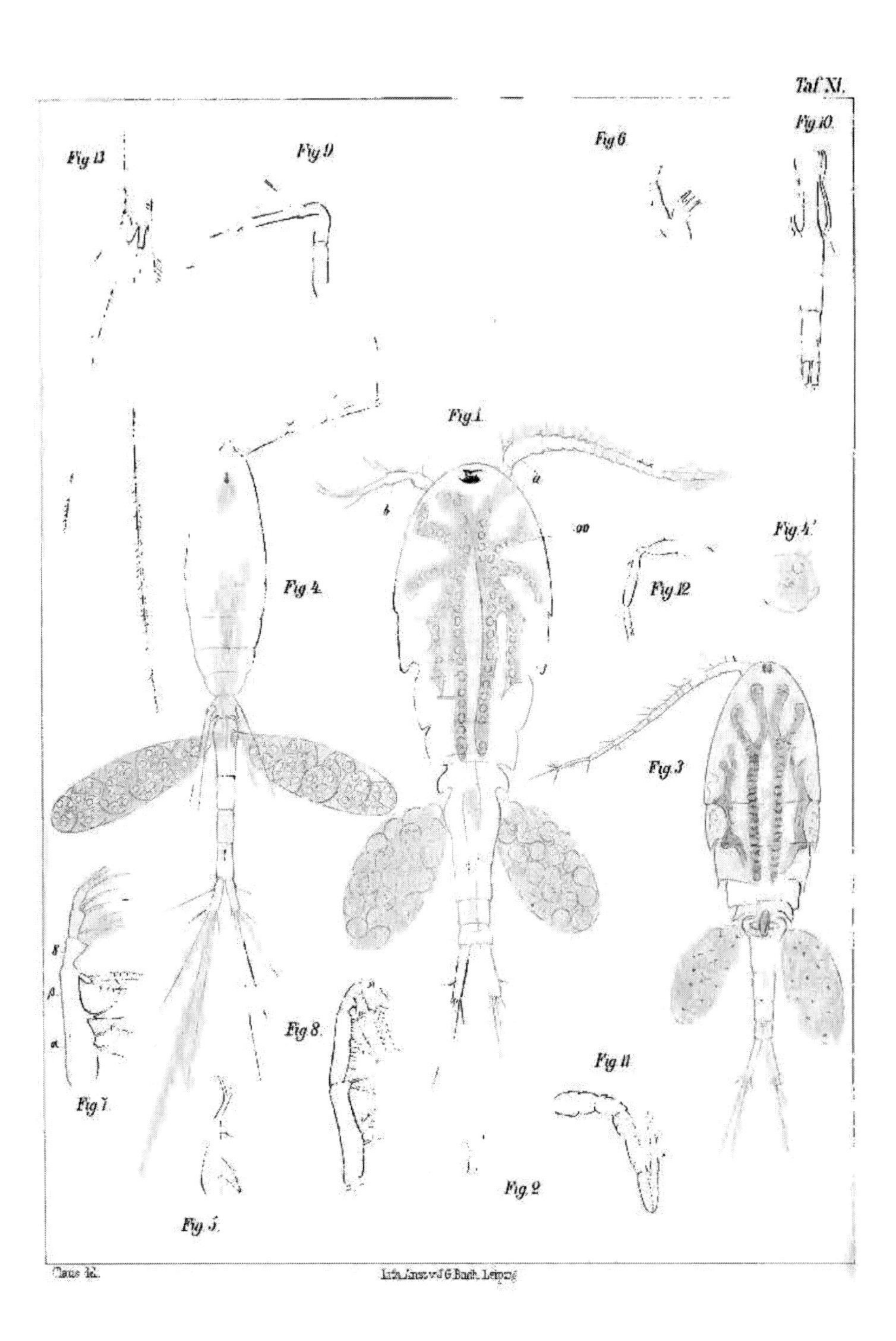
Taf. XI.
Fig. 10.
Fig. 6
Fig. 13
Fig. 9
Fig. 1.
a
b
oo
Fig. 4'
Fig. 4.
Fig. 12
Fig. 3
8
β
α
Fig. 8.
Fig. 7
Fig. 11
Fig. 2
Fig. 5.
Claus del.
Lith. Anst. v. J. G. Bach, Leipzig

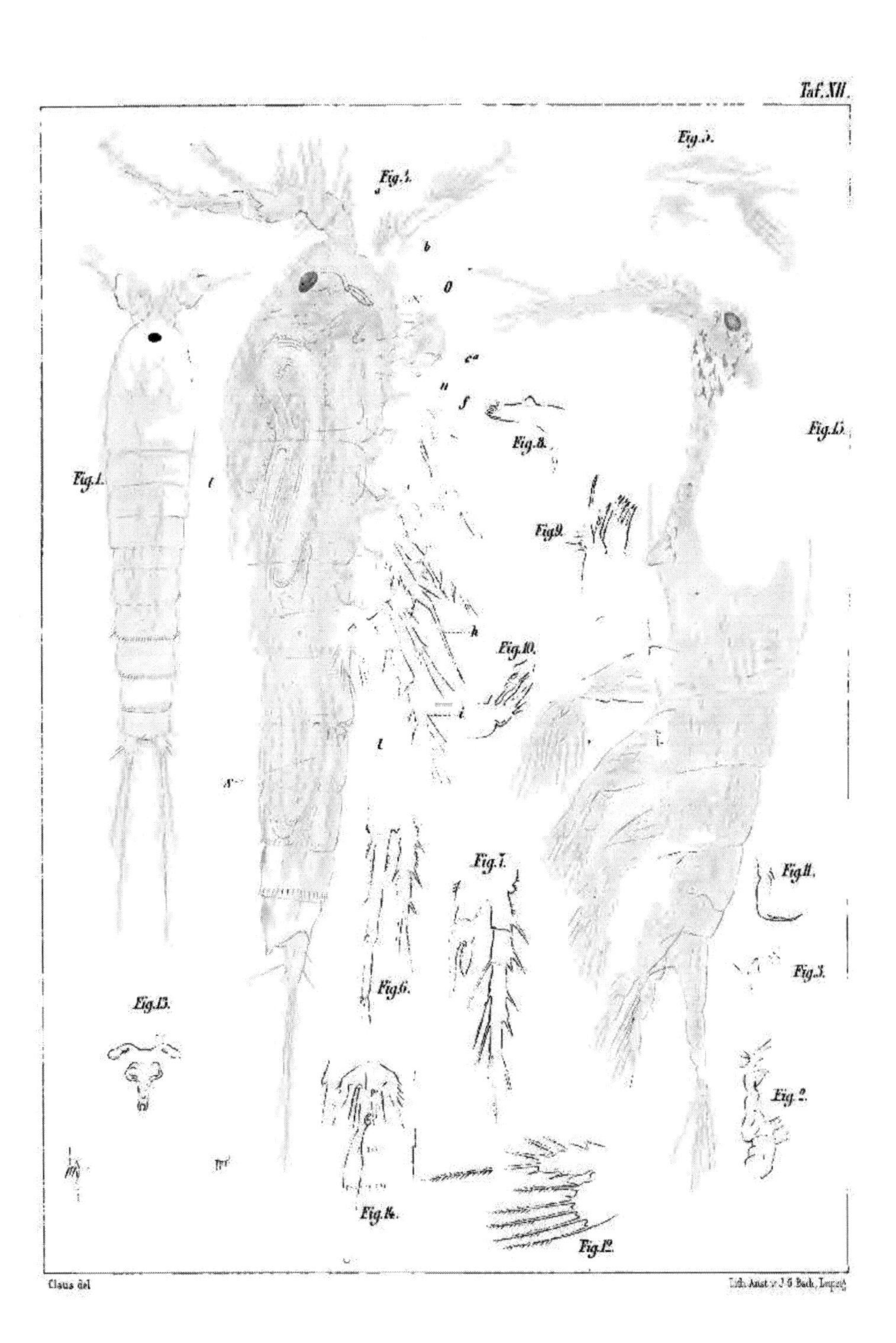
Taf. XII.
Fig. 1.
Fig. 2.
Fig. 3.
Fig. 4.
Fig. 5.
Fig. 6.
Fig. 7.
Fig. 8.
Fig. 9.
Fig. 10.
Fig. 11.
Fig. 12.
Fig. 13.
Fig. 14.
Fig. 15.
Claus del.

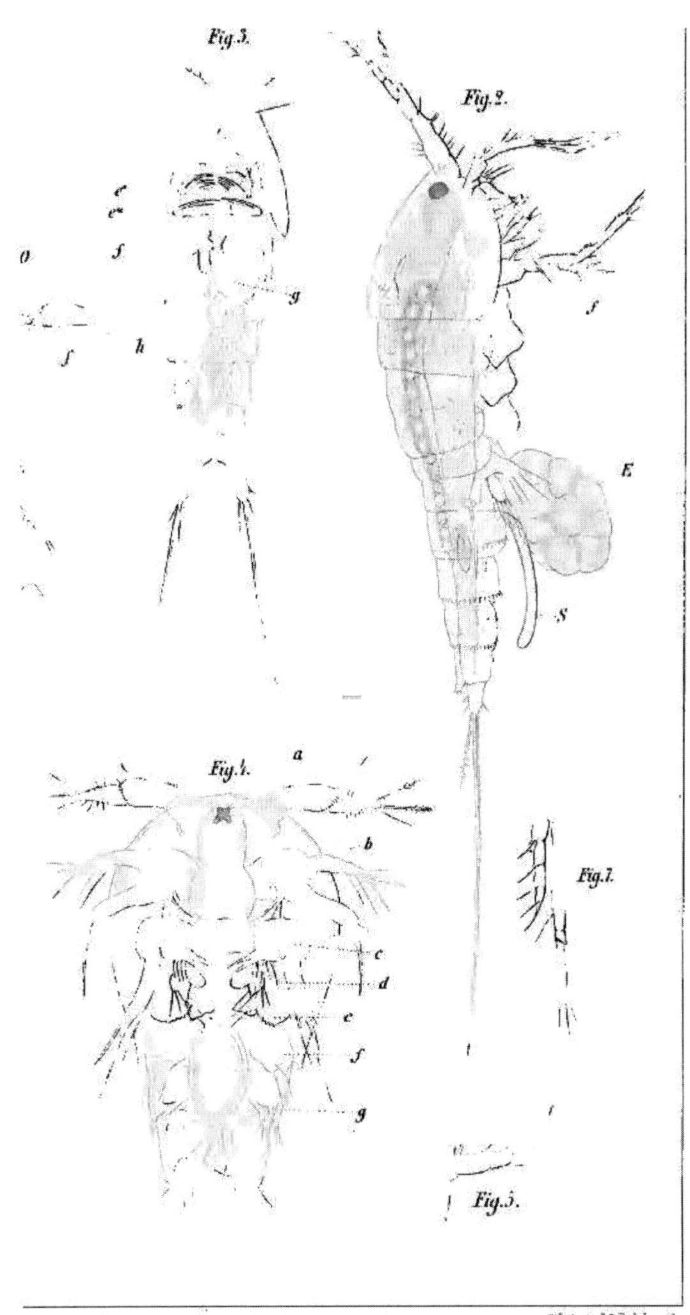
Fig.3.
Fig.2.
Fig.4.
Fig.7.
Fig.5.
E
S
a
b
c
d
e
f
g
h

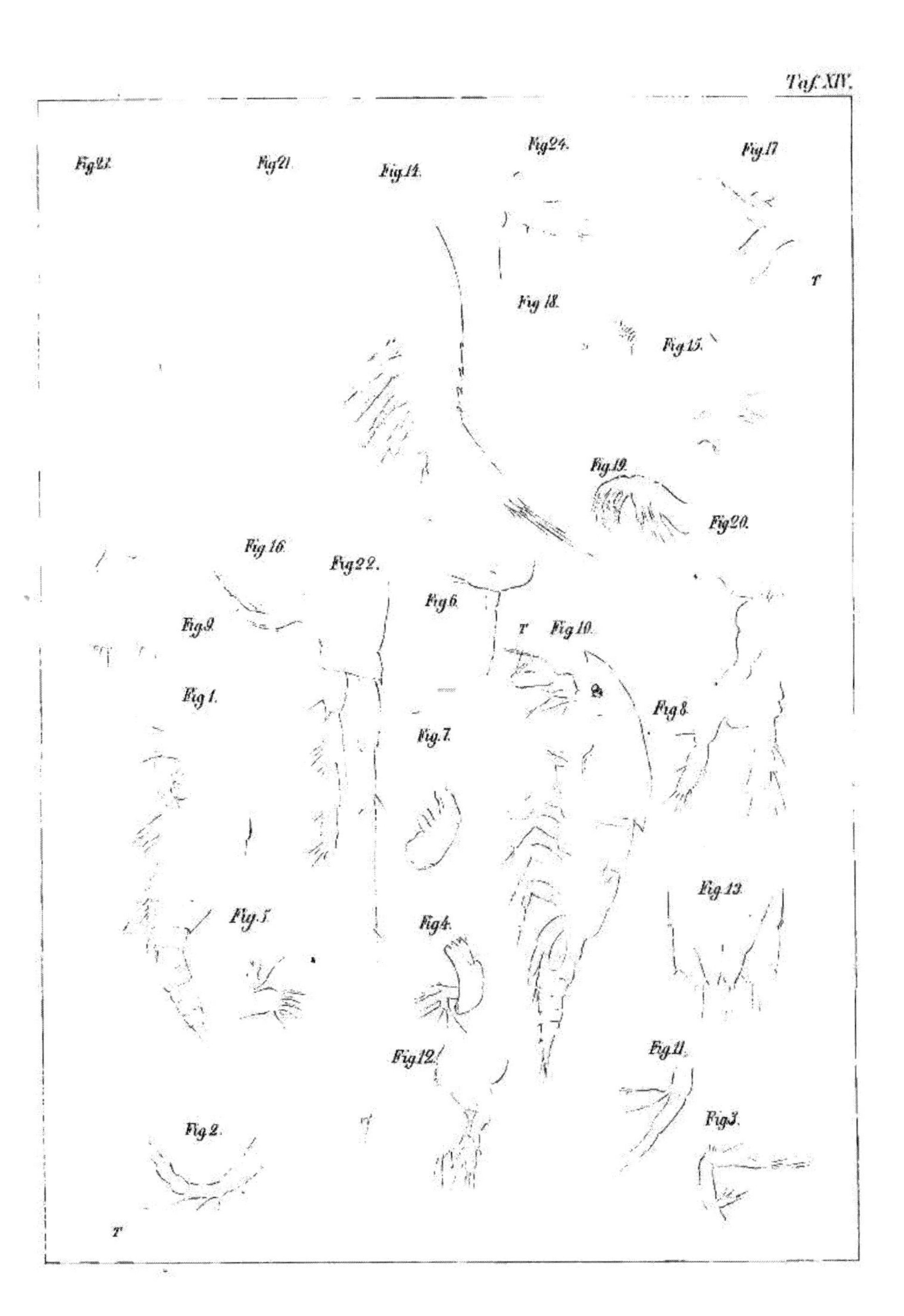
Fig. 23.
Fig. 21.
Fig. 14.
Fig. 24.
Fig. 17.
Fig. 18.
Fig. 15.
Fig. 19.
Fig. 20.
Fig. 16.
Fig. 22.
Fig. 6.
Fig. 9.
Fig. 10.
Fig. 1.
Fig. 8.
Fig. 7.
Fig. 13.
Fig. 5.
Fig. 4.
Fig. 12.
Fig. 11.
Fig. 2.
Fig. 3.

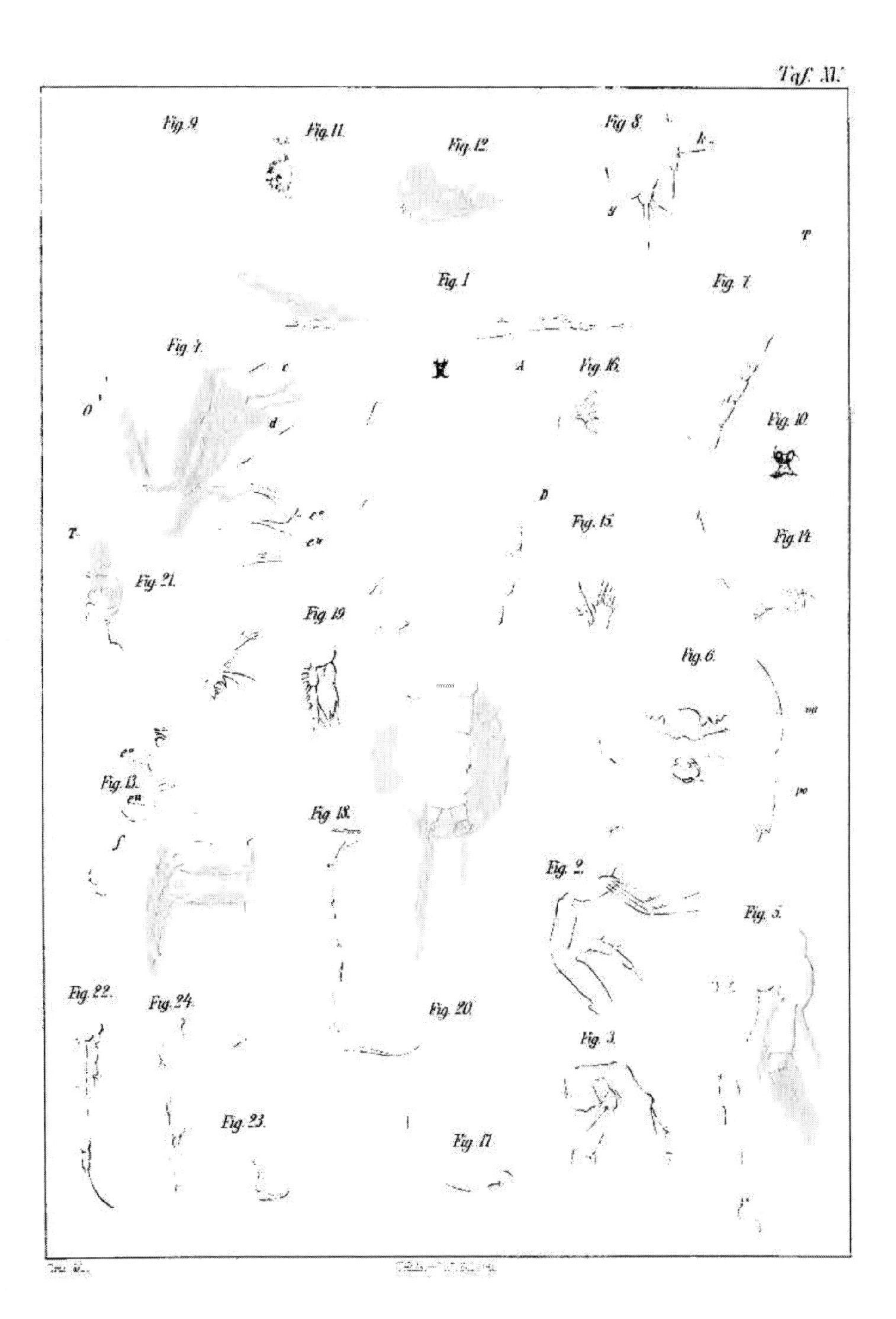
Fig. 9
Fig. 11.
Fig. 12.
Fig. 8.
Fig. 1
Fig. 7.
Fig. 4.
Fig. 16.
Fig. 10.
Fig. 15.
Fig. 14.
Fig. 21.
Fig. 19.
Fig. 6.
Fig. 13.
Fig. 18.
Fig. 2.
Fig. 5.
Fig. 22.
Fig. 24.
Fig. 20.
Fig. 3.
Fig. 23.
Fig. 17.

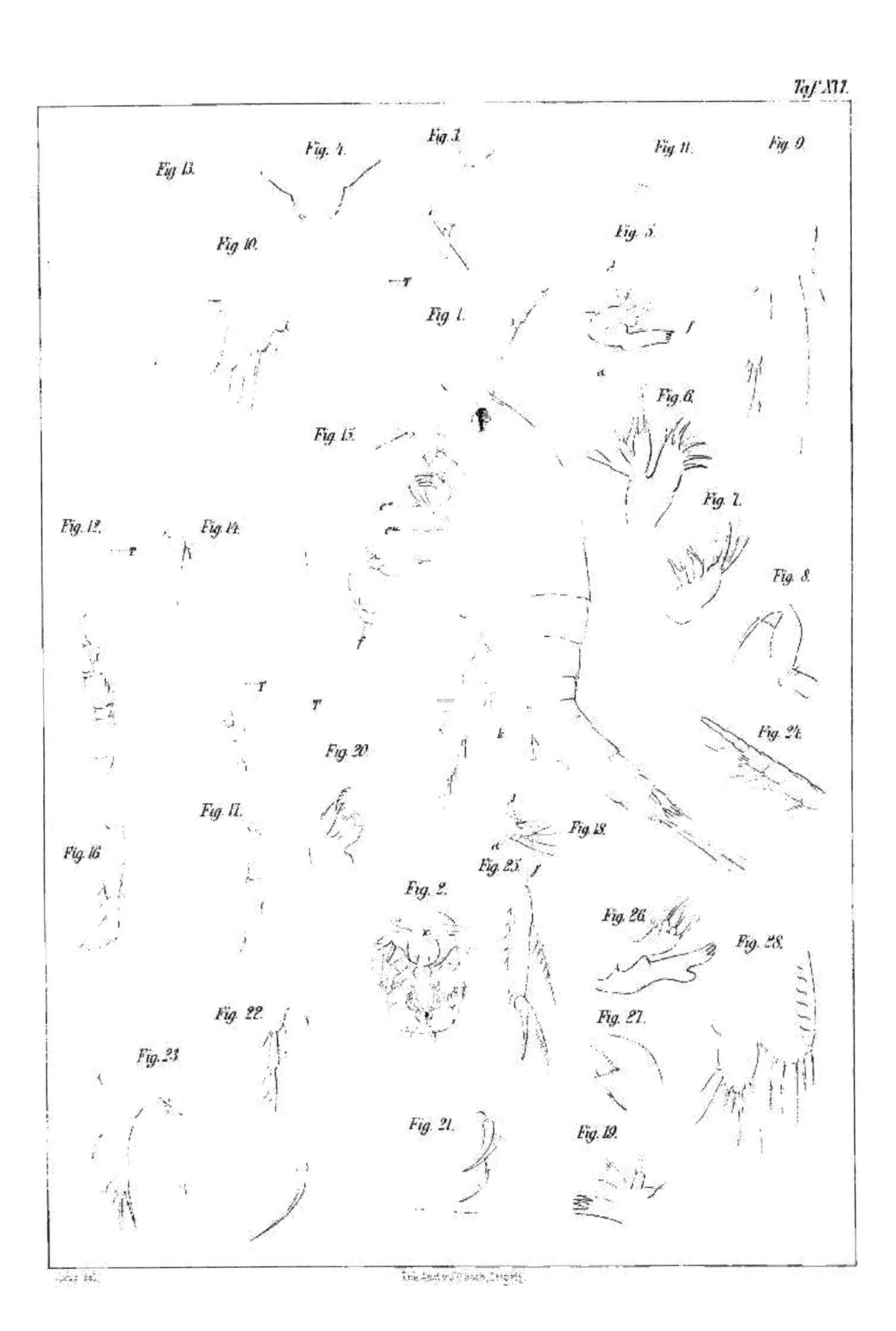
Fig. 13.
Fig. 4.
Fig. 3.
Fig. 11.
Fig. 9.
Fig. 10.
Fig. 5.
Fig. 1.
Fig. 6.
Fig. 15.
Fig. 7.
Fig. 12.
Fig. 14.
Fig. 8.
Fig. 24.
Fig. 20.
Fig. 17.
Fig. 18.
Fig. 16.
Fig. 25.
Fig. 2.
Fig. 26.
Fig. 28.
Fig. 22.
Fig. 27.
Fig. 23.
Fig. 21.
Fig. 19.

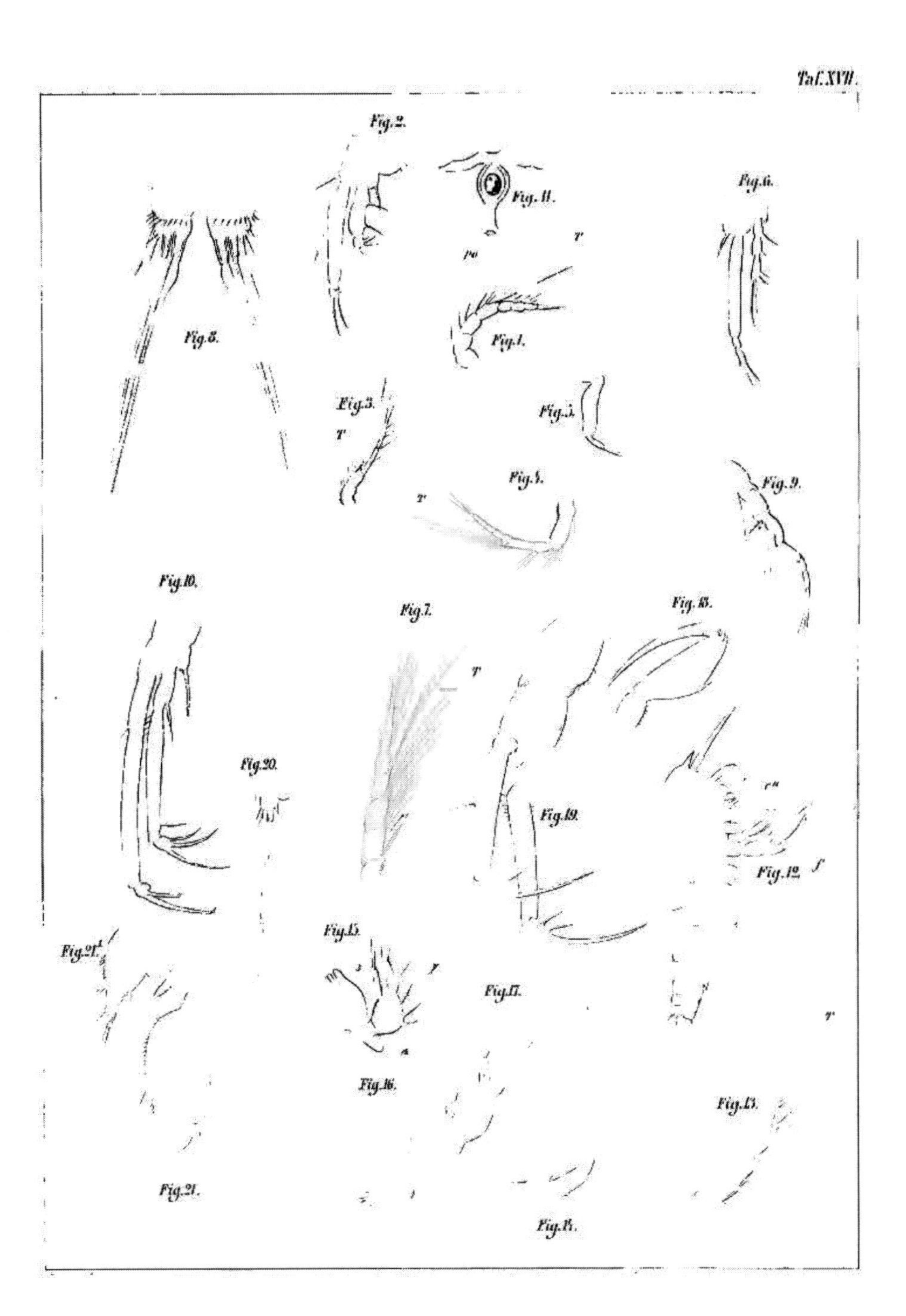
Fig. 1.
Fig. 2.
Fig. 3.
Fig. 4.
Fig. 5.
Fig. 6.
Fig. 7.
Fig. 8.
Fig. 9.
Fig. 10.
Fig. 11.
Fig. 12.
Fig. 13.
Fig. 14.
Fig. 15.
Fig. 16.
Fig. 17.
Fig. 18.
Fig. 19.
Fig. 20.
Fig. 21.
Fig. 21.

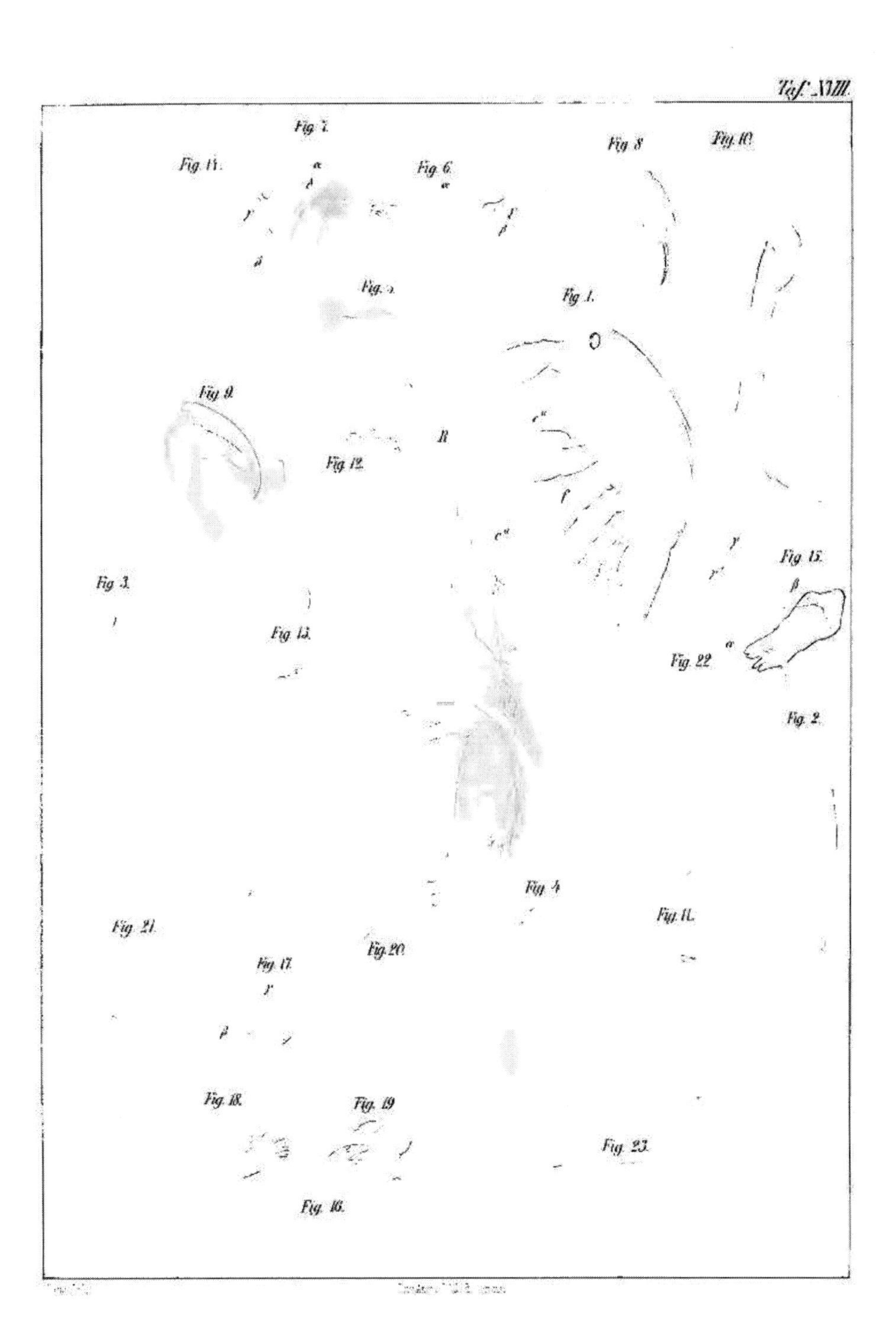
Fig. 7.
Fig. 8
Fig. 10.
Fig. 14.
Fig. 6.
Fig. 1.
Fig. 9.
Fig. 12.
Fig. 15.
Fig. 3.
Fig. 13.
Fig. 22.
Fig. 2.
Fig. 4.
Fig. 21.
Fig. 11.
Fig. 20.
Fig. 17.
Fig. 18.
Fig. 19.
Fig. 23.
Fig. 16.

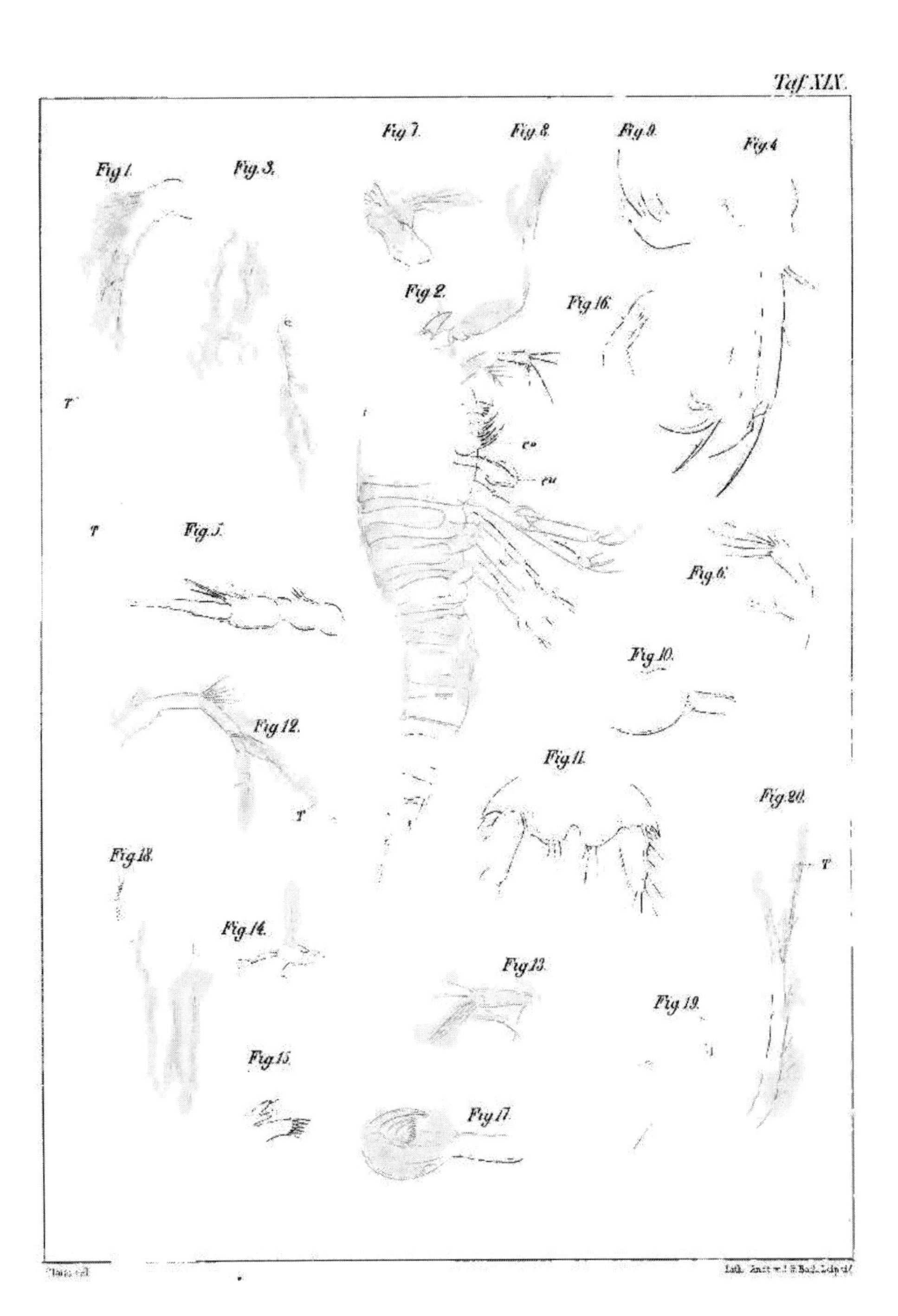
Taf. XIX.
Fig. 1.
Fig. 2.
Fig. 3.
Fig. 4.
Fig. 5.
Fig. 6.
Fig. 7.
Fig. 8.
Fig. 9.
Fig. 10.
Fig. 11.
Fig. 12.
Fig. 13.
Fig. 14.
Fig. 15.
Fig. 16.
Fig. 17.
Fig. 18.
Fig. 19.
Fig. 20.
T
co
cu

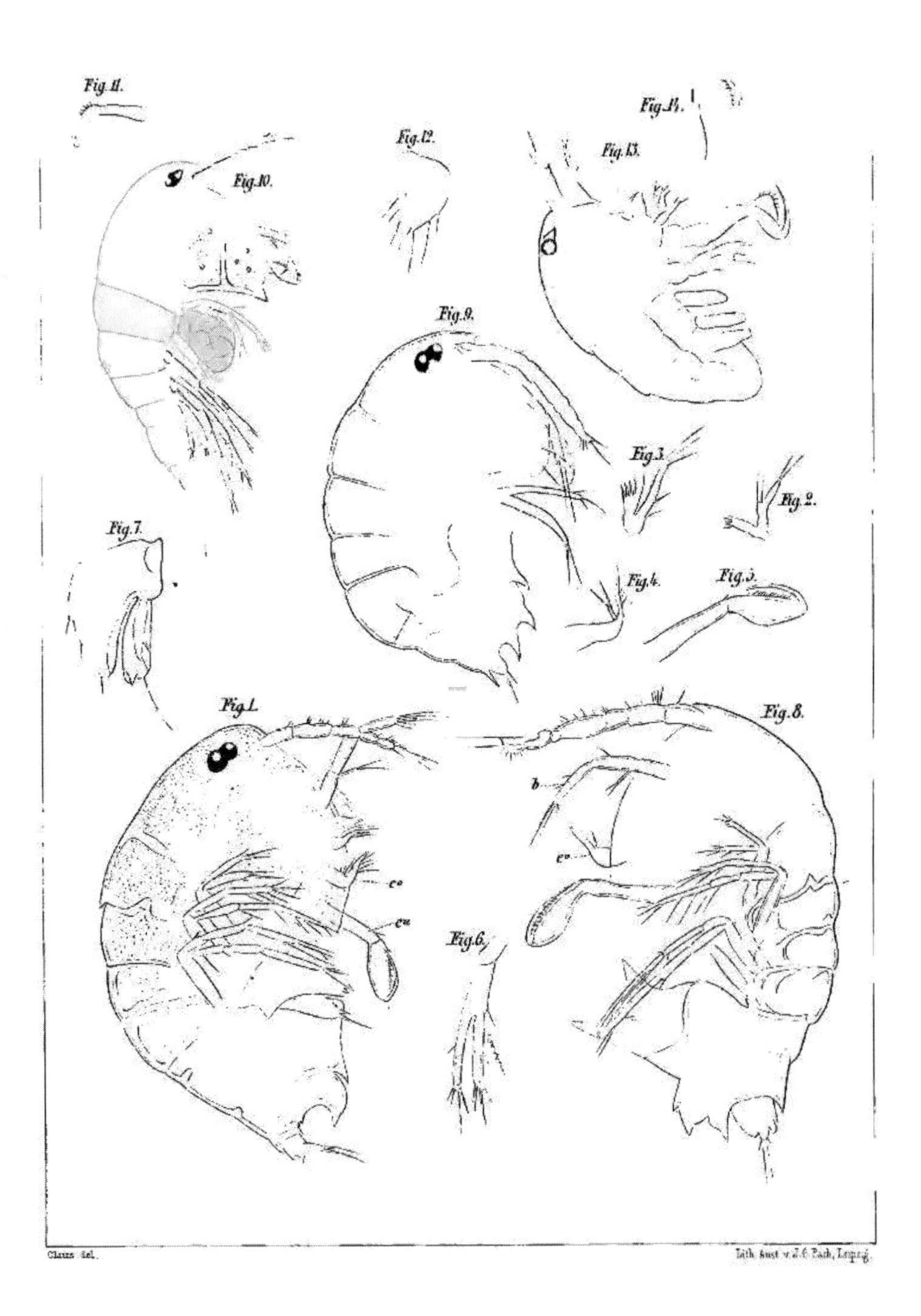
Fig.11.
Fig.14.
Fig.12.
Fig.13.
Fig.10.
Fig.9.
Fig.3.
Fig.2.
Fig.7.
Fig.4.
Fig.5.
Fig.1.
Fig.8.
b
co
co
cu
Fig.6.
Claus del.
Lith. Anst. v. J. G. Bach, Leipzig.

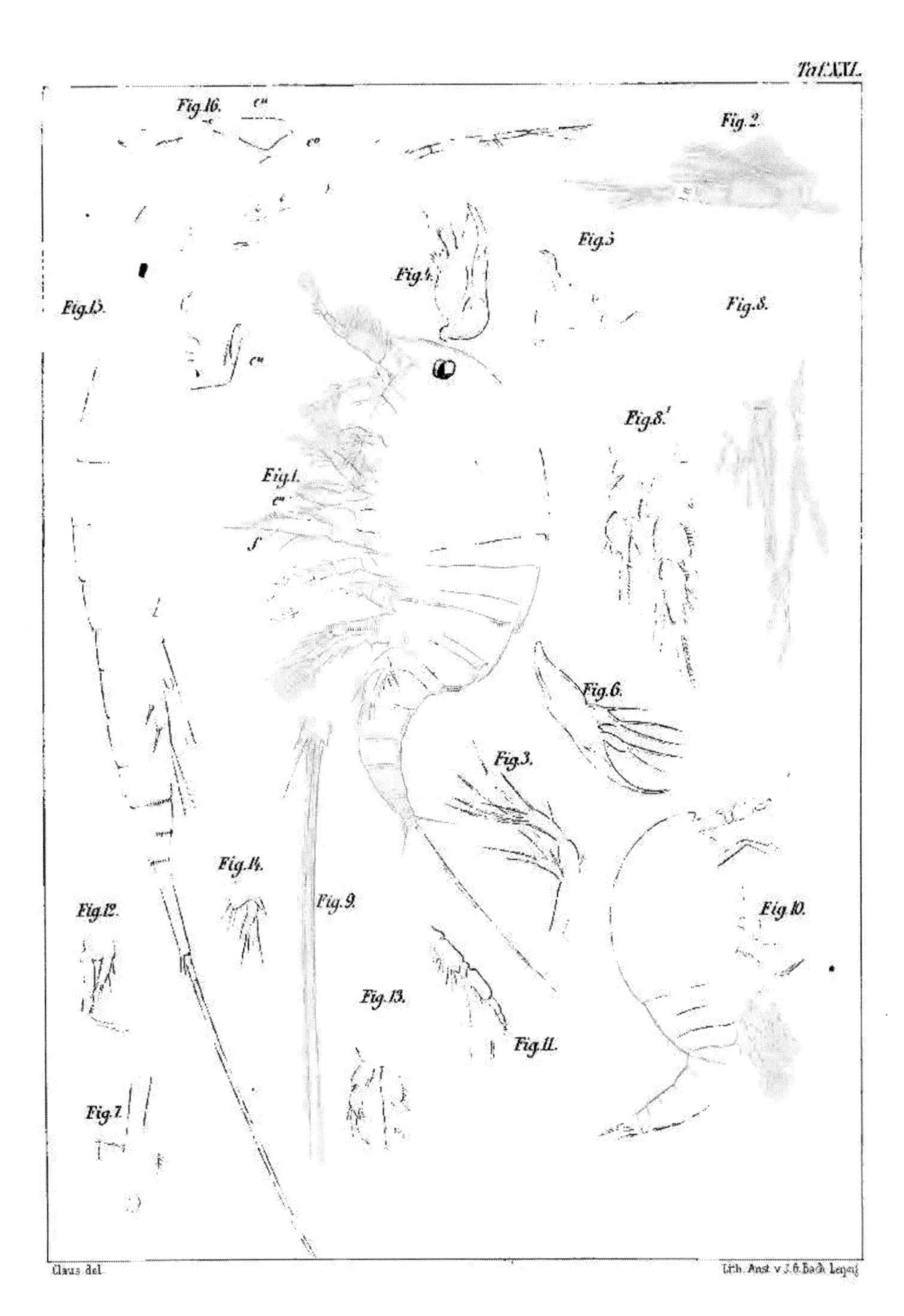

Claus del.

Lith. Anst. v. J. G. Bach, Leipzig

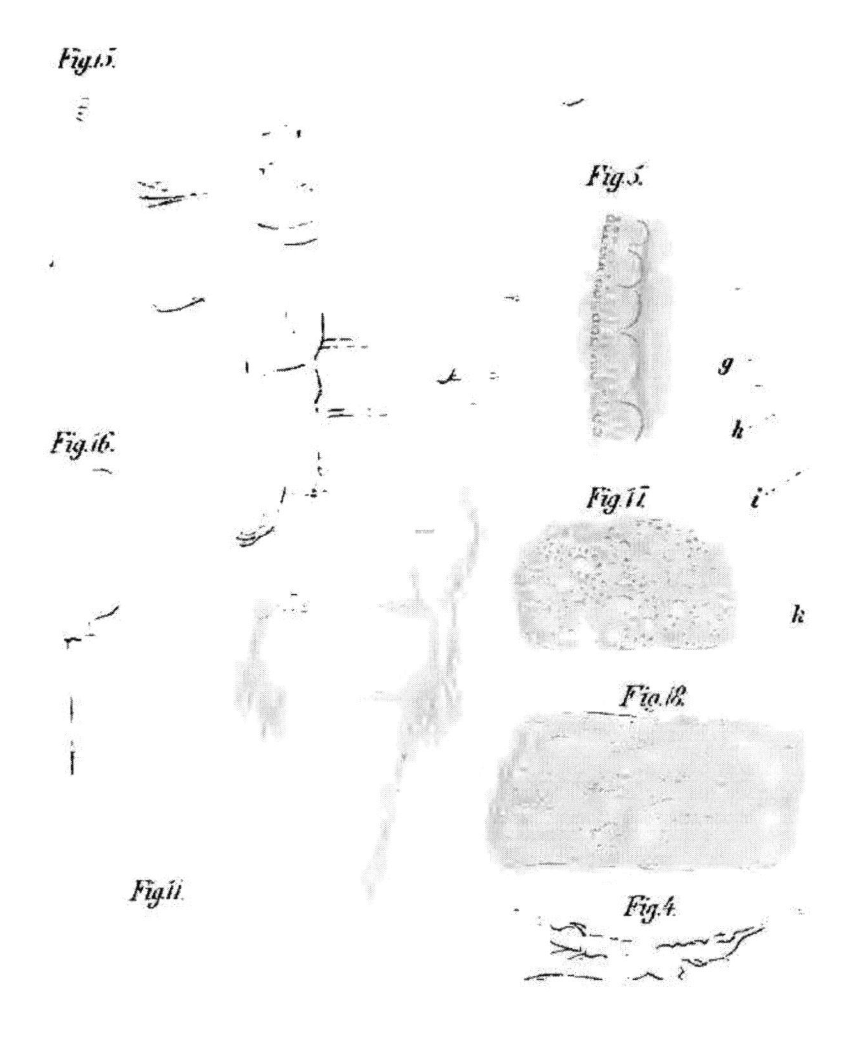
Fig.15.
Fig.5.
g
h
Fig.16.
Fig.17.
i
k
Fig.18.
Fig.11.
Fig.4.

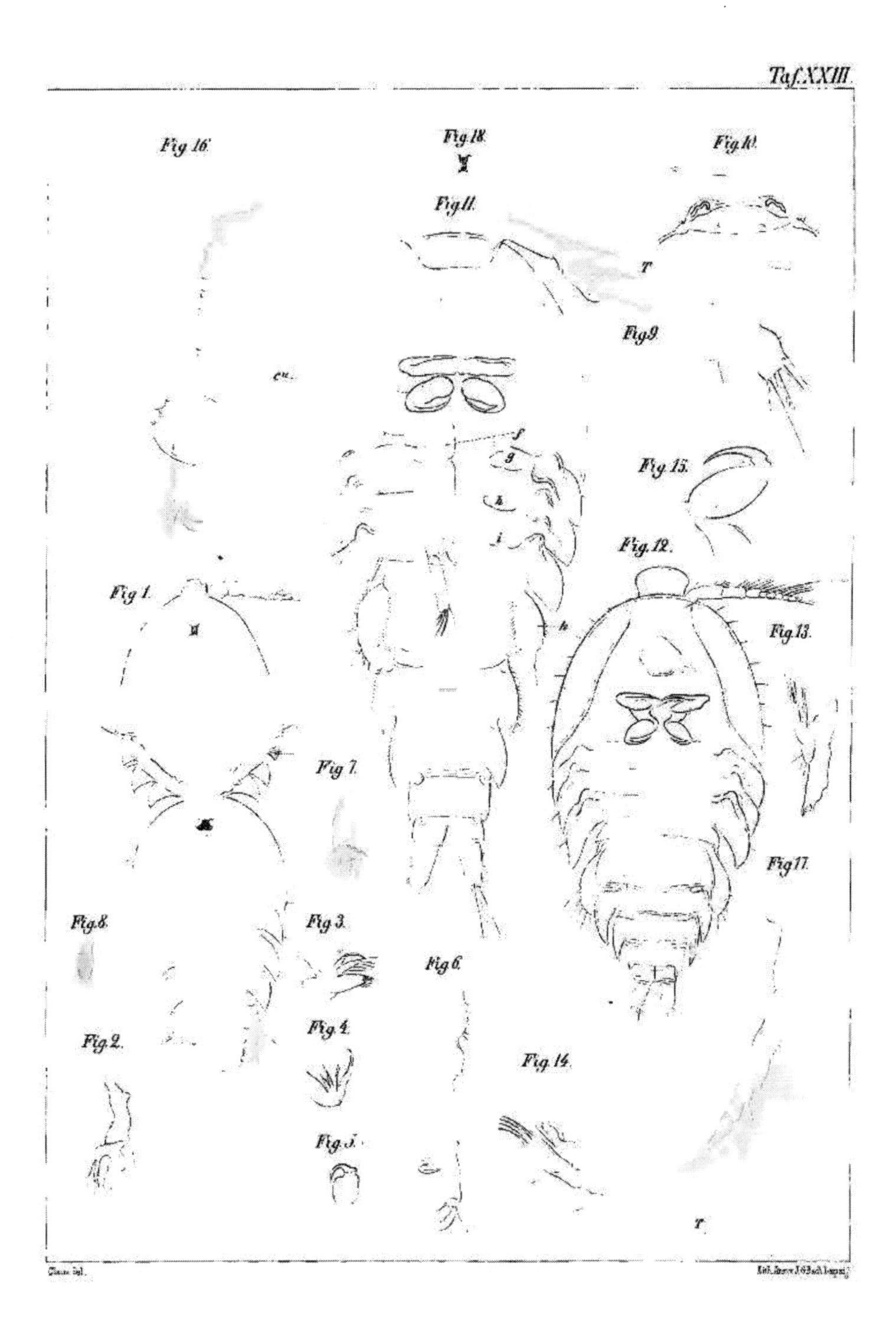
Taf. XXIII.
Fig. 16.
Fig. 18.
Fig. 10.
Fig. 11.
Fig. 9.
Fig. 15.
Fig. 12.
Fig. 1.
Fig. 13.
Fig. 7.
Fig. 17.
Fig. 8.
Fig. 3.
Fig. 6.
Fig. 4.
Fig. 2.
Fig. 14.
Fig. 5.

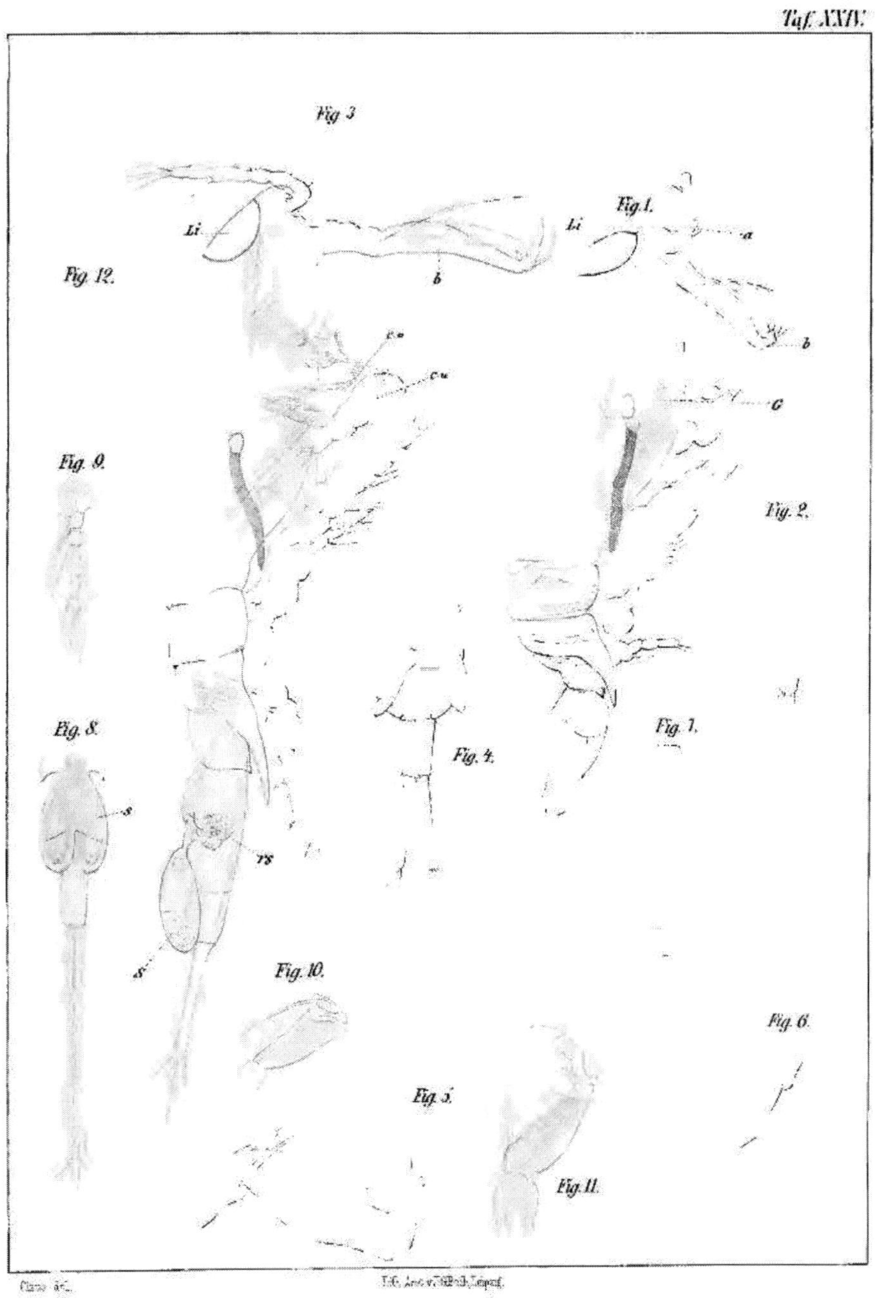
Fig 3
Fig. 1.
Li
Li
a
b
b
Fig. 12.
G
Fig. 9.
Fig. 2.
Fig. 8.
s
rs
Fig. 4.
Fig. 7.
s
Fig. 10.
Fig. 6.
Fig. 5.
Fig. 11.

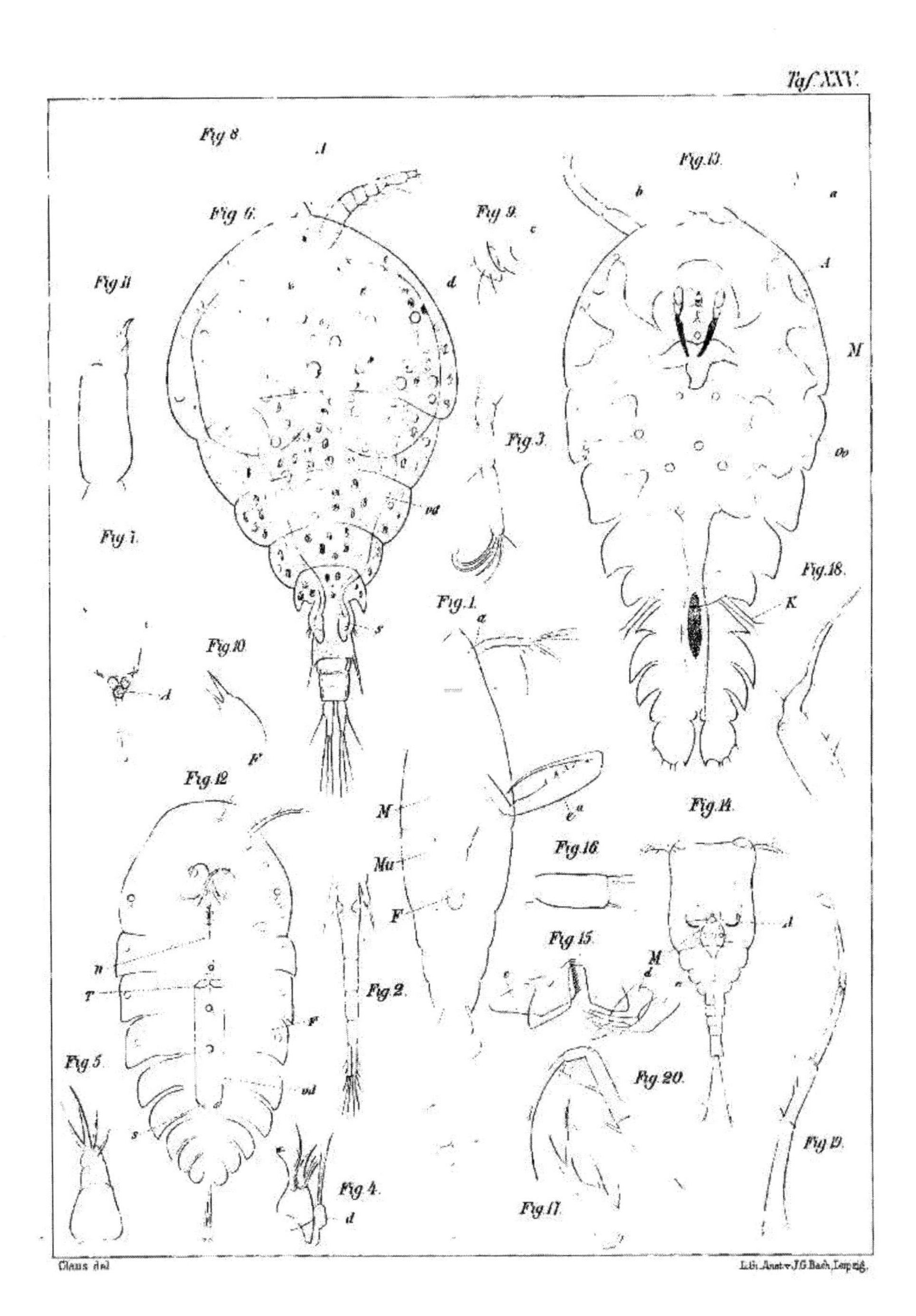

Claus del.

Lith. Anst. v. J. G. Bach, Leipzig.

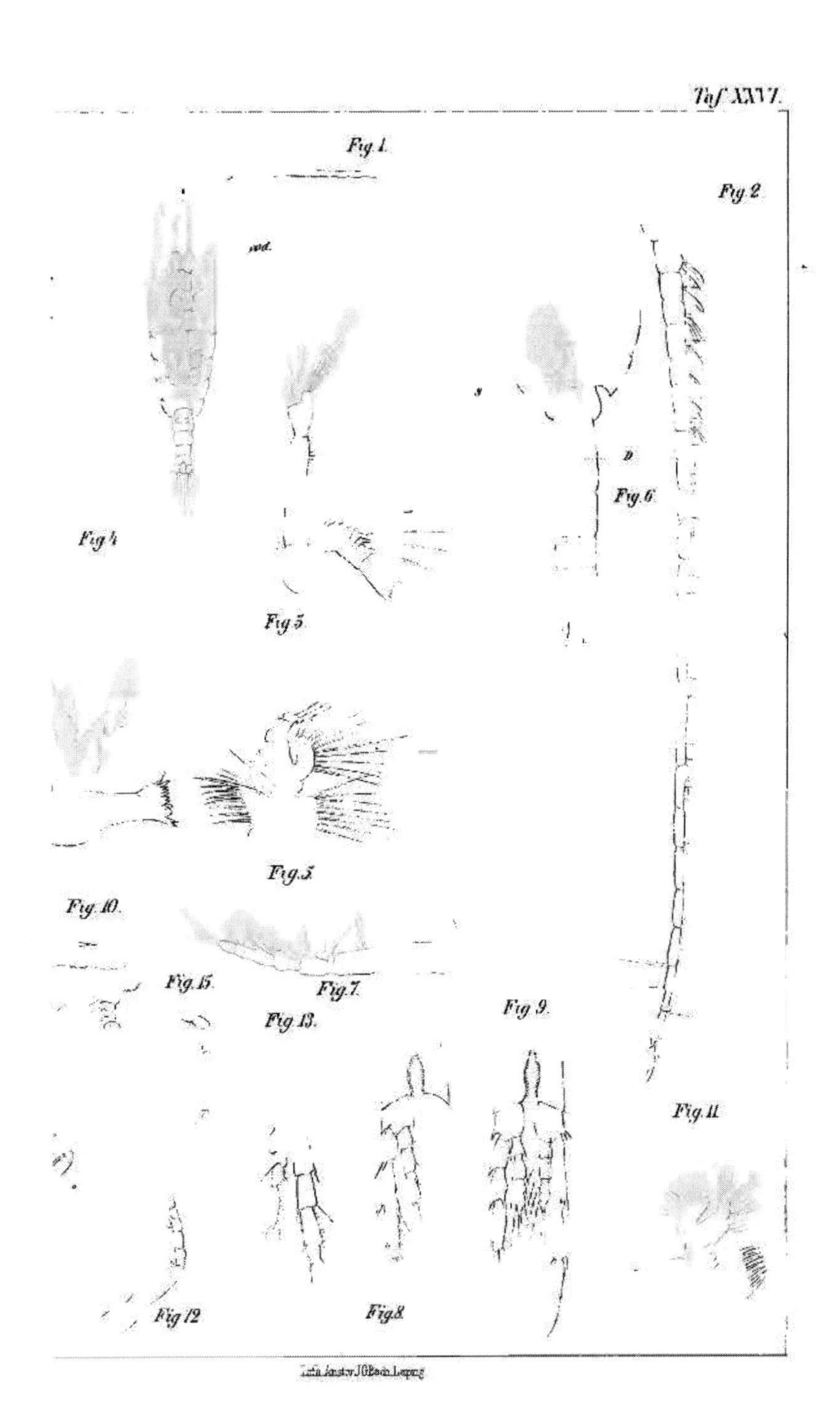

Lith. Anst. v. J.G. Bach, Leipzig.

Taf. XXVII.

Fig. 5.

Fig. 2.

Fig. 6.

Fig. 11.

Fig. 3.

Fig. 10.

Fig. 7.

Fig. 4.

Fig. 13.

Fig. 8.

Fig. 18.

Fig. 14.

Fig. 15.

Fig. 1.

Fig. 12.

Fig. 16.

Fig. 9.

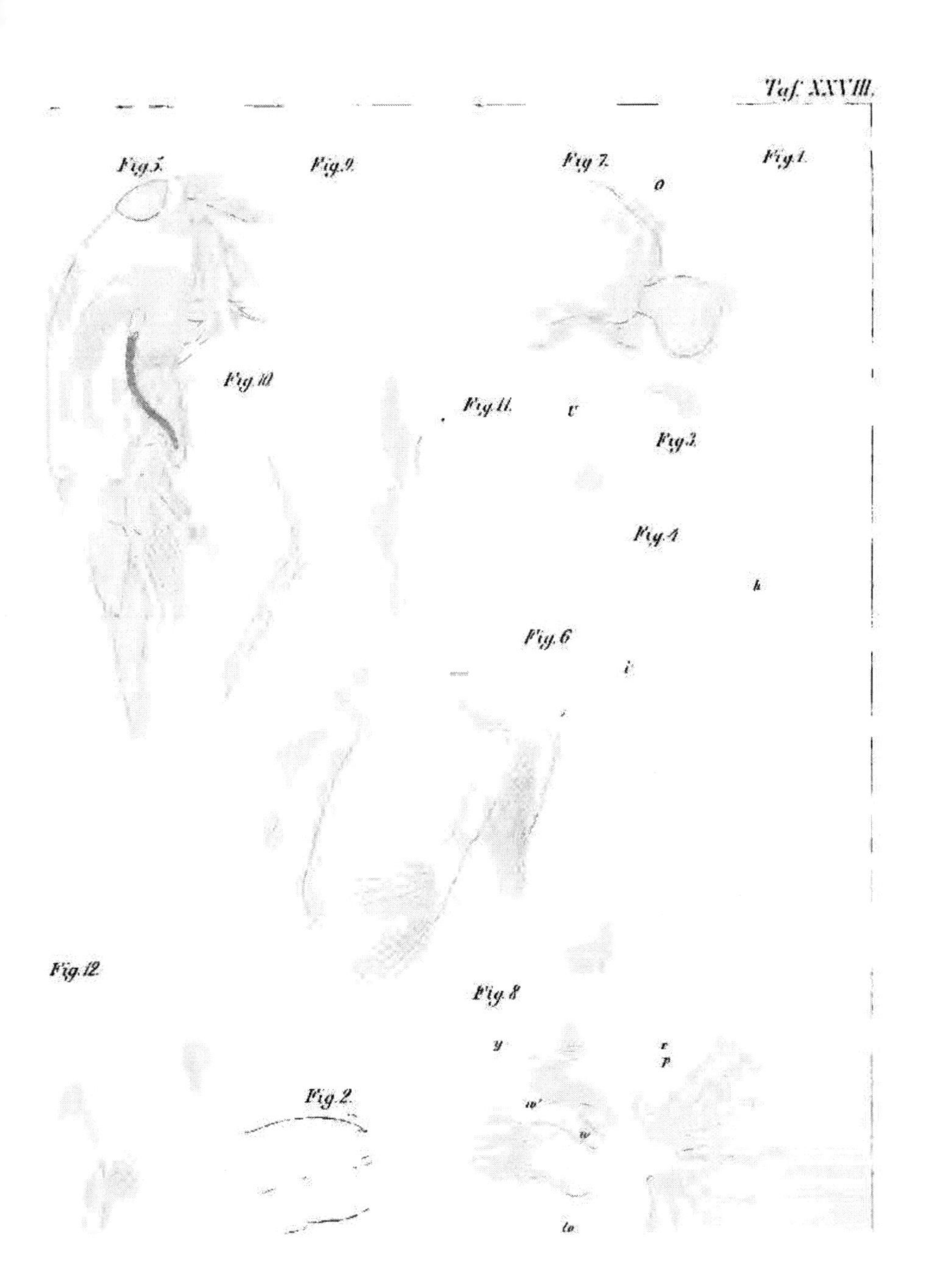

Fig. 5.
Fig. 9.
Fig. 7.
Fig. 1.
o
Fig. 10
Fig. 11.
v
Fig. 3.
Fig. 4.
h
Fig. 6
i
Fig. 12.
Fig. 8
y
r
p
Fig. 2.
w'
w
w

Taf. XXIX.
Fig. 1.
Fig. 2.
Fig. 3.
Fig. 4.
Fig. 5.
Fig. 6.
Fig. 7.

Fig.1.
Fig.2.
Fig.3.
Fig.4.
Fig.5.
Fig.6.
Fig.7.
Fig.8.
Fig.9.
Fig.10.
Fig.11.
Fig.12.
Fig.13.
Fig.14.
Fig.15.
Fig.16.
Fig.17.
Claus del.

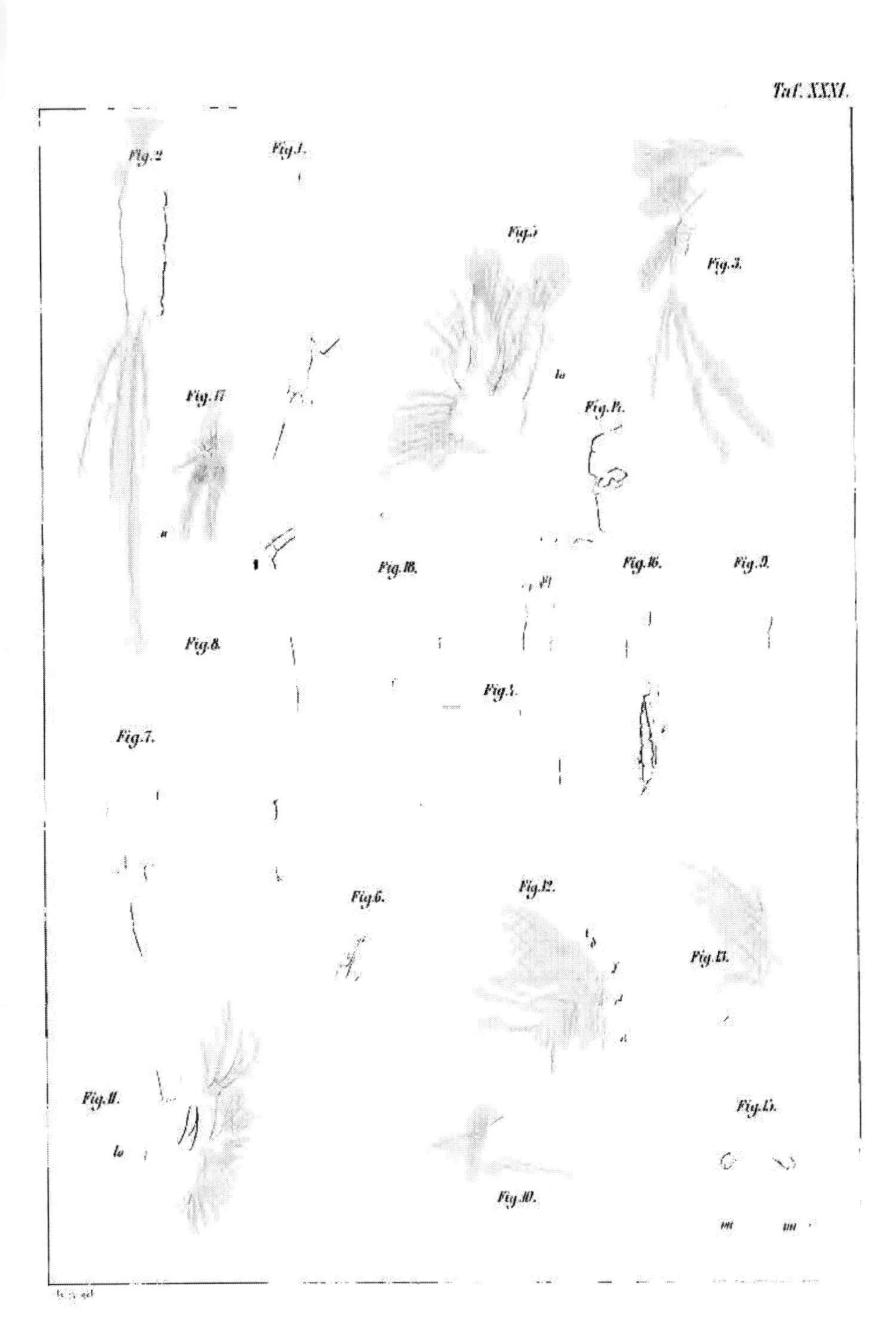
Fig. 1.
Fig. 2
Fig. 3.
Fig. 4.
Fig. 5
Fig. 6.
Fig. 7.
Fig. 8.
Fig. 9.
Fig. 10.
Fig. 11.
Fig. 12.
Fig. 13.
Fig. 14.
Fig. 15.
Fig. 16.
Fig. 17
Fig. 18.

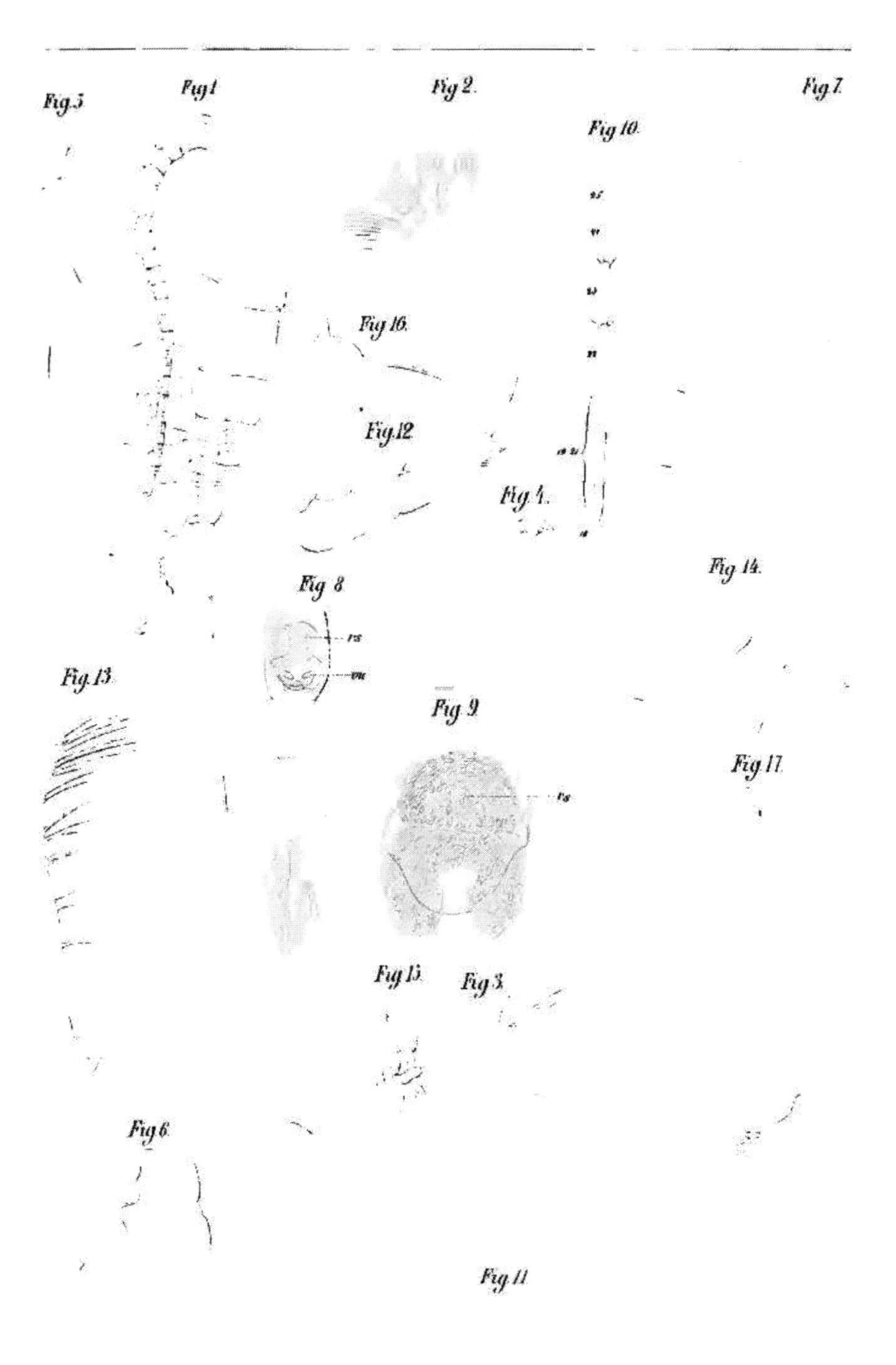
Fig.5
Fig.1
Fig.2.
Fig.7.
Fig.10.
Fig.16.
Fig.12.
Fig.4.
Fig.14.
Fig.8
rs
m
Fig.13.
Fig.9
rs
Fig.17.
Fig.15.
Fig.3.
Fig.6.
Fig.11.

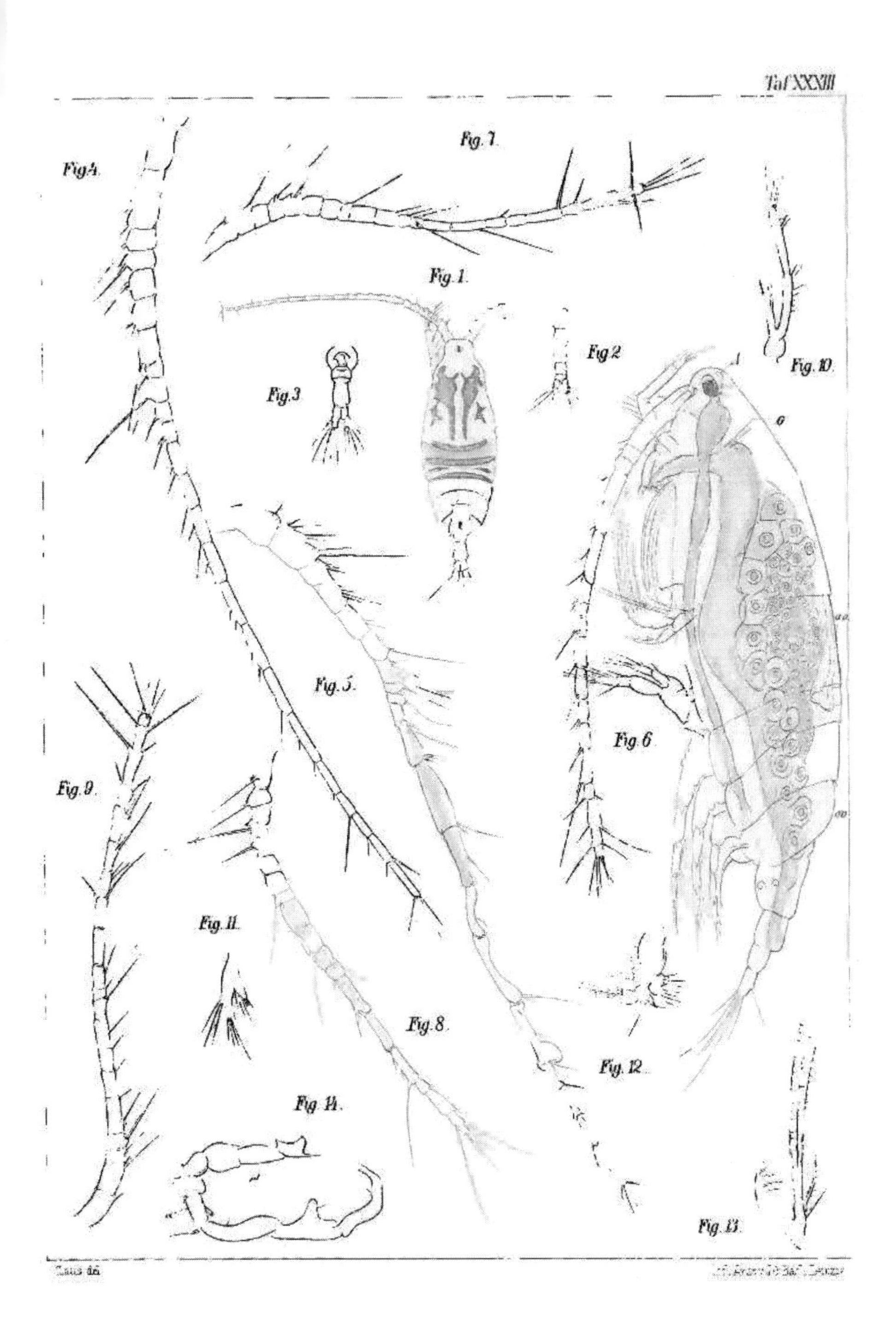
Fig. 1.
Fig. 2
Fig. 3
Fig. 4.
Fig. 5.
Fig. 6
Fig. 7.
Fig. 8.
Fig. 9.
Fig. 10.
Fig. 11.
Fig. 12.
Fig. 13.
Fig. 14.

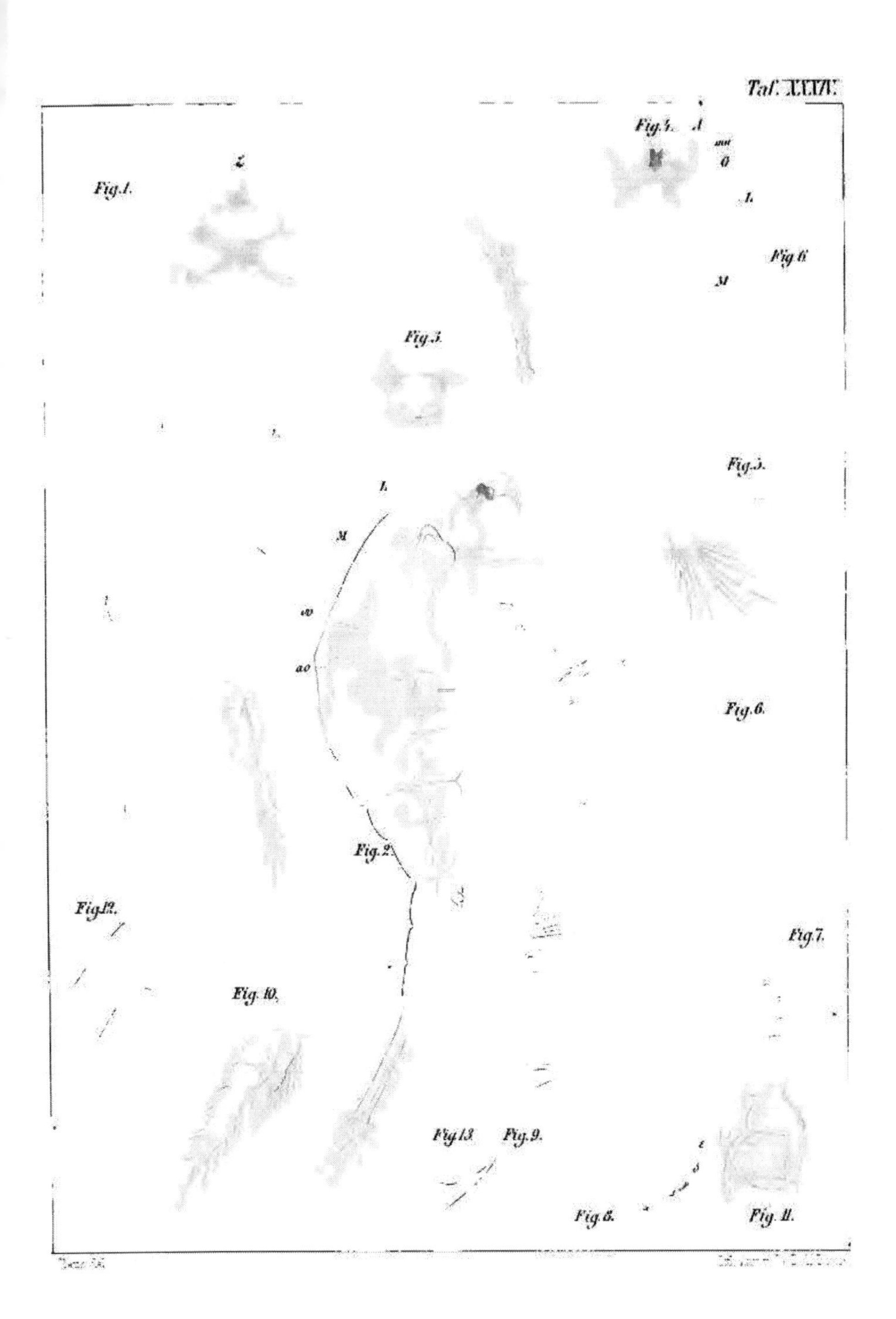
Fig. 1.
Fig. 2.
Fig. 3.
Fig. 4.
Fig. 5.
Fig. 6.
Fig. 7.
Fig. 8.
Fig. 9.
Fig. 10.
Fig. 11.
Fig. 12.
Fig. 13.

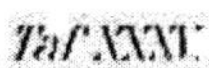
Taf. XXXV.

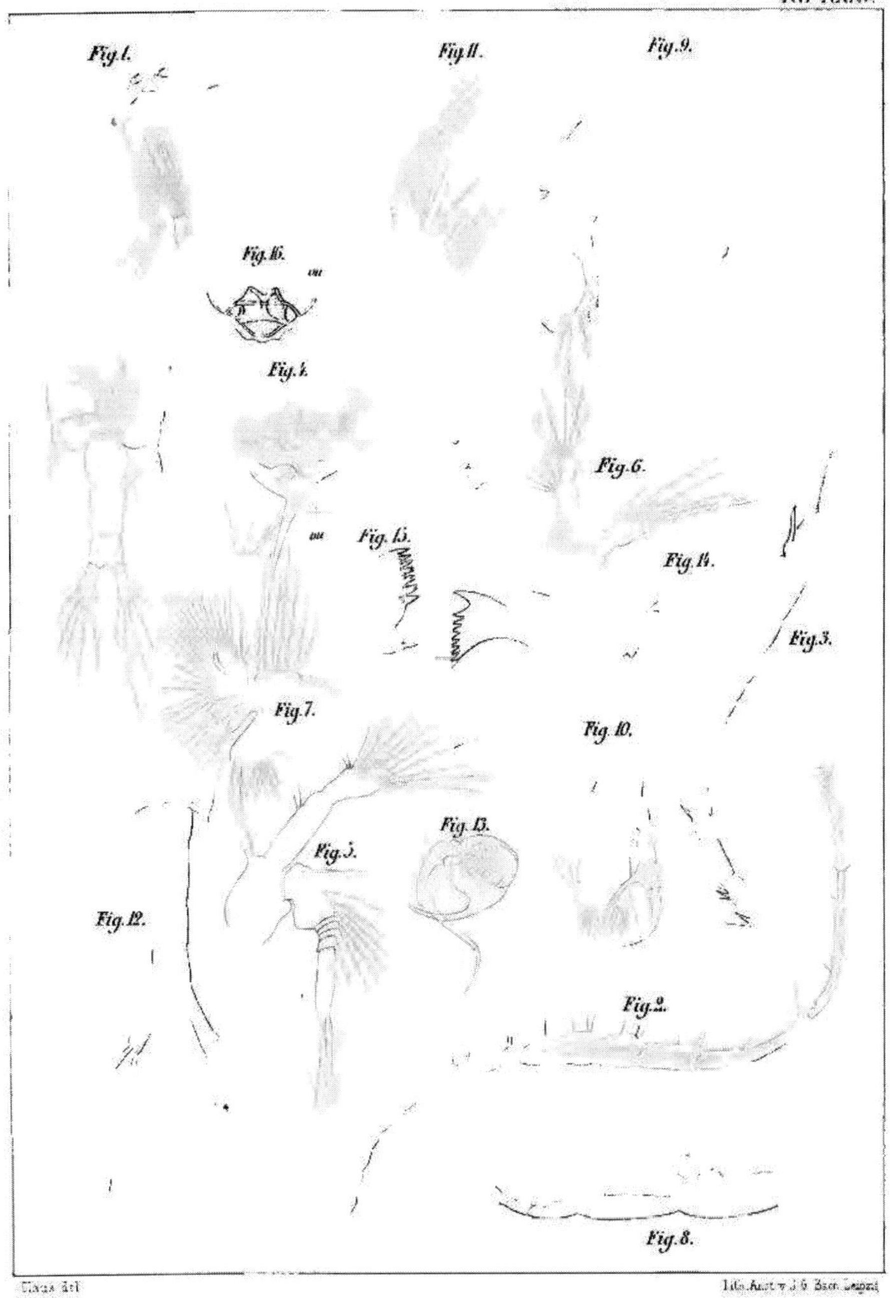
Fig. 1.
Fig. 11.
Fig. 9.
Fig. 16.
Fig. 4.
Fig. 6.
Fig. 15.
Fig. 14.
Fig. 3.
Fig. 7.
Fig. 10.
Fig. 13.
Fig. 5.
Fig. 12.
Fig. 2.
Fig. 8.

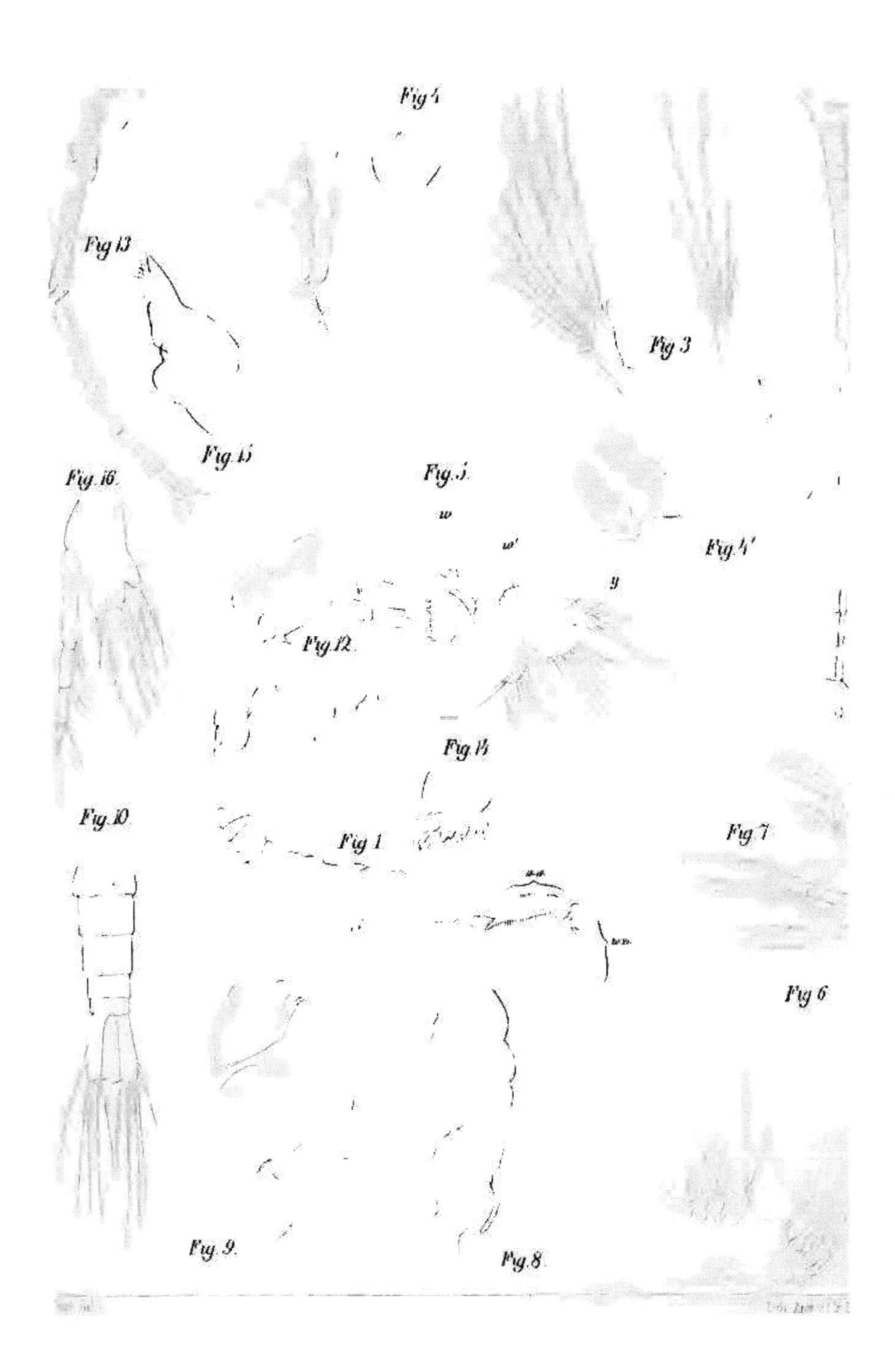
Fig 4
Fig 13
Fig 3
Fig 15
Fig 16
Fig 5
w
w'
Fig 4'
y
Fig 12
Fig 14
Fig 10
Fig 1
Fig 7
Fig 6
Fig 9
Fig 8

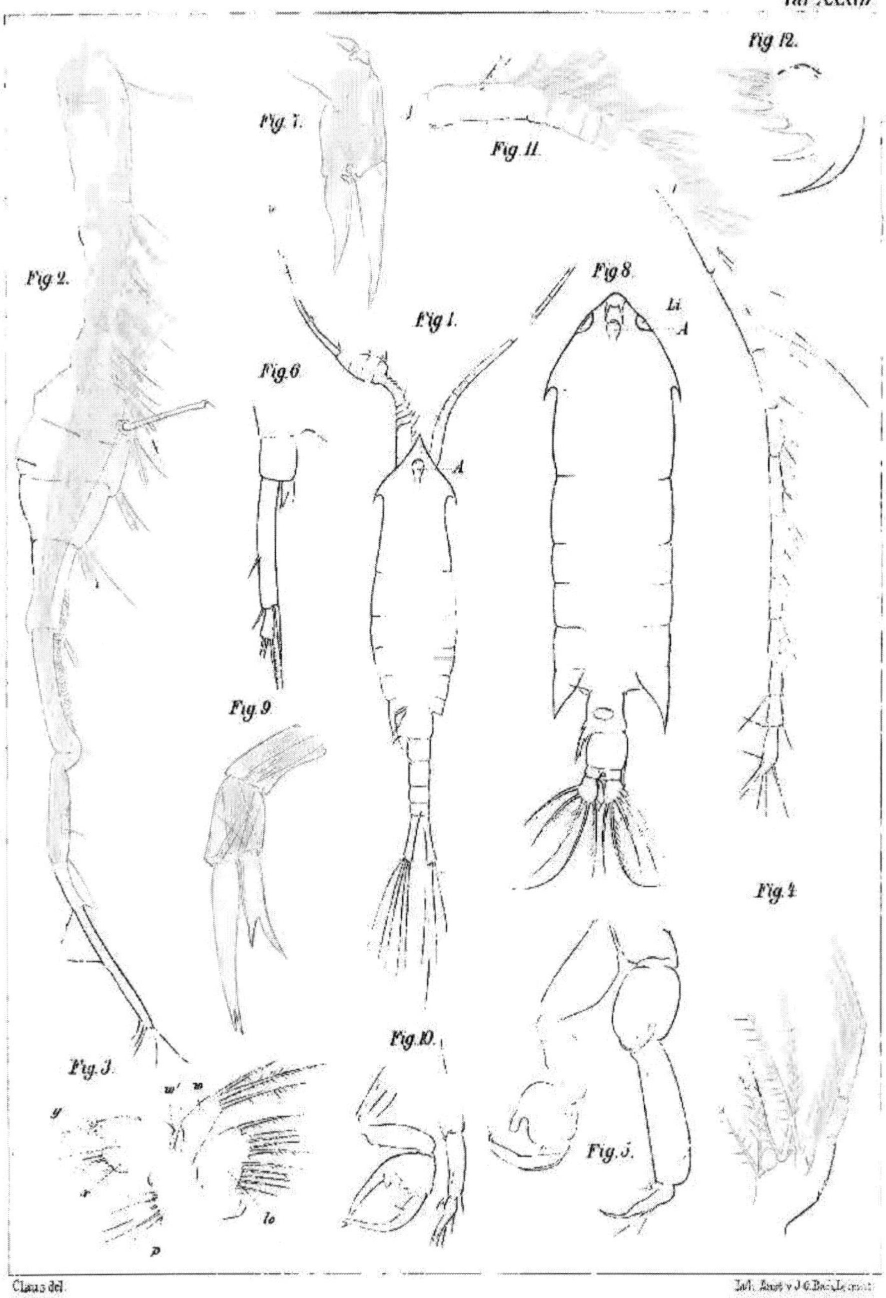
Taf. XXXVII
Fig. 12.
Fig. 7.
Fig. 11.
Fig. 2.
Fig. 8.
Li
A
Fig. 1.
Fig. 6
A
Fig. 9
Fig. 4
Fig. 10.
Fig. 3.
w'
w
y
x
p
lo
Fig. 5.
Claus del.

Bei **Wilhelm Engelmann** in Leipzig erschien ferner:

BIBLIOTHECA ENTOMOLOGICA.

Die Literatur über das ganze Gebiet der Entomologie bis zum Jahre 1862

von **Dr. Herm. August Hagen**
in Königsberg.

Zwei Bände. Mit einem systematischen Sachregister.
gr. 8. brosch. 1863. 7 Thlr. 10 Ngr.

Bibliotheca zoologica.

Verzeichniss der Schriften über ZOOLOGIE,

welche in den periodischen Werken enthalten und vom Jahre 1846 bis 1860 selbständig erschienen sind. Mit Einschluss der allgemein-naturgeschichtlichen, periodischen und palaeontologischen Schriften.

Bearbeitet von

J. Victor Carus und Wilh. Engelmann.

2 *Bde. Mit einem vollständigen Sach- und Autorenregister.*
gr. 8. 1861. br. 11 Thlr.

Untersuchungen

über niedere Seethiere.

Von

Wilh. Keferstein,
Dr. und Prof. der Zoologie an der Univ. Göttingen.

Mit 11 Kupfertafeln. gr. 8. 1862. 2 Thlr. 25 Ngr.

Zoologische Beiträge

gesammelt im Winter 1859/60 in Neapel und Messina.

Von

Wilh. Keferstein und Ernst Ehlers.

Mit 15 Kupfert. 4. 1861. br. 8 Thlr.

Das

elektrische Organ des Zitterwelses

anatomisch beschrieben.

Von

Theod. Bilharz,
weil. Dr. und Prof. der Anatomie an der med. Schule in Kairo.

Mit 4 lithographirten Tafeln. Fol. 1857. br. 3 Thlr. 10 Ngr.

Zur

Naturgeschichte der Infusionsthiere.

Von

Th. W. Engelmann,
Stud. med.

Mit 4 Kupfertafeln. gr. 8. 1862. br. 25 Ngr.

Die Infusionsthiere

auf ihre Entwickelungsgeschichte untersucht.

Von

Friedrich Stein,
Dr. med. und K. K. Prof. der Zoologie in Prag.

Mit 6 Kupfertafeln. gr. 4. 1854. br. 8 Thlr.

Der

Organismus der Infusionsthiere,

nach eigenen

Forschungen in systematischer Reihenfolge bearbeitet.

I. Abtheilung: *Allgemeiner Theil und Naturgeschichte der hypotrichen Infusionsthiere.*

Von

Friedr. Stein.

Mit 14 Kupfertafeln. gr. Fol. 1859. geh. 16 Thlr.

Entwickelungsgeschichte

der Wirbelthiere.

Von

Heinrich Rathke,
weil. Professor in Königsberg.

Mit einem Vorwort von A. Kölliker.
gr. 8. 1861. br. 2 Thlr.

Vorträge zur vergleichenden Anatomie

der Wirbelthiere.

Von

Heinrich Rathke.

Mit einem Vorwort von C. Gegenbaur.
gr. 8. 1862. br. 1 Thlr. 15 Ngr.

Die Perlmuscheln

und ihre Perlen

naturwissenschaftlich und geschichtlich mit Berücksichtigung der Perlengewässer Bayerns beschrieben.

Von

Theodor von Hessling,
Dr. und Prof. an der Universität München.

Mit 8 (lithograph.) Tafeln und einer Karte.
Lex. 8. 1858. br. 6 Thlr.

Die Süsswasserfische

der Oesterreichischen Monarchie

mit Rücksicht auf die angrenzenden Länder bearbeitet.

Von

Jakob Heckel, weil. Kustos am k. k. Hof-Naturalienkab. etc. etc., und **Rudolf Kner,** Dr. u. k. k. Prof. d. Zool. a. d. Univ. Wien etc. etc.

Mit 204 Holzschnitten. gr. 8. 1858. br. 8 Thlr.

Das Mikroskop und die mikroskopische Technik.

Ein Handbuch für Aerzte und Studirende

von

Heinrich Frey.
Dr. und Professor der Medizin an der Universität Zürich.

Mit 228 Figuren in Holzschnitt und Preisverzeichnissen mikroskopischer Firmen. gr. 8. br. 1863. 2 Thlr. 20 Ngr.

Die Süsswasserfische von Mitteleuropa.

Von

C. Th. E. von Siebold.
Professor der Zoologie und vergleichenden Anatomie in München.

Mit 64 Holzschnitten und 2 farbigen Tafeln. gr. 8. brosch. 1863. 4 Thlr. 20 Ngr.

Druck von Breitkopf und Härtel in Leipzig.

FSC
www.fsc.org
MIX
Papier aus verantwortungsvollen Quellen
Paper from responsible sources
FSC® C141904

Druck:
Customized Business Services GmbH
im Auftrag der KNV-Gruppe
Ferdinand-Jühlke-Str. 7
99095 Erfurt